新能源汽车故障诊断手册

（纯电动汽车+混合动力汽车）

顾惠烽　等◎编著

化学工业出版社

·北京·

内 容 简 介

《新能源汽车故障诊断手册》共15章，系统且全面地阐述了新能源汽车在使用过程中可能出现的各类故障。内容涵盖动力电池故障、驱动电机故障、高压系统故障、低压系统故障、EV模式故障、HEV模式故障、充电系统故障、制动系统故障、空调系统故障、控制器故障、自动变速器故障、电气系统故障、线控底盘悬架故障以及辅助驾驶故障等各个关键领域。

本手册所收录的案例，均源自一线车间的真实维修场景，涉及漏电、断电、无法上电、不能充电、充电中断、无法锁止、动力受限、灯光报警、仪表报故障、门锁打不开、行驶中熄火、转向无助力、门窗开启异常、空调不制热或不制冷、纯电动或混合动力模式失灵等各类车型常见故障现象，且精心总结出一系列行之有效的诊断排除方法、操作步骤和操作要领。

为助力读者更好地理解和掌握，重点内容均配备操作视频讲解，扫描书内相应章节的二维码即可观看，实现轻松学习、快速上手。

本手册适合新能源汽车维修技术人员使用，也可作为职业院校、培训学校新能源汽车相关专业的教学参考用书。

图书在版编目（CIP）数据

新能源汽车故障诊断手册 ： 纯电动汽车+混合动力汽车 / 顾惠烽等编著. -- 北京 ： 化学工业出版社，2025.9. -- ISBN 978-7-122-48686-8

Ⅰ. U469.707-62

中国国家版本馆CIP数据核字第2025G6T217号

责任编辑：黄　滢　　　　装帧设计：王晓宇
责任校对：宋　玮

出版发行：化学工业出版社（北京市东城区青年湖南街13号　邮政编码100011）
印　　装：三河市航远印刷有限公司
710mm×1000mm　1/16　印张30　字数568千字　2025年11月北京第1版第1次印刷

购书咨询：010-64518888　　　　售后服务：010-64518899
网　　址：http：//www.cip.com.cn
凡购买本书，如有缺损质量问题，本社销售中心负责调换。

定　　价：198.00元

前言 PREFACE

随着现代汽车技术与电子、AI 等技术的深度融合，新能源汽车的构造也日益复杂，故障成因、类型与表现形式愈发多元。这无疑给新能源汽车的维修工作带来了巨大挑战。因此，熟练掌握新能源汽车故障的识别、检测、分析、诊断与排除方法，成为新一代汽车维修技术人员的必备技能。对于普通新能源汽车驾驶者而言，了解一些基本的故障识别与维修技巧，也有助于日常安全、便捷用车，避免车辆出现故障时手足无措。基于此，化学工业出版社精心组织编写了这本《新能源汽车故障诊断手册》。

本手册内容系统、实用，以一线新能源汽车维修车间的真实案例贯穿始终，具有很强的可操作性。手册共 15 章，依次介绍了动力电池故障、驱动电机故障、高压系统故障、低压系统故障、EV 模式故障、HEV 模式故障、充电系统故障、制动系统故障、空调系统故障、控制器故障、自动变速器故障、电气系统故障、线控底盘悬架故障以及辅助驾驶故障等。针对各类故障，均按照故障车辆的车型信息、故障现象、故障诊断与排除方法、故障案例总结的逻辑进行编排。不仅深入剖析故障原因，而且给出具体诊断排查流程与操作步骤，并总结提炼案例分析技巧和维修操作要点，力求授人以渔，助力读者举一反三，通过少数案例掌握一系列故障的诊断排除方法。

在编写过程中，尽可能遵照新能源汽车维修人员的日常维修用语进行通俗易懂地介绍。同时，采用直观的图解搭配高清操作视频的形式，扫描相应章节的二维码，即可观看配套的操作视频，视频资源与图文内容对照学习，让知识吸收更加直观高效。

此外，本手册还配有 200 多个一线车间疑难杂症诊断应用案例，供读者学习过程中参考借鉴。限于篇幅，案例没有在手册中一一列出，有需要的读者购书后可发邮件至编辑邮箱 huangying@cip.com.cn（请提供购书截屏）或致电 010-64519275 免费领取。

本手册由在汽车维修行业拥有多年故障诊断与教学培训经验的技术专家团队结合自身日常工作实践精心打造。编写人员有顾惠烽、彭川、陈浩、黎文武、潘婷婷、赵鹏媛、郭建英、卓幼义、安康、李威，编写过程中参考了相关的图书、多媒体资料及原车维修手册，在此一并表示衷心的感谢！

限于笔者水平，书中疏漏之处在所难免，敬请广大读者批评指正。

编著者

目录 CONTENTS

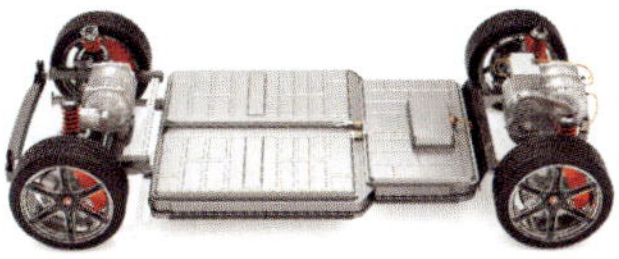

第1章 新能源汽车故障诊断技术

第2章 动力电池故障

第 8 章 充电系统故障

第11章 控制器故障

本书配套视频清单

<table>
<tr><th>序号</th><th colspan="2">扫描书内二维码可观看的视频内容</th><th>二维码页码</th></tr>
<tr><td>1</td><td colspan="2">预充电阻检测</td><td>1</td></tr>
<tr><td rowspan="2">2</td><td rowspan="2">拆装动力电池总成</td><td>拆卸动力电池总成</td><td rowspan="2">24</td></tr>
<tr><td>安装动力电池总成</td></tr>
<tr><td>3</td><td colspan="2">检查混合动力蓄电池</td><td>33</td></tr>
<tr><td>4</td><td colspan="2">动力电池标定</td><td>48</td></tr>
<tr><td>5</td><td colspan="2">驱动电机三相线束检测</td><td>62</td></tr>
<tr><td>6</td><td colspan="2">拆卸电动机 MG1</td><td>100</td></tr>
<tr><td>7</td><td colspan="2">安装电动机 MG1</td><td>100</td></tr>
<tr><td>8</td><td colspan="2">拆卸电动机 MG2</td><td>100</td></tr>
<tr><td>9</td><td colspan="2">安装电动机 MG2</td><td>100</td></tr>
<tr><td>10</td><td colspan="2">高压线束拆装</td><td>105</td></tr>
<tr><td>11</td><td colspan="2">电力电子箱拆装</td><td>113</td></tr>
<tr><td>12</td><td colspan="2">高压控制盒主接触器拆装</td><td>135</td></tr>
<tr><td>13</td><td colspan="2">检查维修塞</td><td>158</td></tr>
<tr><td rowspan="2">14</td><td rowspan="2">维修开关拆装</td><td>比亚迪 E5</td><td rowspan="2">186</td></tr>
<tr><td>丰田普锐斯</td></tr>
<tr><td>15</td><td colspan="2">车载充电机拆装</td><td>213</td></tr>
<tr><td>16</td><td colspan="2">检测便携式充电桩</td><td>261</td></tr>
<tr><td rowspan="2">17</td><td rowspan="2">电动空调压缩机</td><td>拆卸电动空调压缩机</td><td rowspan="2">280</td></tr>
<tr><td>安装电动空调压缩机</td></tr>
<tr><td>18</td><td colspan="2">电机控制器拆装</td><td>321</td></tr>
<tr><td>19</td><td colspan="2">旋变传感器检测</td><td>344</td></tr>
<tr><td>20</td><td colspan="2">拆卸齿轮传动机构</td><td>377</td></tr>
<tr><td>21</td><td colspan="2">仪表介绍</td><td>403</td></tr>
</table>

第1章 新能源汽车故障诊断技术

扫一扫

视频精讲

1.1 新能源汽车常用工具及防护

1.1.1 诊断与维修注意事项

❶ 禁止未参加该车型高压系统知识培训的维修人员拆卸高压系统，包括手动维修开关、高压电池包、驱动电机、电力电子箱、高压配电单元、高压线束、空调压缩机、交流充电线束、快速充电口、电加热器、慢充电器。

❷ 在拆卸或装配高压配件时，必须断开12V电源和高压电池包上的手动维修开关。

❸ 在进行高压相关操作前，维修人员必须穿戴好劳保用品，戴好绝缘手套，穿好高压绝缘鞋。在戴绝缘手套前，必须检查绝缘手套是否有破损的地方，确保手套无绝缘失效。

❹ 在安装和拆卸过程中，应防止制动液、洗涤液等液体浸入或飞溅到高压部件上。

1.1.2 新能源汽车故障诊断仪

新能源汽车故障诊断仪如图1-1-1所示。

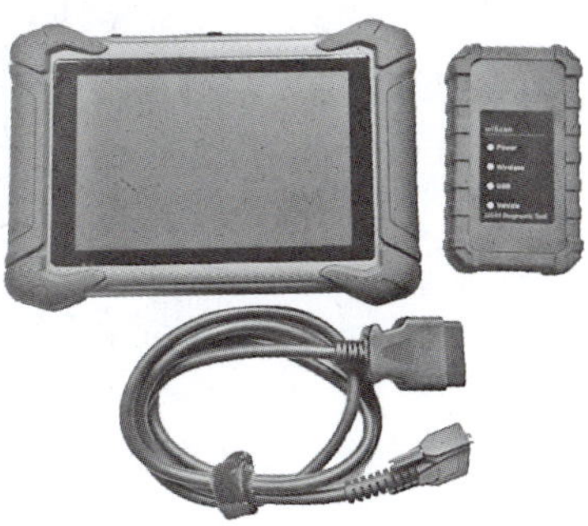

图1-1-1 新能源汽车故障诊断仪

1.1.3 诊断工具

（1）绝缘工具

棘轮扳手、套筒、接杆和扳手（图1-1-2）。

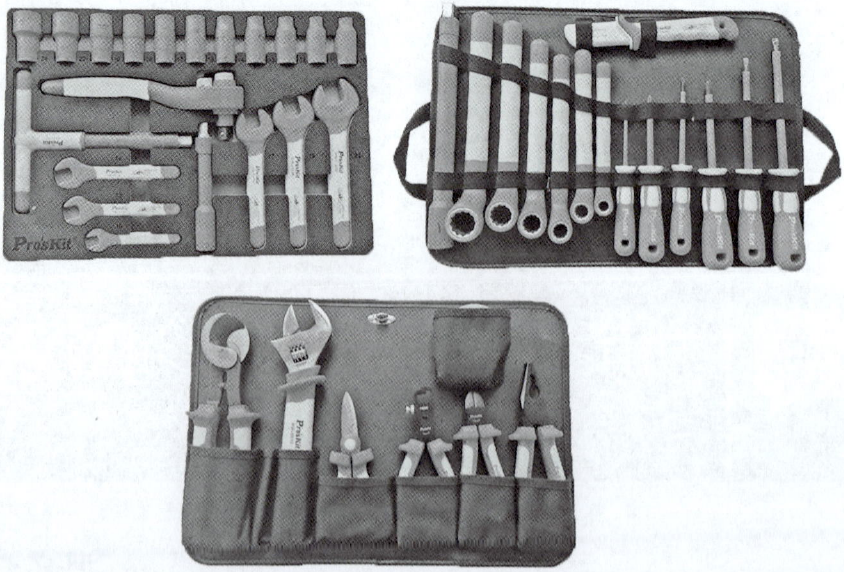

图 1-1-2　绝缘工具

扭力扳手如图 1-1-3 所示。

图 1-1-3　扭力扳手

（2）万用表（图 1-1-4）

直流电压最高测量 1000V，交流电压最高测量 700V。

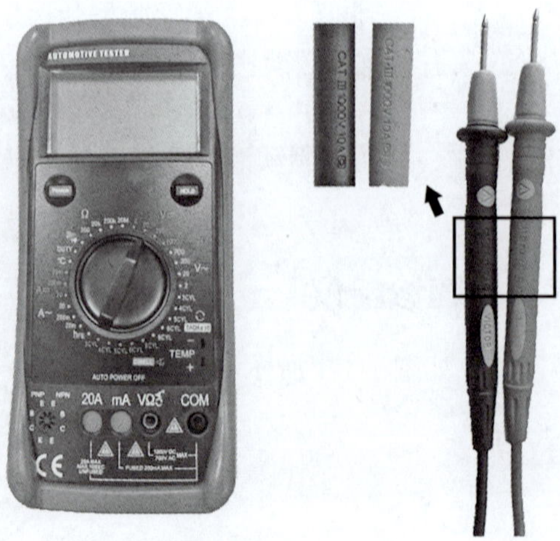

图 1-1-4　万用表

(3) 电流表（图 1-1-5）

图 1-1-5　电流表

1.1.4　维修防护

(1) 绝缘手套 / 鞋

应使用 1000V 耐久性的绝缘手套 / 鞋（图 1-1-6）。

(a) 绝缘手套　　(b) 绝缘鞋

图 1-1-6　绝缘手套 / 鞋

使用前确认：

❶ 应气吹处理，确认是否穿孔（图 1-1-7）；

❷ 应检查手套是否潮湿。

图 1-1-7　检查绝缘手套

（2）干粉灭火器

涉及用电，需使用干粉灭火器（图 1-1-8）。

图 1-1-8　干粉灭火器

1.2 新能源汽车故障诊断基础

1.2.1　新能源汽车故障排除流程

（1）理解并确认客户报修问题

尽可能多地了解客户情况。例如，这个故障显现何时出现？何处出现该状况？该状况持续了多长时间？该状况多久发生一次？为了确认客户报修问题，必须首先熟悉系统的正常工作情况。

（2）确认车辆行驶状况

车辆正常运行时，存在该情况，那么客户描述的故障情况可能属于正常情况。在与客户描述情况相同的条件下，与操作正常的类似车辆进行比较，如果其他车辆存在类似情况，那么这可能是车辆的设计原因。

（3）预检并进行全面的目视检查

❶ 对车辆进行外观全面检查。

❷ 检测是否有异常的响声或异味。

❸ 采集故障码（DTC）信息，以便进行有效的修理。

（4）执行系统化的车辆诊断与检查

通过预检获取的信息，针对故障区域进行系统化的诊断和确认，确认系统工作是否正常，并确定执行何种诊断类别。

（5）查询或检索相关的案例信息

查阅已有案例信息，确定是否之前已有这样的故障维修案例，这样可以最大限度缩短后期维修和诊断的时间。

（6）诊断类别

❶ 针对当前故障码：按照指定的故障码进行有效的诊断和维修。

❷ 针对无故障码：选择合适的症状诊断程序，按照症状诊断思路和步骤诊断、维修。

❸ 针对未公布的诊断程序：分析问题，制定诊断方案。从维修手册中查看故障系统的电源、搭铁、输入和输出电路，确定接头和其他多条电路相连接的部位。查看部件的位置，确认部件、连接器或线束是否暴露在极端温度或湿度环境下，以及是否会接触到具有腐蚀性的蓄电池酸液、机油或其他油液。

❹ 针对间歇性 / 历史故障码：间歇性故障是一种不连续出现、很难重现，且只在条件符合时发生的故障。一般情况下，间歇性故障是由电气连接器和线束故障、部件故障、电磁 / 无线电频率干扰、行驶状况导致的。以下方法或工具有利于定位和修理间歇性故障码或历史故障码。

a. 结合专业知识和可用的维修信息。

b. 判断客户描述的症状和状况。

c. 使用故障诊断仪和数字式万用表。

（7）找到故障根本原因后再修理并检验修复情况

找到故障根本原因后，进行修理并检验是否正确操作。确认故障码或症状已消除。

（8）重新检查客户报修问题

如果未能找到问题所在，必要时重新检查，重新确认客户报修问题。

1.2.2 新能源汽车主要指示灯 / 警告灯诊断

当纯电动汽车或插电式混合动力汽车出现故障时，通常在仪表上会显示出相应的故障灯来提醒驾驶人，并根据车辆的实际运行情况以及结合故障类型，启动相应的故障模式。常见警告灯及含义见表 1-2-1。

表 1-2-1 常见警告灯及含义

指示灯 / 警告灯	含义
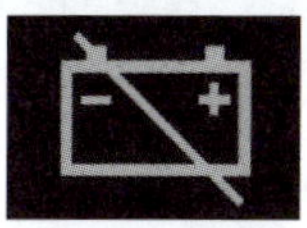	动力电池切断：动力电池处于切断状态时，LED 常亮
	动力电池故障：当动力电池发生故障时，LED 常亮

续表

指示灯 / 警告灯	含义
	低电量提示：当动力电池的 SOC 低时 LED 常亮，提示驾驶人需充电
	系统报警提示：当系统存在报警或降功率运行时，LED 常亮 系统故障：当系统出现故障，不能正常工作时，LED 常亮或闪烁
	电机系统故障：当电机系统出现故障，不能正常工作时，LED 常亮
	车辆准备就绪指示：只有该灯亮时，车辆才可以正常行驶，且驾驶过程中常亮（注意：有些车辆也用 OK 灯）
	电机及控制器过热报警：当驱动电机或电机控制器过热时，LED 常亮
	外接充电指示灯：当车辆外接充电手柄或者正在充电时，LED 常亮

1.2.2.1　指示 / 警告灯的使用思路

当新能源汽车出现警告灯点亮的情况后，可以遵循以下原则执行相应的检查。

一看：看仪表上显示的故障灯，定位故障部位。

二查：查故障码和系统状态，找到故障原因。

三清：清除故障，问题解决以后，通过诊断仪重新清除故障码，从而熄灭仪表上的警告灯。

此外，针对仪表中出现多个故障警告灯，通常可以参考图 1-2-1 所示的优先级的顺序进行诊断。

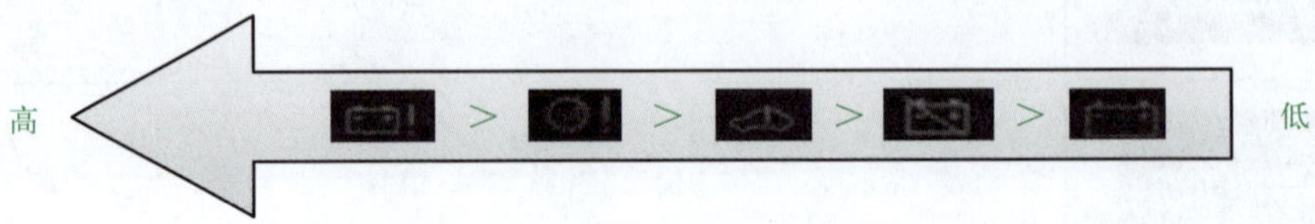

图 1-2-1　故障灯优先级

注意：① 针对上电以后整车无故障，但是不能进入启动模式的情况，需要先确认挡位是否在空挡，如不在空挡则退回空挡以后再尝试启动；

② 针对整车无故障，动力性能减弱的情况，需要注意电量低提示灯是否点亮，如亮请及时充电；

③ 针对电池充满电以后，电池不能连接，电池切断指示灯亮，需要查看外接充电线是否拔掉。外接充电线连接时整车不能行驶。

1.2.2.2 常见故障警告灯的原因及诊断方法

（1）钥匙打到 ON 挡后，仪表所有灯不亮，或闪烁，或比较暗

❶ 可能原因。

a. 仪表灯不亮：12V 蓄电池的端子被拔掉或者蓄电池严重亏电。

b. 仪表灯闪烁或者比较暗：蓄电池亏电。

❷ 诊断方法。

a. 检查发动机舱 12V 蓄电池的端子是否被拔掉，若被拔掉，连接后再试。

b. 若蓄电池连接仪表灯不亮，说明 12V 蓄电池严重亏电，需更换电池。

c. 仪表灯闪烁或变暗，说明 12V 蓄电池亏电，需要及时对 12V 蓄电池进行充电或者更换。

不更换蓄电池的方法：在高压蓄电池电量良好并且充电线断开的情况下，可以通过搭铁线将其与有电的 12V 蓄电池连接，钥匙拧至Ⅱ位置使高压继电器吸合，DC/DC 转换器开始工作以后即可断开搭铁线连接。在操作过程中请注意安全，正负极不要反接或短接。

注意：有些车辆需要启动以后，DC/DC 转换器才会对低压 12V 蓄电池进行充电。

判断 DC/DC 转换器工作的方法：仪表 LED 指示电池电流为负值；通过电压表测试蓄电池两端的电压大于 13V。

（2）12V 蓄电池故障灯常亮

❶ 可能原因。

a. 由于存放时间过长或者过量使用 12V 蓄电池导致其电压较低。

b. DC/DC 转换器故障，不能给 12V 蓄电池充电。

c. DC/DC 转换器熔丝熔断，或 12V 蓄电池上方的熔丝熔断。

d. 连接 DC/DC 转换器至 12V 蓄电池端的线束问题。

❷ 诊断方法。

尝试通过钥匙重复上电、断电操作，看能否熄灭故障灯，如不能可参照下述方法。

a. 更换蓄电池或者给蓄电池补充电。

b. 若为 DC/DC 转换器原因不能给 12V 蓄电池充电，需要对故障进行进一步排查。

（3）动力电池故障灯常亮，整车不能启动

❶ 可能原因。

a. 高压电池系统（BMS）故障。

b. 高压动力电池本体单体存在故障。

❷ 诊断方法。首先尝试用钥匙重复进行上电、断电操作，看能否熄灭故障灯，如不能熄灭故障灯，执行下述方法。

a. 维修人员通过诊断仪读取故障码，根据具体故障码参照整车维修手册进行维修。

b. 检测高压部件时请专业人员进行，禁止私自操作，必须注意高压安全事项，按照手册中要求进行维修。

（4）系统故障灯常亮或者闪烁，整车不能启动

❶ 可能原因。

a. 整车控制器 VCU 严重故障。

b. 整车 CAN 通信存在短路 / 断路故障。

c. 制动真空压力传感器异常。

d. 高压系统（电池 / 电机 / 压缩机 / 整车控制器）互锁系统故障。

e. 冷却风扇驱动故障。

f. 逆变器驱动 / 继电器驱动故障。

g. 加速踏板故障。

h. 压缩机或 PTC 驱动故障。

i. 电机转矩监控故障。

j. 低压主继电器驱动故障。

❷ 诊断方法。首先尝试用钥匙重复进行上电、断电操作，看能否熄灭故障灯，如不能熄灭故障灯，执行下述方法：维修人员通过诊断仪读取故障码，根据具体故障参照整车维修手册进行维修。

（5）系统故障灯和动力电池故障灯不亮，电池断开指示灯亮

❶ 可能原因。

a. 高压继电器盒内熔丝熔断。

b. 高压继电器（正极 / 负极 / 预充电）控制线束有问题。

c. 继电器本身损坏。

d. 预充电阻失效。

❷ 诊断方法：对高压系统进行检查，专业人员在检查时，严格遵守操作要求，注意安全。

（6）电驱动系统报警灯常亮

❶ 可能原因。

a. 电机系统故障。

b. 电机控制器故障。

❷ 诊断方法。出现故障灯和电池断开时，先查故障，再检查电池断开指示灯。

首先尝试用钥匙重复进行上电、断电操作，看能否熄灭故障灯，如不能熄灭故障灯，执行下述方法：维修人员通过诊断仪读取故障码，根据具体故障参照维修手册进行维修。

1.2.3 新能源汽车故障诊断基本方法

（1）故障诊断前注意事项

必须查询并依照新能源汽车的维修手册，依规依序操作。

❶ 新能源汽车高压电气系统，包含动力电池、逆变电路、驱动电机系统、电子控制系统和线束等。为了保证安全，所有的高压电线均已采取密封或隔离措施，高压电线采用洁净的橙色加以区分，维修手册上清楚标注出所有橙色线为高压电线（200 ～ 500V）。

❷ 维护时注意“READY”指示灯，“READY”指示灯点亮发动机可能正在运转中，以此判断车辆此时是处于工作状态还是停机状态（注意“READY”指示灯熄灭后电源仍会持续供电 5min）。

在对车辆进行维修工作之前，都要确保“READY”指示灯是熄灭的，故应关闭点火开关，并把车钥匙取下来。

❸ 在维护检修时按规定着装，禁止佩戴首饰、手表、戒指、项链等。准备吸水毛巾或布、灭火器、绝缘胶布、万用表，必须选用适用于电工作业的、绝缘的、耐碱的橡胶手套及防碱类型的鞋和护目镜，防止电解液溢出等造成的意外伤害。

（2）故障诊断前操作准备

对新能源汽车进行诊断、维修，处理损坏车辆、进行事故恢复或急救工作时，必须首先禁用高电压系统，具体方法如下。

❶ 挡位开关置于 P 挡位置，驻车制动，拔下钥匙。

❷ 断开辅助电池负极端子。

❸ 戴上绝缘手套，拆下手动维修开关，将手动维修开关用绝缘胶布贴封起来，隔离外露区域与高压系统的接线端或连接器。

❹ 断开手动维修开关后，在开始检查前等待 5min，使用万用表检测需要维修的高电压系统输入与输出线路的每一个相位电压，读数必须小于规定值（一般小于 3V）。

（3）故障诊断与维修基本步骤

❶ 初步判断故障前行驶状况、故障时车辆状况及对相关信息进行分析。

新能源汽车在故障状态下均会进入失效保护模式，虽然不同的汽车制造厂商设计的失效保护模式不一定相同，但是主要的动力驱动系统模式却很相似。

❷ 采用车辆故障诊断仪诊断汽车故障时，检查并记录系统中所有的故障码，确认高电压系统存在的故障码，并将故障信息代码进行优先排序（图 1-2-2）。

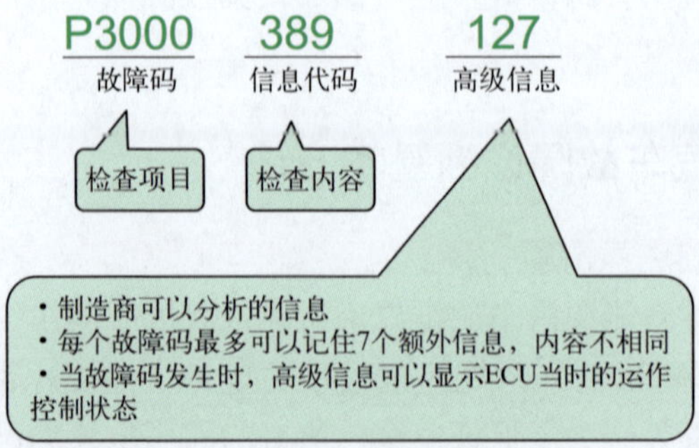

图 1-2-2　普锐斯车辆故障码具体含义

❸ 检查并记录每一个系统，并检查历史记录数据。因为历史记录数据可以被用作故障再现试验，因为它知道在故障被检测到时行驶和操作的状态。

❹ 在分析故障码时，需要区分与故障不关联的故障码。例如，在普锐斯车型中，不关联的故障如下。

a. 在日光照射不了的条件下，故障码 B1424（日光传感器回路异常）有时会输出。

b. 高电压系统有故障时再生制动器不起作用，电子制动系统 ECU 从 HVECU 接收故障信号并输出故障码 C1259（HV 系统再生故障）、C1310（HV 系统故障）。

c. 电动助力系统 ECU 从 HVECU 接收故障信号并输出故障码 C1546（HV 系统故障）。

d. 当 12V 蓄电池端子断开时，电子悬架系统输出故障码 B2421（转向中间位置自动校正不完全故障）。

e. 维修人员按照故障码优先顺序检查 P0A60-501（相位 V 电流传感器故障），在故障恢复后清除故障码，并检查故障是否能够重现，以确定故障可靠排除。

f. 主动测试功能应用。主动测试主要用于对新能源车辆进行故障检查，并使车辆保持特定的运行状态。例如，在丰田普锐斯车型中主动测试的项目如下。

ⓐ 诊断模式 1：将挡位开关置于 P 挡位，连续运行发动机并取消牵引力的控制，用于检查发动机点火正时、HC/CO 的排放情况，检查发动机运转情况和转速表工作情况。

ⓑ 诊断模式 2：取消牵引力控制，用于检查发动机点火正时、HC/CO 的排放情况，检查发动机运转情况和转速表工作情况。

ⓒ 变频器驱动强制停止：持续切断 HVECU 内部的功率三极管，用于确认是否在变频器或 HVECU 内部有漏电。

其检查工作原理如下。

ⓐ 诊断仪驱动 HVECU 输出一个长期关闭的指令（图 1-2-3）。

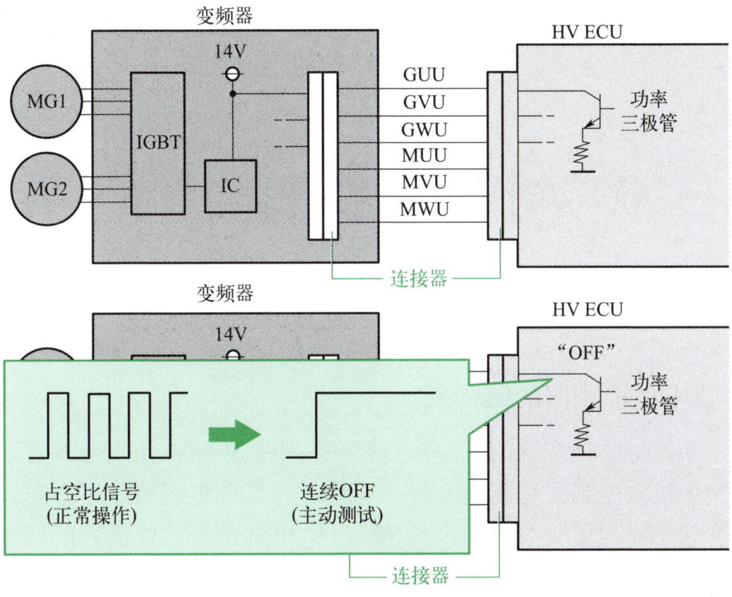

图 1-2-3　HVECU 输出关闭指令

ⓑ 系统检查变频器 U、V、W 信号，每一个端子的电压都应该是 12 ～ 16V（图 1-2-4）。

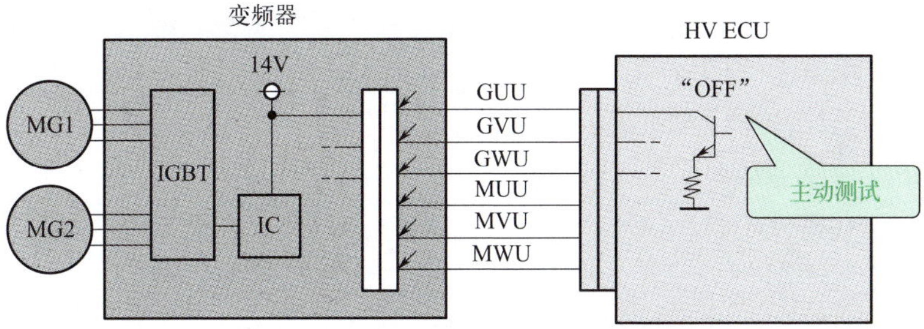

图 1-2-4　系统执行输入端检查

ⓒ 系统执行变频器电压检查，变频器一侧的电压应该是 14 ～ 16V（图 1-2-5）。

以上任何一步检查失效，均可以判断对应步骤中的零部件发生高电压的泄漏。

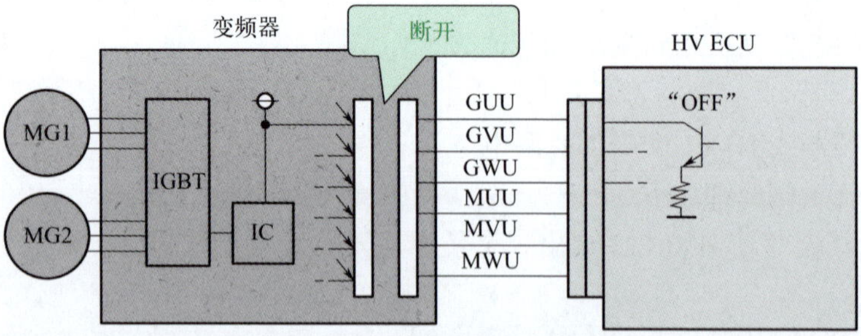

图 1-2-5　系统执行输出端检查

1.3 新能源纯电动汽车故障诊断思路

1.3.1　纯电动汽车电机及驱动系统故障诊断思路

1.3.1.1　电机控制器故障诊断

电机控制器是驱动系统的核心执行模块。电机控制器接收电池管理器和整车控制单元的信息，控制三相驱动电机的运转，并实现电机转速、方向和转矩的改变。电机控制器通过接收电机角度传感器（电机解角器传感器）信号作为控制命令的输出反馈，实现系统的闭环控制。

（1）故障现象

❶ 电机控制系统存在故障时，会导致电机不能正常运转，使车辆失去动力。

❷ 位于车辆仪表内的动力系统故障指示灯将点亮。

❸ 如果仅该指示灯点亮，说明电机的温度过高，系统将降低电机的功率输出。

（2）故障原因

❶ 控制器模块本身的故障；

❷ 角度传感器故障；

❸ 电源和搭铁不良。

（3）诊断步骤

❶ 读取故障码。使用诊断仪读取可能存在的故障码（表 1-3-1）。

表 1-3-1　电机及驱动系统相关的故障码

故障码（DTC）	故障描述	可能发生部位
P1 B00-00	IPM 故障	电机控制器
P1 B01-00	旋变故障	MG2 电机线束，接插件
P1 B02-00	欠电压保护故障	电机控制器
P1 B03-00	主接触器异常故障	电机控制器 电池管理器 电压配电箱
P1 B04-00	过电压保护故障	电机控制器
P1 B05-00	IPM 散热器过温故障	电机控制器
P1 B06-00	挡位故障	挡位管理器 电机控制器 / 线束
P1 B07-00	节气门异常故障	节气门深度传感器回路
P1 B08-00	电机过温故障	制动深度传感器回路
P1 B09-00	动力电机过电流故障	MG2 电机
P1 B0A-00	缺相故障	电机控制器，线束
P1 B0B-00	EEPROM	

❷ 检查控制器电源与搭铁。

根据故障码提示完成故障检测，包括电源和搭铁的线路检测。电源不搭铁诊断参考如图 1-3-1 所示的电路。

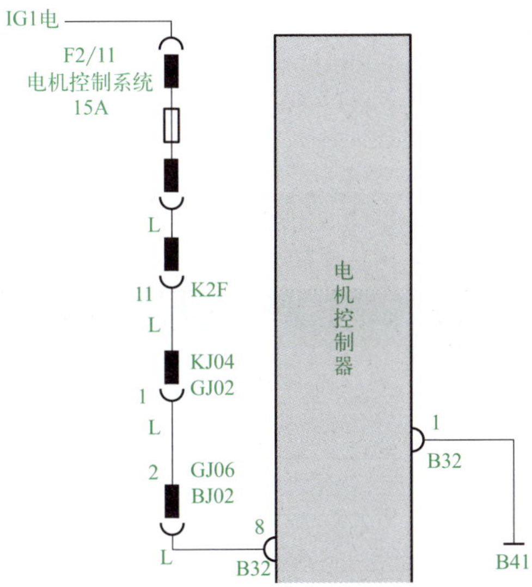

图 1-3-1　电机控制器电源与搭铁参考电路

拔下电机控制器 B32（外围 24PIN 棕色接插件）连接器。测量线束端连接器各端子间的电阻或电压。连接器端子与正常值分别如图 1-3-2 和表 1-3-2 所示。

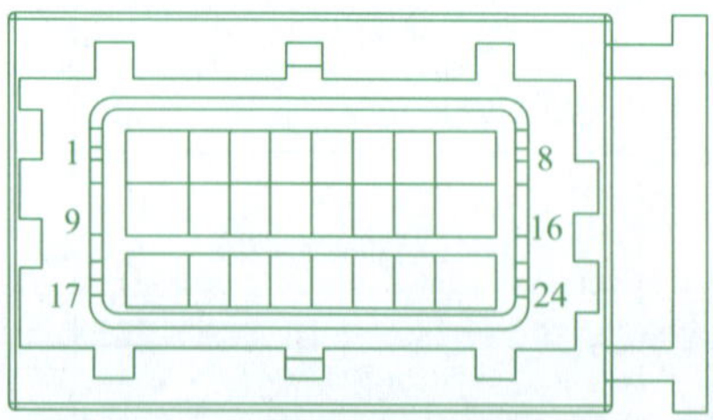

图 1-3-2 电机控制器 B32 连接器

表 1-3-2 电机控制器 B32 连接器端子的正常值

端子	线色	条件	正常值
B32-8—车身搭铁	L	电源打到 ON 挡	11 ～ 14V
B32-1—车身搭铁	B	电源打到 ON 挡	＜ 1Ω

❸ 检查电机控制器与电机低压端子线束电阻。

用诊断仪检查电机控制器和电机。对照如图 1-3-3 和表 1-3-3 所示的结果测量，如果不符合规格，则更换相应的组件。

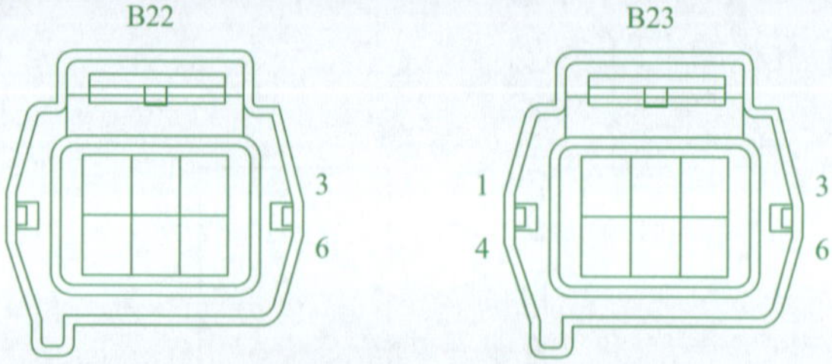

图 1-3-3 电机控制器连接器 B22、B23 端子

表 1-3-3 电机控制器连接器 B22、B23 端子与正常值

端子	线色	正常值
B33-7—B23-1	O	＜ 1Ω
B33-15—B23-4	Lg	＜ 1Ω
B33-4—B22-1	Y/L	＜ 1Ω
B33-5—B22-2	Y/O	＜ 1Ω
B33-6—B22-3	Y/G	＜ 1Ω

续表

端子	线色	正常值
B33-12—B22-4	L/W	< 1Ω
B33-13—B22-5	L/O	< 1Ω
B33-14—B22-6	Gr	< 1Ω

电机控制器检测数据：测量电机控制器高压正负极输入端与控制器向动力电机输出端的电压值（表 1-3-4）。

表 1-3-4　动力电机输出端电压值

至动力电机输出相位	电压正常值在 0.3V 左右	
A 相	与控制器输入正极	0.3V
	与控制器输入负极	
B 相	与控制器输入正极	
	与控制器输入负极	
C 相	与控制器输入正极	
	与控制器输入负极	

1.3.1.2　驱动电机故障诊断

驱动电机发生故障时，通常仪表板会点亮动力系统的故障警告灯。应用故障诊断仪读取故障码，根据故障码提示的内容进行检修。

1.3.2　纯电动汽车动力电池系统故障诊断思路

1.3.2.1　电源管理控制器故障诊断

电源管理控制器是整车动力电池的主控模块，负责采集动力电池的电池单元电压、温度、电流数据，使动力电池处于最佳的充放电水平；此外，该模块还会负责控制高压配电箱内高压继电器的接通与断开，并诊断继电器（接触器）故障信息。

（1）故障症状

电源管理控制器存在故障时，会导致高电压系统内接触器不能工作，使车辆失去动力。位于车辆仪表内的动力系统故障指示灯将点亮。

（2）故障原因

电源管理控制器的主要故障原因是电源供电异常，或模块自身搭铁不良。

（3）故障诊断

使用诊断仪读取，可能存在故障码 P1A58-00，内容为电池管理系统初始化错误。

❶ 使用万用表测量电源管理控制器 M33-6 号针脚，标准值：蓄电池电压（图 1-3-4）。

❷ 使用万用表测量电源管理控制器 M33-27 号针脚，在点火开关处于 ON 位置时，标准值：蓄电池电压。

❸ 使用万用表测量 M33-5、M33-7、M33-40、M33-26、M33-28 号针脚，在蓄电池负极断开情况下，标准值：与车身搭铁电阻为 0.2Ω 以下。

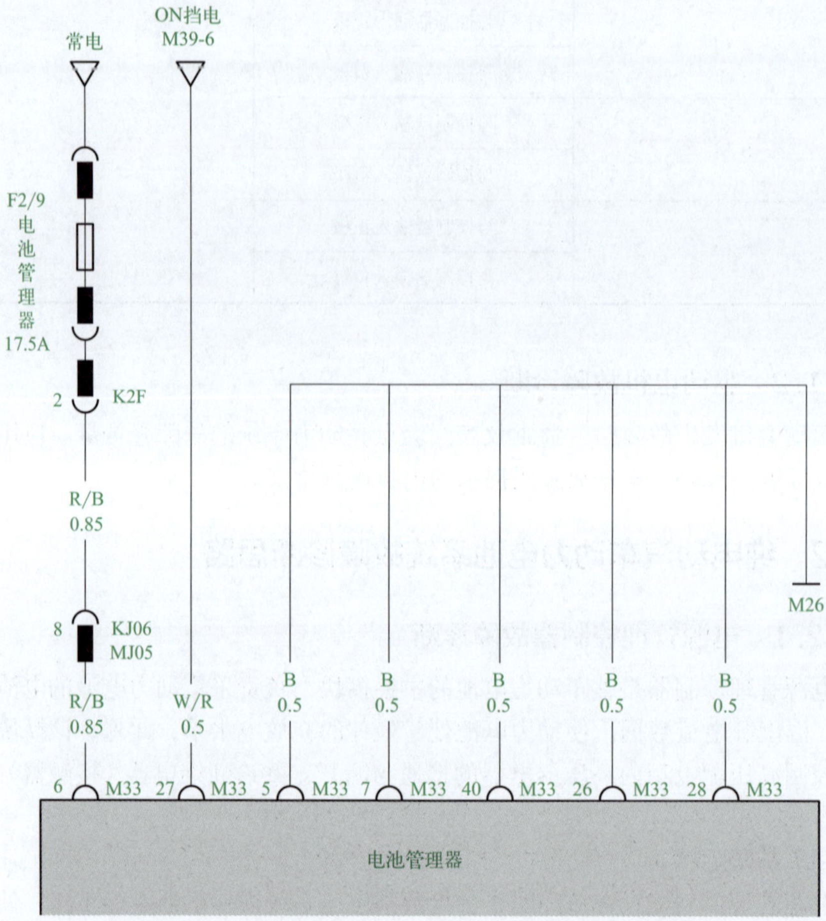

图 1-3-4　比亚迪 E6 电源管理控制器电源和搭铁电路

1.3.2.2 动力电池故障诊断

❶ 通过故障诊断仪读取电池组数据，并配合接线板进行实测，通过最终数据进行判断是动力电池故障，还是电源管理控制器或其他组件故障。

❷ 单节电池电压值异常。单节电压过高会导致无法充电，过低会导致断电保护。充电过程中，单节最高电压应低于3.8V，行车过程中，单节电压低于2.2V会断电保护，低于2.4V时系统会报警。

❸ 单节电池温度异常。温度过高会导致无法充电（高于65℃充电保护）。

❹ 电池包损坏、漏液、漏电检测。

动力电池对外绝缘电阻的要求如下。

❶ 绝缘电阻值的要求。在动力电池的整个寿命内，根据标准计算方法计算得到绝缘电阻值，所得值大于100Ω。

❷ 测试前要求。在整个测试过程中，动力电池的开路电压等于或高于其标称电压值，动力电池两极应与动力装置断开。

❸ 测量工具。能够测量直流电压的伏特表，其内阻应大于10MΩ。

1.3.3 纯电动汽车充电系统故障诊断思路

1.3.3.1 纯电动汽车充电系统故障分类

纯电动汽车充电系统故障分为严重故障、蓄电池故障、一般故障和告警提示（表1-3-5）。

当发生严重故障时，设备或者充电模块须立即停机，等待专业维护人员维修；当蓄电池出现热失控故障时，应立即停止充电，并主动告警，同时在充电系统后台中记录；当发生一般故障时，充电设备停止本次充电，并做好故障记录（需重新插拔充电电缆后，才能进行下一次充电）；当充电设备处于告警提示状态时，充电设备中止充电，待故障现象排除后自动恢复充电（检测到故障状态解除后，重新通信握手，开始充电）。

表1-3-5 纯电动汽车充电系统故障分类

故障分类	故障描述	故障名称
严重故障	直接影响人身安全级别的故障	绝缘故障
		漏电故障
		泄放回路故障
		防雷故障

续表

故障分类	故障描述	故障名称
蓄电池故障	可能引发蓄电池热失控风险的故障	达到单体最高电压未停止充电
		达到蓄电池总电压未停止充电
		达到蓄电池最高允许温度未停止充电
一般故障	不涉及人身安全但需要及时维护的故障	连接器故障
		电子锁故障
		急停故障
		输入过 / 欠压
		输入缺相
		交流接触器故障
		直流接触器故障
		充电模块故障
		充电电流不匹配
		输出短路
		输出过压 / 过流
		蓄电池反接
		充电系统过温
		充电枪过温
告警提示	设备处于告警提示状态	通信超时

1.3.3.2 纯电动汽车充电系统常见故障诊断

（1）DC/DC 转换器故障

DC/DC 转换器故障主要表现为 DC/DC 转换器未正常工作。解决方案是检查连接器是否正常连接；检查高压熔丝是否熔断；检查使能信号是否给出。

（2）车载充电机故障

❶ 充电桩显示车辆未连接。解决方案是检查车辆与充电桩两端枪是否反接。

❷ 动力电池继电器未闭合。解决方案是检查连接器是否正常连接；检查充

电机输出唤醒是否正常。

❸ 动力电池继电器正常闭合，但充电机无输出电流。解决方案是检查车端充电枪是否连接到位；检查高压熔丝是否熔断；检查高压连接器及线缆是否正确连接。

（3）慢充系统故障

❶ 检查低压蓄电池的电压，正常值应大于 11.5V，否则，应为低压蓄电池充电或更换低压蓄电池。

❷ 将点火开关置于 ON 挡，观察仪表显示情况。如果仪表显示正常，则检查 PE 电路是否正常；如果有故障信息提示，则连接故障诊断仪读取故障码，然后根据故障码信息进行检修。

❸ 检查充电唤醒电路、BMS 唤醒电路、连接确认电路、CP 电路连接是否正常。若电路连接异常，则重新连接或更换故障线束及插接件；若电路连接正常，则进入步骤❹。

❹ 检查动力电池的总正、总负继电器及其控制电路和电源电路是否正常。若继电器自身故障，则更换继电器；若电路连接异常，则重新连接或更换线束及插接件；若均正常，则进入步骤❺。

❺ 检查车载充电机的电源、唤醒电路。若电路连接异常，则重新连接或更换线束及插接件；若电路连接正常，则表明车载充电机存在故障，应检修或更换车载充电机。

对于慢充系统，如果动力电池总正、总负继电器可以正常闭合，说明慢充系统的唤醒、控制电路正常；此时若车辆无法充电，主要是由慢充接口、车载充电机、高压配电箱、动力盖电池之间的高压电路等故障所致。对于此类故障，应先检查高压电路是否正常，高压配电箱内部熔断器是否正常；然后检查车载充电机、动力电池内部是否正常。

（4）快充系统故障

对于快充系统，如果出现动力电池总正、总负继电器无法闭合的故障，其主要原因有唤醒电路、PE 电路、CP 电路连接故障，搭铁电路断开，快充接口、快充线束及插接件故障，VCU、动力电池的低压控制电路故障等。对于此类故障，应检查各电路的连接是否正常，如连接异常，则重新连接或更换线束及插接件；检查高压配电箱、VCU、动力电池及继电器是否正常，如异常，则维修或更换故障部件。

对于快充系统，如果出现动力电池总正、总负继电器正常闭合但无法充电的故障，其主要原因可能是高压配电箱快充继电器故障、高压熔断器熔断、快充线束及插接件故障、动力电池系统故障等。对于此类故障，应检查高压电路是否正常，高压配电箱内部熔断器是否正常，动力电池系统内部是否正常。

1.4 新能源混合动力汽车故障诊断思路

1.4.1 混合动力汽车驱动电机系统故障诊断思路

1.4.1.1 混合动力汽车驱动电机系统常见故障及现象

变频器温度传感器故障或控制电机温度过高、控制电机角度传感器故障和变频器本身故障都会导致车辆不能正常行驶。

混合动力汽车驱动电机系统发生故障的现象如下。

❶ 仪表指示灯点亮。不同车型的故障指示灯是有差别的，应查看车型使用手册。

❷ 车辆功率降低或暂停动力输出。混合动力汽车驱动系统故障会导致车辆降低运行功率或暂停动力输出。

1.4.1.2 混合动力汽车驱动电机系统的故障码

混合动力汽车驱动电机发生故障后，应该首先采用故障诊断仪进行故障码读取和数据流分析。驱动系统的数据流主要在 HVECU 内，可使用故障诊断仪读取到关于驱动系统的故障码和数据流。

不同车型的故障码和数据流是不一样的，实际操作时，应使用厂家提供的最新故障码和数据流。

1.4.1.3 混合动力汽车驱动电机温度传感器异常的故障诊断

以丰田混合动力汽车为例。

(1) 故障现象

仪表提示驱动电机温度过高，系统功率降低。

(2) 故障诊断

❶ 电机温度传感器控制逻辑。

变频器模块会通过电机内的温度传感器和供给的电流计算电机的温度，当温度异常时，系统将降低电机的输出功率，让电机尽快冷却。

采集电机温度的传感器是热敏电阻传感器。热敏电阻的阻值和电机温度相关，它根据电机温度的变化而变化。电机温度越低，热敏电阻的阻值越大；相反，电机温度越高，热敏电阻的阻值越小。电机温度传感器与 HV 控制 ECU 连接。由 HV 控制 ECU 的 MMT 端子提供 5V 的电源电压经过电阻 R 到达电机温度传感器。为了防止电机过热，HV 控制 ECU 根据这种信号限制负载。另外，HV

控制 ECU 检查电机温度传感器是否出现线路故障和传感器故障。

❷ 使用故障诊断仪读取电机温度传感器数据。

读取故障诊断仪上显示的 MG1 发电机温度值。如果电路开路或 +B 短路，则故障诊断仪显示的数据是 -50℃；如果电路 GND 短路，则故障诊断仪显示的数据是 205℃。

若显示的温度不在正常范围 -49 ～ 204℃，则需要检查温度传感器与模块之间的连接线路以及温度传感器本身。

1.4.2 混合动力汽车动力电池系统故障诊断思路

1.4.2.1 混合动力汽车动力电池系统常见故障及现象

动力电池系统是混合动力汽车的重要组成部分，其内部或控制系统存在故障将导致混合动力系统失效，甚至是车辆不能行驶。

动力电池系统有以下常见故障。

❶ 动力电池管理模块本身故障，如供电故障等。

❷ 内部蓄电池电压故障，如监测到过高或过低的单体蓄电池电压。

❸ 动力电池总成冷却系统故障。

❹ 动力电池系统高压输出电路故障。

混合动力汽车动力电池系统的故障现象如下。

❶ 仪表指示灯点亮。动力电池系统发生故障会导致仪表指示灯点亮（图 1-4-1）。

注意：不同车型的故障指示灯可能是不同的。

图 1-4-1 动力蓄电池系统故障指示灯

❷ 车辆不能启动或功率降低。未启动车辆前，会导致车辆不能正常启动；或高速运行的车辆会导致车辆降低运行功率。

1.4.2.2 混合动力汽车动力电池系统的典型故障码

混合动力汽车动力蓄电池系统发生故障后，应该首先采用故障诊断仪进行故障码读取和数据流分析。不同车型的故障码和数据流是不同的。以下介绍丰田普锐斯混合动力汽车动力电池系统的故障码和数据流（表 1-4-1）。

表 1-4-1　丰田普锐斯混合动力汽车动力电池系统常见故障码

故障码	检测项目	故障可能发生部位
PO560（05-667）	系统电压	显示或连接器，HEV 熔丝，蓄电池 ECU
POA1F（25-670）	蓄电池能量控制模块	蓄电池 ECU
POA7F（05-671）	动力蓄电池损坏	动力蓄电池总成，蓄电池 ECU
POA80（05-672）	更换动力蓄电池	动力蓄电池总成，蓄电池 ECU
POA81（05-673）	动力蓄电池冷却风扇 1	后侧风道（鼓风机电机控制器）；蓄电池 ECU
POA82（05-675）	动力蓄电池冷却风扇 1	后侧风道，2 号后侧风道；2 号后侧内风道，通风器内通道；蓄电池鼓风机总成，蓄电池 ECU
POA85（05-677）	动力蓄电池冷却风扇 1	线束或连接器，蓄电池风扇熔丝；1 号蓄电池鼓风机继电器；鼓风机控制器；蓄电池 ECU
POA95（05-686）	高压熔丝	高压熔丝；检修塞，卡箍，蓄电池塞；蓄电池 ECU
POA9B（05-689）	动力蓄电池温度传感器电路	动力蓄电池总成（蓄电池温度传感器）；蓄电池 ECU
POAAC（05-692）	动力蓄电池空气温度传感器“A”电路	动力蓄电池总成（进气温度传感器）；蓄电池 ECU
P3011（05-694）	蓄电池盒 1	动力蓄电池总成；蓄电池 ECU
P3012（05-694）	蓄电池盒 2	动力蓄电池总成；蓄电池 ECU
P3013（05-694）	蓄电池盒 3	动力蓄电池总成；蓄电池 ECU
P3014（05-694）	蓄电池盒 4	动力蓄电池总成；蓄电池 ECU
P3015（05-694）	蓄电池盒 5	动力蓄电池总成；蓄电池 ECU
P3016（05-694）	蓄电池盒 6	动力蓄电池总成；蓄电池 ECU
P3017（05-694）	蓄电池盒 7	动力蓄电池总成；蓄电池 ECU

1.4.2.3　混合动力汽车动力电池电流传感器的检测

（1）电池电流传感器的控制逻辑

以丰田普锐斯混合动力汽车为例，对动力电池电流传感器进行检测。安装在动力蓄电池总成上的负极电缆侧的电流传感器，检测流入动力蓄电池的电流值。电流传感器向动力蓄电池 ECU 的 IB 端子输入一个电压，电压根据电流值在

0～5V之间变化。电流传感器的输出电压低于2.5V时，指示动力蓄电池总成正在充电；高于2.5V时，指示动力蓄电池正在放电。

动力蓄电池ECU根据输入到IB端子的信号来判断动力蓄电池总成的充电和放电，并通过检测电流值测算动力蓄电池的充电状态。

（2）故障现象

车辆功率降低，故障灯点亮。

（3）故障诊断

❶ 读取故障码和数据流。

a. 打开故障诊断仪，选择“与车辆连接”，选择“HV蓄电池”。

b. 读取故障码。选择故障码，查询故障码中是否有P3056——动力蓄电池电流传感器故障。

c. 选择“数据列表”查看数据流，选择“BattPackCurrentVal”，查看动力蓄电池电流值有无波动。

❷ 检查电流传感器的电压。

a. 断开12V蓄电池负极。

b. 断开维修开关，等待5min。

c. 检测电流传感器VIB端子与接地的电压，电压值应小于1V。

d. 检测电流传感器GIB端子与接地的电压，电压值应小于1V。

e. 检测负极对地电压，电压值应小于1V。

f. 检测电流传感器IB端子与接地的电压，电压值应小于1V。

❸ 检查动力蓄电池ECU与电流传感器线束连接器间的电阻。

a. 检测电流传感器1号（VIB）端子与动力蓄电池ECU的B13连接器的VIB端子，测量VIB端子电阻，电阻值应小于1Ω。

b. 检测电流传感器2号（GIB）端子与动力蓄电池ECU的B13连接器的GIB端子，测量GIB端子电阻，电阻值应小于1Ω。

c. 检测电流传感器3号（IB）端子与动力蓄电池ECU的B13连接器的IB端子，测量IB端子电阻，电阻值应小于1Ω。

❹ 检查电流传感器的绝缘性。

a. 将正极探针插入电流传感器1号（VIB）端子，负极探针连接车身接地，测量对地电阻，电阻值应大于10kΩ或者更大。

b. 将正极探针插入电流传感器2号（GIB）端子，负极探针连接车身接地，测量对地电阻，电阻值应大于10kΩ或者更大。

c. 将正极探针插入电流传感器3号（IB）端子，负极探针连接车身接地，测量对地电阻，电阻值应大于10kΩ或者更大。

第2章 动力电池故障

扫一扫

视频精讲

2.1 漏电故障

2.1.1 动力电池漏电

（1）车辆信息

车型：比亚迪秦混合动力车辆，双驱动电机。发动机：1.5L。动力电池：514V。行驶里程：31726km。

（2）故障现象

车辆正常行驶时，组合仪表上突然显示“EV功能受限”，并自动切换到HEV模式。

（3）故障诊断与排除

使用电脑诊断仪检测，在电池管理控制单元BMS中存有历史故障码P1A0000——严重漏电故障。

初步判断导致出现该故障的可能原因有系统软件故障、BMS故障、动力电池故障、电动压缩机或PTC故障、线路故障。

❶ 检查车辆所有控制单元系统版本，均为最新版本。

❷ 由于是偶发故障，读取与BMS相关的数据流，未发现异常。

❸ 检查BMS接插器线束针脚，未发现有进水氧化或退针情况；查看电动压缩机、PTC、电池包等主要高压部件的高低压线束接插器，同样没有发现异常。

❹ 使用兆欧表分别测量电动压缩机和PTC的绝缘电阻，正常，排除电动压

缩机或 PTC 漏电故障。

❺ 对电池包进行漏电检测。连接低压线束，并接上 12V 电源，使用万用表分别测量电池包正、负极母线接口的电压，并比较 V+ 和 V-，电压高的极柱对地电压记录为 U_1，实测为 446V；电压低的对地极柱电压记录为 U_0，实测为 87V。

❻ 在万用表正负表笔之间并联电阻 R（要求 100kΩ 以上电阻，测量所使用的电阻为 105.3kΩ）后重新测量 U_1，并将测得的结果记录为 U_2，实测为 354V。

❼ 按照绝缘阻值计算公式：$(U_1-U_2)\div U_2\times R\times(1+U_0\div U_1)\div U_{max}$，计算出故障车的绝缘阻值 (446-354)÷354×105300×(1+87÷446)÷(514×1.15)，大约为 55Ω/V，明显小于 500Ω/V 的标准，说明故障车的电池包存在严重漏电故障。

公式中 U_{max} 是指电池包最大工作电压，等于车辆铭牌上动力电池额定电压乘以系数 1.15，故障车型铭牌上动力电池的额定电压为 514V。

❽ 更换动力电池并标定，试车，故障排除。

2.1.2 车辆无法启动

（1）车辆信息

车型：比亚迪秦混合动力车辆。发动机：1.5L。行驶里程：61786km。

（2）故障现象

车辆无法启动。

（3）故障诊断与排除

高压系统报漏电故障时，确认是 ON 电报漏电故障，还是 OK 电报漏电故障。整车所有高压模块、橙色线束、漏电传感器及连接线束出现故障时均有可能报漏电故障码。

当高压系统漏电时，漏电传感器发出一个信号给高压电池管理控制器，电池管理控制器检测到漏电信号后，禁止充、放电并报警（图 2-1-1）。

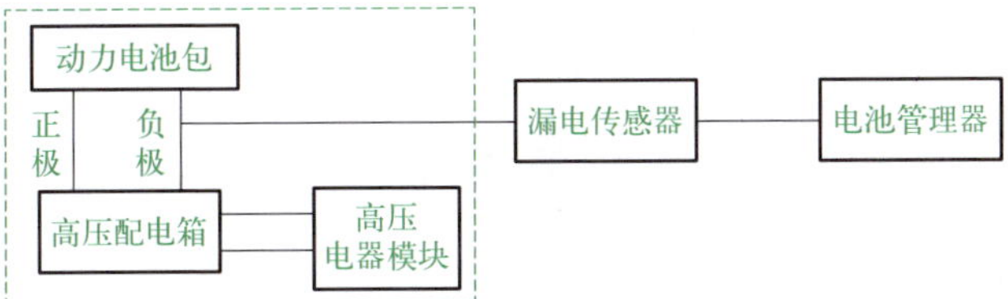

图 2-1-1　高压系统漏电检测原理

漏电传感器：检测动力电池包负极及与其相连接的高压模块和车身底盘之间的绝缘电阻，来判断动力电池包的漏电程度。

当高压 BMS 报漏电故障时，先初步排除漏电传感器线路异常，再确认是 ON 电报漏电故障，还是 OK 电报漏电故障（图 2-1-2）。

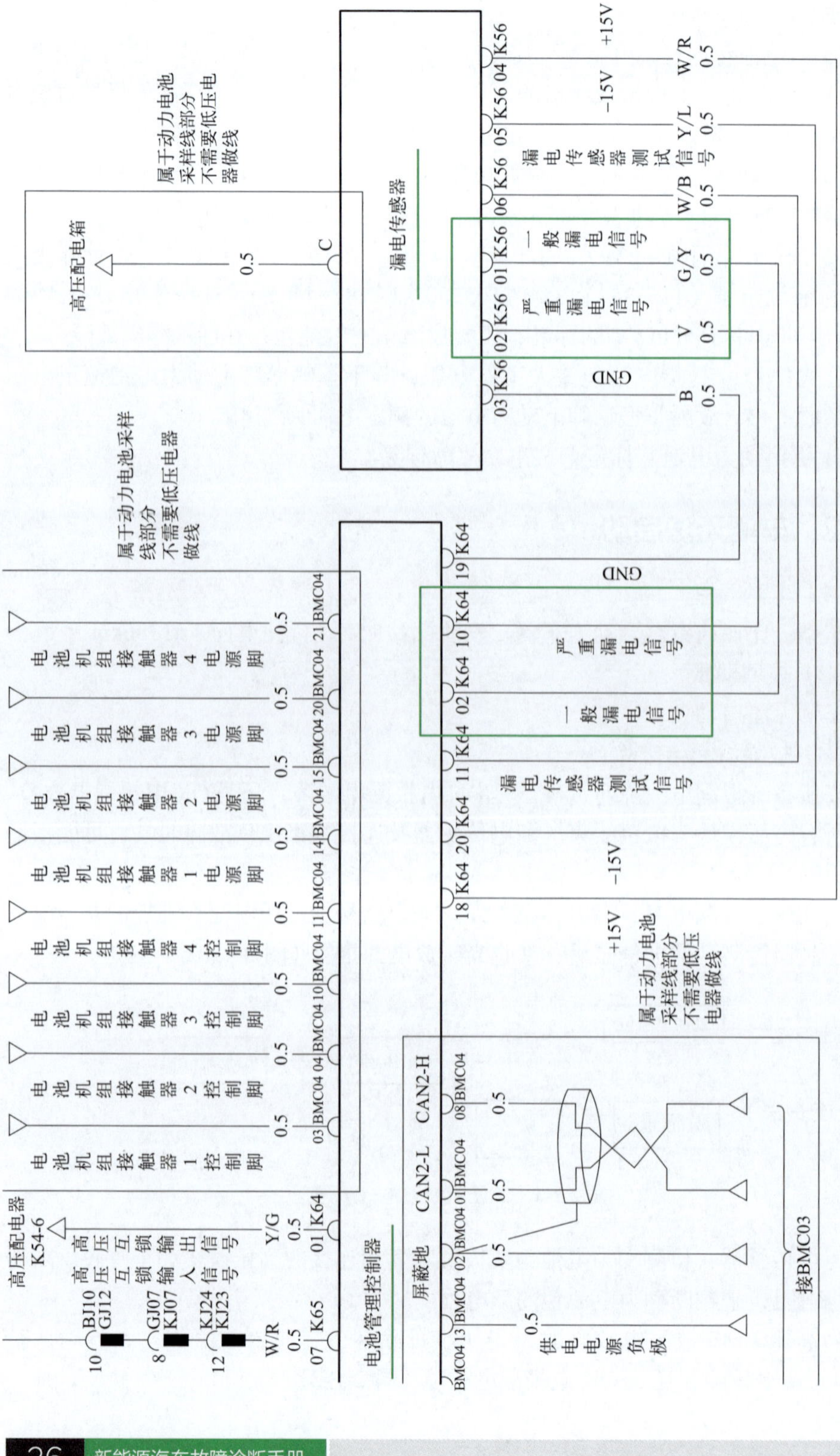

高压配电箱
属于动力电池采样线部分不需要低压电器做线
漏电传感器
K56
一般漏电信号
严重漏电信号
漏电传感器测试信号
GND
W/R
Y/L
W/B
G/Y
V
B
0.5
+15V
−15V
高压配电器
K54-6
高压互锁输出信号
高压互锁输入信号
BJ10
GJ12
GJ07
KJ07
KJ24
KJ23
K65
K64
BMC04
电池组接触器1控制脚
电池组接触器2控制脚
电池组接触器3控制脚
电池组接触器4控制脚
电池组接触器1电源脚
电池组接触器2电源脚
电池组接触器3电源脚
电池组接触器4电源脚
电池管理控制器
屏蔽地
CAN2-L
CAN2-H
供电电源负极
接BMC03

图 2-1-2 整车电路图

❶ 如果 ON 电报漏电故障，初步判断为动力电池包漏电（图 2-1-3）。

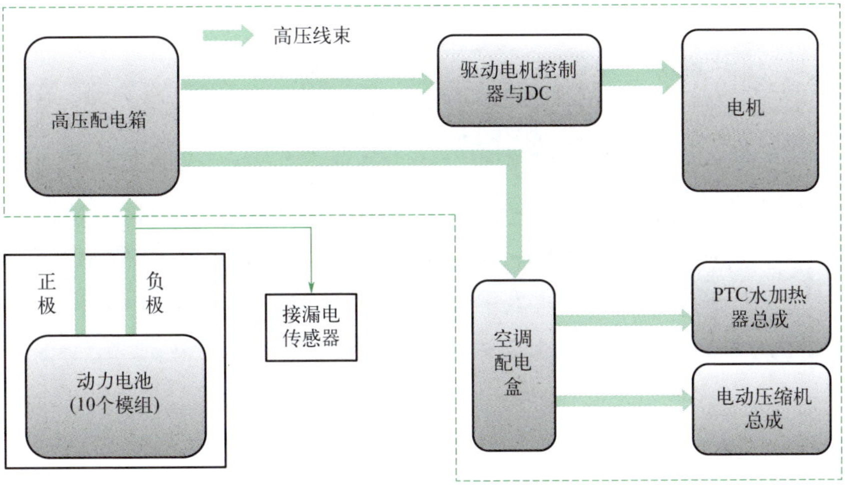

图 2-1-3　高压零件连接

具体哪个电池模组漏电，根据以下流程检查。

a. OFF 挡，拔掉 8# 电池模组接触器接插件，再上 ON 电，用诊断仪读取系统故障。

如果不漏电，判断 8# ～ 10# 电池模组漏电（根据经验 8# 电池模组故障率高）。

如果漏电，则排除 8# ～ 10# 电池模组故障，需检查 1# ～ 7# 电池模组。

b. OFF 挡，拔掉 6# 电池模组接触器接插件，再上 ON 电，用诊断仪读取系统故障。

如果不漏电，判断 6#、7# 电池模组漏电（根据经验 6# 电池模组故障率高）。

如果漏电，则排除 6#、7# 电池模组故障，需检查 1# ～ 5# 电池模组。

c. OFF 挡，拔掉 4# 电池模组接触器接插件，再上 ON 电，用诊断仪读取系统故障。

如果不漏电，判断 4#、5# 电池模组漏电（根据经验 4# 电池模组故障率高）。

如果漏电，则排除 4#、5# 电池模组故障，需检查 1# ～ 3# 电池模组。

d. OFF 挡，拔掉 2# 电池模组接触器接插件，再上 ON 电，用诊断仪读取系统故障。

如果不漏电，判断 2#、3# 电池模组漏电（根据经验 2# 电池模组故障率高）。

如果漏电，则排除 2#、3# 电池模组故障，判定 1# 电池模组漏电。

铁电池组（图 2-1-4）：1-3-5 可以互换；2-4 可以互换；6-8 可以互换；7-9 可以互换。

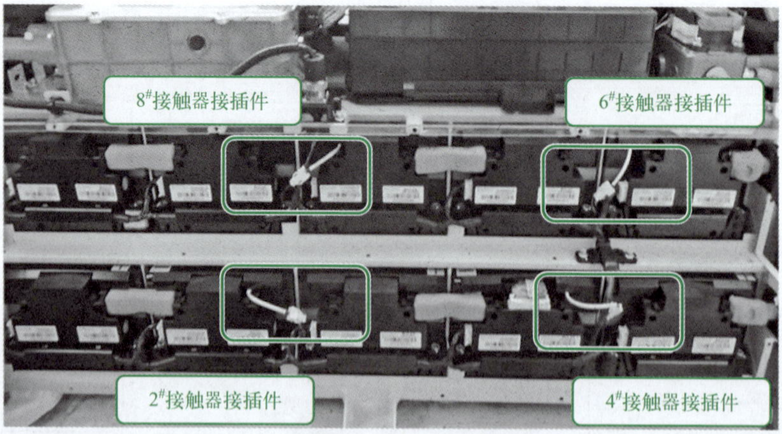

图 2-1-4 动力电池组

❷ 如果 OK 电报漏电故障，初步判断为动力电池包以外的高压模块漏电（图 2-1-3）。

具体哪个高压模块漏电，根据以下流程检查。

a. OFF 挡，断开紧急维修开关，再断开电动压缩机高压线束插头；装上紧急维修开关，上 OK 电，用诊断仪读取系统故障。

如果不漏电，判断电动压缩机漏电。

如果漏电，判断电动压缩机正常，继续断开其他高压模块。

b. OFF 挡，断开紧急维修开关，再断开 PTC 高压线束插头；装上紧急维修开关，上 OK 电，用诊断仪读取系统故障。

如果不漏电，判断 PTC 漏电。

如果漏电，判断 PTC 正常，继续断开其他高压模块。

c. OFF 挡，断开紧急维修开关，再断开空调配电盒输入端高压线束插头；装上紧急维修开关，上 OK 电，用诊断仪读取系统故障。

如果不漏电，判断空调配电盒及线束漏电。

如果漏电，判断 PTC 及线束正常。

继续断开其他高压模块，最终确定动力电池高压线束漏电。

更换动力电池高压线束后故障排除。

2.1.3 车辆功率降低，只能低速行驶

（1）车辆信息

车型：比亚迪 E5-450 纯电动汽车。行驶里程：98778km。

（2）故障现象

车辆功率降低，只能低速行驶，仪表提示“请检查动力系统”。

（3）故障诊断与排除

❶ 使用诊断仪读取 BMS 故障码：P1A0000，内容为严重漏电故障。

清除故障码后，重新上电发现故障无法消除，读取系统数据流发现在上 OK 电后绝缘阻值降为 0，系统确实有漏电存在。

❷ 首先排除外部高压模块漏电。

拔掉 PTC 接插件，短接 PTC 低压接插件确定系统不报互锁故障；检查电动压缩机无漏电；E5-450 车型有电池包热管理系统，另外有一个 PTC 加热器，拔掉高压插接件短接低压插接件后，故障依旧；测量高压电控总成高压接插件之间以及分别对地阻值，均正常。

通过以上检查已排除动力电池外的故障。

❸ 测量上电瞬间动力电池包的正、负极对地电压，测量动力电池正极母线对车身的电压为 658V，测量动力电池负极母线对车身的电压为 0，可以判断动力电池内部存在漏电。

更换动力电池后故障排除。

2.1.4 纯电模式无法使用

（1）车辆信息

车型：比亚迪唐 DM 混合动力车型。行驶里程：76789km。

（2）故障现象

仪表报 EV 功能受限，发动机能启动，但纯电模式无法使用。

（3）故障诊断与排除

使用诊断仪读取故障码。

P1A0000——高压电有严重漏电。

P1CA1——严重漏电。

P1CA2——一般漏电。

查阅维修手册，得知高压上电控制逻辑如图 2-1-5 所示。

检测漏电传感器的数据流发现电阻为 0，明显异常。清除故障码，重新调取故障和数据流，没有任何变化，车辆仍不能使用纯电驱动模式。说明车辆“EV 功能受限”的原因是“严重漏电”造成的。

导致漏电的原因：漏电传感器或 BMS 动力电池管理器故障；动力电池包本身漏电或高压配电箱漏电；前驱动电机、后驱动电机、PTC 暖加热器及电动空调压缩机等出现的漏电、高压线束漏电。高压系统配电如图 2-1-6 所示。

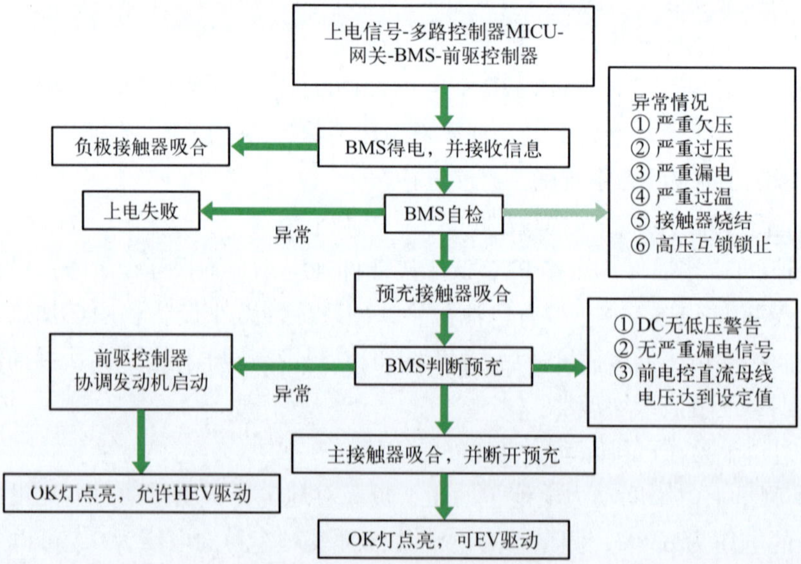

图 2-1-5　高压上电控制逻辑

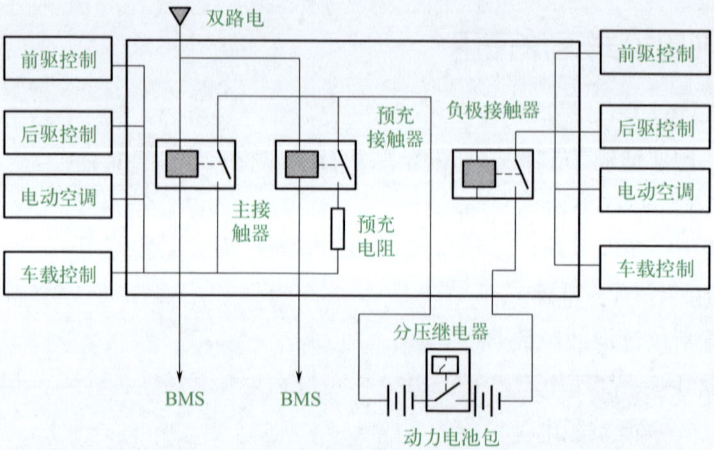

图 2-1-6　高压系统配电

检测高压零件的绝缘性：戴好绝缘手套，做好高压电的防护措施，在车辆没有上电情况下，先断开低压蓄电池的负极，等待 10min 以上，检测已没有任何电压，再打开发动机前舱盖。

❶ 拔出前驱动电机控制器的高压母线，使用兆欧表，选择直流 1000V 的量程，黑表笔对车身搭铁，红表笔接高压母线电芯，分别对各高压部件进行检测。

母线正极与负极对车身绝缘阻值均在 24.9MΩ 以上，远大于 500Ω 的漏电标准检验值，证明后驱动电机控制器、空调配电盒、车载充电器以及母线束的绝缘良好，没有漏电的故障。

❷ 后驱动电机控制器高压输入端正极对地绝缘阻值为 47.6MΩ，负极对地绝缘阻值为 46.6MΩ，前驱动电机控制器没有漏电。

前、后驱控制器，空调配电盒，车载充电器以及线束四个模块的绝缘性良好。

❸ 检测 PTC 暖水加热器、空调压缩机等正负母线，绝缘阻值分别测为 58.9MΩ 和 57MΩ，检测电动空调的绝缘阻值为 47.6MΩ，排除压缩机的漏电故障。

❹ 断开前驱动电机控制器的高压输出端，用兆欧表分别测量前电机的 A 相、B 相、C 相对地绝缘阻值均为无穷大，排除前电机漏电；用同样的方法去测量后电机的 A 相、B 相、C 相对地绝缘阻值也是无穷大，排除后电机漏电。

❺ 拔出动力电池正、负极高压母线，使用兆欧表测量高压配电箱的正极母线对地绝缘阻值为 123.5MΩ，排除高压配电箱的绝缘问题。

❻ 检测动力电池。根据绝缘电阻计算公式中的电压检测（图 2-1-7）。

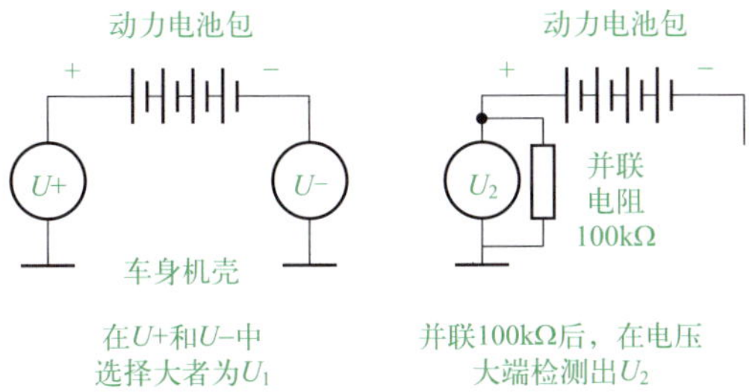

图 2-1-7　根据绝缘电阻计算公式中的电压检测

找到动力电池包的低压接插头，连接 12V 电源使动力电池内部的分压接触器吸合，正常。

测量动力电池电压为 700V，正常。

测量动力电池正极对车身接地，电压为 0。

测量动力电池负极对车身接地，电压为 690V；取两个电压中的大值，取电池包正、负对地电压的大值，将负极的 690V 作为计算公式中的 U_1 电压。

在万用表的两表笔之间并联一个 110kΩ 的电阻，检测电池包的负极对车身机壳的电压，得测量值为 605V，作为计算绝缘电阻公式中的 U_2 电压。

按电动汽车国际规定的绝缘漏电公式进行计算，得出当量绝缘阻值为 21.46Ω/V，动力电池内部的绝缘电阻过小（21.46Ω/V ＜ 100Ω/V），说明动力电池包内部确实存在严重漏电的故障。计算公式如下。

$$K=\frac{\frac{U_1-U_2}{U_2}R}{U}=\frac{\frac{690-605}{605}\times 110000}{720}=21.46(\Omega/V)$$

更换动力电池总成后故障排除。

2.1.5 EV 功能受限

（1）车辆信息

车型：比亚迪元 EV 纯电动汽车。行驶里程：55214km。

（2）故障现象

仪表报 EV 功能受限，无法行驶。

（3）故障诊断与排除

导致故障的原因有：

❶ 电池管理器故障；

❷ 动力电池包故障；

❸ 充配电总成故障；

❹ 电动压缩机或 PTC 故障。

使用诊断仪读取 BMS 故障码为 P1A0100，内容为一般漏电故障，且为当前故障。

使用诊断仪进入电池管理器查看数据流，绝缘阻值为 241kΩ，为异常。

对高压系统进行漏电检查，断开低压电池负极，检查外围高压用电器（图 2-1-8）。

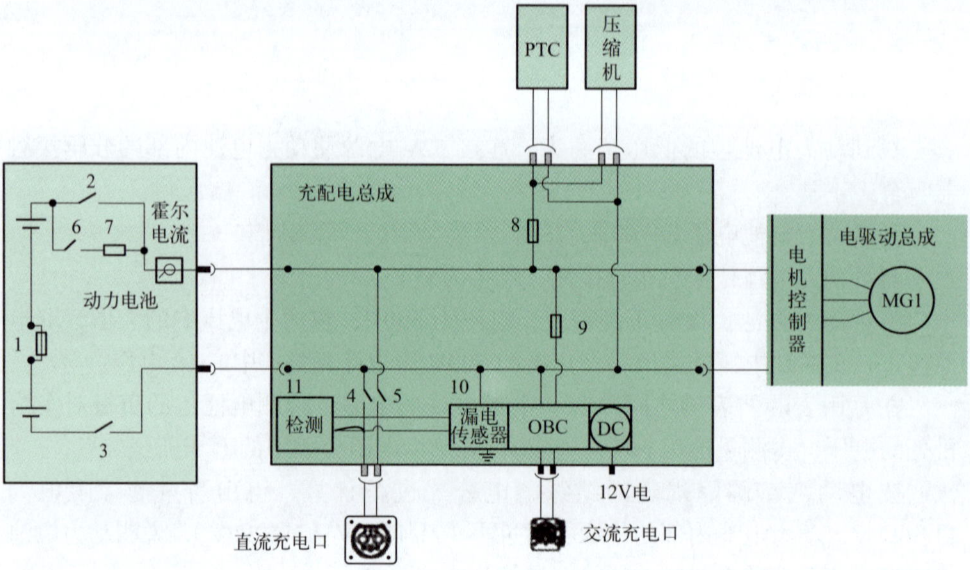

图 2-1-8 高压用电器连接

断开 PTC、电动压缩机，用兆欧表测量 PTC 及电动压缩机正负极母线输入端，对车身电阻测得 11MΩ，对比标准≥ 2MΩ 都为正常，故判断 PTC 和电动压缩机正常。

断开动力电池包正负极母线，测量充配电正负极输入母线，对地电阻为 11MΩ，判断充配电总成正常。

测量电机控制器输出端及电机三相线，测量其母线对地电阻均大于 2MΩ，属于正常。由此可初步排除驱动电机、电机控制器、充配电总成、PTC、电动压缩机故障。

用电池包检测工装对内部接触器通电，测量电池包输出端电压并记录。正极对壳体 U_0 为 36.6V，负极对壳体 U_1 为 331V，正负表笔间并联上 100kΩ 电阻，对负极测量 U_2 为 120V。

按照以下公式计算绝缘阻值。

$$\frac{\frac{U_1-U_2}{U_2}R\left(1+\frac{U_0}{U_1}\right)}{\text{电池包最大工作电压}}>500\Omega/\text{V} \quad \text{不漏电}$$

$$\frac{\frac{U_1-U_2}{U_2}R\left(1+\frac{U_0}{U_1}\right)}{\text{电池包最大工作电压}}\leqslant 500\Omega/\text{V} \quad \text{漏电}$$

注：电池包最大工作电压 = 车辆铭牌上动力电池系统额定电压 ×1.15。

结合漏电测量公式计算得出 464.89Ω / V，低于标准 500Ω / V，判断为电池包漏电。

更换动力电池包后故障排除。

扫一扫

视频精讲

2.2 蓄电池故障

2.2.1 发动机启动，无法转换到纯电动模式

（1）车辆信息

车型：比亚迪秦混合动力车型。行驶里程：67821km。

（2）故障现象

发动机启动后无法转换到 EV 模式。

（3）故障诊断与排除

❶ 使用诊断仪读取故障码为 P1A3400，内容为预充失败故障。

❷ 在上 OK 电的预充过程中读取驱动电机控制器数据流，发现当前总电压最高为 13V，无高压输入。

❸ 在上 OK 电的预充过程中读取高压 BMS 数据流，确认 4 个分压接触器、预充接触器、负极接触器皆处于正常的吸合状态，由此判断高压 BMS 控制各接触器正常，应属于某个接触器或电池包故障，导致高压电并未输入至驱动电机控制器（图 2-2-1）。

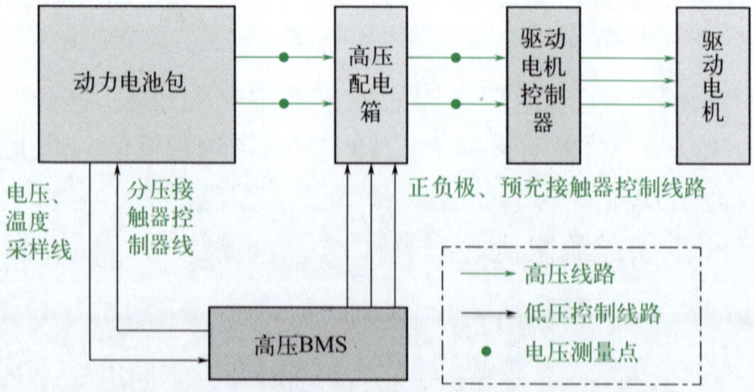

图 2-2-1　比亚迪秦混合动力车型高压系统连接

❹ 整车退电，再上 ON 挡电，测量电池包正负极电压为 0（正常应为动力电池总电压），故分析是某分压接触器未正常吸合或电池模组故障导致（图 2-2-2）。

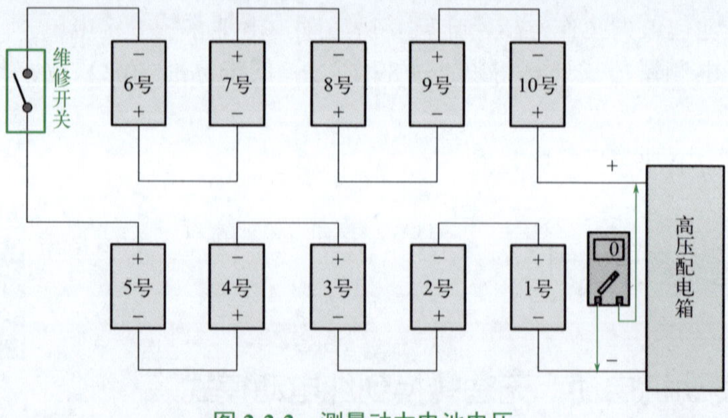

图 2-2-2　测量动力电池电压

❺ 分别对 10 个电池模组电压进行测量，测量发现 2 号模组电压为 0，确认 2 号电池模组故障或 2 号模组的分压接触器线路故障、高压 BMS 故障（图 2-2-3）。

❻ 拔开 2 号模组分压接触器插接件，测量线束端，两根线路之间有 12V 电压，证明 BMS 及线路端正常（图 2-2-4）。

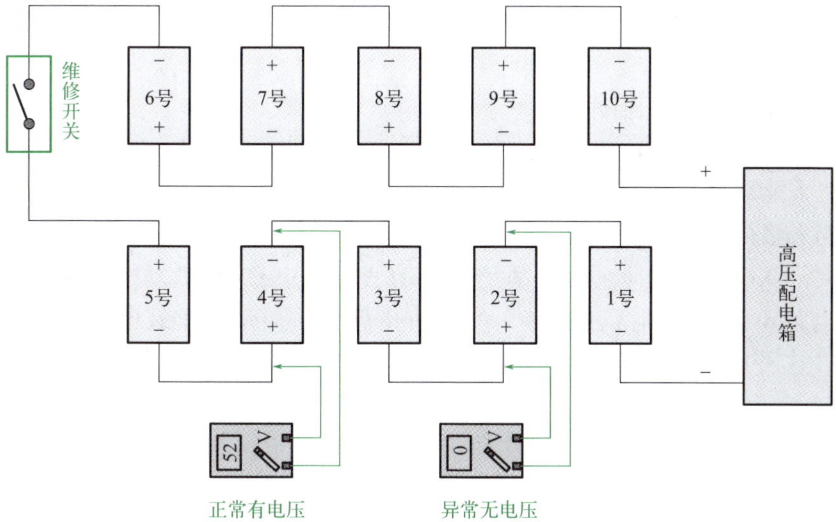

图 2-2-3　测量模组电压

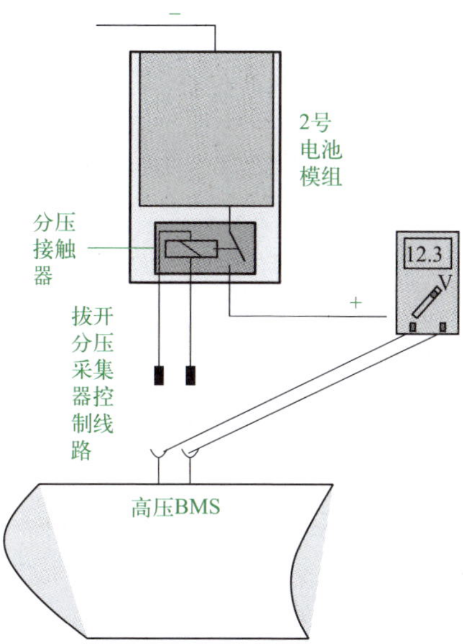

图 2-2-4　检测 BMS

更换 2 号模组后故障排除。

2.2.2　车辆无法启动

(1) 车辆信息

车型：宝马 X6 混合动力车辆。行驶里程：100881km。

（2）故障现象

车辆无法启动。

（3）故障诊断与排除

仪表板显示“混合动力电池电量过低”。踩下制动踏板后，按下启动按钮后发动机未能启动。由于混合动力电池电量过低，且电量又无法及时得到补充，因此车辆无法行驶。

宝马 X6 车辆发动机的启动是由主动变速器中 EMB 电动机实现的。现在由于电量不足，电机无法运转，发动机也就无法启动。车载电网中设有辅助电池，这种电池与普通车辆所用的蓄电池相同。正常情况下，当混合动力电池的电量不足时，控制单元可将辅助电池输出的 12V 电压升高到 320V，从而可使电动机 EMB 运转并将发动机启动。但由于该车在发动机静止的情况下，用电设备开启时间过长，使辅助电池的电量也被耗尽，所以发动机无法启动。

首先关闭车上所有的用电器，然后给故障车的辅助电池充电。充电 20min 后，踩下制动踏板，连续按下 2 次启动按钮激活辅助电池升压模式。再次按下启动按钮，发动机顺利启动。

发动机启动后，踩住加速踏板令发动机怠速保持在 2000r/min，使混合动力电池充电。5min 后混合动力电池的电量达到了 85%，关闭发动机试车，车辆行驶正常，故障排除。

2.2.3 续航里程短

（1）车辆信息

车型：奥迪 A6Le-tron。行驶里程：87881km。

（2）故障现象

仪表显示电池充满电后，仪表续航显示仅为 19km，纯电行驶续航里程短。

（3）故障诊断与排除

❶ 读取故障码。诊断地址 8C 内没有故障码。

进行试车，以电动模式行驶 10 多千米，发动机自动启动，车辆进入 HOLD 模式，EV 模式不可用（一般试驾车纯电动仪表显示可行驶为 43km，试车基本也可行驶 40 ～ 43km），确认纯电行驶续航里程短。

❷ 读取数据流。对高压蓄电池进行分级及测量单格蓄电池平均电压，单格蓄电池间最大电压差 120MV（图 2-2-5）。

高压蓄电池控制单元 BMC 均衡功能失效，导致车辆充电无法充满，电动续航里程短。

	蓄电池单格第一格	蓄电池单格第二格	蓄电池单格第三格	4. 电解槽	5. 电解槽	6. 电解槽	7. 电解槽	8. 电解槽	9. 电解槽	10. 电解槽	11. 电解槽	12. 电解槽	13. 电解槽
蓄电池模块1-J991	4.05	4.05	4.05	4.04	4.05	4.04	4.04	4.04	4.04	4.04	4.04	4.04	4.04
蓄电池模块2-J992	4.04	4.04	4.04	4.04	3.93	3.93	3.94	4.04	3.93	4.04	3.93	4.04	3.93
蓄电池模块3-J993	3.93	3.94	4.03	3.94	3.93	3.93	3.93	3.93	3.93	3.94	3.94	3.94	3.94
蓄电池模块4-J994	4.04	4.03	4.04	3.93	3.93	3.93	4.04	3.93	4.04	3.93	4.03	4.03	4.04
蓄电池模块5-J995	3.93	3.93	3.93	4.03	4.03	3.93	3.93	3.93	4.03	4.03	4.03	4.03	4.04
蓄电池模块6-J996	4.04	4.04	4.04	4.04	4.04	4.04	4.04	4.05	4.05	4.05	4.04	4.04	4.04
蓄电池模块7-J997	4.04	4.04	4.04	4.04	4.04	4.04	4.04	4.04	3.93	4.04	3.93	4.04	4.04
蓄电池模块8-J998	3.93	3.92	3.92	3.93	3.93	4.03	3.93	3.93	3.93	3.93	3.93	3.93	3.93

图 2-2-5　单格蓄电池平均电压

试换 BMC 后试车，纯电动仪表显示可行驶 43km，故障排除。

2.2.4　高压蓄电池单格电池电压偏差

(1) 车辆信息

车型：起亚 K3 PHEV 油电混合动力汽车。

(2) 故障现象

故障灯亮，显示请检查混动系统。

(3) 故障诊断与排除

使用诊断仪读取故障码为 P1B9600，内容为高压蓄电池单格电池电压偏差。

使用诊断仪查看数据流，发现第 72 块电压为 0（图 2-2-6）。

蓄电池单格电池电压58	3.70V	蓄电池单格电池电压66	3.70V
蓄电池单格电池电压59	3.70V	蓄电池单格电池电压67	3.70V
蓄电池单格电池电压60	3.70V	蓄电池单格电池电压68	3.70V
蓄电池单格电池电压61	3.70V	蓄电池单格电池电压69	3.70V
蓄电池单格电池电压62	3.70V	蓄电池单格电池电压70	3.70V
蓄电池单格电池电压63	3.70V	蓄电池单格电池电压71	3.70V
蓄电池单格电池电压64	3.70V	蓄电池单格电池电压72	0
蓄电池单格电池电压65	3.70V	蓄电池单格电池电压73	3.70V

图 2-2-6　起亚 K3 PHEV 蓄电池单格电池电压数据流

更换第六块模组后故障排除。

2.3 断电故障

2.3.1 纯电动车辆不能上电

（1）车辆信息

车型：长安逸动纯电动汽车。行驶里程：67543km。

（2）故障现象

车辆不能上电。

（3）故障诊断与排除

仪表板的动力电池故障指示灯、系统故障指示灯、动力电池断开指示灯及爬行模式指示灯点亮，车辆无法 Ready，不能换挡行驶。

❶ 读取故障码。用诊断仪对车辆进行检测，电池管理系统（BMS）中存在2个故障码：P1B08——单体电压过高，四级故障；P1B0B——单体电压过低，四级故障，均为静态故障。

故障码生成的原因：当车辆 BMS 监测到动力电池单体电压过低和过高时，故障诊断仪通过读取的数据流生成故障码。因此可以初步确认，该车辆因为动力电池的单体电压压差过大，超过规定标准，所以引发动力电池故障。

❷ 读取 BMS 数据流。读取电池管理系统的数据流，发现动力电池单体电压最高为 4.5V，最低为 0，对应的电池单体编号分别为 6 号和 22 号。该车辆采用的是三元锂电池，单体最高电压为 4.2V。根据故障现象以及上述检测，怀疑故障原因可能有 BMS 单体采集电路故障、BMS 单体信息采集模块故障、电池单体故障。

❸ 检查单体电池电压。分解动力电池总成，使用万用表测量动力电池的 6 号和 22 号单体电压，发现 6 号单体电压确实高达 4.5V（单体电池最高电压为 4.2V），确认为单体电压过高故障；而 22 号单体电压测得为 3.7V，正常。由此说明，可能是单体电压采集线束或者 BMS 单体信息采集模块出现了故障。

❹ 检查采集线束。使用万用表对采集线束的通断性进行测量，发现采集线束的电阻均低于 0.1Ω，采集线路无故障，因此故障点集中在 BMS 单体信息采集模块上。与用户沟通得知，BMS 控制单元的确进行过维修，但是未能修好。维

修人员随后更换了同型号已确认没有问题的拆车件 BMS 控制单元。

❺ 再次检查动力电池单体电压。动力电池 6 号单体电压为 4.5V，高于该车型单体最高电压 4.2V，因此 6 号单体一定是因为强充导致的过充。对动力电池单体电压进行测量，结果 1 ～ 6 号单体电压均为 4.5V，23 ～ 46 号单体电压均为 4.1V 左右，其他单体电压均为 3.7V 左右。

根据测量结果，需要将 23 ～ 46 号单体电压降至 3.7V。而由于 1 ～ 6 号单体电压过高，需要检查 1 ～ 6 号电池是否存在鼓包现象。检查发现，1 ～ 6 号电池单体的确有鼓包现象，因此需要更换 1 ～ 3 号电池模组，也就是 1 ～ 6 号电池单体的位置。

更换 1 ～ 3 号电池模组，并对电池单体做均衡后，故障排除。

2.3.2 混合动力车辆不能上电

（1）车辆信息

车型：上汽荣威 eRX5 油电混合动力车型。行驶里程：43267km。

（2）故障现象

车辆无法上电。

（3）故障诊断与排除

❶ 使用诊断仪读取故障码。

P1E0F——电芯温差过大。

P1E75——电池单体温度过高。

P1E76——电池单体严重过温。

P1A99——HCU 报告电池管理系统 BMS 故障。

P1AF6——高压互锁故障，下电。

P0A0C——主高压互锁回路失效。

故障车处于冷车状态，单体电池最高与最低温差过大，但电池冷却液正常。

❷ 使用诊断仪读取数据流，发现 CMU03 位置单体温度达到 76℃，高于其他电池组温度，其他电池组温度都在 13 ～ 29℃之间（图 2-3-1）。

❸ 检查动力电池外围，发现电池包壳体有变形，说明电池包内部有损伤。出现故障码 P0A0C，说明变形导致互锁回路失效。

初步判断，电池包外部壳体损伤，使得内部电池变形而损坏单体电池结构，导致电池过温。

BMS 接收到过温数据后会发出“下电”指令，车辆禁止“上电”。

电芯监控单元[CMU01]监控电池温度信号2	29.0	℃
电芯监控单元[CMU01]监控电池温度信号1	29.0	℃
电芯监控单元[CMU02]监控电池温度信号2	29.0	℃
电芯监控单元[CMU02]监控电池温度信号1	29.0	℃
电芯监控单元[CMU02]电路板温度	31.0	℃
电芯监控单元[CMU03]监控电池温度2	29.0	℃
电芯监控单元[CMU03]监控电池温度1	76.0	℃
电芯监控单元[CMU03]电路板温度	31.0	℃
电芯监控单元[CMU04]监控电池温度2	29.0	℃
电芯监控单元[CMU04]监控电池温度1	29.0	℃
电芯监控单元[CMU04]电路板温度	31.0	℃
高压电池单体最高温度	76.0	℃
BMS冷却液温度	29.0	℃
电芯监控单元[CMU05]监控电池温度2	29.0	℃
电芯监控单元[CMU05]监控电池温度1	29.0	℃
电芯监控单元[CMU05]电路板温度	31.0	℃
电芯监控单元[CMU06]监控电池温度2	29.0	℃
电芯监控单元[CMU06]监控电池温度1	29.0	℃
电芯监控单元[CMU06]电路板温度	31.0	℃

图 2-3-1　车辆电池组温度数据流

车辆 BMS 数据流见表 2-3-1。

表 2-3-1　车辆 BMS 数据流

序号	项目	数值	单位
1	蓄电池电压	11.0	V
2	实际里程数	43267	km
3	点火开关 3 挡（启动）网络信号	关	
4	发动机运行激活状态网络信号	关	
5	点火开关 2 挡（运行）网络信号	开	
6	点火开关 1 挡（辅助）网络信号	开	
7	点火开关 3 挡（启动）电路信号	关	
8	发动机运行激活状态网络信号	关	
9	点火开关 2 挡（辅助）电路信号	开	

续表

序号	项目	数值	单位
10	点火开关1挡（辅助）电路值号	开	
11	日期时间信息（年 - 月 - 日）	2021-8-14	
12	日期时间信息（时：分：秒）	15：1：03	
13	高压电池 SOC	93.6	%
14	高压电池包电池单体最高电压	4.083	V
15	高压电池包高电压电池单体位置	15	
16	高压电池最小单体电压	4.069	V
17	高压电池包最低电压电池单体位置	25	
18	高压电池单体最高温度	77.0	℃
19	高压电池包最高电压电池单体位置	12	
20	高压电池单体最低温度	28.0	℃
21	高压电池包最低电压电池单体位置	22	
22	BMS 运行状态	故障	
23	高压电池电流	0	A
24	高压系统绝缘电阻值	1808.0	kΩ
25	BMS 与车辆之间 HVIL 电路状态	高压互锁开关已打开	
26	BMS 与充电器之间 HVIL 电路状态	高压互锁开关已合上	
27	高压总线电压	初始化	V
28	高压电池电压	368.00	V
29	高压电池管理系统 BMS 故障状态	按步骤紧急下电	
30	碰撞回路状态	碰撞未发生	
31	车速	0	km/h
32	BMS 冷却液温度	29.0	℃
33	高压电池包健康度 SOH	98.54	%

更换动力电池总成后故障排除。

2.3.3 无法进入 Ready 状态

（1）车辆信息

车型：奥迪 A6Le-tron 混合动力车型。行驶里程：21387km。

（2）故障现象

无法进入 Ready 状态。

（3）故障诊断与排除

使用诊断仪读取故障码（图 2-3-2）。地址码 01 发动机控制单元内有如下故障码。

U041300：混合蓄电池能量管理控制单元信号不可信，主动 / 静态。

P162400：要求故障灯开，激活且主动 / 静态。

地址: 0001 系统名: 0001 - 发动机电控装置 协议改版: UDS/ISOTP (Ereignisse: 3)

[+] 识别:

[-] 故障存储器记录 (数据源: 车辆):

故障存储器记录	
编号:	U041300: 混合蓄电池能量管理控制单元 信号不可信
故障类型 2:	主动/静态
症状:	23085
状态:	00100111

[+] 标准环境条件:

[+] 高级环境条件:

故障存储器记录	
编号:	P162400: 要求-故障灯开 激活
故障类型 2:	主动/静态
症状:	29244
状态:	00100111

[+] 标准环境条件:

[+] 高级环境条件:

图 2-3-2 发动机控制单元内故障码

在地址码 8C 混合蓄电池管理控制单元内有故障码（图 2-3-3）。

U01A000：蓄电池单格模块控制单元 1 无通信，主动 / 静态（系统有蓄电池单格模块控制单元 1 ～ 8 都无法通信的 8 个故障码）；

P0A8000：混合动力 / 高电压蓄电池更换，主动 / 静态。

根据此引导型测试计划检查提示，该故障属于高压蓄电池 AX1 内部故障，需要更换高压蓄电池总成 AX1。

读取高压蓄电池模组单个电池的实时电压和电量，发现蓄电池模组 5 的第 59 号电池电量为 0，而其他单格电池电量均在 19% ～ 20%之间，说明 59 号单格蓄电池损坏。

地址: 008C 系统名: 008C - 混合蓄电池管理 协议改版: UDS/ISOTP (Ereignisse: 9)

[+] 识别:

[-] 故障存储器记录 (数据源: 车辆)

故障存储器记录	
编号:	U01A000 蓄电池单格模块控制单元 1 无通信
故障类型 2:	主动/静态
症状:	4569
状态:	10101111

[+] 标准环境条件:

[+] 高级环境条件:

故障存储器记录	
编号:	U01A100 蓄电池单格模块控制单元 2 无通信
故障类型 2:	主动/静态
症状:	4577
状态:	10101111

此处省略了类似故障码!

故障存储器记录	
编号:	P0A8000 混合动力/高电压蓄电池 更换
故障类型 2:	主动/静态
症状:	28711
状态:	00100111

图 2-3-3　混合蓄电池控制单元内故障码

更换高压蓄电池模组 5，并做电池均衡后，故障排除。

2.3.4　车辆无法启动

（1）车辆信息

车型：长城欧拉黑猫 R1。行驶里程：8988km。

（2）故障现象

车辆无法启动。

（3）故障诊断与排除

❶ 读取故障码。BMS 控制单元报码 P10E013，内容为加热膜过温。

查询资料，车辆动力蓄电池内有两个加热膜温度传感器，通过诊断仪无法读取加热膜温度相关数据。

❷ 检查加热膜温度传感器。

a. 测量温度传感器 1 电阻值为 78.7kΩ，测量温度传感器 2 电阻值 76.7kΩ，温度传感器 1 和温度传感器 2 做对比，没有太大区别，并与正常车辆传感器电阻值对比，也在正常范围内。

b. 断开温度传感器 1 和温度传感器 2 时，不启动车辆，读取 BMS 都会报相应的传感器错误。

c. 分别启动车辆 10 ～ 30min，发现在断开温度传感器 1 并连接温度传感器 2 时，除了报温度传感器 1 温度错误外，还报了加热膜过温，因为是温度传感器 2 连接出现的加热膜过温，所以可以确定是温度传感器 2 内部故障。

更换加热膜温度传感器 2 后，故障排除。

2.3.5 车辆行驶中熄火

（1）车辆信息

车型：丰田卡罗拉双擎混合动力。行驶里程：120981km。

（2）故障现象

车辆行驶中熄火。

（3）故障诊断与排除

使用诊断仪读取故障码：P3021、P3022、P3023 和 P3024。

查询维修手册，发现故障码解释为动力电池故障。读取动力电池的电流、电压及温度等数据，发现电流与电压数据很低，判断动力电池内部故障。

拆开动力电池模块，发现右侧有鼓包，检测后发现 7 个模块因鼓包失效，确认故障原因就是动力电池内部故障。

由于鼓包导致电池组电压不足，控制单元接收到动力电池失效的信息，从而使发动机无法控制，行驶中出现熄火以及无法行驶的故障。

更换失效和鼓包的动力电池后，故障排除。

2.3.6 车辆无法上电和充电

（1）车辆信息

车型：奔驰 EQC400 纯电动汽车。行驶里程：71638km。

（2）故障现象

车辆无法上电，仪表台上的红色高压蓄电池报警灯点亮。

（3）故障诊断与排除

❶ 使用诊断仪读取故障码。车辆高压蓄电池电量为 99%，踩制动踏板同时按压启动开关，启动开关可以按下，但却无法上电，同时仪表台上红色高压蓄电池报警灯持续点亮。

尝试对车辆进行充电，充电口指示灯显示为黄色，无法充电，正常情况下充电时指示灯应为绿色常亮。

确认故障现象后，使用诊断仪对车辆进行快速测试。在 N82/4 高压蓄电池管理模块中存有多个当前状态的故障码。

P0DE600——混合动力 / 高压蓄电池模块的单格电池电压过低。

P0DE700——混合动力 / 高压蓄电池模块的单格电池电压过高。

P0B4000——混合动力 / 高压蓄电池的电压传感器 B 存在电气故障。

P2C8B00——混合动力 / 高压蓄电池模块的传感器模块存在功能故障。

P0B4200——混合动力 / 高压蓄电池的蓄电池电压传感器 B 对地短路等。

为了排除电脑程序问题，尝试对车辆进行休眠断电、软件升级，升级成功后，车辆依旧无法启动，且故障码无法删除。

❷ 检查故障。排除软件因素后，查看故障码均指向单体电池电压过高或过低，以及蓄电池电压传感器。

分别进入 N82/3 和 N82/4 两个蓄电池管理模块，查看蓄电池的实际值。N82/3 蓄电池管理系统控制单元中，1 ～ 50 号蓄电池单体电池电压的实际值（表 2-3-2）和 51 ～ 96 号单体电池电压实际值也相同，均超过标准实际值 4.2V。查看 N82/4 蓄电池管理系统控制单元中，1 ～ 50 号的蓄电池单体电池的实际值（表 2-3-3），显示为“sna”，无法测量单体电池的电压；51 ～ 96 号单体电池也无法显示电压值。

表 2-3-2 N82/3 中单体电池电压实际值

No.	Name	Actual value	Specified value
594	Voltage of battery cell 1	4.23V	[2.00 .. 4.20]
642	Voltage of battery cell 2	4.23V	[2.00 .. 4.20]
051	Voltage of battery cell 3	4.23V	[2.00 .. 4.20]
863	Voltage of battery cell 4	4.23V	[2.00 .. 4.20]
816	Voltage of battery cell 5	4.23V	[2.00 .. 4.20]
313	Voltage of battery cell 6	4.23V	[2.00 .. 4.20]
562	Voltage of battery cell 7	4.23V	[2.00 .. 4.20]
274	Voltage of battery cell 8	4.23V	[2.00 .. 4.20]
241	Voltage of battery cell 9	4.23V	[2.00 .. 4.20]
788	Voltage of battery cell 10	4.23V	[2.00 .. 4.20]
017	Voltage of battery cell 11	4.23V	[2.00 .. 4.20]
774	Voltage of battery cell 12	4.23V	[2.00 .. 4.20]
958	Voltage of battery cell 13	4.23V	[2.00 .. 4.20]
331	Voltage of battery cell 14	4.23V	[2.00 .. 4.20]

表 2-3-3　N82/4 中单体电池电压实际值

No.	Name	Actual value	Specified value
594	Voltage of battery cell 1	sna	[2.00 .. 4.20]
642	Voltage of battery cell 2	sna	[2.00 .. 4.20]
051	Voltage of battery cell 3	sna	[2.00 .. 4.20]
863	Voltage of battery cell 4	sna	[2.00 .. 4.20]
816	Voltage of battery cell 5	sna	[2.00 .. 4.20]
313	Voltage of battery cell 6	sna	[2.00 .. 4.20]
562	Voltage of battery cell 7	sna	[2.00 .. 4.20]
274	Voltage of battery cell 8	sna	[2.00 .. 4.20]
241	Voltage of battery cell 9	sna	[2.00 .. 4.20]
788	Voltage of battery cell 10	sna	[2.00 .. 4.20]
017	Voltage of battery cell 11	sna	[2.00 .. 4.20]
774	Voltage of battery cell 12	sna	[2.00 .. 4.20]
958	Voltage of battery cell 13	sna	[2.00 .. 4.20]
331	Voltage of battery cell 14	sna	[2.00 .. 4.20]

对故障码 P2C8B00 进行引导测试，可能的故障原因：电池管理系统控制单元 N82/4 有缺陷；组件 A100（高压电池模块）内部组件存在缺陷。进一步的维修建议是查看实际值的合理性。前面已经检查过实际值，电池的单体电池电压不在标准范围内，且部分单体电池的电压无法读取，结合故障码引导测试，可能是 A100 内部的蓄电池管理模块损坏或者内部电池组损坏，需要更换 A100 高压蓄电池总成。更换后对高压蓄电池进行试运行，车辆可以正常启动，单体电池电压正常，该车故障被彻底排除。

2.3.7　车辆行驶时下高压电

（1）车辆信息

车型：一汽新特 DEV1 纯电动汽车。

（2）故障现象

车辆行驶中下高压电，再次上电时无法上高压电，仪表整车故障指示灯（VCU）和乌龟灯（驱动功率限制指示灯）点亮。

（3）故障诊断与排除

导致故障的原因有车辆原车线路异常、控制模块异常、制动系统异常、加装异常、动力电池亏电等。

使用诊断仪读取故障码。

VCU 控制器故障码如下。

U007400——控制器 Bus Off。

U011000——与 MCU 丢失通信。

U011100——与 BMS 丢失通信。

U017000——与 SRS 丢失通信。

P120F00——整车故障等级为 5 级。

P121400——Ready 状态下 5 级 故障强制正常下电。

P121700——发送下电指令 BMS 反馈 Shut Down 超时。

清除故障码后再次读取故障码，存在两个故障码：

P171603——单体电压过低—3 级；

P171A01——单体压差大—1 级。

故障码 P171603（单体电压过低—3 级）可以理解为单体电芯电压过低。故障码 P171A01（单体压差大—1 级）说明单体电芯最高和最低压差超过 0.3V。

根据动力电池数据流分析（表 2-3-4），最高单体电压为 3.38V，电芯编号 77，最低单体电压为 2.99V，电芯编号 68。通过最高单体电芯电压（三元锂电池放电最低不低于 3.5V）可知，动力电池电芯严重亏电，其次最高 / 最低压差超过 0.3V，先将车辆进行充电处理。

表 2-3-4　故障车动力电池数据流

名称	结果	单位
低压供电电压	11.70	V
总电压	311.60	V
总电流	0	A
电池系统状态	系统故障	
最大单体电压	3.38	V
最大单体电压编号	77	
最小单体电压	2.99	V
最小单体电压编号	68	

续表

名称	结果	单位
最大温度	17	℃
最大温度编号	1	℃
最小温度	16	℃
最小温度编号	3	

给车辆充电，充满后再次查看数据最高单体电压为 4.24V，电芯编号 10，单体最低电压为 4.22V，电芯编号 39，电压正常，压差也恢复至正常值（表 2-3-5）。电池电量与仪表续航里程存在比较大的偏差，需要对动力电池做一次强制校准。

表 2-3-5　动力电池正常数据流

名称	结果	单位
最大单体电压	4.24	V
最大单体电压编号	10	
最小单体电压	4.22	V
最小单体电压编号	39	
最大温度	16	℃
最大温度编号	2	℃

试车，车辆不报故障，故障排除。

扫一扫

视频精讲

2.4 动力受限故障

2.4.1　动力不足

（1）车辆信息

车型：丰田凯美瑞混合动力汽车。行驶里程：171231km。

（2）故障现象

车辆无法加速。

（3）故障诊断与排除

车辆显示屏显示“检查混合动力系统”，同时仪表上故障灯和安全指示灯同时点亮，且车辆无法加速。

❶ 使用诊断仪读取故障码为 P0A80，内容为更换混合动力蓄电池组。

查阅维修手册，关于故障码的描述为：蓄电池单元之间的电压差大于标准值。可能的故障部位为 HV 蓄电池、蓄电池智能单元（图 2-4-1）。

DTC代码	检测项目	DTC检测条件
P0A80	更换混合动力蓄电池组	蓄电池单元之间的电压差大于标准值 (双程检测)

故障部位	MIL	警告指示
• HV蓄电池 • 蓄电池智能单元	亮起	主警告灯； 亮起

图 2-4-1　故障码描述

❷ 使用诊断仪检测各蓄电池单元电压。根据表 2-4-1 中各组奇数组和偶数组之间蓄电池单元电压，检查各组电压差是否为 0.3V 或更高。故障车 HV 蓄电池单元电压实际测量值如表 2-4-2 所示，可以看出，HV 蓄电池组中 V07 与 V08 单元的电压压差为 1.46V，大于 0.3V，其他各组电压差值都小于 0.3V，因此，可基本排除因蓄电池智能单元引起的故障。

表 2-4-1　HV 蓄电池单元电压压差检查

奇数组	偶数组	对比蓄电池单元电压
Battery Block Vol-V01	Battery Block Vol-V02	蓄电池单元 Vol-V01 → Vol-V02
Battery Block Vol-V03	Battery Block Vol-V04	蓄电池单元 Vol-V03 → Vol-V04
Battery Block Vol-V05	Battery Block Vol-V06	蓄电池单元 Vol-V05 → Vol-V06
Battery Block Vol-V07	Battery Block Vol-V08	蓄电池单元 Vol-V07 → Vol-V08
Battery Block Vol-V09	Battery Block Vol-V10	蓄电池单元 Vol-V09 → Vol-V10
Battery Block Vol-V11	Battery Block Vol-V12	蓄电池单元 Vol-V11 → Vol-V12
Battery Block Vol-V13	Battery Block Vol-V14	蓄电池单元 Vol-V13 → Vol-V14
Battery Block Vol-V15	Battery Block Vol-V16	蓄电池单元 Vol-V15 → Vol-V16
Battery Block Vol-V17	Battery Block Vol-V14	蓄电池单元 Vol-V17 → Vol-V14

表 2-4-2　故障车 HV 蓄电池单元电压实际测量值

ECU Control Mode	0			
Standby Blower Request	OFF			
Temp of Batt TB1	35.6	C		
Temp of Batt TB2	37.8	C		
Temp of Batt TB3	37.6	C		
Temp of Batt TB4	35.7	C	差值	
Battery Block Vol-V01	14.39	V	0.2V	
Battery Block Vol-V02	14.19	V		
Battery Block Vol-V03	14.12	V	0.2V	
Battery Block Vol-V04	13.92	V		
Battery Block Vol-V05	12.16	V	0.05V	
Battery Block Vol-V06	12.11	V		
Battery Block Vol-V07	13.38	V	1.46V	
Battery Block Vol-V08	11.92	V		
Battery Block Vol-V09	13.53	V	0.03V	
Battery Block Vol-V10	13.56	V		
Battery Block Vol-V11	13.78	V	0.17V	
Battery Block Vol-V12	13.95	V		
Battery Block Vol-V13	14.09	V	0V	
Battery Block Vol-V14	14.09	V		
Battery Block Vol-V15	14.02	V	0.2V	
Battery Block Vol-V16	14.22	V		
Battery Block Vol-V17	14.36	V	0.27V	与14#对比

查看 HV 蓄电池相关数据值，4 个蓄电池温度传感器数值均在正常范围内，蓄电池单元电压中第 5、6 和 8 单元电压值较其他单元电压明显偏低，尤其是第 8 单元电压只有 11.92V（标准值为 12 ～ 20V），已经低于标准值，且与最高单元电压值差达 2.47V，说明 HV 蓄电池性能已经开始下降。当蓄电池组之间的

电压差值达到 1.2V 时，故障灯就会点亮，同时存储 P0A80 故障码及停帧数据（图 2-4-2）。

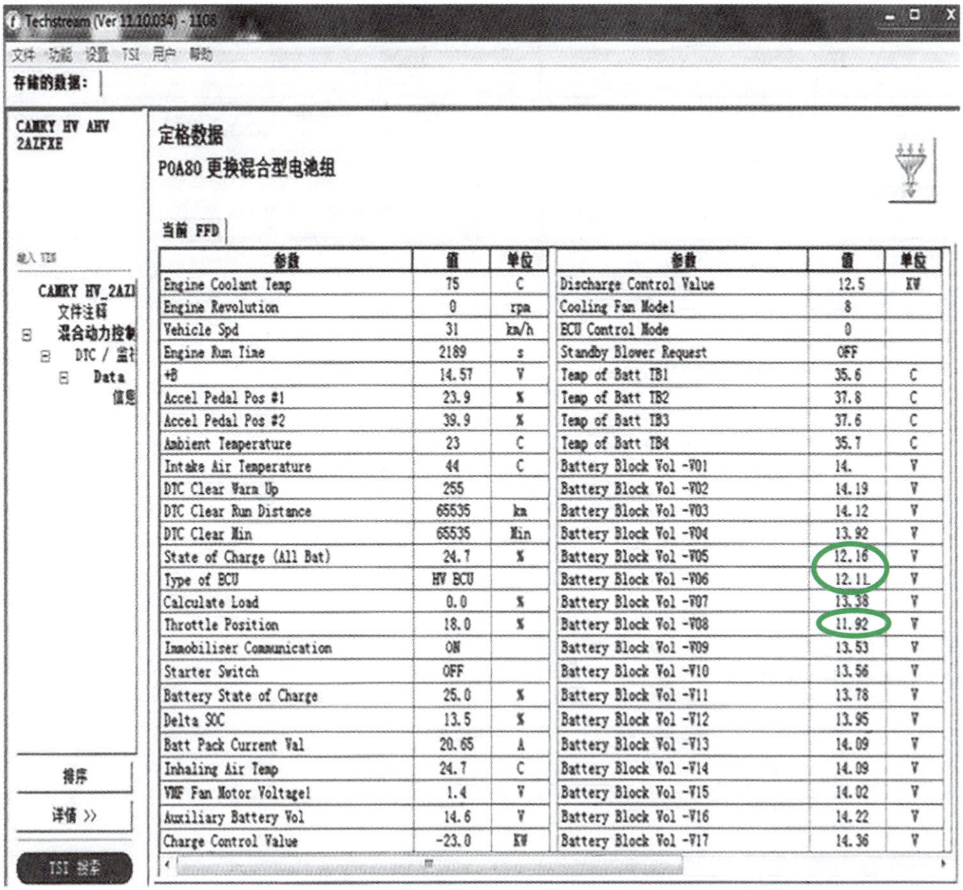

参数	值	单位	参数	值	单位
Engine Coolant Temp	75	C	Discharge Control Value	12.5	KW
Engine Revolution	0	rpm	Cooling Fan Model	8	
Vehicle Spd	31	km/h	ECU Control Mode	0	
Engine Run Time	2189	s	Standby Blower Request	OFF	
+B	14.57	V	Temp of Batt TB1	35.6	C
Accel Pedal Pos #1	23.9	%	Temp of Batt TB2	37.8	C
Accel Pedal Pos #2	39.9	%	Temp of Batt TB3	37.6	C
Ambient Temperature	23	C	Temp of Batt TB4	35.7	C
Intake Air Temperature	44	C	Battery Block Vol -V01	14.	V
DTC Clear Warm Up	255		Battery Block Vol -V02	14.19	V
DTC Clear Run Distance	65535	km	Battery Block Vol -V03	14.12	V
DTC Clear Min	65535	Min	Battery Block Vol -V04	13.92	V
State of Charge (All Bat)	24.7	%	Battery Block Vol -V05	12.16	V
Type of ECU	HV ECU		Battery Block Vol -V06	12.1L	V
Calculate Load	0.0	%	Battery Block Vol -V07	13.38	V
Throttle Position	18.0	%	Battery Block Vol -V08	11.92	V
Immobiliser Communication	ON		Battery Block Vol -V09	13.53	V
Starter Switch	OFF		Battery Block Vol -V10	13.56	V
Battery State of Charge	25.0	%	Battery Block Vol -V11	13.78	V
Delta SOC	13.5	%	Battery Block Vol -V12	13.95	V
Batt Pack Current Val	20.65	A	Battery Block Vol -V13	14.09	V
Inhaling Air Temp	24.7	C	Battery Block Vol -V14	14.09	V
VMF Fan Motor Voltage1	1.4	V	Battery Block Vol -V15	14.02	V
Auxiliary Battery Vol	14.6	V	Battery Block Vol -V16	14.22	V
Charge Control Value	-23.0	KW	Battery Block Vol -V17	14.36	V

图 2-4-2　故障车 HV 蓄电池数据流

③ 检查 HV 蓄电池。

a. 拆下 HV 蓄电池进行检查，从外观看，无液体泄漏痕迹，也未见其他明显异常。

b. 拆开 HV 蓄电池外壳，拆开冷却鼓风机，扇叶表面及机壳内侧附着有大量灰尘。导致 HV 蓄电池散热不良，长期温度过高，混合动力控制 ECU 根据接收的蓄电池温度信号对 HV 蓄电池充电电压和电流进行控制，长期充电量不足，从而导致 HV 蓄电池性能下降。

清除散热风扇的灰尘，清除故障码，再次读取 HV 蓄电池数据流，电压正常（表 2-4-3），故障排除。

表 2-4-3　HV 蓄电池正常数据流

参数	值	单位
Max Battery Block No	2	
Battery Block Vol-V01	16.29	V
Battery Block Vol-V02	16.32	V
Battery Block Vol-V03	16.32	V
Battery Block Vol-V04	16.29	V
Battery Block Vol-V05	16.32	V
Battery Block Vol-V06	16.29	V
Battery Block Vol-V07	16.32	V
Battery Block Vol-V08	16.29	V
Battery Block Vol-V09	16.32	V
Battery Block Vol-V10	16.29	V
Battery Block Vol-V11	16.32	V
Battery Block Vol-V12	16.32	V
Battery Block Vol-V13	16.29	V
Battery Block Vol-V14	16.29	V
Battery Block Vol-V15	16.32	V
Battery Block Vol-V16	16.32	V
Battery Block Vol-V17	16.32	V
Internal Resist ance R01	0.019	Ω
Internal Resist ance R02	0.019	Ω
Internal Resist ance R03	0.019	Ω
Internal Resist ance R04	0.019	Ω
Internal Resist ance R05	0.019	Ω
Internal Resist ance R06	0.019	Ω
Internal Resist ance R07	0.019	Ω
Internal Resist ance R08	0.019	Ω
Internal Resist ance R09	0.019	Ω

2.4.2　续航下降

（1）车辆信息

车型：北汽 EX360 纯电动汽车。行驶里程：75412km。

（2）故障现象

续航下降。

（3）故障诊断与排除

剩余续驶里程是根据可用容量进行计算的，当出现上述现象时，是由于 SOC 为 100%时可用容量未达到满电容量导致。

使用诊断仪读取故障码，动力电池组无故障码。

检查数据流未发现明显故障现象，需进一步检查。

拆卸高压蓄电池，检查动力电池组压差情况，模组 3 红色区域为 cell4（4.023V），比其他模组电压低，需充电。

连接充电器，在子控制器中找到模组 3 号接线，直接充电，电流为 0.8A，连续补电 10 ～ 12h，电压充到 4.9V，完成充电。

完成充电作业，安装蓄电池盖后检查气密性，加压 4kPa，保压时间 30s，查看有无泄漏现象。

将动力电池装车后，充满电量至 100%，仪表显示续驶里程为 318km，故障排除。

2.4.3　SOC 跳变

（1）车辆信息

车型：比亚迪宋 DM 混合动力汽车。行驶里程：21234km。

（2）故障现象

车辆在正常行驶时仪表上电池 SOC 直接从 70%跳变到 0，仪表显示 EV 功能受限。

（3）故障诊断与排除

原因分析：电池包故障、高压配电箱故障、电池管理器故障。

使用诊断仪检查电池管理器，没有发现故障；查看电池数据流，没有异常。

试车过程中发现 SOC 电量下得特别慢，回店里充电时发现组合仪表显示充电功率只有 0.2kW；充电时使用诊断仪检查 OBC 车载充电器数据流显示交流侧功率为 3.201kW。

观察 OBC 数据未见异常；考虑到霍尔电流传感器有故障会导致 BMS 计算出的充电功率错误，更换高压配电箱后试车，故障没有排除，测量高压配电箱霍尔电流传感器正负电压都在 15V 左右，说明正常；倒换电池管理器，试车，故障排除。

2.4.4 车辆无法加速

（1）车辆信息

车型：荣威 E550 混合动力汽车。行驶里程：28234km。

（2）故障现象

车辆无法加速。

（3）故障诊断与排除

使用诊断仪对车辆进行整车诊断，在混动控制模块（HCU）、电机控制模块（EDU）与电池管理器（BMS）中有多个历史故障（表 2-4-4）。

表 2-4-4 故障车整车故障码

序号	故障码	故障类型	定义	状态
1	P1A9F	00	高压电池请求点亮故障灯	历史
2	P1A0E	00	高压电池包输出功率受限	历史
3	U1994	87	HCU HSC2 FrP01 帧超时故障	历史
4	U168D	87	HCU HSC2_FrP02 帧超时故障	历史
5	U1688	87	HCU HSC2 FrP03 帧超时故障	历史
6	U1997	87	HCU HSC2 FrP05 帧超时故障	历史
7	U1890	87	HCU HSC2 FrP06 帧超时故障	历史
8	P1C93	00	DC/DC 侧高压信号丢失	历史

电池管理器（BMS）中的 P0B1300 故障码定义为：CAB 电流传感器电流值与 LEM 电流传感器的电流值不一致。CAB 电流传感器安装在电池模组负极端，用于检测回路的电流值，LEM 电流传感器安装在电池模组正极端，用于检测放电的电流值，这两个传感器所测得信号全部会传输给电池控制器（BMS），BMS 根据两个传感器的电流值来判断电池模组充放电时是否正常。如果两个传感器误差较大，混动控制模块（HCU）将请求点亮故障灯。

连接诊断仪，进入电池控制器（BMS）读取高压电池包的实时数据，其中“高压电池包电池组电流 -LEM”的数据为 -1.275A（表 2-4-5），而正常车辆的这组数据为 -0.425A，存在明显的偏差。这也与故障码 P0B1300 的定义是一致的。

表 2-4-5　LEM 传感器数据流

正常车 LEM 传感器实时数据		
高压电池包总线电压	1023.5	V
高压电池电压	302.75	V
高压电池包电池组电流 -ASIC	0	A
高压电池包电池组电流 -LEM	−1.275	A
高压系统绝缘电阻	8190.5	kΩ
故障车 LEM 传感器实时数据		
高压电池包总线电压	3	V
高压电池电压	302.5	V
高压电池包电池组电流 -ASIC	0	A
高压电池包电池组电流 -LEM	−0.425	A

更换 LEM 传感器后，故障排除。

2.4.5　电力系统故障导致车辆无法启动

（1）车辆信息

车型：奥迪 Q7e-tron。行驶里程：34234km。

（2）故障现象

车辆无法启动。

（3）故障诊断与排除

仪表 e-tron 红灯报警，显示“电力系统：故障！请安全停止车辆”；车辆无法启动（图 2-4-3）。

图 2-4-3　奥迪 Q7e-tron 仪表报故障

❶ 使用诊断仪读取故障码。诊断地址 8C 高压蓄电池控制单元一直存储故障码。

U059B00——蓄电池隔离开关不可信信号，主动 / 静态。

P0AC000——混合动力 / 高电压蓄电池电流测量传感器 1 不可信信号，被动 / 偶发。

P0B0F00——混合动力 / 高电压蓄电池电流测量传感器 2 不可信信号，被动 / 偶发。

❷ 使用引导型故障查询进行检查。

a. 诊断地址 51 电气驱动没有存储静态故障码。

b. 根据引导型故障查询指向高电压蓄电池配电箱 -SX6（蓄电池开关盒 BJB）（图 2-4-4）。

❸ 换件测试。尝试更换高电压蓄电池配电箱 -SX6，试车，故障排除。

图 2-4-4　高电压蓄电池配电箱 -SX6

2.4.6　转速限制

（1）车辆信息

车型：奥迪 A6Le-tron。行驶里程：55412km。

（2）故障现象

仪表 e-tron 红灯报警，显示“电动驱动：系统故障！”，同时仪表显示变速箱故障及转速限制，如图 2-4-5 所示

（3）故障诊断与排除

❶ 使用诊断仪读取故障码。

a. 诊断地址 51 高压蓄电池控制单元一直存储故障码 P33D800，内容为电力电子装置控制单元电源模块 2 内部故障，主动 / 静态。

b. 诊断地址 01 显示故障码 U041100，内容为电力电子装置控制单元，电驱动装置不可信信号，被动 / 偶发。

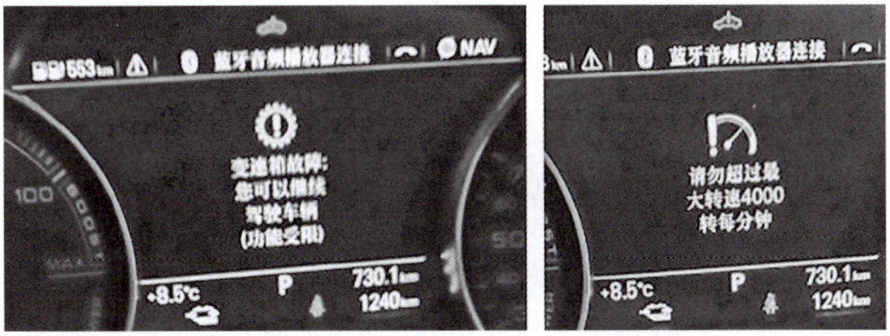

图 2-4-5　奥迪 A6Le-tron 仪表报故障

❷ 使用引导型故障查询进行检查。引导型故障查询显示需更换 J841 控制单元（JX1 电驱动功率电子装置）。

❸ 确认故障。为更进一步确认，与试驾车进行互换 JX1 电驱动功率电子装置，可以正常启动，故障消失，通过试车后故障再现。

检查电驱动功率电子装置 JX1 与变速箱三相交流驱动 VX54 连接线时发现，只要晃动线路就会出现高怠速现象，仪表故障灯报警。

同时拆卸线路时发现，电动机功率接口 U 处缺少一个卡环，这将影响屏蔽效果（图 2-4-6）。

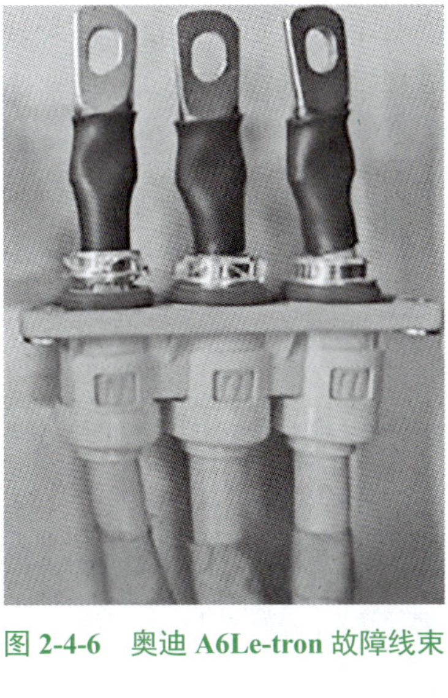

图 2-4-6　奥迪 A6Le-tron 故障线束

确认电驱动功率电子装置 JX1 与变速箱三相交流驱动 VX54 连接的高压线束问题。

更换变速箱三相交流驱动 VX54 连接的高压线束（图 2-4-7）后，故障排除。

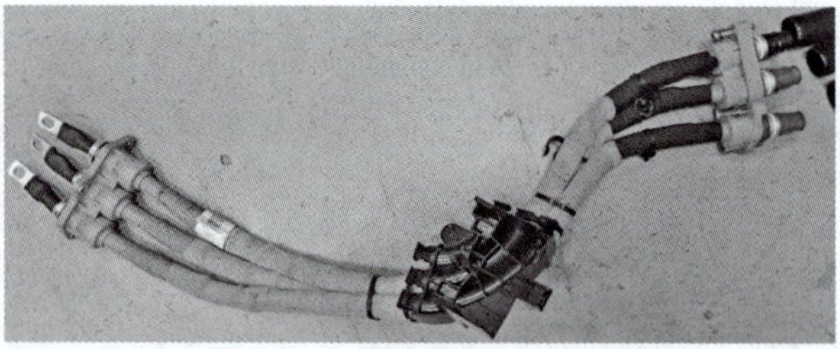

图 2-4-7　奥迪 A6Le-tron 高压线束

2.4.7　电动驱动系统故障导致车辆无法启动

（1）车辆信息

车型：奥迪 A6Le-tron。行驶里程：61412km。

（2）故障现象

仪表 e-tron 红灯报警，显示“电动驱动：系统故障！请安全停止车辆”，车辆无法启动。

（3）故障诊断与排除

❶ 使用诊断仪读取故障码。

a. 诊断地址 8C 高压蓄电池控制单元一直存储故障码（图 2-4-8）P0AFC00，内容为混合动力 / 高电压蓄电池传感器故障，被动 / 偶发；或伴有 P0B2000，内容为混合动力 / 高电压蓄电池总电压 4 对地短路，被动 / 偶发。

b. 诊断地址 51 电气驱动没有存储故障码。

故障存储器记录	
编号:	P0AFC00: 混合动力/高电压蓄电池 传感器故障
故障类型 2:	被动/偶发
症状:	9728
状态:	10101110
[-] 标准环境条件:	
日期:	18-12-27
时间:	20:04:40
里程（DTC）:	394
优先等级:	2
频率计数器:	5
遗忘计数器/驾驶周期:	255

图 2-4-8　奥迪 A6Le-tron 故障码

注意：若诊断地址 51 电气驱动存储故障码，需排除功率电子单元本身故障。

❷ 使用引导型故障查询进行检查。根据引导型故障查询指向高电压蓄电池开关盒 -SX6（蓄电池开关盒 BJB）（图 2-4-9）。

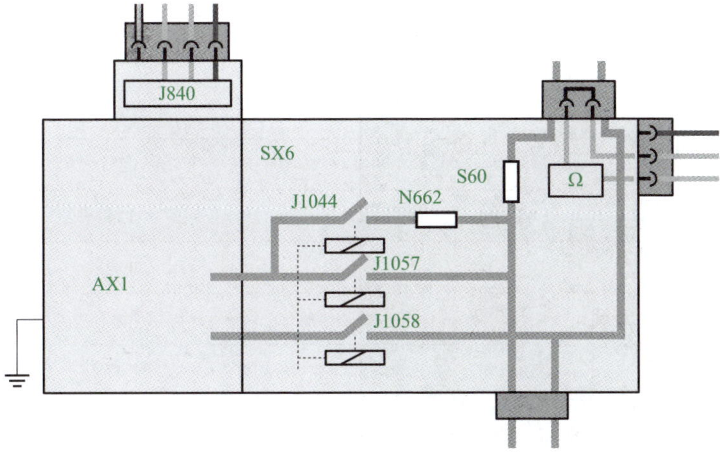

图 2-4-9　蓄电池开关盒 BJB 结构

❸ 确认故障。尝试更换蓄电池开关盒 BJB，试车，故障排除。

2.5 能量回收故障

2.5.1　车辆行驶中无能量回收

（1）车辆信息

车型：比亚迪秦混合动力车型。行驶里程：32881km。

（2）故障现象

车辆在混合动力模式下行驶，仪表上的能量传递图上无电池包能量回收显示。

（3）故障诊断与排除

使用诊断仪读取高压 BMS 故障码，内容为单节电池电压高故障。

单节电池电压是由各电池模组的 BIC 采集，通过 CAN 线反馈至高压 BMS，因此导致单节电池电压高故障的原因有电池模组故障、BIC 故障。

❶ 使用诊断仪进入高压 BMS，选择“读取数据流”，读取最高电压为 3.547V，高压电池编号为 48（表 2-5-1）。

❷ 进入高压 BMS，选择“模组电池信息”，分别读取 10 个模组中的“最高单节电池电压”，确认 3 号模组中最高电压为 3.55V，电池号编号为 14，与数据流中的最高单节电池电压相同，因此判定电池包中单节电压高的电池是 3 号模组中的 14 号电池。

表 2-5-1　比亚迪秦 BMS 数据流

当前总电压	491V
当前总电流	1.6A
SOC	12%
低压电池编号	125
最低电压	3.182V
高压电池编号	48
最高电压	3.547V
低温电池编号	27
最低温度	35℃
高温电池编号	46
最高温度	39℃

❸ 根据电池包各模块内电池数量的差异，1 号、3 号、5 号 BIC 可以进行互换，于是将 3 号、5 号 BIC 进行对调，再次确认 3 号模组与 5 号模组的最高电池电压，发现最高电压 3.55V 的电池在 5 号模组中，于是判断 3 号模组故障。

更换 3 号模组后，故障排除。

2.5.2　车辆行驶里程短

（1）车辆信息

车型：长城欧拉 R1。行驶里程：22112km。

（2）故障现象

车辆行驶里程短。

（3）故障诊断与排除

车辆行驶里程短，充满电行驶 50km 左右，显示电量报警，提示需要充电。慢充充电不到 2h 就可以充满电。正常情况下，车辆匀速行驶 40 ～ 60km 之间，环境温度在 5℃以上，是可以达到公告续航里程的。实测正常车辆在亏电至充满电慢充一般是 8 ～ 12h。

检查车辆在启动情况下有无异常放电［比如空调压缩机、PTC（空调制热）等电气系统异常工作］，未发现异常。检查多媒体大屏系统里面的新能源部分，发现车辆车况提示充电枪插入加热状态这一项不正常。实际未插枪，并且当时的环境温度在 6℃左右，如果车辆当时在充电也不会启动加热功能。

发现异常点，需要确定车辆是否实际在加热，通过电池管理系统（BMS）数据可以查看。欧拉电池包内部每块模组中有 6 个串联单体电芯和 2 个单体温度传感器，如图 2-5-1 所示，此车型有 A ～ O 共 15 个模组。通过诊断仪进入 BMS 可以读取单体电芯的电压和模组的温度。用诊断仪读取电池包温度，电池最高温度 25℃，电池最低温度 15℃，差值达到 10℃报警界限。

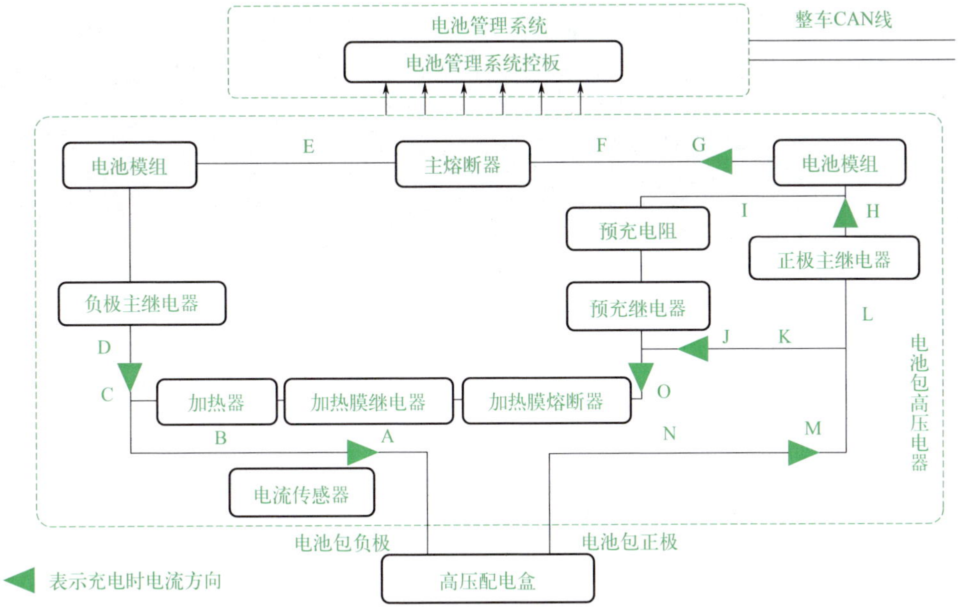

1. 当电池包初始温度＜-20℃时，只加热不充电
2. 当加热至温度≥-20℃且小于0℃时，边加热边充电
3. 当加热至温度≥0℃时，只充电。若温度降到≤-5℃，则边加热边充电
4. 当动力电池包温度≥0℃且＜55℃时，只充电，不加热
5. 当温度≥55℃时，禁止充电

图 2-5-1　动力电池启动加热工作范围

读取故障码 BMS 有 P103201，内容为电池温度不均衡（1 级），故障码与温度差值异常报警数据匹配。根据电池包内温度分析，确实在加热。读取正常车辆电池包温度在 8℃左右，比环境温度高 1 ～ 2℃（车辆行驶过程中电池包离子流动输出动力发热，外部壳体风冷又在散热）。

确定电池包内部实际状态确实在加热，检查 BMS 电池管理系统内部数据，并对比 BMS 版本信息，发现版本信息比较旧，尝试刷新观察多媒体大屏，不再显示加热，续航里程对比当时的单体电压在 3.8V 左右，正常车辆续航在 200km 以上，此车辆只有 38km，还是有异常。尝试断开蓄电池线负极 30min 左右，再次查看续航里程恢复至 223km，可通过观察仪表上面的动力电池总电压判断，在电压没有变化的情况下，续航里程由 38km 直接升至 223km，故障排除。

第 3 章 驱动电机故障

扫一扫

视频精讲

3.1 电机过热

3.1.1 驱动电机控制器温度过高

（1）车辆信息

车型：比亚迪秦混合动力车辆。行驶里程：56112km。

（2）故障现象

车辆上 OK 挡电，行驶一段时间后，无论是 EV 或 HEV 模式，散热器风扇一直高速运转，读取故障码为 P1B0300IGBT（过温告警）。

（3）故障诊断与排除

❶ 电控模块冷却控制。在驱动电机控制器及 DC 总成内部，有三组单元在工作时会产生热量，分别为 IPM（控制器内部智能功率控制模块）、IGBT（电机驱动模块）、电感，因此，在驱动电机控制器及 DC 总成内部有相应的水道对这三个部分进行冷却。电控模块冷却水路如图 3-1-1 所示。电机电动水泵安装在右前部总成外侧保险杠骨架安装板附近。

当这几个部分工作温度超过一定范围时，驱动电机控制器及 DC 总成就会检测到，同时经过 CAN 网络传递给发动机 EMS，EMS 驱动冷却风扇继电器后，冷却风扇工作以快速冷却防冻液，降低温度。以下为冷却风扇工作条件。

a. 电机水温：47 ～ 64℃低速请求；>64℃高速请求。

b. IPM：53 ～ 64℃低速请求；>64℃高速请求；>85℃报警。

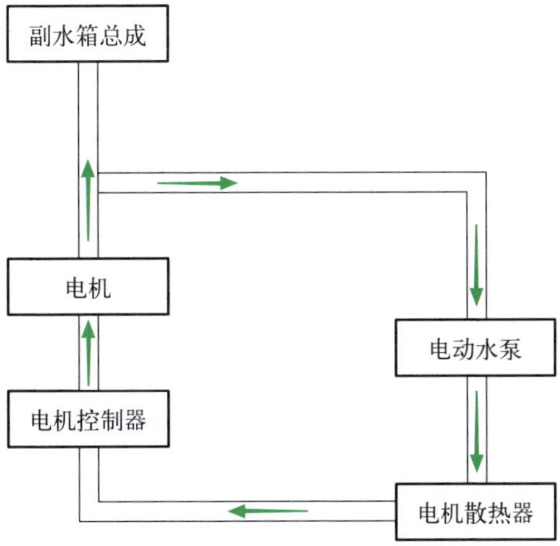

图 3-1-1　电控模块冷却水路

c. IGBT：55 ～ 75℃低速请求；>75℃高速请求；>90℃限制功率输出；>100℃报警。

d. 电机温度：90 ～ 110℃低速请求；>110℃高速请求。

满足 3 个低速请求，电子风扇低速运转；满足 1 个高速请求，电子风扇高速运转。

根据以上原理，可以分析出导致 IGBT 高温报警的原因有：

a. 电机冷却系统防冻液不足或有空气；

b. 电机电动水泵不工作；

c. 电机散热器堵塞；

d. 驱动电机控制及 DC 总成本身故障。

❷ 检查故障。

a. 检查冷却系统，确认防冻液充足。

b. 上 OK 挡电后用手捏电机水管，确认有一定水压，触摸电动水泵，确认工作良好。

c. 使用诊断仪读取驱动电机及 DC 总成内部数据流信息，从数据流可以看出，冷却液温度为 24℃，IPM 温度为 35℃，但 IGBT 温度已经高达 99℃，满足了风扇高速运转的条件，因此，分析为 IGBT 本身故障导致温度异常。

更换驱动电机控制器及 DC 总成后，故障排除。

3.1.2　驱动电机过热

（1）车辆信息

车型：云度 πPro 乐派型纯电动汽车。行驶里程：23112km。

（2）故障现象

驱动电机过热。

（3）故障诊断与排除

当车辆行驶一段时间后，仪表出现电机过热的报警信息，然后车速被限制在60km/h左右。

用云度专用故障诊断仪对车辆进行测试，整车控制器存储有故障码P191B96（IGBT过温报警）；电机控制器（MCU）存储有故障码P0A4300（MCU降功率故障）。

这两个故障码都指向MCU，并且结合故障现象可以确定，故障码P0A4300是由P191B96引起的，即检查方向应该从MCU的冷却入手。

查询P0A4300的引导测试提示，结果要求检查冷却回路、电机温度传感器线束和更换电机控制器。按此提示，冷却回路正好与电机过热或IGBT过温直接相关。纯电动汽车的动力系统与传统车类似，需要冷却，其冷却回路同样由水壶、散热器以及风扇等部件组成。

检查冷却液液位，正常，冷却管路没有弯曲、折叠和泄漏等异常。用故障诊断仪驱动水泵，但没有听到水泵工作的声音，不正常。

根据水泵电路图（图3-1-2）得知，水泵由VCU通过继电器控制其供电，然后通过E313搭铁。另外，VCU还通过PWM信号控制水泵的转速，水泵向VCU反馈自身的状态。

使用万用表测量供电和搭铁之间的电压，在11.9V左右，正常。测量这两根信号线，导通良好，无短路情况。

为了确认是VCU没有控制水泵运转还是水泵自身故障没有运转，找来正常车的水泵与故障车替换，故障没有再出现，由此确定为水泵故障。

更换新的水泵后，故障排除。

3.1.3 仪表亮电机系统过热和功率限制指示灯

（1）车辆信息

车型：吉利纯电动汽车。行驶里程：66124km。

（2）故障现象

车辆行驶几百米以后亮乌龟灯和电机及控制器过热灯，踩加速踏板无动力。

（3）故障诊断与排除

使用诊断仪读取故障信息，故障码如下。

P102904：电机控制器故障等级1（限功率）。

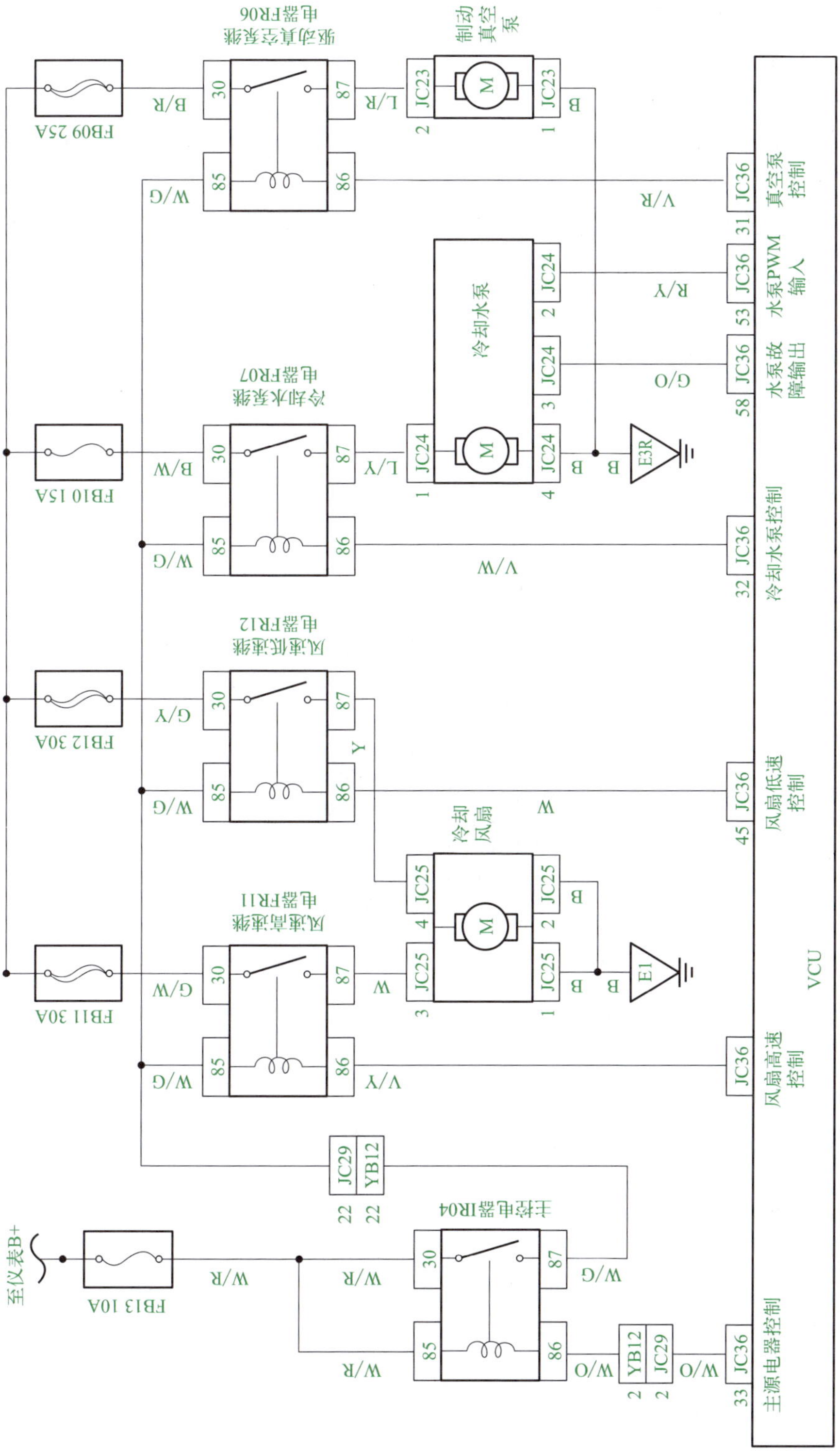
驱动真空泵继电器FR06
制动真空泵
FB09 25A
冷却水泵继电器FR07
冷却水泵
FB10 15A
风速低速继电器FR12
FB12 30A
冷却风扇
风速高速继电器FR11
FB11 30A
E3R
E1
VCU
主控电器IR04
FB13 10A
至仪表B+
真空泵控制
水泵PWM输入
水泵故障输出
冷却水泵控制
风扇低速控制
风扇高速控制
主源电器控制

图 3-1-2 水泵电路图

P102C04：电机属于限功率状态。

P112B00：DBC 过温检测。

P0A9300：冷却液过温故障。

驱动电机转子高速旋转会产生高温，热量通过机体传递，如果不加以降温，驱动电机则无法正常工作，所以驱动电机机体内设置有冷却液道，通过冷却液的循环与外界进行热交换。这样能将驱动电机的工作温度保持在一定范围内，防止驱动电机过热。冷却系统组成如图 3-1-3 所示。

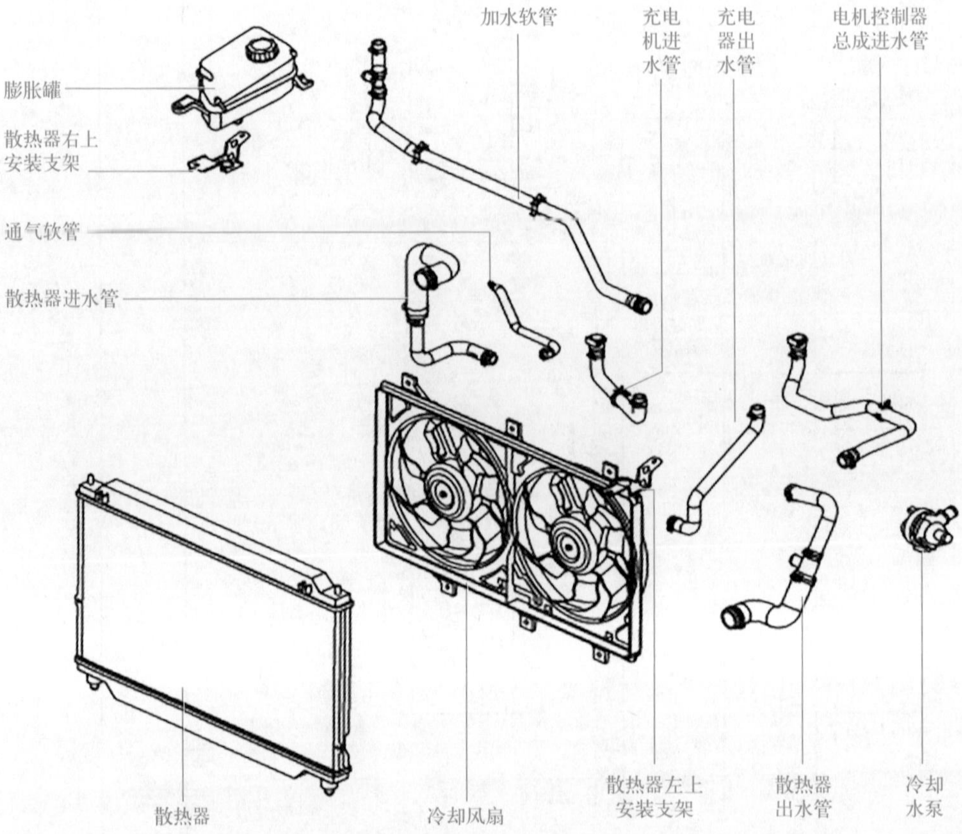

图 3-1-3　冷却系统组成

检查冷却液液位，正常。

检查冷却系统水管，没有发现瘪或者扭着的，管路正常。

检查水泵电源及线路，实测水泵电源线束，没有问题，水泵工作几秒就停了，短接继电器还是一样，只要给电就工作几秒，然后就不工作了，由此判断水泵工作不正常。

更换水泵后，故障排除。

3.2 驱动异常

3.2.1 混合动力汽车纯电驱动故障

（1）车辆信息

车型：比亚迪宋 DM 混合动力车辆。行驶里程：43212km。

（2）故障现象

纯电驱动故障。

（3）故障诊断与排除

使用诊断仪检查，调出两个故障码：P1741（系油泵电机故障）；P175E（油泵电机不能正常启动）。

纯电驱动模式与发动机驱动模式的基本差别在于车辆驱动的方式是不同的，纯电驱动方式利用驱动电机的旋转经减速，再传给主减速与差速器后，就能直接驱动车辆行驶。而发动机驱动模式则利用发动机输出的动力，需经过变速器后才能驱动车辆行驶。

这款混合动力车上装有手自一体式六速双离合自动变速器，操纵变速器的换挡装置需要用油压控制。两个故障码均指向“油泵电机”，这款车上装有电机驱动的液压泵，通过电液模块来控制变速器的换挡。

用诊断仪进入变速器控制器，从变速器运行的动态数据状况，分析油泵此时处于启动状态，但油泵转速却为 0，油泵供给压力为 0.05Pa，油泵启动占空比却高达 177，超出要求，显然无法满足运行的要求。

油泵电机采取三相交流供电，需检查电液控制模块，通过如图 3-2-1 所示的

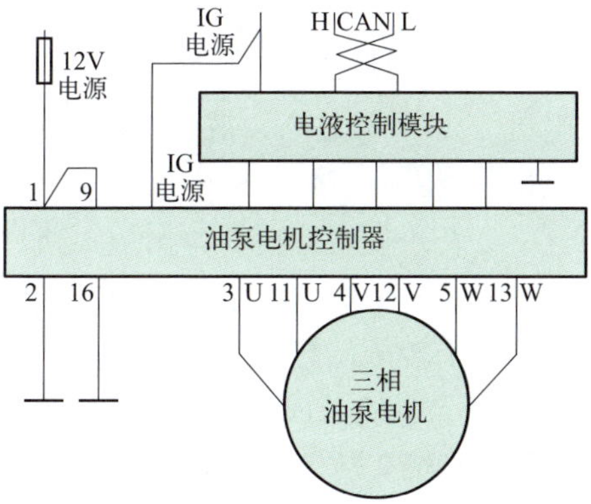

图 3-2-1　变速器的三相油泵电路

油泵电机控制器，对油泵电机的供电状况，即控制器的变频功能进行检查。检测其上通信的CAN是正常的，直流供电也属正常的13.8V，但三相交流输出U、V、W端却没有交流电输出，说明此油泵电机控制器已损坏，导致油泵电机不运转，使变速器无法挂挡，造成HEV驱动模式也随之丧失。更换此油泵电机控制器模块，本车的发动机驱动模式恢复正常，故障排除。

3.2.2 车辆加速时仪表盘显示电动驱动报警

（1）车辆信息

车型：奥迪 A6Le-tron。行驶里程：22212km。

（2）故障现象

车辆加速时仪表盘显示报警“电动驱动：系统故障！安全停住汽车辆”（图3-2-2），随后车辆无法启动。

图3-2-2　仪表报故障

（3）故障诊断与排除

❶ 使用诊断仪读取故障码。诊断地址51功率电子模块存储故障码：

P0A6200——行驶电机V相电流过高，被动/偶发；

P0A6500——行驶电机W相电流过高，被动/偶发；

P0C5700——牵引电机2转子位置传感器1对地短路，被动/偶发。

❷ 使用引导型故障查询测试计划。引导型故障查询测试计划提示转子位置传感器G713故障需更换，由于转子位置传感器G713集成在电驱动牵引电机内，综上判断该车需更换电驱动牵引电机总成（图3-2-3）。

❸ 确认故障。除了牵引电机2转子位置传感器1本身外，还需要考虑牵引电机与功率电子单元之间的通信信号线情况（图3-2-4）。

图 3-2-3　G713 转子位置传感器

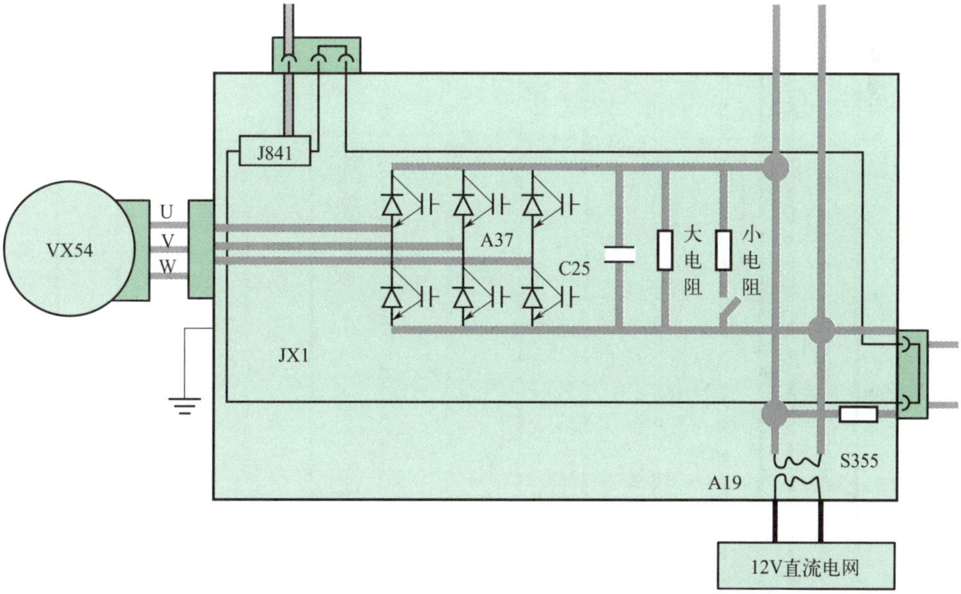

图 3-2-4　牵引电机与功率电子单元之间的通信信号线

检查牵引电机与功率电子单元之间的通信信号线，拉扯了线束，当时未发现问题，但行驶故障不再出现。

再次重点检查线束，发现其中一根由 JX1 到 VX51 的蓝白线有轻微磨破的现象（图 3-2-5），至此认为该车故障原因已找到。

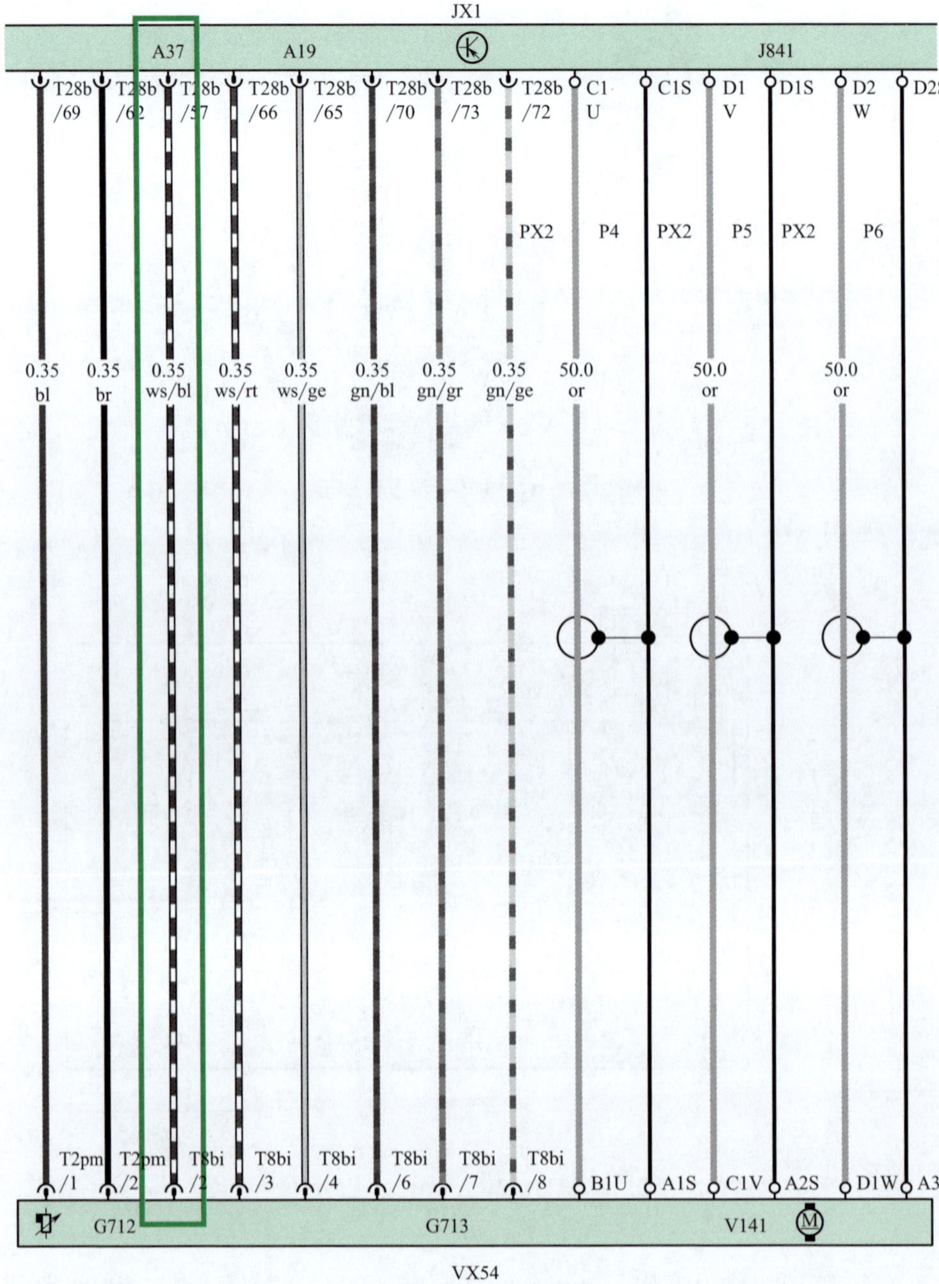

图 3-2-5　牵引电机电路

行驶电机转子位置传感器 1 的信号线与发动机舱内的支撑有刮擦，加速时信号线与支撑物接触不好，造成对地短路，Etron 灯报警，继而无法启动（图 3-2-6）。

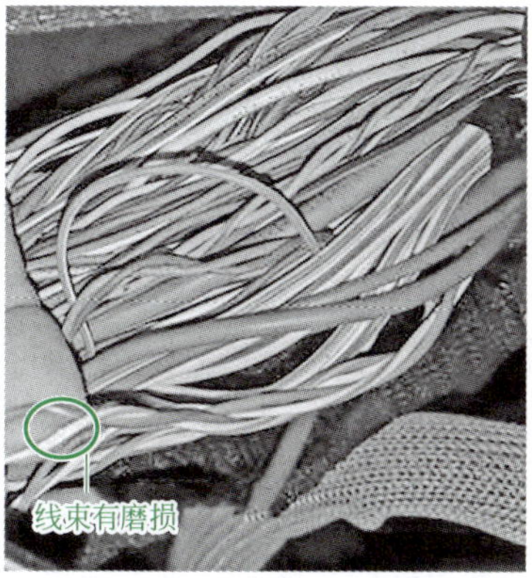

图 3-2-6　线束有磨损

修复驱动电机信号线线束后，故障排除。

3.2.3　旋变故障

（1）车辆信息

车型：比亚迪秦混合动力车辆。行驶里程：87212km。

（2）故障现象

车辆行驶过程中动力系统故障灯偶发点亮，同时仪表上 ESP 灯亮，提示请检查 ESP 系统。重新启动后，仪表上动力系统故障灯熄灭，此时 ESP 灯仍然点亮。

（3）故障诊断与排除

❶ 使用诊断仪读取故障码。驱动电机控制器报多个故障码，且无法清除。

读取故障码为：

P1B1100——旋变故障——信号丢失；

P1B1200——旋变故障——角度异常；

P1B1300——旋变故障——信号幅值减弱。

ESP 系统报故障码 U059508，内容为主电机 CAN 数据被破坏 / 中断（历史）。

❷ 检查故障。

a. EPS 报出的故障码 U059508 属于通信类故障码，故障源并不在 ESP 上，而是在主电机上。

b. 主电机内部故障码说明驱动电机控制器无法正确采集到旋变信号，此种故障分三种情况：电机内旋变检测异常、旋变小线故障、驱动电机控制器异常（图 3-2-7）。

c. 旋变本身并不复杂，其主要目的是正常检测驱动电机工作时三项高压电与电机转子运转匹配情况，其工作原理类似磁感应式传感器。

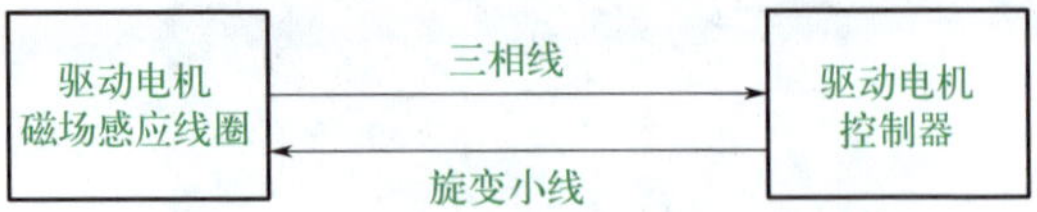

图 3-2-7　旋变传感器与驱动电机控制器

d. 检查发现发动机启动，无法切换 EV 模式，从电机驱动控制器数据可以看到故障循环出现的次数。

e. 读取故障码，内容为旋变信号丢失，旋变角度异常，旋变信号幅值减弱；电机缺 A/B/C 相，故障码可以清除。

f. 从驱动电机控制器端测量，旋变 - 励磁阻值为（9.6±2.0）Ω，旋变 - 正旋、余旋阻值为（16.3±2.0）Ω，阻值正常（图 3-2-8）。

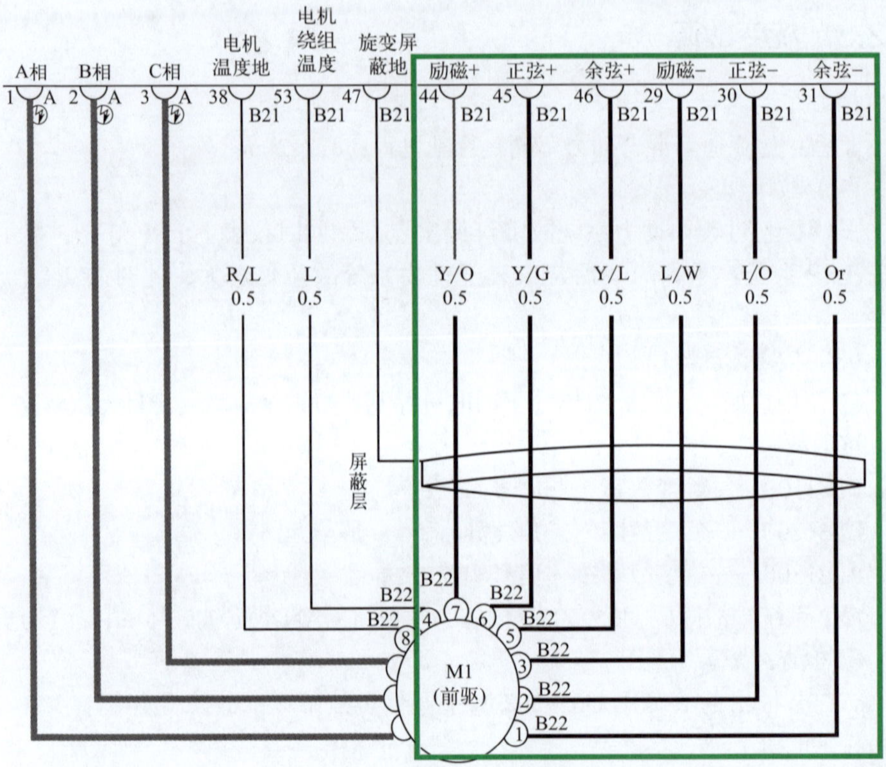

图 3-2-8　旋变传感器电路

g. 根据故障检测次数与用户沟通，了解到故障是偶发性的，因此打开前舱盖，晃动了旋变插头，此时发动机启动了，很快又熄火了，故障灯亮。

h. 分解电机端旋变插头针脚，针脚无异常。再安装旋变针脚及插头，路试故障未再出现，故障码不再出现。

i. 再次打开机盖并晃动旋变线束插头，发动机启动，并很快熄火，故障码再次出现，仪表 ESP 故障灯亮。

j. 最后检查故障原因：与电机旋变对接的线束端针脚未压实，导致线束虚接（图 3-2-9）。

图 3-2-9　故障位置

修复故障线束后，故障排除。

3.2.4　无法进入 Ready 状态

（1）车辆信息

车型：丰田普锐斯混合动力车辆。行驶里程：187212km。

（2）故障现象

发动机故障灯点亮、无法进入 Ready 状态。

（3）故障诊断与排除

进店检测历史故障码，SFI 系统存有故障码 P3190（发动机功率低）、P3191（发动机不能启动）、P3193（燃油耗尽），HV 系统存有故障码 POAOFINF、204 来自 ECM 异常信号输入（发动机输出异常）和 205 来自 ECM 异常信号输入（发动机无法启动）。而两个 IND 码指向的故障可能部位是 ECMSFI 系统，结合该故障码的原理（当 ECM 检测到一个会影响 THS 控制的故障时，HV 控制 ECU 实施安全保护控制）和该故障码检测步骤，也是指向 SFI 系统或 ECM，因此可判定

SFI 系统或 ECM 故障，并且排除燃油用尽。由于无法再现故障，于是将相关传感器的插接器仔细查看一遍，测量油压，故障依旧。

主动测试燃油泵工作情况，油压正常，在 300kPa 以上，表明燃油系统工作正常，查看录制的动态数据流与标准值对比均未发现异常，尝试更换 ECM。

装配试车，故障未现；连续试车 7 天，故障未现；1 个月后回访，故障未现。

3.2.5 高压系统无法上电

（1）车辆信息

车型：荣威 E550 混合动力车辆。行驶里程：87212km。

（2）故障现象

冷车高压系统无法上电、“Ready”指示灯不亮。

（3）故障诊断与排除

使用新能源汽车诊断仪读取故障码，在车身控制模块（BCM）和混动控制模块（HCU）内有诸多历史故障码，结合故障码与仪表提示“油压过低”的信息进行分析，初步判断可能是电机（EDU）阀体内部油压异常，从而导致“冷车高压系统无法上电”的故障（表 3-2-1）。

表 3-2-1 荣威 E550 故障码

序号	故障码	故障类型	定义	状态
1	B1709	00	防盗检验未收到电力电 子箱的响应	历史
2	P0230	72	燃油泵继电器卡滞打开	历史
3	U0100	87	丢失与 EMS 的通信	历史
4	U0292	87	与 ISG 电机控制单元 ISC 失去通信	历史
5	P1A99	00	HCU 报告电池管理模块 BMS 故障	历史
6	P1A9B	00	HCU 报告 ISG 电机控制 ISC 故障	历史
7	P1A9D	00	HCU 报告牵引电机故障	历史
8	P1A9F	00	高压电池请求点亮故障灯	历史
9	P1AE1	00	ISG 电机请求点亮系统故障灯	历史
10	P1AE2	00	TM 驱动电机请求点亮混动系统故障灯	历史
11	P1A0E	00	高压电池包输出功率受限	历史
12	P1AA7	00	油压上升过慢	历史
13	P1AB9	00	ECU 重置复位	历史

读取电机（EDU）阀体油液压力为 28bar（1bar=100kPa，下同），而正常车辆的电机（EDU）阀体油液压力应在 48bar 以上，故障车的压力明显偏低。在混动控制模块（HCU）内有关于油压上升过慢的故障码，判断液压系统内部可能存在泄压的情况，导致油压偏低的故障点应该在滤油器、油泵与蓄能器之间（图 3-2-10）。

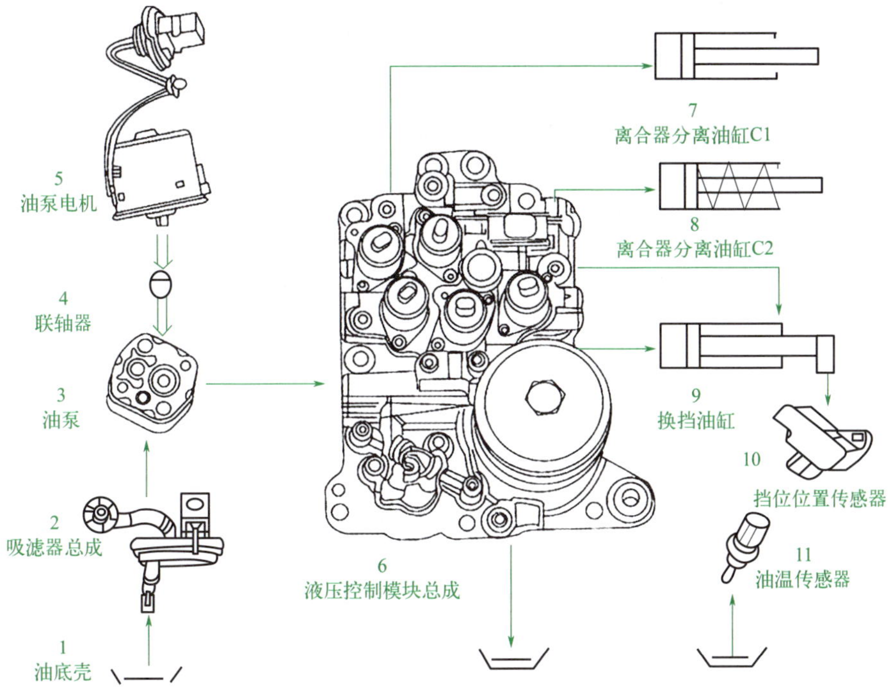

图 3-2-10　电机（EDU）阀体油液压力系统结构

保压测试：进入发动机驱动模式并启动车辆，读取怠速时电机（EDU）阀体油液压力为 51bar，熄火后观察油压下降速度，发现 30s 内油压降至 35bar，此时再次用纯电模式启动车辆，故障再现。通过这个测试，可以排除机油滤清器堵塞和机油泵故障的可能性，锁定导致油道泄压的故障点为蓄能器。

更换蓄能器后试车，该车故障被彻底排除。

3.2.6　车辆无法上电，Ready 灯不亮

（1）车辆信息

车型：2020 年款东风启辰 D60EV 纯电动汽车。

（2）故障现象

Ready 灯不会点亮，仪表提示驱动电机故障，车辆无法行驶。

（3）故障诊断与排除

使用诊断仪读取故障码。

❶ HVAC 空调控制器：B24A9——阳光传感器开路故障。

❷ IVN 逆变器：P3352——电机转子位置错误（旋转变压器及相关电路错误）。

❸ VCM 整车控制器：P3146——M/C-Arelaycut 要求诊断。

❹ VDC 车身动态控制器：C1130——92- 发动机信号 1。

空调系统故障码 B24A9 是由于在车间进行诊断时，传感器没有被阳光照射而产生的；车身动态控制系统故障码 C1130 和整车控制系统故障码 P3146 与动力系统无法正常工作不相关。根据车辆故障现象，将故障检查的重点放在 INV 逆变器故障码 P3352。

查阅维修手册，对故障码 P3352 的解释是：当牵引电机旋变传感器信号异常时会产生此故障码（图 3-2-11）。

P3352电机转子位置错误

DTC说明

DTC检测逻辑

DTC编号	显示项目	DTC检测条件	
P3352	电机转子位置错误(旋转变压器及相关电路错误)(牵引层电机位置模块)	诊断条件	・电源开关接通 ・牵引电机转动期间
		信号(端子)	牵引电机旋变传感器信号
		阈值	牵引电机旋转变压器检测电路异常
		诊断延迟时间	1s

图 3-2-11　故障码 P3352 的解释

查阅牵引电机电路图和维修手册上的说明，发现牵引电机上与故障码相关联的针脚分别是：2 号针脚“电机旋变 sin 负”；3 号针脚“电机旋变励磁正”；4 号针脚“电机旋变励磁负”；12 号针脚“电机旋变 cos 正”；13 号针脚“电机旋变 cos 负”；14 号针脚“电机旋变 sin 正”（图 3-2-12）。

断开 12V 蓄电池负极等待 10min 后，断开插头，使用万用表 200Ω 电阻挡分别测量 3 号与 4 号、12 号与 13 号、2 号与 14 号之间的电阻，测量结果均为不导通。

根据维修手册的标准值：3 号与 4 号针脚之间的标准电阻是 8 ～ 15Ω，12 号与 13 号针脚之间的标准电阻是 20 ～ 35Ω，2 号与 14 号针脚之间的标准电阻也是 20 ～ 35Ω。

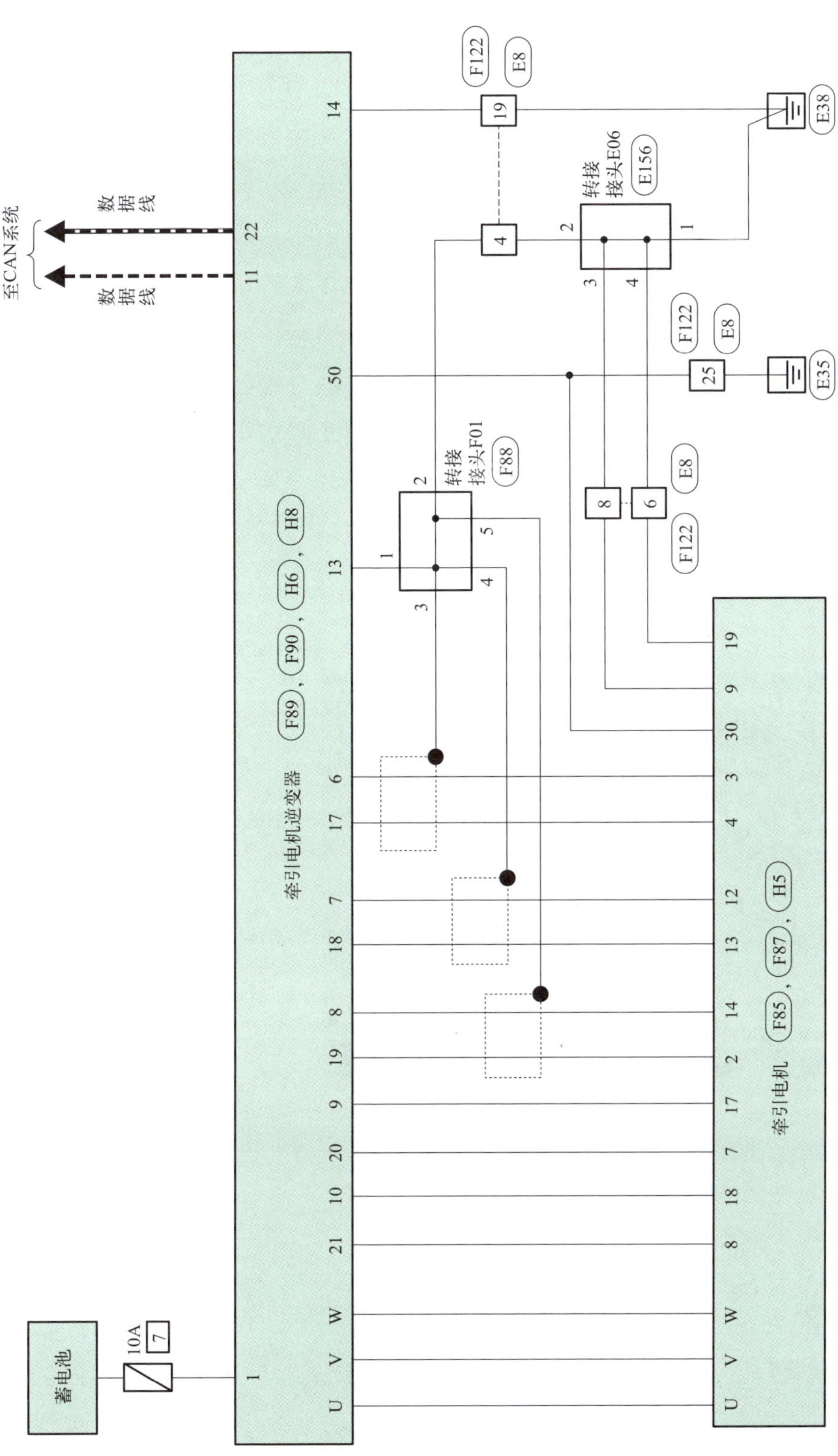

图 3-2-12　东风启辰 D60EV 牵引电机电路

根据检测结果判断旋变传感器存在故障。

由于旋变传感器在牵引电机内部无法拆解，因此只能更换牵引电机总成。更换后，试车，车辆恢复正常，故障排除。

3.3 电机故障

（1）车辆信息

车型：广汽混合动力车辆。

（2）故障现象

❶ 组合仪表报“限速行驶、联系维修”“EHPS 失效”（图 3-3-1）。

❷ 车辆掉高压电无法 Ready（此时控制器已关闭 IPU，无法再上高压电）。

❸ 断开 12V 蓄电池负极或者清除故障码后，车辆可以 Ready，但挂挡后，车辆无法行驶，明显听到前驱动电机空转的声音。

❹ 检查差减轴与驱动电机结合位置有油迹渗出。

图 3-3-1　汽车仪表

（3）故障诊断与排除

使用诊断仪读取故障码，见表 3-3-1。

> 注意：过速故障，所谓的过速实际就是一个没有负载的、超过了峰值转速。

表 3-3-1　广汽混合动力车辆故障码

序号	控制器	硬件号	软件号	零件号	故障码	故障类型	定义	状态
1	制动控制系统	8030009BAC020H.9	8030009BAC0203.0	8030009BAC0200	无故障码			
2	助力转向系统	3410006BAC010H. ?	3410006BAC0103. ?	3410006BAC0100	无故障码			
3	发动机管理系统	1120003BAC1100H.0	1120003BAC1100S.0	1120003BAC1100	P057129	历史的	刹车信号不同步	60
4	辅助安全系统	8040003BAC000H???	8040003BAC000S???	8040003BAC0000	无故障码			
5	电池管理系统				通信异常			
6	前驱电机	1520007BAC0000H.0	1520007BAC0000S.4	1520007BAC0000	P180619	历史的	功率模组过电流	A8
7	前驱电机	1520007BAC0000H.0	1520007BAC0000S.4	1520007BAC0000	P18A070	当前的	电机过速 - 关闭 IPU	AF
8	前驱电机	1520007BAC0000H.0	1520007BAC0000S.4	1520007BAC0000	P183470	当前的	电机过速 -2 级报警	2F
9	前驱电机	1520007BAC0000H.0	1520007BAC0000S.4	1520007BAC0000	P180317	历史的	发电时高压电压高于 udc_max 时降功率	68
10	前驱电机	1520007BAC0000H.0	1520007BAC0000S.4	1520007BAC0000	P181216	历史的	发电机高压直流电压低出阈值 - 降功率	28
11	混动控制系统	1110003BAC0300H.E	1110003BAC0300S.E	1110003BAC0300	P16FF00	历史的	BMS 电池包 2 风扇故障	08
12	混动控制系统	1110003BAC0300H.E	1110003BAC0300S.E	1110003BAC0300	P166F00	历史的	BMS 风扇故障	08
13	混动控制系统	1110003BAC0300H.E	1110003BAC0300S.E	1110003BAC0300	P06A111	历史的	电动空调转速控制线短路到地	08

续表

序号	控制器	硬件号	软件号	零件号	故障码	故障类型	定义	状态
14	混动控制系统	1110003BAC0300H.E	1110003BAC0300S.E	1110003BAC0300	P109296	历史的	发动机故障级别 1	08
15	混动控制系统	1110003BAC0300H.E	1110003BAC0300S.E	1110003BAC0300	P068D00	历史的	选挡信号不匹配	08
16	混动控制系统	1110003BAC0300H.E	1110003BAC0300S.E	1110003BAC0300	U10G397	历史的	丢失与充电机的通信超过 2s	08
17	混动控制系统	1110003BAC0300H.E	1110003BAC0300S.E	1110003BAC0300	P189496	当前的	驱动电机故障级别 3	8B
18	混动控制系统	1110003BAC0300H.E	1110003BAC0300S.E	1110003BAC0300	P166496	当前的	高压电池初始化错误	0B
19	混动控制系统	1110003BAC0300H.E	1110003BAC0300S.E	1110003BAC0300	U10C181	当前的	HVIL 线断开	0B
20	混动控制系统	1110003BAC0300H.E	1110003BAC0300S.E	1110003BAC0300	P0CC113	历史的	水泵控制继电器开路	08
21	混动控制系统	1110003BAC0300H.E	1110003BAC0300S.E	1110003BAC0300	P189396	当前的	驱动电机故障级别 2	8B
22	集成启动发电机	1520007BAC0000H.0	1520007BAC0000S.4	1520007BAC0000	P171216	历史的	发电机高压直流电压低出阈值 - 降功率	28
23	娱乐系统				通信异常			
24	空调系统	S130004BAC000H ??	8130004BAC020S.B	8130004BAC0200	无故障码			

检查驱动电机（旋变 / 温度）的接插件，检查接插件是否接插良好（图 3-3-2）。

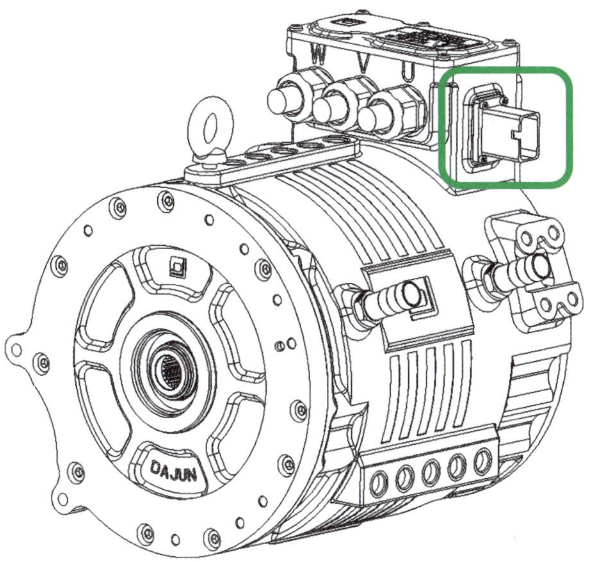

图 3-3-2　检查驱动电机（旋变 / 温度）的接插件

检查驱动电机与差减轴的结合面（图 3-3-3），检查是否有油渗出。如有油渗出且能听见明显的空转声音，则需要重点检查差减轴的状态。

图 3-3-3　检查驱动电机与差减轴的结合面

如上述 2 个地方状态良好，则测量驱动电机（旋变 / 温度）的旋变值，正常旋变值如下。

$1^{\#}$-$12^{\#}$ 针脚的旋变值：15Ω。

$2^{\#}$-$11^{\#}$ 针脚的旋变值：36Ω。

$3^{\#}$-$10^{\#}$ 针脚的旋变值：36Ω。

若旋变传感器测量值正常，则可判定该驱动电机内部存在故障。

更换驱动电机后，故障排除。

3.4 绝缘故障

3.4.1 发电机绝缘故障

（1）车辆信息

车型：广汽 GA5REV 混合动力汽车。

（2）故障现象

车辆行驶中报“降功率行驶 / 严重故障、联系维修”。

（3）故障诊断与排除

使用诊断仪读取故障码。

确认当前故障码是否存在（当前的、BMS 故障级别 4；历史的 / 当前的、高压电池系统绝缘故障）。

如有上述故障，初步判断为三电系统部件（电池、电机、电控）绝缘故障（表 3-4-1）。

❶ 检测三电高压系统部件绝缘，首先必须切断动力电池 B 包手动维修开关及 12V 蓄电池负极（图 3-4-1）。

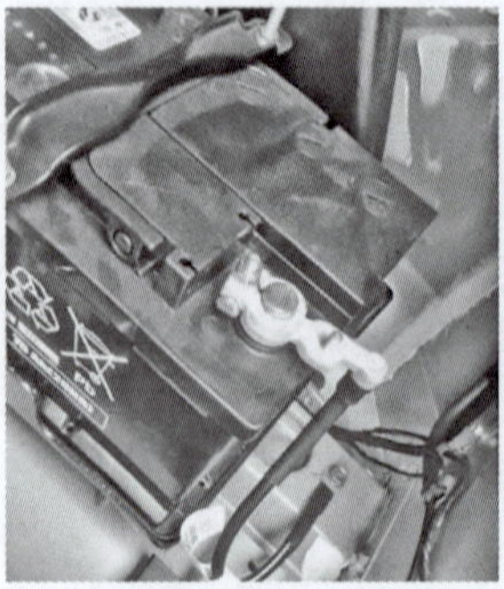

图 3-4-1　切断动力电池 B 包手动维修开关及 12V 蓄电池负极

❷ 检测动力电池 A、B 包的绝缘情况。

表 3-4-1　广汽 GA5REV 故障码

10	混动控制系统	1110003BAC0300H.B	1110003BAC0300S.B	1110003BAC0300	U007388	历史的	HCAN 总线关闭	08
11	混动控制系统	1110003BAC0300H.B	1110003BAC0300S.B	1110003BAC0300	P171019	历史的	DCDC 输出电流超出阈值	08
12	混动控制系统	1110003BAC0300H.B	1110003BAC0300S.B	1110003BAC0300	P16C119	历史的	高压电池充电电流过大（1 级）	08
13	混动控制系统	1110003BAC0300H.B	1110003BAC0300S.B	1110003BAC0300	U10C287	历史的	丢失与充电机的通信超过 1s	08
14	混动控制系统	1110003BAC0300H.B	1110003BAC0300S.B	1110003BAC0300	P0AA601	历史的	高压电池系统绝缘故障	08
15	混动控制系统	1110003BAC0300H.B	1110003BAC0300S.B	1110003BAC0300	P169796	当前的	BMS 故障级别 4	8B
16	集成启动发电机	1520007BAC0000H.0	1520007BAC0000S.1	1520007BAC0000	无故障码			

a. 拆开动力电池 A、B 包相互连接的高压线接插件（图 3-4-2），利用绝缘表分别检测该点接插件（1#、2#）针脚的绝缘值（正常绝缘值为 550Ω），如绝缘值不符，可判定为动力电池 A 包绝缘故障，检查该线束的状态（是否破皮、压坏），如线束无异常，则需更换动力电池 A 包。

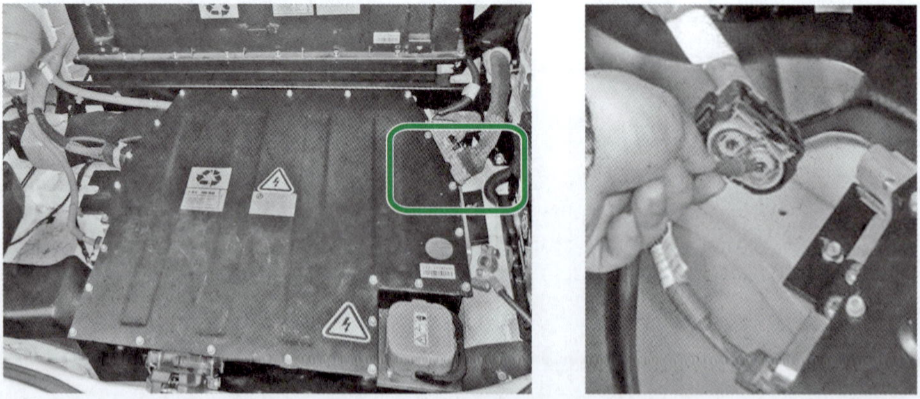

(a) 高压线接插件　　(b) 分别检测线束端子1#、2#针脚绝缘值

图 3-4-2　检查高压线接插件

b. 利用绝缘表检测动力电池 B 包（1#、2#）针脚（图 3-4-3）的绝缘值（正常绝缘值为 550Ω），如阻值不符，则判定为动力电池 B 包绝缘需更换。

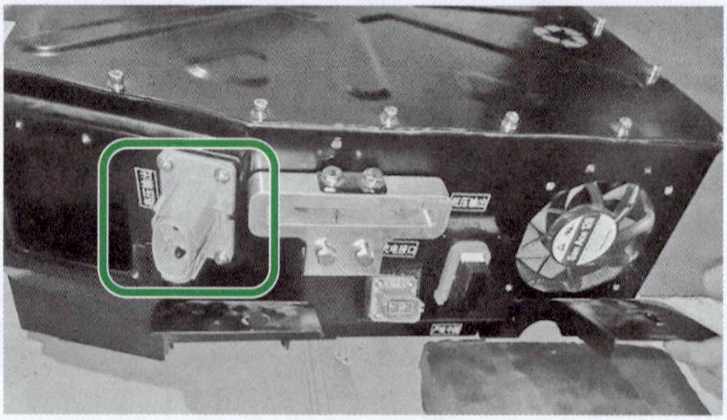

图 3-4-3　分别检测电池包端子 1#、2# 针脚绝缘值

❸ 检测空调系统高压线绝缘情况。

a. 拆开动力电池 B 包空调系统高压线连接的接插件（图 3-4-4），检测该线束接插件（1#、2# 针脚）的绝缘值（正常绝缘阻值为 550MΩ），如阻值不符，请检查该接插件到前机舱位置空调压缩机处的线束安装状态（端子有无异常、线束有无破皮）。

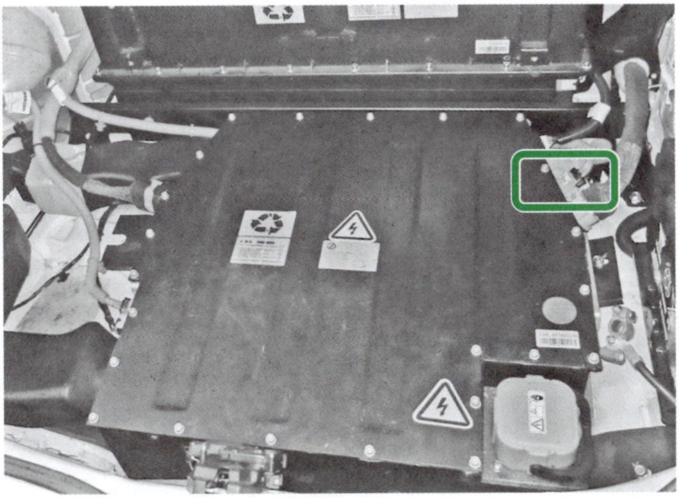

图 3-4-4　检查动力电池 B 包空调系统高压线连接的接插件

b. 拆开空调压缩机高压接插件，用绝缘表检测空调压缩机 1#、2# 内部绝缘情况（图 3-4-5），正常绝缘阻值为 550MΩ，如阻值不符，则判定为空调压缩机内部绝缘，需更换空调压缩机。

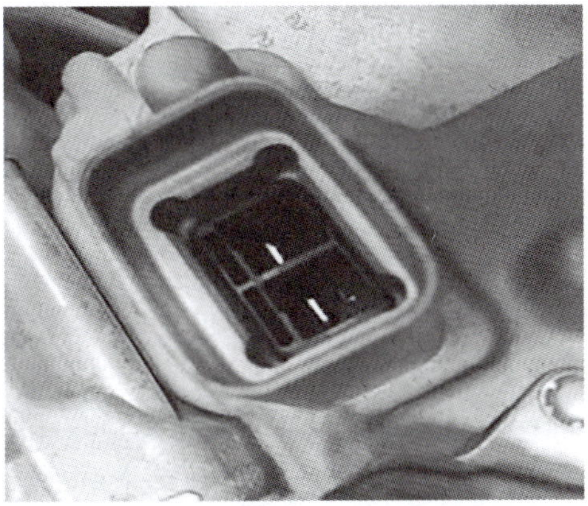

图 3-4-5　分别检测线束端子 1#、2# 针脚绝缘值

❹ 检测充电机绝缘情况。拆开动力电池 B 包充电机连接的高压系统接插件（图 3-4-6），检测该线束接插件（1#、2# 针脚）的绝缘值（正常绝缘阻值 > 550MΩ），如阻值不符，请检查该段线束的状态（有无破皮、端子有无异常）和充电机。

❺ 检测三合一控制器系统绝缘情况。拆开动力电池 B 包三合一控制器系统连接的接插件（图 3-4-7），检测该线束接插件（1#、2# 针脚）的绝缘值（正

常绝缘阻值＞550MΩ），如阻值不符，则拆开三合一控制器连接的接插件，检测该点的绝缘值，如绝缘值不符，则可判断为该段线束不良（线束破皮、端子异常）。

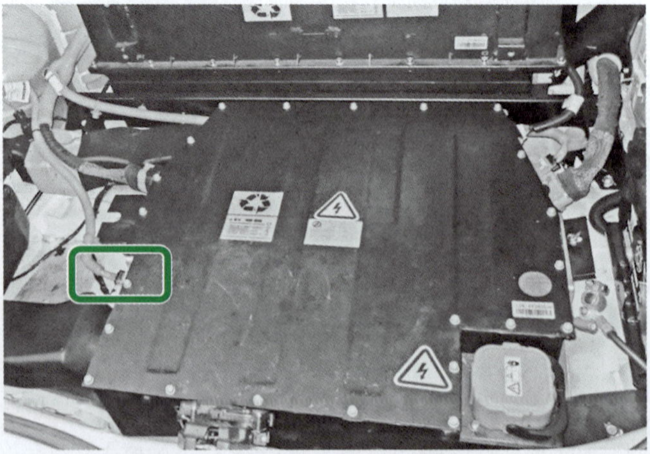

图 3-4-6 检查动力电池 B 包充电机连接的高压系统接插件

图 3-4-7 检查动力电池 B 包三合一控制器系统连接的接插件

用绝缘表检测三合一控制器针脚 1#、2#（图 3-4-8）的绝缘值，如绝缘值不符，则拆开控制器与发电机连接的接插件（图 3-4-9），分别检测 U、V、W 三个端子。如绝缘值不符，则判定发电机绝缘不良；反之，则拆开控制器与驱动电机连接的接插件（图 3-4-10），分别检测 U、V、W 三个端子，如阻值不符，则判定为驱动电机绝缘不良。

如发电机及驱动电机绝缘值均符合，则为三合一控制器绝缘故障。

更换三合一控制器后，故障排除。

图 3-4-8　分别检测线束端子 1#、2# 针脚绝缘值

图 3-4-9　分别检测发电机线束端子 U、V、W 针脚绝缘值

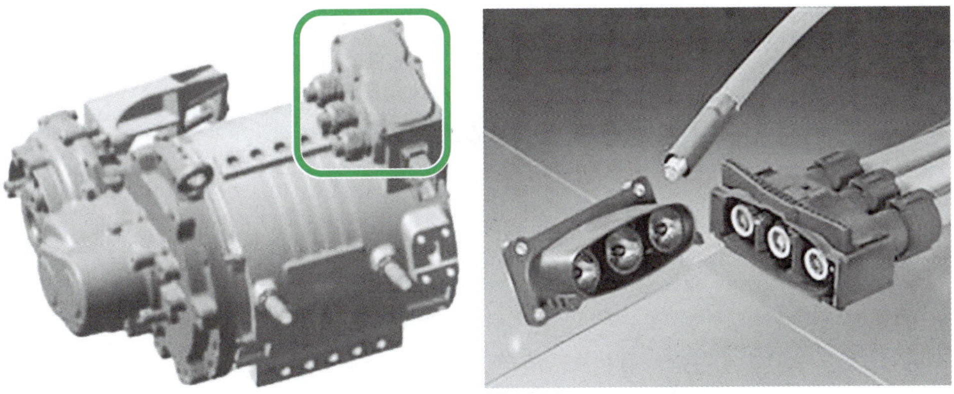

图 3-4-10　分别检测驱动电机线束端子 U、V、W 针脚绝缘值

3.4.2 三相线束绝缘故障

（1）车辆信息

车型：上汽荣威 ei6 纯电动汽车。行驶里程：42000km。

（2）故障现象

高压系统故障灯点亮，车辆无法上电，无法行驶。

（3）故障诊断与排除

使用诊断仪读取故障码为 P0AA600，内容为高压系统绝缘故障。

高压系统绝缘阻值不得低于 5000kΩ，如果低于 5000kΩ 就会报故障。

使用诊断仪读取实时数据，打开电门，在不上电情况下，在混动控制模块 HCU 里读到绝缘电阻为 8191kΩ（表 3-4-2），上电后瞬间绝缘电阻下降到 1000kΩ（表 3-4-3），此时高压绝缘故障再现。

表 3-4-2 不上电时混动控制模块中的绝缘电阻

项目	数值	单位
高压系统绝缘电阻值	8191	kΩ
BMS 运行状态	行驶准备就绪	
高压电池电压	346.000	V
EMS 故障等级	正常	

表 3-4-3 上电瞬间混动控制模块中的绝缘电阻

项目	数值	单位
高压系统绝缘电阻值	1000	kΩ
BMS 运行状态	行驶	
高压电池电流	4	A
EMS 故障等级	正常	

说明在高压系统 U、V、W 三相中，某相存在对地短路故障。

使用绝缘表，对电驱动变速器三相线缆逐一进行绝缘检测，实际测量驱动电机 U 相与 V 相与壳体之间的绝缘电阻均为 7800Ω，正常，实际测量 W 相线缆与壳体的绝缘电阻仅为 2Ω，电机 W 相存在对地短路故障。

更换驱动电机后，故障排除。

3.5 电机漏电

（1）车辆信息

车型：上汽荣威 E550 混动动力汽车。行驶里程：55342km。

（2）故障现象

偶发性 EV 受限。

（3）故障诊断与排除

使用诊断仪检查 BMS 报故障码：

P1CA100——严重漏电；

P1CA200——一般漏电（故障可以清除）。

初步分析为高压部件漏电引起，车辆退电 OFF 挡，断开蓄电池负极，用万用表测量电池包正负极母线对地阻值分别为 16.3MΩ 和 17.24MΩ，正常（可排除高压配电箱故障）。

测量电机控制器对地阻值，正常。然后测量后电机 ABC 三相对地阻值分别为 1.1kΩ、2.2kΩ 和 1.9kΩ，三个阻值为异常。在装配过程中，发现 ABC 三相线与电机控制器之间有水迹，怀疑故障是由于进水导致高压漏电造成的偶发性 EV 受限。

处理 ABC 三相线与电机控制器之间的水迹，更换线束防水密封圈，试车，故障排除。

3.6 电机超速保护

（1）车辆信息

车型：北汽 EV150 纯电动汽车。行驶里程：66712km。

（2）故障现象

车辆无法行驶，仪表盘故障灯亮。

（3）故障诊断与排除

接车后，首先测量低压蓄电池电压，为 12.2V，正常。

使用诊断仪读取故障码为 P0519，内容为电机超速保护故障。

> 注意：故障码 P0519 对应的是驱动电机的旋转变压器故障。

断开 12V 低压蓄电池负极电缆，脱开电机旋转变压器插头 T35，用万用表和跨接线测量旋转变压器本体的励磁绕组和信号绕组。根据电气接口表定义（表 3-6-1）测量：S_1/S_3，信号绕组回路应为（60±10）Ω；S_2/S_4，信号绕组回路应为（60±10）Ω；R_1/R_2，励磁绕组回路应为（33±10）Ω。经测量，电机旋转变压器正常。

表 3-6-1　旋转变压器低压信号针脚定义

编号	数字编号	信号名称	说明
A	1	R_1（励磁绕组）	电机旋转变压器接口
B	2	R_2（励磁绕组）	
C	3	S_1（信号绕组）	
D	4	S_3（信号绕组）	
E	5	S_2（信号绕组）	
F	6	S_4（信号绕组）	

再脱开电机控制器插头 T12 测量电机旋变插头 T35 的针脚至电机控制器 T12 针脚（1-12、2-11、3-35、4-34、5-9、6-21）之间导线是否出现断路 / 短路情况（图 3-6-1）。经测量，2-11 之间电阻值为∞，表明该导线断路。

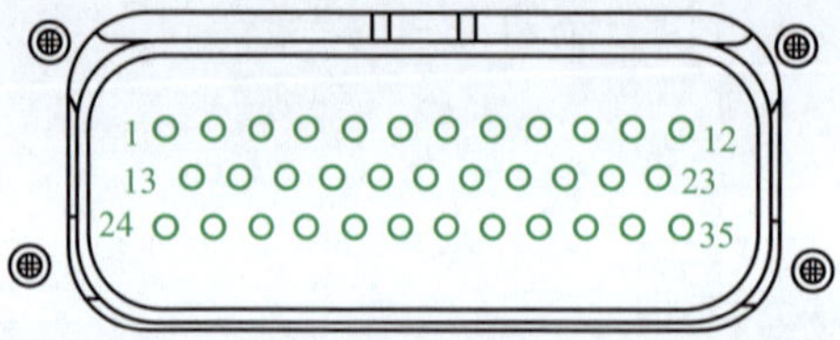

图 3-6-1　驱动电机控制器的信号接口针脚编号

修复线路，试车，车辆正常行驶，故障排除。

3.7 传感器故障

3.7.1 电流传感器电源故障

（1）车辆信息

车型：广汽 iA5 纯电动汽车。行驶里程：99163km。

（2）故障现象

仪表报动力系统故障。

（3）故障诊断与排除

使用诊断仪读取故障码为 P181B1C，内容为电流传感器电源故障。

导致故障的原因有：

❶ 熔丝熔断；

❷ 供电线路短路或开路；

❸ 集成电力驱动总成内部电流传感器电源故障。

检查熔丝步骤如下。

将电源置于“OFF”状态。

检查前舱熔丝 EF22（10A）/EF27（10A）/EF34（7.5A）（图 3-7-1），正常。

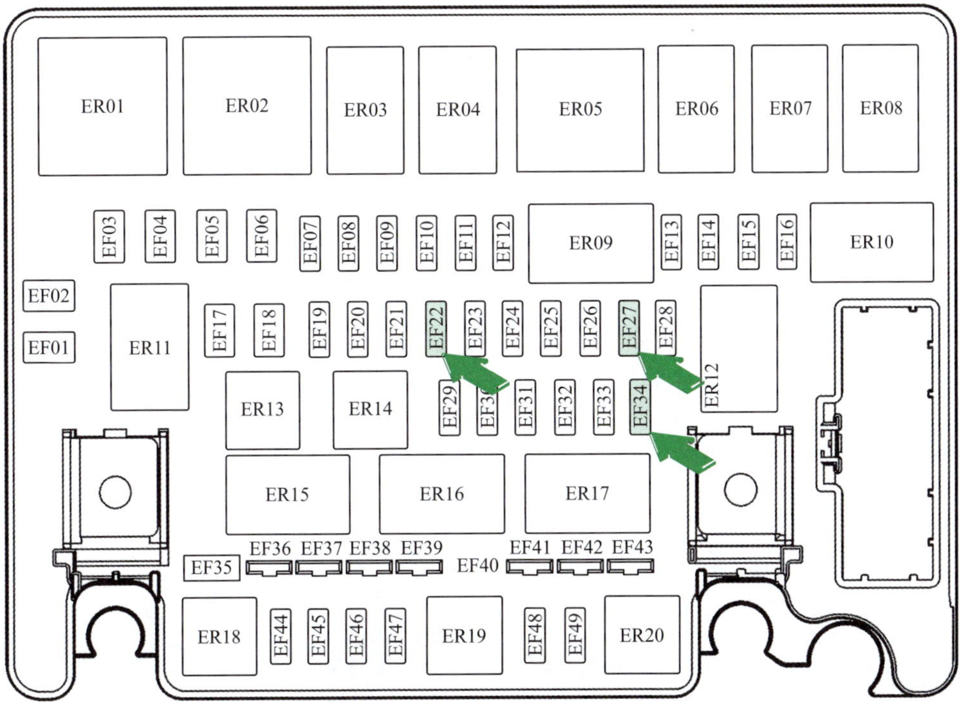

图 3-7-1　广汽 iA5 前舱熔丝位置

检查前舱电器盒继电器 ER20 步骤如下。

检查继电器端子是否有烧蚀、松动。

检查继电器插座是否有接触不良的情况。

用万用表的电阻挡测量继电器 1、2 两脚，电阻为 74.2Ω，线圈正常（图 3-7-2）。

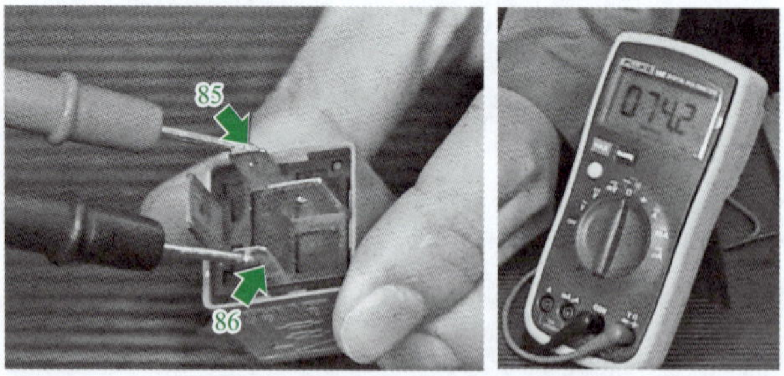

图 3-7-2　测量继电器线圈电阻

将 1、2 两脚接在 12V 蓄电池两端，通电后测量 3、5 两脚的电阻，约为 0，为导通（图 3-7-3）。

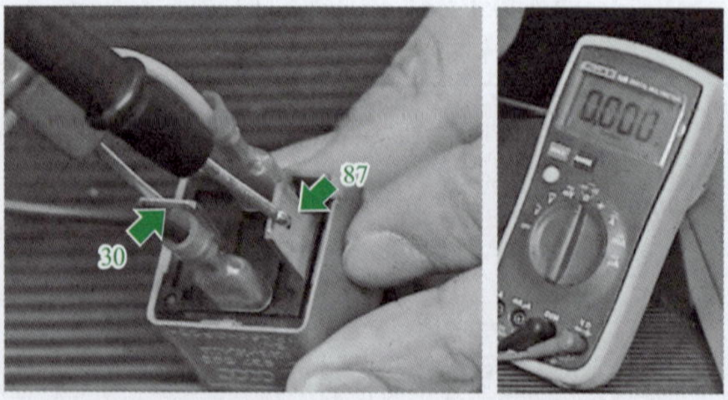

图 3-7-3　测量继电器开关

前舱电器盒继电器 ER20 正常。

检查继电器 ER20 接地线路步骤如下。

使用万用表测量前舱电器盒继电器 ER20 的 1 号针脚插座与接地之间的电阻（图 3-7-4）。标准电阻值＜ 1Ω。

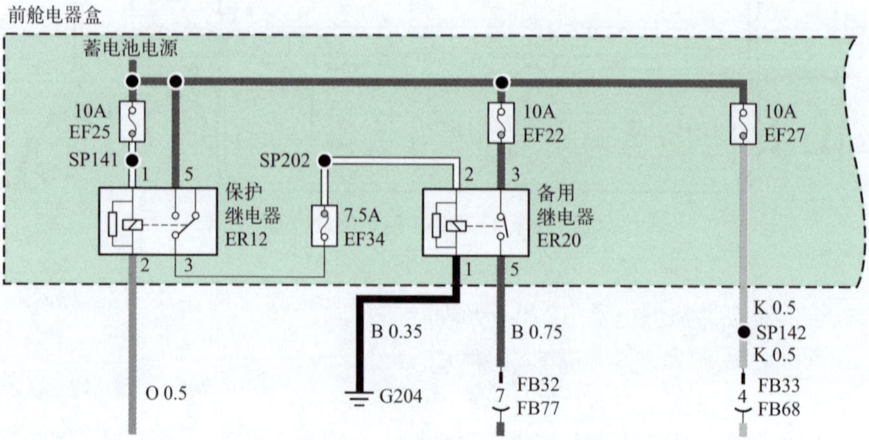

图 3-7-4　继电器 ER20 电路

检查集成电力驱动总成电源电压步骤如下。

断开集成电力驱动总成低压线束接插件 FB58（图 3-7-5）。

使用万用表测量 FB58 的 1/5/8 号针脚与接地之间的电压。标准电压值约 13.5V。

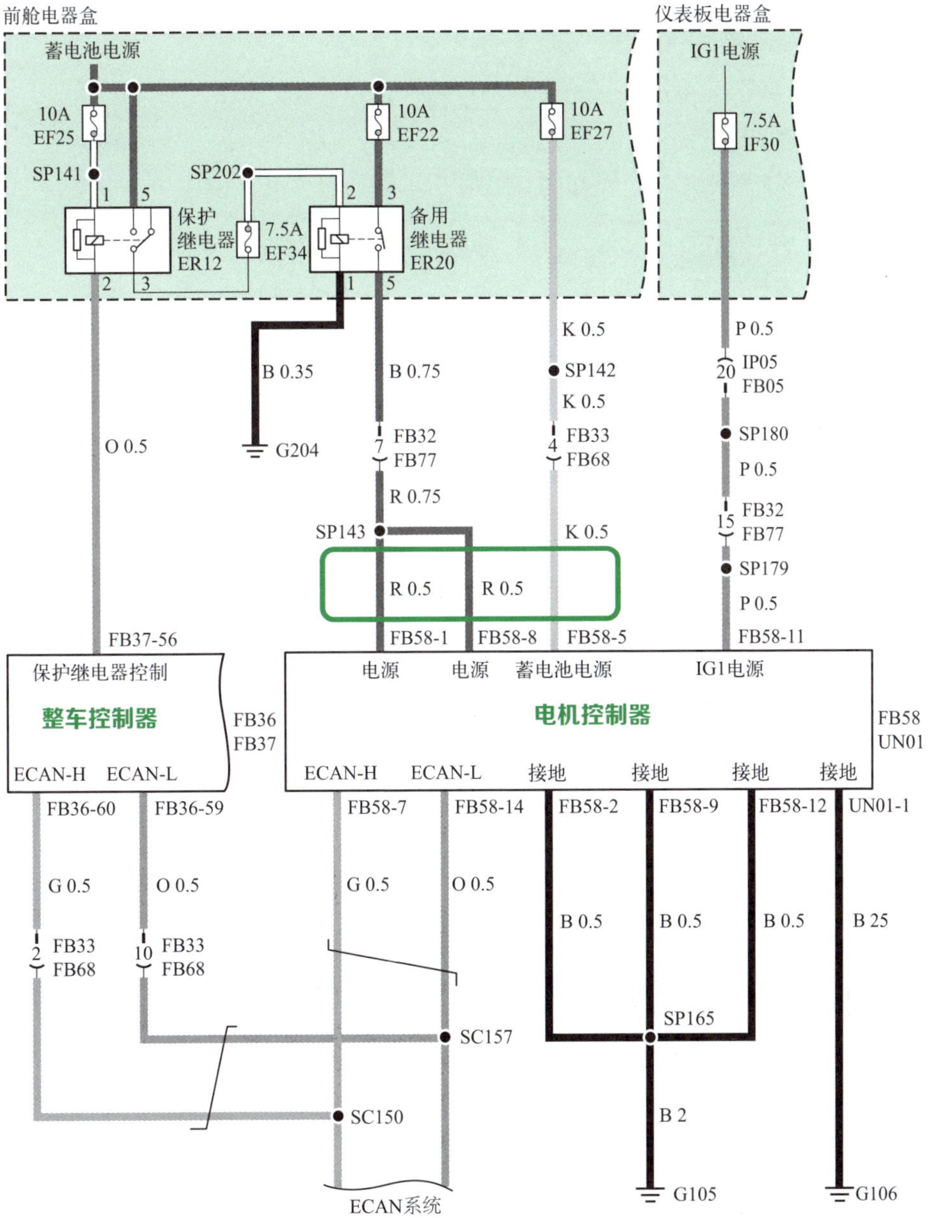

图 3-7-5 集成电力驱动总成电路

测量值为13V，正常。

以上检查均正常，确定为集成电力驱动总成故障。

更换集成电力驱动总成后，故障排除。

3.7.2 电机温度传感器故障

（1）车辆信息

车型：广汽iA5纯电动汽车。行驶里程：12742km。

（2）故障现象

仪表中降功率指示灯、整车系统故障指示灯亮起（图3-7-6）。

(a) 降功率指示灯　　(b) 整车系统故障指示灯

图3-7-6　仪表故障灯

（3）故障诊断与排除

使用诊断仪读取故障码为P18A74B，内容为电机过温。

查阅维修手册，导致故障的原因有：

❶ 冷却液不足；

❷ 电机冷却系统故障；

❸ 电机内部故障。

检查冷却液液位，正常。

检查冷却管路：

❶ 检查冷却管路无破损、无泄漏；

❷ 检查冷却管路接口连接良好。

检查冷却液流动情况：

❶ 启动车辆，路试一段时间；

❷ 检查电控冷却系统回路中冷却液能正常流动，证明水泵工作正常、冷却系统无堵塞。

检查电机冷却液温度传感器无松动、插接器连接牢固、针脚无异常（图3-7-7）。

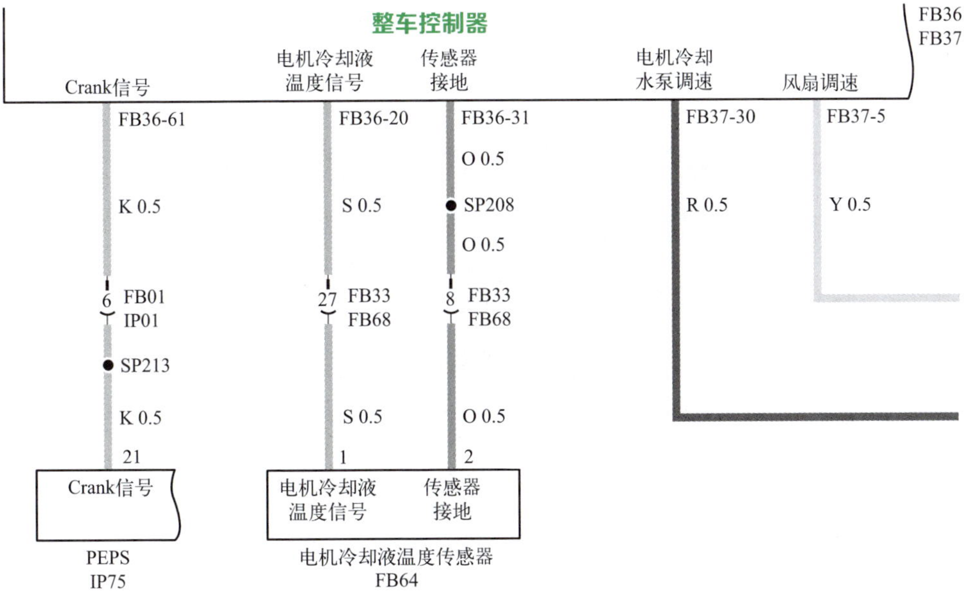

图 3-7-7　电机冷却液温度传感器电路

使用万用表电压挡检查电机冷却液温度传感器 1 号端子供电为 5V，正常。

断开整车控制器 FB36 插接器，使用万用表电阻挡检查控制器 FB36-31 端子与电机冷却液温度传感器 2 号端子的阻值为 0.3Ω，正常。

更换电机冷却液温度传感器后，试车，故障排除。

3.7.3　电机温度传感器异常

（1）车辆信息

车型：比亚迪秦 DM-i 混合动力汽车。

（2）故障现象

车辆上 OK 挡后行驶一段时间后，无论是 EV 或 HEV 模式，散热器风扇一直高速运转。

（3）故障诊断与排除

使用诊断仪读取故障码为 P1B0200，内容为电机过温告警。

在电机控制器及 DC 总成内部有三组单元在工作时会产生热量，分别为 IPM 控制器内部智能功率控制模块、IGBT 电机驱动模块、电感。因此在电机控制器及 DC 总成内部有相应的水道对这三个部分进行冷却，参见图 3-1-1。

使用诊断仪读取数据流，数据流显示冷却液温度 24℃，IPM 温度 35℃，但电机温度已经高达 120℃，满足了风扇高速运转的条件，如图 3-7-8 所示。

数据项	数据值		最小值
电机扭矩	0	N·m	+500
电机功率	0.0	kW	-100
油门深度	0	%	0
冷却液温度	24	℃	-40
IPM散热器温度	35	℃	-40
电机温度	120	℃	-40
IGBT温度	45	℃	-40
A相电流	3	A	0
B相电流	1	A	0
C相电流	0	A	0
过载系数	100	%	0
电动行驶里程	12	km	0
总里程	53	km	0
驱动电机系统配置	高配		

图 3-7-8　电机温度数据流

检查冷却系统，如图 3-7-9 所示。

(a) 冷却液液位正常　　(b) 冷却水管正常

图 3-7-9　检查冷却系统

检查电机温度传感器：检查电机控制器低压连接器，确认无松动、连接牢固，如图 3-7-10 所示。

图 3-7-10　检查电机控制器低压连接器

根据图 3-7-11，从电机控制器低压连接器 13 号与 24 号针脚测量电机温度传感器，电阻为无限大，异常。查阅维修手册，电机温度传感器在凉车（10 ～ 40℃）时，传感器阻值应为 50.01 ～ 212.5kΩ，确认电机温度传感器故障，如图 3-7-12 所示。

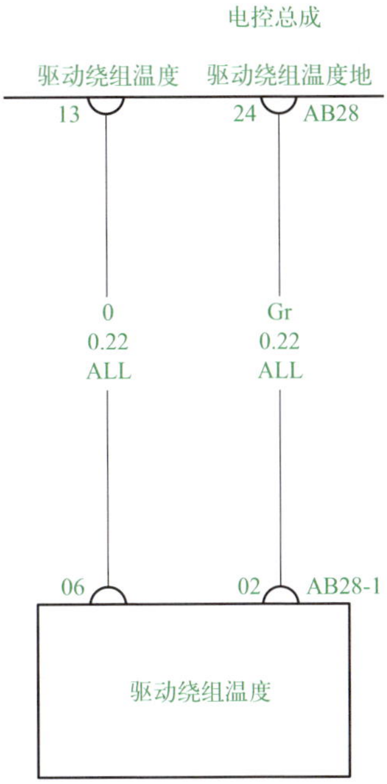

图 3-7-11　电机温度传感器电路

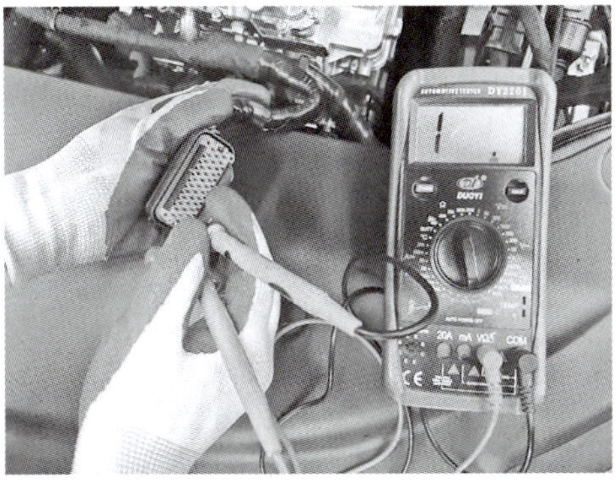

图 3-7-12　测量电机温度传感器

因为电机温度传感器没有零件单独更换，所以更换驱动电机总成。

更换驱动电机总成后再次测量电机温度传感器，测量值为 73.2kΩ，在正常范围内，如图 3-7-13 所示。

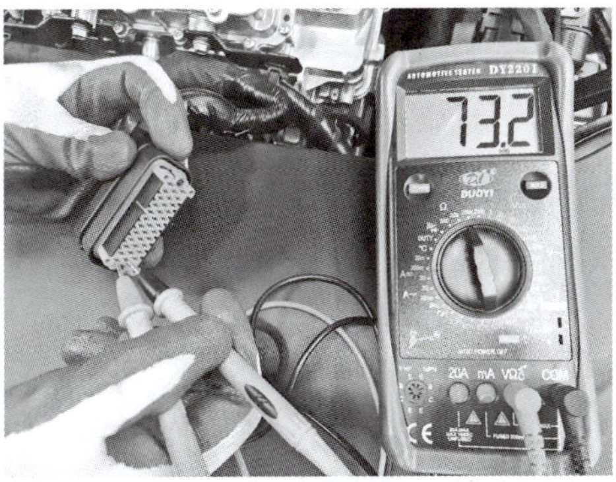

图 3-7-13　测量电机温度传感器

试车，车辆正常运行，故障排除。

3.8 车辆无法行驶、驱动电机过温

（1）车辆信息

车型：比亚迪海豚纯电动汽车。行驶里程：44512km。

（2）故障现象

车辆无法行驶。

（3）故障诊断与排除

使用诊断仪读故障码，内容为前驱动电机一般过温、严重过温；读取驱动电机温度数据流为 180℃ 。

测量电机温度传感器线束阻值为 200kΩ，正常。标准：电机温度在 -5 ～ 40℃ 时，阻值为 45 ～ 552kΩ。

检查电机温度传感器接插件无松动、无虚接、无退针，正常。

如果电机温度传感器线束阻值异常或接插件损坏，则判断为驱动电机故障。

根据厂家技术指导，检查前驱动电机控制器版本号，软件编码为 0021，软件版本号为 3.00.00，升级至 3.00.01（需反馈车辆信息开通定向权限）。升级后试车，车辆可以正常上电、行驶，故障排除。

注意：软件编码为 0011，软件版本号为 3.00.06，可定向烧写至 3.00.08 解决问题（需反馈车辆信息开通定向权限）。

3.9 电机动力受限

（1）车辆信息

车型：比亚迪海豚纯电动汽车。行驶里程：21223km。

（2）故障现象

车辆动力受限，最高车速 40km/h，仪表出现乌龟灯点亮。

（3）故障诊断与排除

使用诊断仪检查车辆前驱动电机控制器，故障码为 P1BB300，内容为前驱动电机控制器 IGBT-NTC 一般过温告警（历史故障）。

动力域控制器故障码为：

P1D9800——温度采样异常（当前故障）；

P1D8300——整车限功率（历史故障）。

导致故障的原因有：

❶ 八合一故障；

❷ 电池包故障；

❸ 高压部分冷却系统故障。

读取前电机控制器数据流，发现 IGBT 温度达到 93℃时整车开始限功率，88℃解除限功率，由于过温导致 IGBT 温度升高，整车限功率。

检查电动水泵能正常工作，检查冷却系统过程中发现前电机控制器和散热器的排气管没有防冻液流出，说明水路有堵塞。

使用诊断仪执行动作测试，电子三通阀大循环和中间位置排气管没有水流出，这属于异常情况。

用万用表测量电子三通阀 3 号针脚为 5V 电压，正常。

测量电子三通阀的反馈电压，2 号针脚连通散热器方向为 4.5V，中间位置电压为 2.3V，短接电机散热器电压为 0.5V，电压都在正常范围内。

拆下电子三通阀，用诊断仪再次执行动作测试，发现电子三通阀始终为短接散热器位置（电子三通阀为异常），说明车辆在温度升高时无法进入大循环导致 IGBI 温度升高。

更换电子三通阀后，试车，故障排除。

3.10 混合动力系统报警

（1）车辆信息

车型：北京现代索纳塔混合动力汽车。行驶里程：112120km。

（2）故障现象

车辆混合动力系统报警，可继续行驶。

（3）故障诊断与排除

使用诊断仪读取故障码，BMS（高电压动力电池管理系统）故障码如下。

POB4A——混合动力 / 电动电池电压感应“D”电路异常。

P0B59——混合动力 / 电动电池电压感应“G”电路异常。

POB5E——混合动力 / 电动电池电压感应“H”电路异常。

P0B54——混合动力 / 电动电池组电压感应“F”电路异常。

POB4F——混合动力 / 电动电池电压传感器“E”电路异常。

POB45——混合动力 / 电动电池电压感应“C”电路异常。

P1897——高压蓄电池温度偏差。

CGW（通信网络中央网关）故障码如下。

B221100——与 BMS 的 CAN 通信中断。

AIRCON（电动空调系统）故障码如下。

B1696——压缩机工作状态故障。

读取数据流，动力电池 DC 电压为 6553.5V，异常；“9 ～ 16 号”动力电池模块温度为“-56℃”，存在明显异常。另外，在监测过程中还发现动力电池模块温度和单体电芯的电压数据偶尔还存在跳变的异常情况。

首先检查车辆动力电池，未见明显的外在因素导致的故障，对动力系统相关线路的连接进行检查，也未见异常。

检查高压线束及驱动电机绝缘值，当检查驱动电机的 U 、V、W 三相线圈与电机外壳的绝缘电阻时，检测结果都只有 416kΩ 左右，且温度变化时，绝缘电阻有时会更低。正常情况下，绝缘电阻值应大于 10MΩ。驱动电机线圈的绝缘电阻异常。

更换驱动电机总成后反复试车，该车故障现象未再出现，故障被彻底排除。

扫一扫

视频精讲

扫一扫

视频精讲

扫一扫

视频精讲

扫一扫

视频精讲

第4章 高压系统故障

4.1 高压系统无法供电

4.1.1 车辆无法通高压电

（1）车辆信息

车型：吉利帝豪 EV300 纯电动汽车。行驶里程：87212km。

（2）故障现象

车辆无法上电。

（3）故障诊断与排除

一键启动开关将启动指令发送给防盗控制单元（PEPS），一键启动开关上的指示灯由橙色变成绿色，这说明车辆的防盗控制单元工作正常。

按下一键启动开关，防盗控制单元接到启动信号，将 12V 电源送给启动继电器控制线圈。启动继电器吸合后将经过 IG1 熔丝的 12V 信号送往整车控制单元（VCU），请求整车控制单元连通高压电。这时，整车控制单元会发出指令让各高压控制单元进行自检（包括漏电检测及高压互锁是否构成回路等），并读取检测结果反馈。如不满足要求，便会将故障信息以故障码的形式存入整车控制单元，此时仪表不会显示“Ready”。

连接诊断仪，诊断仪与各控制单元的通信均正常，且未发现故障码，表明高压互锁满足技术要求。随后，在高压控制单元自检完毕后，按下一键启动开关，查看起动机控制输出数据流，显示“激活”。

维修人员结合故障现象及读取到的数据流进行分析，怀疑是启动相关线路及元件故障。查看帝豪 EV300 的启动系统电路图（图 4-1-1），从电路图上可以看出，启动继电器由防盗控制单元进行控制，继电器的 2 号端子通往防盗控制单元中 PEPS-A 的 P33-23 号端子。

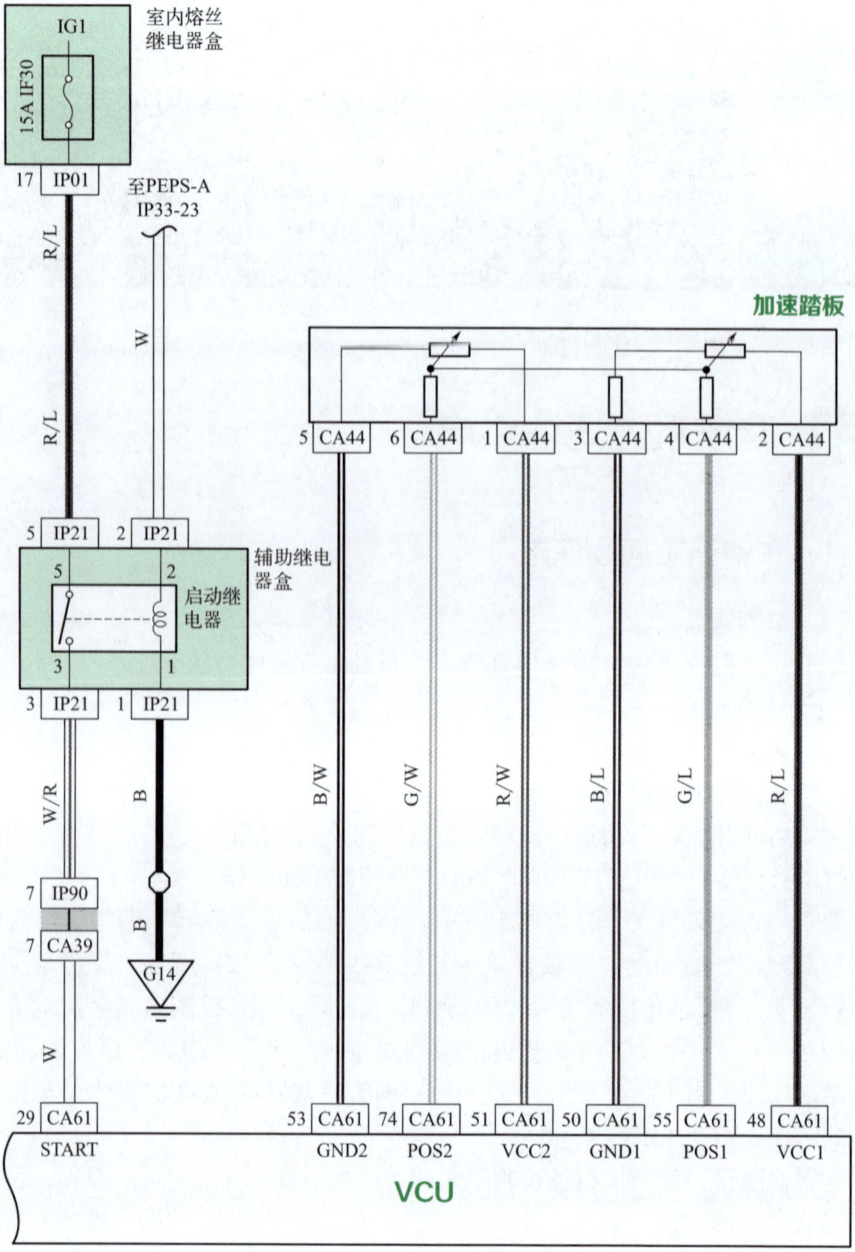

图 4-1-1　帝豪 EV300 启动系统电路

将启动继电器从辅助继电器盒上拔下，踩下制动踏板同时按下一键启动开关，测量其 1 号端子与 2 号端子之间的电压，测量结果为 12.17V，与防盗控制单元输出的理论电压值基本吻合。由此判断，启动继电器与防盗控制单元之间的线路正常。

测量启动继电器的 1、2 号触点间的线圈电阻，结果显示电阻为 600Ω。而线圈正常的阻值应为 80 ～ 120Ω，测量结果显示启动继电器线圈电阻值异常。

更换启动继电器后，故障排除。

4.1.2 高压系统无法上电，Ready 指示灯不点亮

（1）车辆信息

车型：江淮 iEV6E 纯电动汽车。行驶里程：43112km。

（2）故障现象

高压不上电，Ready 指示灯不点亮。

（3）故障诊断与排除

使用新能源汽车专用诊断仪读取故障码，发现动力控制单元（PCU）和电源管理系统（LBC）均无法进入，因此无法读取故障码。

根据上述故障现象判断，初步认为故障车辆的高压供电控制系统存在故障，造成 PCU 和 LBC 失去电源，无法工作。此外，也不能排除相关线束或电子元件故障的可能。

断开低压蓄电池负极线束，静待 5min 后佩戴绝缘手套拆下维修开关，开始检查高、低压线束插接器的连接状态。维修开关内的高压互锁无断开迹象，所有高压部件和低压控制电路的插接器状态均良好，没有断开和连接松动的情况，用万用表测量低压蓄电池电压，结果为 12.8V，数据正常。

由此判定，故障车辆的低压供电系统正常，导致高压不上电的原因并非来自低压电源电量不足。

由于诊断仪无法与 PCU 和 LBC 进行通信，因此怀疑控制单元与诊断接口 DLC 之间因 CAN 线异常而出现通信障碍。断开诊断仪，从 DLC 测量 CAN-H 和 CAN-L 端子与搭铁之间的电压，测量位置分别是 DLC 的 6 号和 14 号端子。查询技术资料得知，CAN-H 的标准电压为 2.5 ～ 3.5V，CAN-L 的标准电压为 1.5 ～ 2.5V。维修人员的测量结果显示，DLC 上 2 个端子的 CAN 线电压均在标准范围内。

但电压正常并不代表 CAN 线完全正常，CAN 线还不能对搭铁短路。断开低压蓄电池负极线 10min，测量诊断接头的 6 号和 14 号端子与搭铁之间的电阻，

测量结果均为断路，即不存在 CAN 线对搭铁短路。继续测量 DLC 的 6 号与 14 号端子之间的电阻，阻值为 62Ω，确定 CAN-L 与 CAN-H 之间无短路。至此，确定诊断仪无法与 PCU、LBC 进行通信的原因与 CAN 线无关。接下来，维修人员开始对车辆高压系统进行检查。根据系统原理，车辆高压无法上电，高压互锁回路故障是重要的原因之一。对回路的首尾进行测量，结果为导通，表明高压互锁没有故障（图 4-1-2）。

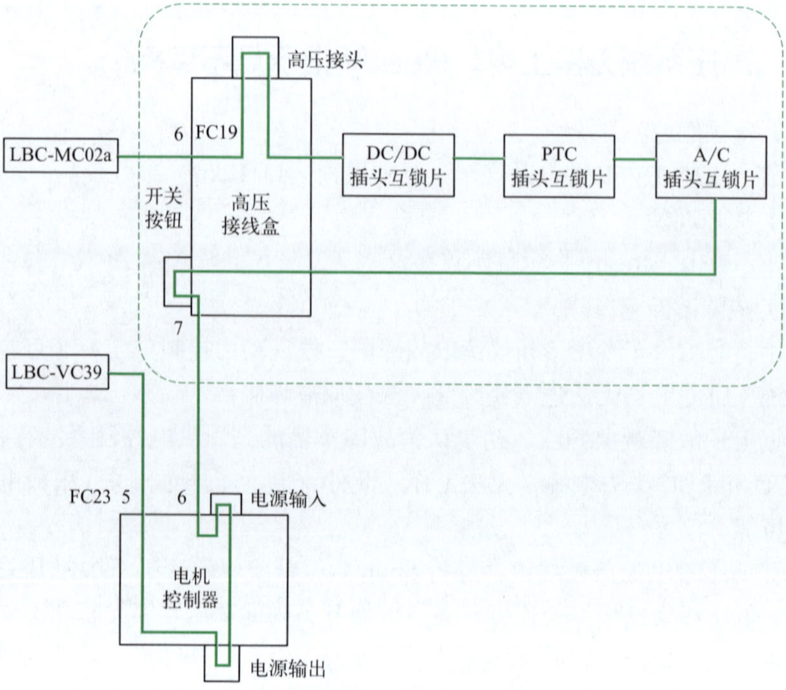

图 4-1-2 前舱盖高压互锁回路示意

检查整车控制系统，该系统的主要元件包括 4 号熔丝和 M/C 继电器，这 2 个部件负责为 PCU 和 LBC 供电（图 4-1-3）。因此 4 号熔丝和 M/C 继电器任意一个出现断路，都会引发 PCU 和 LBC 无供电。

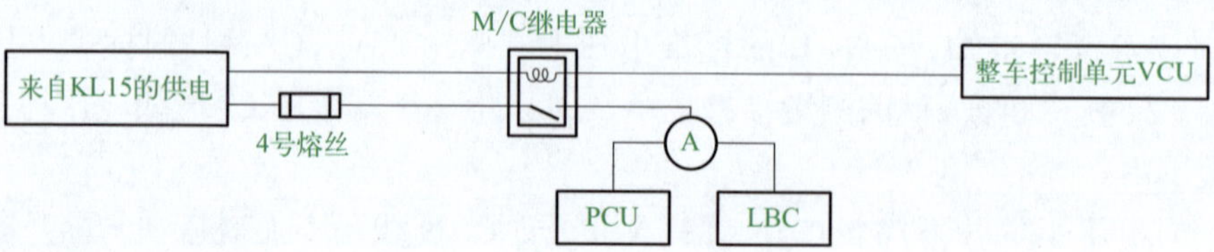

图 4-1-3 整车控制系统示意

取下 4 号熔丝检查，正常。

取下 M/C 继电器，根据示意图（图 4-1-4）用万用表测量。85 号端子与 86 号端子之间为断路，继电器内的线圈损坏，无法吸合。

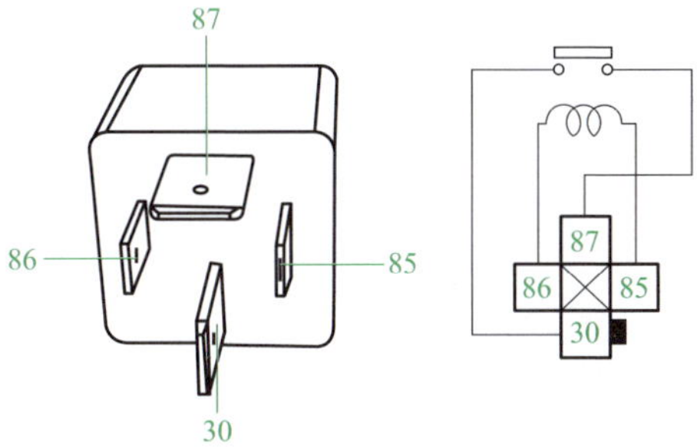

图 4-1-4　M/C 继电器

更换 M/C 继电器后，故障排除。

扫一扫

视频精讲

4.1.3　车辆无法上 OK 电

（1）车辆信息

车型：比亚迪 E5 纯电动车辆。行驶里程：77862km。

（2）故障现象

无法上 OK 电。

（3）故障诊断与排除

❶ 原因分析。

a. 低压电源线路故障。

b. CAN 线故障。

c. 双路电继电器故障等。

❷ 读取故障码。VDS 扫描发现动力网中多个模块不存在，其中有 BMS、VTOG、DC-DC、BIC 等。

❸ 分析扫描不到的模块都属于动力网，从诊断口测量 3# 与 11# 动力网 CAN 电压，正常；终端电阻正常；拔下 BMS 接插件，测量 CAN 线电压，正常；测量 BMC02-1# 双路电针脚，无电压；分别测量 DC/DC 的双路电 4# 与 5# 针角，VTOG 的双路电 1# 与 14# 针脚，均无电压，确定为双路电故障导致（图 4-1-5）。

❹ 测量双路电的保险（F2/32），正常；检查 IG3 继电器，在车辆上电时用手触摸继电器，无吸合动作，测量供电，正常；倒试双路电继电器，故障重现。

更换双路电继电器后，故障排除。

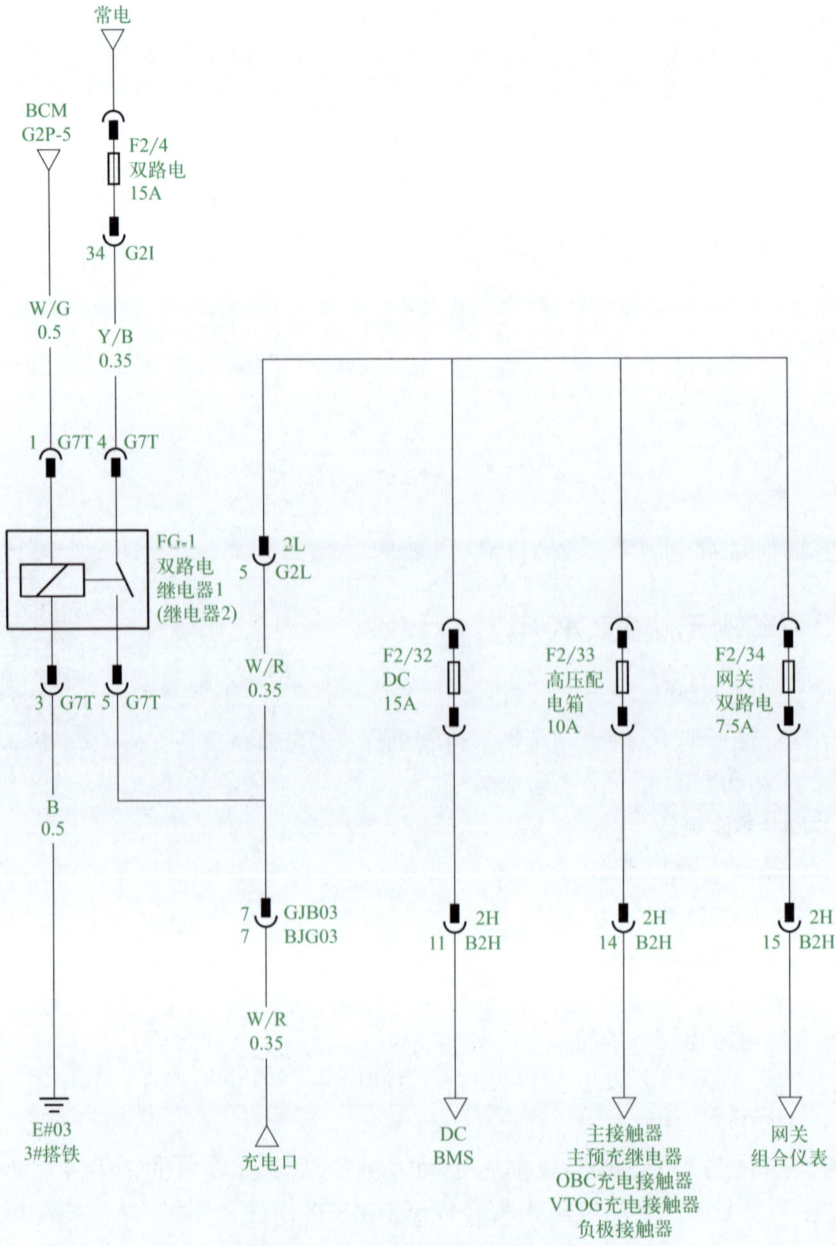

图 4-1-5 比亚迪 E5 双路电电路

4.1.4 车辆无法行驶

（1）车辆信息

车型：上汽荣威 E550 混动动力车辆。行驶里程：66762km。

（2）故障现象

上电后挂前进挡，高压系统紧急下电。

（3）故障诊断与排除

启动车辆，仪表“Ready”灯点亮，高压电上电正常。当换挡杆选到前进挡时，瞬间仪表“Ready”指示灯熄灭，同时显示高压系统故障，混动故障灯点亮，车辆无法行驶。

使用新能源汽车专用诊断仪读取各系统故障码，在混动控制模块（HCU）和驱动电机模块（EDU）内读到许多故障记录，其中P1CA300（IGBT驱动芯片电源故障）与P1C8D00（硬线检测母线过压）这两个故障意味着电力电子箱（PEB）中的IGBT驱动芯片可能已经击穿（表4-1-1）。

表4-1-1　上汽荣威E550各系统故障码

序号	故障码	故障类型	定义	状态
1	U1895	87	BMS HSC2_FrP01帧超时故障	偶发
2	U1897	87	BMS_HSC2_FrP02帧超时故障	偶发
3	U1771	87	BMS HSC2 FrP03帧超时故障	偶发
4	P1CA3	00	IGBT驱动芯片电源故障	当前
5	P1C7C	00	IGBT下桥臂异常导通故障	历史
6	U0111	87	BMS节点丢失故障	偶发
7	P1C8D	00	硬线检测母线过压	当前

拆卸电力电子箱（PEB），电力电子箱由逆变器和变压器两个主要模块组成，以实现低压电池充电和电机驱动的功能，IGBT驱动芯片就在电力电子箱内。

为了确认IGBT驱动芯片是否击穿，需要检测其阻抗。在电力电子箱上有来自高压电池包（ESS）的T+与T−直流电接口，还有控制驱动电机（EDU）内的TM电机和ISG电机的三相交流电接口U、V、W（图4-1-6）。

将数字式万用表选到测量二极管的挡位，然后分别测量T+与T−对TM电机的UVW三相与ISG电机的UVW三相的阻抗，当测量T+至V相的阻抗数据时，发现数据为0.7V，T−至V相的数据也为0.7V，两边数据相同。正常T+至V相为1.16V，T−至V相为0.36V（图4-1-7），说明IGBT内部被击穿。

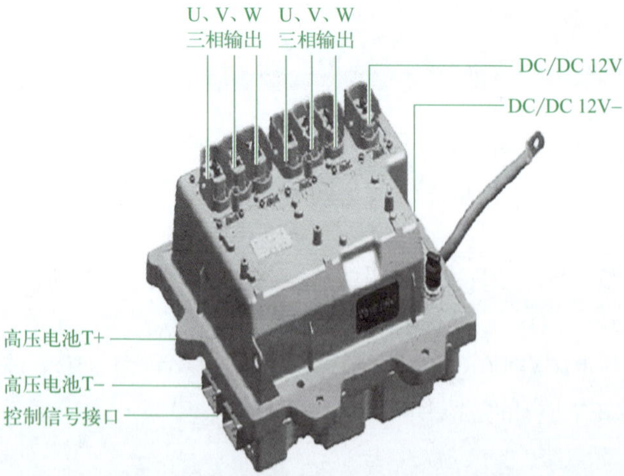

图 4-1-6　电力电子箱（PEB）接口定义

IGBT阻抗测量(KL30未上电)

TM	U → T+ 0.3648V	U → T- 1.1618V	T+ → U 1.1639V	T- → U 0.3647V
	V → T+ 0.3648V	V → T- 1.1619V	T+ → V 1.1637V	T- → V 0.3646V
	W → T+ 0.3647V	W → T- 1.1635V	T+ → W 1.1637V	T- → W 0.3649V
ISG	U → T+ 0.3653V	U → T- 1.1622V	T+ → U 1.1638V	T- → U 0.3651V
	V → T+ 0.3645V	V → T- 1.1636V	T+ → V 1.1640V	T- → V 0.3648V
	W → T+ 0.3495V	W → T- 0V	T+ → W 0.7991V	T- → W 0V

图 4-1-7　正常时故障车型相关位置阻抗数据

由于 IGBT 驱动芯片无法单独更换，因此需更换电力电子箱。

更换电力电子箱后，故障排除。

4.1.5　车辆无法上 OK 电且无法行驶

（1）车辆信息

车型：比亚迪秦。行驶里程：66762km。

（2）故障现象

不能上 OK 电也不能行驶。

（3）故障诊断与排除

❶ 使用新能源汽车诊断仪读取前驱动电机控制器故障码，内容为预充失败；读取相关部件的数据流，发现动力电池没有高压输出。

❷ 读取动力电池内部数据：动力电池当前总电压为 667V，当前 SOC 为 87%，实际测量发现，动力电池确实没有电压输出。读取动力电池内部数据，暂时无异常，怀疑外部线路故障。

❸ 动力电池没有电压输出当然会造成预充失败。先检查高压线路，再检查维修开关，导通性良好，维修开关动力电池端对车身没有导通，都是绝缘的；检查到高压电控单元的高压线路，导通，也无异常。

❹ 检查低压线路动力电池端，也未发现异常。在检查电池管理器时，发现中间插头的一个针脚退针，查阅维修手册，退针的针脚为 10 号端子，定义为负极接触器拉低控制信号线（图 4-1-8）。

重新固定针脚，试车，故障排除。

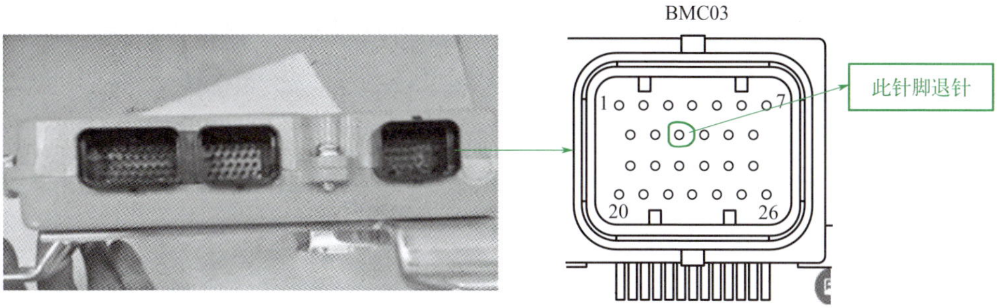

退针的针脚定义：

BMC03-10～GND	负极接触器拉低控制信号	L/B	接触器吸合时	小于1V

图 4-1-8　电池管理器接头

4.1.6　车辆无法进入 Ready 状态且无法行车

（1）车辆信息

车型：2020 年款奥迪 Q2 e-tron 纯电动汽车。

（2）故障现象

停车一晚上后，出现报电力系统故障，车辆无法进入 Ready 状态且无法行车。

（3）故障诊断与排除

使用诊断仪读取故障码，008C- 混合蓄电池管理控制单元 J840 内有如下故障码（图 4-1-9）。

P0B1A00：混合动力 / 高电压蓄电池总电压 3 不可信，被动 / 偶发。

P0C7800：混合动力 / 高电压蓄电池系统预充电时间过长，主动 / 静态。

故障出现时伴有高压蓄电池系统预充电时间过长的故障码，初步分析是打开点火开关后高压系统在规定时间内预充电压不足导致出现 P0B1A00 故障码，所以仪表报警无法供电；接着第 2 次打开点火开关，可以正常工作。

地址: 008C 系统名: 008C - 混合蓄电池管理 协议改版: UDS/ISOTP (Ereignisse: 2)

+识别:

-故障存储器记录 (数据源: 车辆):

故障存储器记录

编号:	P0B1A00: 混合动力/高电压蓄电池总电压 3 不可信
故障类型 2:	被动/偶发
症状:	42168
状态:	00101100

-标准环境条件:

日期:	2022/12/26
时间:	下午3:52:12
里程 (DTC):	24346
优先等级:	2
频率计数器:	3
递减计数器/驾驶周期:	255

+高级环境条件:

故障存储器记录

编号:	P0C7800 混合动力高压蓄电池系统预充电时间过长
故障类型 2:	主动/静态
症状:	42287
状态:	00101111

-标准环境条件:

日期:	2022/12/26
时间:	下午3:50:23
里程 (DTC):	24346
优先等级:	2
频率计数器:	4
递减计数器/驾驶周期:	255

图 4-1-9　高压蓄电池管理控制单元 J840 内的故障码

导致故障的原因有：

❶ 12V 蓄电池电量存储能力下降或是车辆存在静电流，导致在停放过程中 12V 车载电网电压下降较大；

❷ 功率控制单元内部的电容或控制电路存在故障，导致在规定时间无法将电压充到高压蓄电池电压值；

❸ 配电盒 SX6 内的预充接触器或是预充保护电阻存在故障。

使用电流钳检查静电流在 45mA 左右，正常。与其他正常车辆替换了 12V 蓄电池，故障依旧，说明低压电网正常。

与正常车辆对换功率控制单元 JX1，车辆故障依旧。

拆解高压蓄电池总成，更换高压配电盒 SX6，复原车辆，试车，故障排除。

> 注意：
>
> ① 断开 SX6 上的高压蓄电池正极后要用专用工具（电压检测仪）给 SX6 的电容放电，否则有触电危险。
>
> ② 在将高压蓄电池 HV 负极装回后，先要使用专用工具给 SX6 内的电容充电；直接装上 HV 负极线会产生较大电动势和电火花，容易损坏集成在 SX6 上的高压蓄电池管理控制单元 J840。
>
> ③ SX6 装好后必须在安装高压蓄电池壳体前进行预运行，以免造成返工。
>
> ④ 高压蓄电池壳体安装好后必须进行打压测试，防止高电蓄电池进水。

更换高压配电盒 SX6 后，故障排除。

4.2 高压系统工作异常

4.2.1 动力系统故障灯亮

（1）车辆信息

车型：比亚迪秦混合动力汽车。行驶里程：122762km。

（2）故障现象

仪表提示请检查动力系统，动力系统故障灯亮。

（3）故障诊断与排除

❶ 使用新能源汽车诊断仪读取故障码，高压 BMS 报故障码 P1A6000，内容为高压互锁故障，故障码无法清除或者清除后再现。

❷ 用诊断仪读取高压电池管理器及驱动电机控制器数据流。

电池管理器数据流显示高压互锁：锁止。

电池管理器显示：高压接触器断开。

比亚迪秦混合动力汽车的主要高压接插件（高压 BMS、高压配电箱、维修开关、驱动电机控制器及 DC 总成）均带有互锁回路，当其中某个接插件被带电断开时，动力电池管理器便会检测到高压互锁回路存在断路，为保护人员安全，将立即进行报警并断开主高压回路电器连接，同时激活主动泄放。高压互锁连接如图 4-2-1 所示。

❸ 测量高压互锁端子及低压互锁线束。

测量高压电池管理器 K64-1 与 K65-7 针脚之间不导通（电阻小于 1Ω），确认互锁回路存在开路。根据经验，故障点一般在驱动电机控制器及其 DC 总成和高压配电箱这两个零部件，重点检查以下项目。

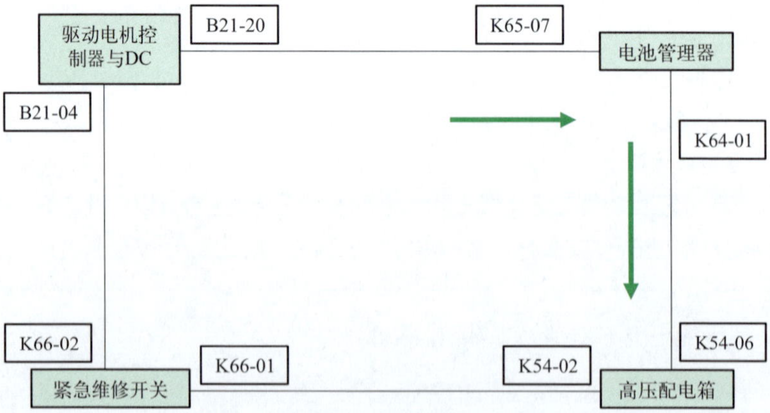

图 4-2-1 比亚迪秦高压互锁连接

测量高压配电箱 K54-2 与 K54-6 针脚之间导通（电阻大于 1Ω），逐个轻微晃动高压配电箱上的高压互锁插头，没有开路现象，说明高压配电箱互锁端子没有开路或者偶发性开路情况。

驱动电机控制器及 DC 总成无法直接测量，可以用排除法先测量维修开关 K66-1 与 K66-2，这两个针脚导通正常（电阻小于 1Ω），拔掉高压线束，检查互锁针脚是否有退针现象，确认针脚已经退针，如图 4-2-2 和图 4-2-3 所示。

重新处理互锁针脚插头，故障排除。

(a) 互锁针脚退出

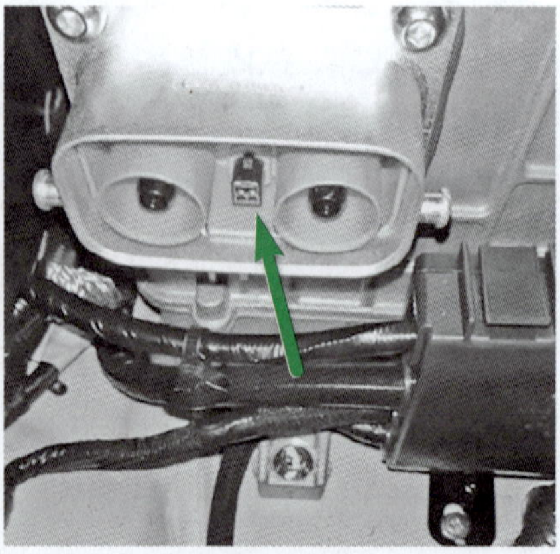

(b) 正常互锁针脚

图 4-2-2 高压互锁故障位置

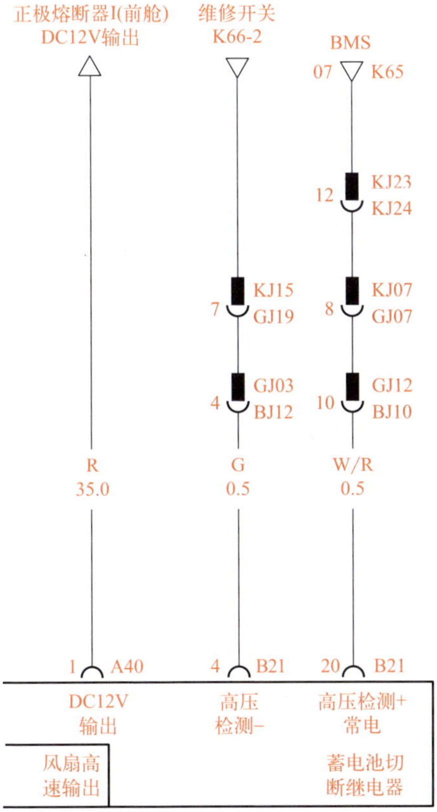

图 4-2-3　比亚迪秦高压互锁电路图

扫一扫

视频精讲

4.2.2　高压互锁故障

（1）车辆信息

车型：比亚迪元纯电动汽车。行驶里程：92812km。

（2）故障现象

EV 功能受限。

（3）故障诊断与排除

使用新能源汽车诊断仪读取故障码，BMS 报 P1A6000，内容为高压互锁 1 故障，故障码不能清除。

根据比亚迪元 EA 车型互锁示意图（图 4-2-4），测量 BMS 低压接插件 4 号与 5 号针脚导通，阻值为 0.2Ω，正常，初步判断动力电池包、高压电控单元线路未断路。调换 BMS 停放几小时后故障依旧，短接 BMS 接插件 4 号、5 号针脚（未退针），试车，故障依旧。

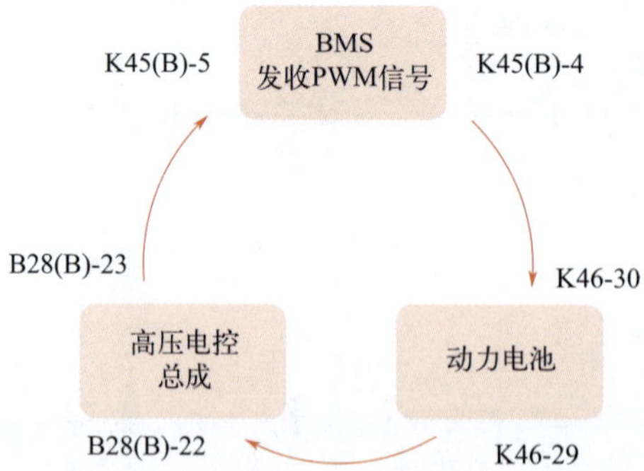

图 4-2-4　比亚迪元高压互锁连接

将 BMS 插接件 4 号、5 号针脚退针短接 BMS 公端后故障排除，怀疑某个高压模块偶发性故障，分别对动力电池包、高压电控总成、高压互锁针脚退针短接，试车，故障依旧。

再次测量 BMS 插接件 4 号、5 号针脚之间阻值，正常；对地阻值、对电源电压均正常。

高压互锁连接均正常，重新检查线路（图 4-2-5）时发现 KJG04 与 GJK04 有进水现象，将其处理后试车，故障排除。

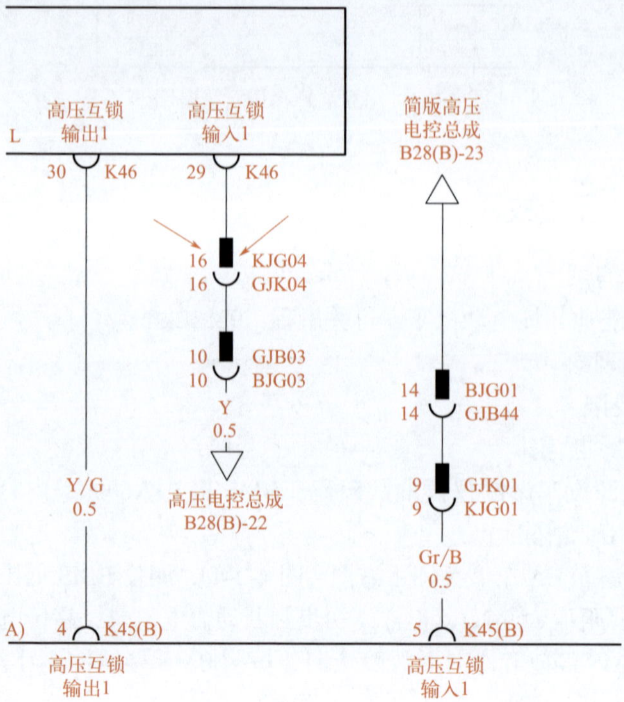

图 4-2-5　比亚迪元高压互锁电路

4.2.3 充电枪插枪指示灯点亮

（1）车辆信息

车型：比亚迪 E5 纯电动汽车。行驶里程：79812km。

（2）故障现象

不能上 OK 电，在未插充电枪的情况下，仪表上的充电枪插枪指示灯点亮。

（3）故障诊断与排除

使用新能源汽车诊断仪对全车进行故障扫描，在 BMS、VTOG 等各个模块中均未发现故障码。进入 BMS 模块进行数据流的读取，发现 BMS 数据流中显示已检测到交流枪信号（图 4-2-6）。

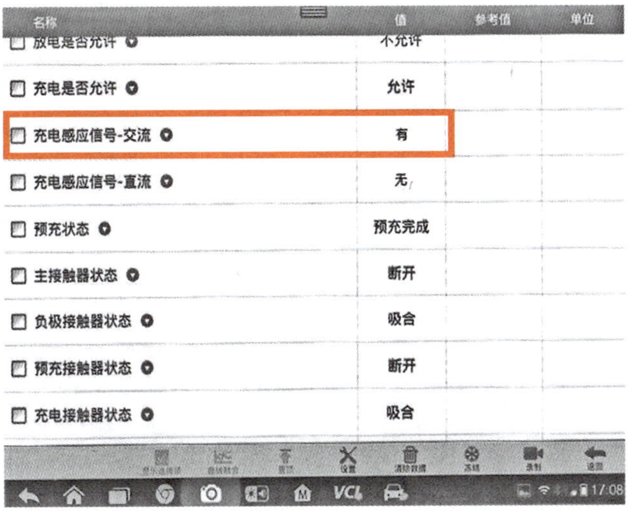

图 4-2-6　比亚迪 E5 BMS 模块数据流

在比亚迪 E5 纯电动汽车交流充电过程中，当交流充电枪插入交流充电口时，交流充电枪 CC 端子发出 12V 电压至 VTOG 的 13 号针脚，VTOG 再从 12 号针脚将 CC 信号发送至 BCM 及 BMS 模块。此时，BCM 模块控制 IG3 双路继电器吸合，双路电熔丝向外通电，BMS 模块得电，并控制 VTOG 进行预充电，动力电池包接触器结合。当充电枪与车辆充电插座连接后（也就是 VTOG 接收到 CC 信号后），为了安全起见，车辆无法上 OK 电，不可行驶（图 4-2-7）。

车辆未连接充电枪却依然出现交流充电指示灯常亮的情况，说明 VTOG 能接收到控制确认信号。根据故障车型交流充电系统电路图分析，导致该车故障的可能原因有：充电口插座故障，造成误插枪信号；控制确认信号线路故障，造成误插枪信号；VTOG 故障（局部短路），造成误插枪信号。

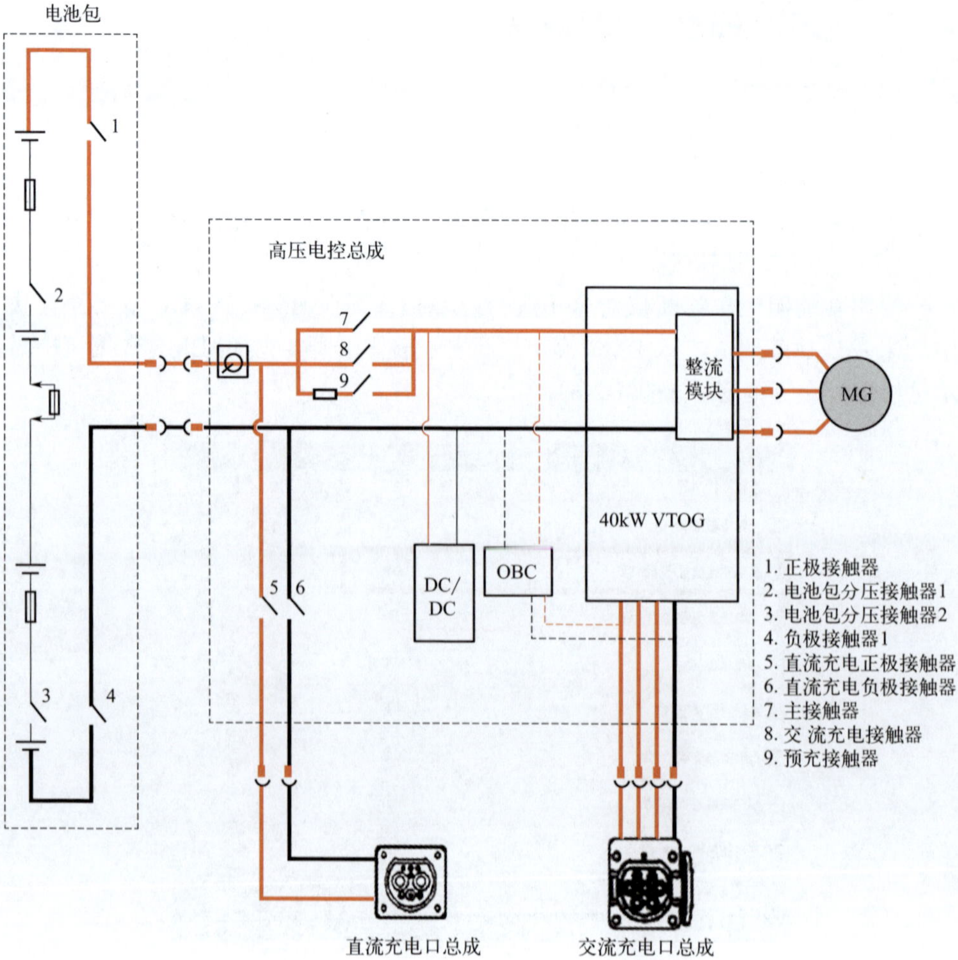

图 4-2-7 比亚迪 E5 交流充电系统控制原理

根据电路图分析（图 4-2-8），VTOG B28（A）13、47、16、11 号针脚均与交流充电口连接，为了能够快速判断故障是否为 VTOG 总成问题，把 B28（A）的 13、47、11 号针脚进行退针后，再次检查车辆，发现仪表充电枪连接指示灯熄灭，车辆能上 OK 电，且可以行驶。

由于把 VTOG B28（A）插接器中的 13、47、11 号针脚退针后，车辆能正常上电且正常行驶，说明 VTOG 总成正常，接下来应检测交流充电插座及相关的低压线路。根据充电系统电路图可以看出，线束还经过 BJB01 中间插接件。具体的检测步骤如下。

❶ 测量 B28（B）/13 号端子与车身搭铁之间的电阻，小于 1Ω。

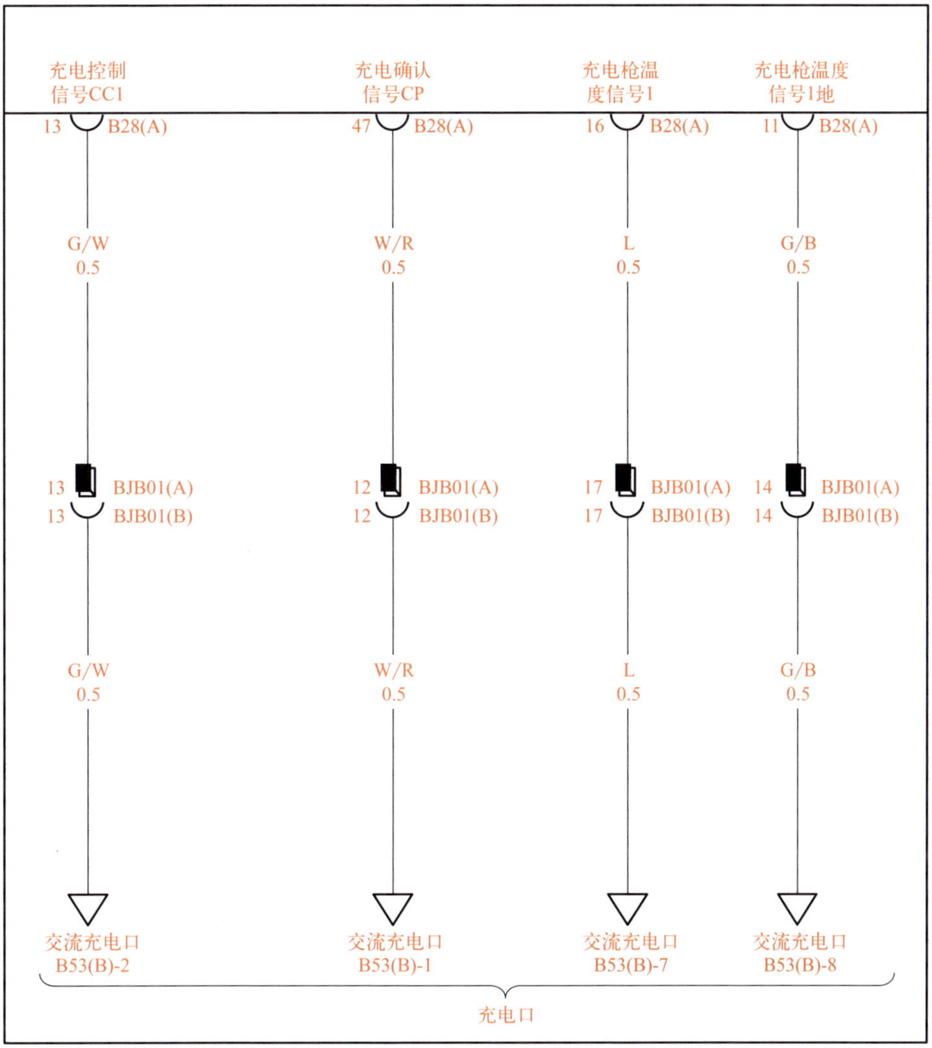

图 4-2-8　比亚迪 E5 交流充电系统电路

❷ 断开 BJB01 插接器，测量 BJB01（A）插接器 13 号端子与搭铁之间的电阻，小于 1Ω，由此判断短路点位置应该在交流充电插座到 BJB01（A）插接器之间的线路上。

❸ 断开 B53（B）插接器，测量交流充电插座 CC 与 PE 端子之间的电阻，大于 10kΩ，交流充电插座内部无短路。至此，基本可以断定短路位置位于 B53（B）插接器至 BJB01（A）插接器之间的线束上。

比亚迪 E5 纯电动汽车的交流充电口安装在前格栅 LOGO（商标）后面，通过导线以及 BJB01 中间插头与 VTOG 相连接。通过测量发现，B53（B）插接器至 BJB01（A）插接器之间的线束短路，需要更换新的线束。

更换新的 VTOG 线束后，该车，能正常上 OK 电，且行驶正常。仪表台上的充电枪连接指示灯熄灭，VTOG 数据流中的各项数据正常，故障排除。

4.2.4 高压配电箱故障

（1）车辆信息

车型：比亚迪秦混合动力汽车。行驶里程：56812km。

（2）故障现象

纯电动模式无法使用。

（3）故障诊断与排除

❶ 使用新能源汽车诊断仪读取故障码，DC/DC 报 P1EC100（降压时高压侧电压过低）和 P1B0700（降压时硬件故障）；电池管理器中报预充失败的故障。

❷ 根据以上故障码分析故障点为：动力电池包、配电箱、高压 BMS、驱动电机控制器。

❸ 上 ON 挡电，测量电池包实际总电压为 510V，排除电池包问题。

❹ 读取驱动电机控制器及 DC 数据流，发现均无母线电压。

❺ 分析为配电箱及控制线路问题。

❻ 检查高压配电箱负极接触器，发现控制端没有 13V 电压，分析是高压配电箱故障。

更换配电箱后，故障排除。

4.2.5 行驶中动力电池掉电

（1）车辆信息

车型：广汽 GA5REV 混合动力汽车。

（2）故障现象

车主在低速行驶时出现过 3 次高压掉电，报“系统故障，联系维修”，重启故障消失。

在加速过程中有时瞬间失去动力（持续零点几秒），未报故障。

（3）故障诊断与排除

使用诊断仪读取故障码（表 4-2-1）。

确认当前故障码内容是否有：①高压电池单体电压过低（3 级），当前的；②高压电池单体电压不平衡，当前的；③ BMS 12V 供电电压异常，当前的。

如有上述故障，判断为动力电池内部故障。

表 4-2-1 故障码

序号	控制器	硬件号	软件号	零件号	故障码	故障类型	定义	状态
1	制动控制系统	8030009BAC020H.0	8030009BAC020S.0	8030009BAC0200	无故障码			
2	助力转向系统	3410006BAC010H??	3410006BAC010S??	3410006BAC0100	无故障码			
3	发动机管理系统	1120003BAC1100H.C	1120003BAC1100S.C	1120003BAC1100	P057129	历史的	刹车信号不同步	20
4	辅助安全系统	8040003BAC010H???	8040003BAC010S???	8040003BAC0100	无故障码			
5	电池管理系统				通信异常			
6	前驱电机	1520007BAC0000H.0	1520007BAC0000S.4	1520007BAC0000	P180116	历史的	发电机高压直流电压低出阈值 - 关闭 IPU	A8
7	混动控制系统	1110003BAC0300H.C	1110003BAC0300S.C	1110003BAC0300	P16FE84	历史的	高压电池过流	08
8	混动控制系统	1110003BAC0300H.C	1110003BAC0300S.C	1110003BAC0300	P14D813	历史的	HCU 黄色充电指示灯控制电路开路	08
9	混动控制系统	1110003BAC0300H.C	1110003BAC0300S.C	1110003BAC0300	P14DB13	历史的	HCU 绿色充电指示灯控制电路开路	08
10	混动控制系统	1110003BAC0300H.C	1110003BAC0300S.C	1110003BAC0300	P14DE13	历史的	HCU 红色充电指示灯控制电路开路	08
11	混动控制系统	1110003BAC0300H.C	1110003BAC0300S.C	1110003BAC0300	P167000	当前的	BMS 12V 供电电压异常	08
12	混动控制系统	1110003BAC0300H.C	1110003BAC0300S.C	1110003BAC0300	U10C287	历史的	丢失与充电机的通信超过 1 秒	08
13	混动控制系统	1110003BAC0300H.C	1110003BAC0300S.C	1110003BAC0300	P109296	历史的	发电机故障级别 1	08
14	混动控制系统	1110003BAC0300H.C	1110003BAC0300S.C	1110003BAC0300	U011187	历史的	与 BMS 丢失通信	08
15	混动控制系统	1110003BAC0300H.C	1110003BAC0300S.C	1110003BAC0300	P16FB00	当前的	高压电池单体电压过低（3 级）	08
16	混动控制系统	1110003BAC0300H.C	1110003BAC0300S.C	1110003BAC0300	P16FCAE	当前的	高压电池电池单体电压不平衡（1 级）	08
17	混动控制系统	1110003BAC0300H.C	1110003BAC0300S.C	1110003BAC0300	P166496	历史的	高压电池初始化错误	08
18	混动控制系统	1110003BAC0300H.C	1110003BAC0300S.C	1110003BAC0300	P169496	历史的	BMS 故障级别 3	08
19	混动控制系统	1110003BAC0300H.C	1110003BAC0300S.C	1110003BAC0300	P189496	历史的	驱动电机故障级别 3	08
20	集成启动发电机	1520007BAC0000H.0	1520007BAC0000S.4	1520007BAC0000	无故障码			

产生故障的原因有：

❶ BMS 线路故障；

❷ BMS 故障；

❸ 高压电池单体电池故障；

❹ 高压电池单体电池电压不平衡。

注意：因涉及安全问题，所以拆解动力电池时需要有专业人士进行拆装检查。更换动力电池总成后，故障排除。

4.3 高压系统断电

4.3.1 电驱动系统故障灯点亮

（1）车辆信息

车型：奇瑞虎 3xe 纯电动汽车。行驶里程：47812km。

（2）故障现象

车辆无法行驶，仪表上动力电池切断指示灯和电驱动系统故障灯点亮。

（3）故障诊断与排除

造成动力电池切断的原因有：驱动电机故障、驱动电机控制单元（MCU）故障、动力电池故障、车辆控制单元（VCU）故障等。通过仪表板上的故障灯来分析，该故障大概率是由驱动电机控制单元引起的。

使用新能源汽车诊断仪读取故障码，无法进入 VCU 系统。其他系统可以进入，说明 OBD 诊断接口的供电和搭铁正常。检查 VCU 的供电电路，电压为 12V，证明供电和搭铁线路正常。随后，检查 VCU 的 CAN 总线与 OBD 诊断接口的线路连接，线路正常。尝试更换 VCU，故障依旧。

再次使用诊断仪进入 VCU 读取故障码，内容为 VCU 与 MCU 失去通信。

造成 VCU 与 MCU 失去通信的原因有以下几种可能：VCU 故障、MCU 故障、VCU 和 MCU 之间的线路故障。

VCU 是新换的，重点检查 VCU 和 MCU 之间的线路情况。首先，断开 MCU 的低压线路插接器进行检查，正常；然后，检查 MCU 低压线路插接器的 KL30 和 KL15 端子的供电，电压为 12V，正常；最后，通过 MCU 低压线路插接器端子测量终端电阻，结果为 120Ω，正常；MCU 和 VCU 的 CAN 总线通信也正常。至此，确定为 MCU 内部故障。

更换 MCU 后，故障排除。

4.3.2 OK 灯不亮

（1）车辆信息

车型：比亚迪秦混合动力汽车。行驶里程：77817km。

（2）故障现象

车辆无法上 OK 电，仪表主屏上 OK 灯不亮，P 挡指示灯闪烁，并提示请检查动力系统。

（3）故障诊断与排除

OK 灯即车辆可行驶信号灯，正常情况下，OK 灯点亮即表示车辆已经满足可以行驶的必要条件，其控制流程如下。

将挡位置于 P 挡，踩下制动踏板，按下启动按钮，当驱动电机控制器接收制动、挡位及启动信号后，分别与发动机 ECU、TCU 及 BCM 等模块进行通信，在各模块之间通信正常的情况下，即通过 CAN 线向仪表发出 OK 灯点亮命令，驱动 OK 点亮。OK 灯工作原理如图 4-3-1 所示 。

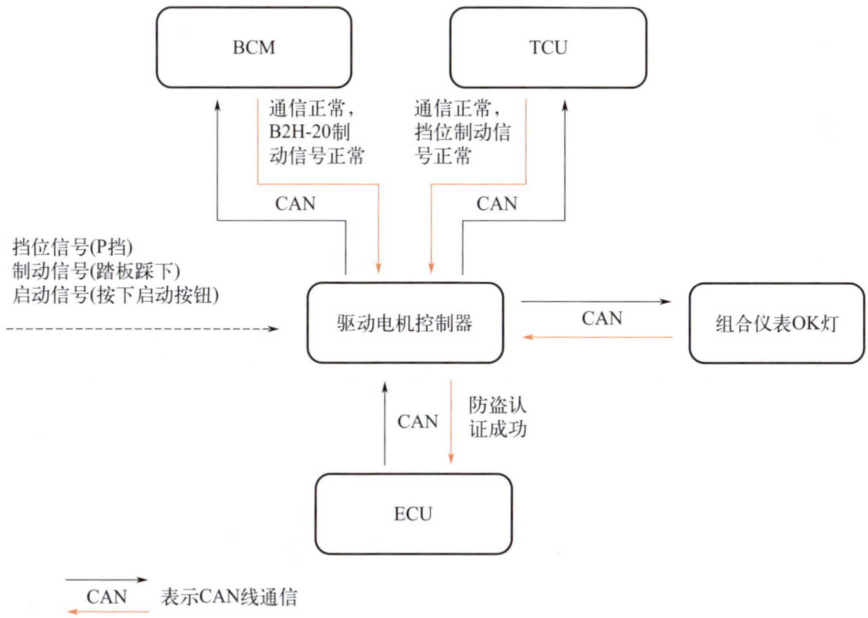

图 4-3-1 OK 灯工作原理

根据以上控制逻辑分析，造成该问题的原因可能有以下方面。

❶ 制动信号故障；

❷ 挡位信号故障；

❸ 驱动电机控制器故障；

❹ ECU 故障；

❺ TCU 故障；

❻ BCM 故障；

❼ CAN 网络通信故障。

使用新能源汽车诊断仪，分别进入驱动电机控制器、ECU、TCU、BCM 系统，确认各个模块通信是否正常；经确认发现 TCU 无法进入。

拔掉 TCU 插头，测量 14 号、15 号针脚 CAN 线电压为 2.5V 左右，阻值为 67Ω 左右，TCU8 号针脚（B）对地导通，9 号针脚（G/R）有 12V 电源，可以确认 TCU CAN 线线路正常，电源、搭铁正常（图 4-3-2），怀疑是 TCU 内部故障。

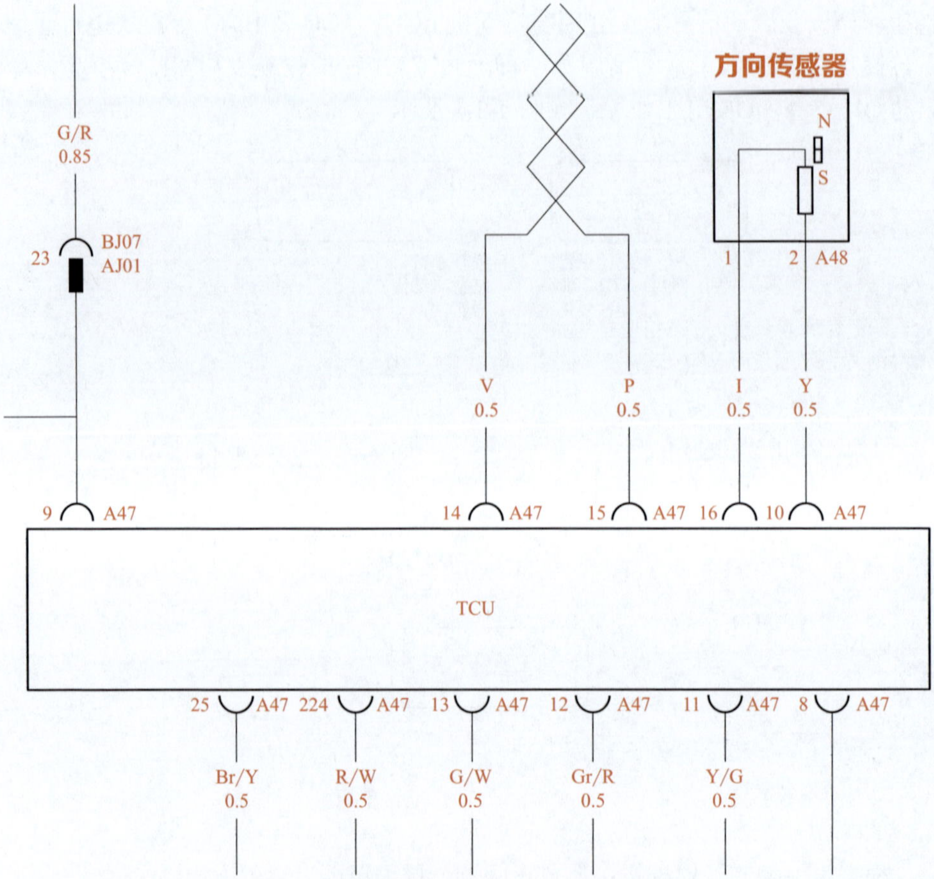

图 4-3-2 比亚迪秦 TCU 内部电路

更换电液控制模块后，故障排除。

4.3.3 电力电子控制单元故障

（1）车辆信息

车型：奔驰 S400L 混合动力汽车。行驶里程：55798km。

（2）故障现象

仪表板中出现故障提示，车辆无法行驶。

（3）故障诊断与排除

使用新能源汽车诊断仪检测，系统中存在 2 个故障码。

0AA61E：高电压车载电网中存在一个绝缘故障，电阻值处于允许范围之外。

1AE71A：高电压车载电网的绝缘存在功能故障，低于电阻极限值。

读取数据流，发现 087 组中的绝缘阻值明显低于标准值（测量值为 62kΩ，正常值应该大于等于 1000kΩ）。根据数据流及故障码，确认该故障为高压系统绝缘故障。

动力蓄电池有 2 个高压插接器，一个是 DC/DC 转换器插接器，另一个是电力电子控制单元与电动制冷压缩机之间的插接器。根据该车结构，分析可能的故障点有 4 个位置：动力蓄电池内部；DC/DC 转换器；电力电子控制单元；电动空调压缩机。

关闭点火开关，静置 5min 后断开动力蓄电池低压插接器，然后断开动力蓄电池的 2 个高压插接器。使用兆欧表分别测量动力蓄电池高压正极与高压负极对车身的绝缘阻值，测量结果均达到 500MΩ 以上，正常。使用兆欧表测量 DC/DC 转换器高压插接器（动力电池端）高压正极和高压负极与车身搭铁之间的绝缘阻值，测量结果达到 500MΩ 以上，正常。使用兆欧表测量电力电子装置高压插接器（动力电池端）高压正极和高压负极与车身搭铁之间的绝缘阻值，测量结果接近于 0，异常。由上述测量结果分析，电力电子控制单元与电动空调压缩机之间存在绝缘故障。

拆卸电力电子控制单元及其连接的线束，打开电力电子控制单元上面的小端盖，将高压线束与电力电子控制单元分离。拆下电力电子控制单元上端盖，在拆卸上端盖时，明显闻到控制单元中有焦煳味。

测量电力电子控制单元内部高压正极与车身搭铁之间的绝缘阻值，测量结果接近于 0，判断结果为控制单元内部高压与电力电子控制单元外壳之间存在短路现象。测量电力电子控制单元线束与电力电子控制单元外壳之间的绝缘阻值，阻值大于 500MΩ，判断线束无故障。

测量空调压缩机插接器底座高压正极和高压负极与车身搭铁之间的绝缘阻值，绝缘阻值大于 500MΩ，正常。

由以上过程分析，电力电子装置内部高压正极与电力电子控制单元（图 4-3-3）

之间存在绝缘故障。

更换电力电子控制单元后，故障排除。

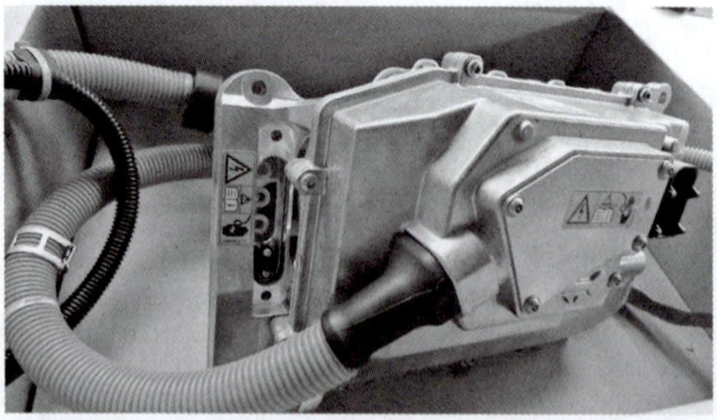

图 4-3-3　奔驰 S400L 电力电子控制单元

4.3.4 行驶中突然失去动力

（1）车辆信息

车型：奇瑞星途追风 ET-i 插电式混合动力汽车。

（2）故障现象

车辆行驶中突然失去动力，再次启动后仪表没有 Ready 指示灯（图 4-3-4）。

图 4-3-4　奇瑞星途追风 ET-i 故障灯

（3）故障诊断与排除

使用诊断仪读取故障码。

HCU 模块故障码：P0A0A-09，内容为高压互锁故障。

BMS 模块故障码：P1B1701，内容为整车环路高压互锁故障。

根据维修手册查阅整车环路高压互锁示意（图 4-3-5）。

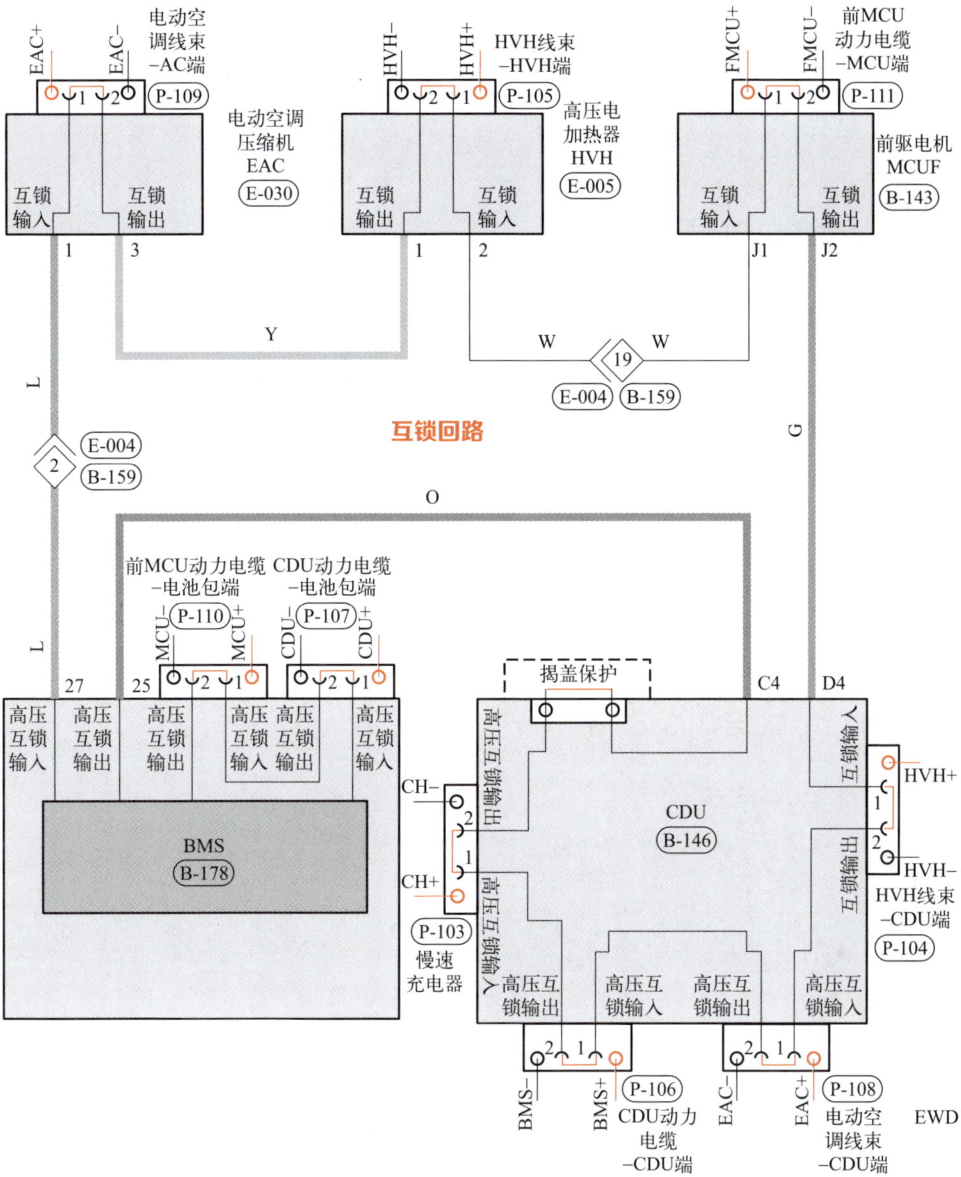

图 4-3-5　整车环路高压互锁示意

使用万用表测量动力电池 CDU 及 MCU 插接器中的两 PIN 针脚，是导通状态，并检查针脚没有损坏变现象。

检查动力电池低压插接器线束端 25# 和 27# 针脚电阻，为无穷大状态（正常应在 10Ω 左右）。

初步怀疑故障点在动力电池外部互锁中某个位置：

❶ 用万用表测量动力电池 25# 脚与 EAC2# 脚电阻，为无穷大，正常；

❷ 测量动力电池 25# 脚与 HVH2# 脚电阻，为无穷大，正常；

❸ 测量动力电池 25# 脚与 MCU J2# 脚电阻，为无穷大，正常；

❹ 测量动力电池 25# 脚与 CDU C4# 脚，是导通状态，正常；

❺ 测量 MCU J2# 脚与 CDU D4# 导通状态，正常；

❻ 测量 CDU 总成件上 D4 与 C4 脚，是不导通状态，异常，此时可以判断问题在 CDU 总成件或 4 个高压插件上；

❼ 逐一进行 CDU 插件插拔检查和测量，EAC/HVH 插接器没有问题，针脚是导通状态；

❽ 到交流充电座插接器 P-103 插拔时，插接器绿色卡扣没有卡到位，重新锁扣到位后，装好 CDU 总成件上的其他插接器；

❾ 测量 CDU 总成件上的 D4 与 C4 脚电阻，为 9.6Ω，正常；

❿ 恢复好 MCU 和 CDU 插件后测量电池包 25# 和 27# 针脚电阻，为 10Ω，正常；

⓫ 恢复好动力电池插接器，上高压电测试，故障排除。

4.4 高压系统绝缘损坏

（1）车辆信息

车型：广汽 GS4 PHEV 混合动力汽车。行驶里程：22198km。

（2）故障现象

车辆在行驶过程中，组合仪表提示：系统故障、联系维修。车辆降功率行驶。

> 注意：熄火重启后故障消除，行驶一段时间后故障再次复现。

（3）故障诊断与排除

使用诊断仪读取故障码：当前的 BMS 故障级 4；当前的高压电池绝缘阻抗低于 100Ω/V（表 4-4-1）。

BMS 故障级别 4，是新能源汽车故障等级最高的一种故障级别，该故障定义为绝缘故障，出现该故障码时需要排查整车高压零部件的绝缘情况。引起绝缘故障的原因可能有：

❶ 高压零部件内部进水；

❷ 高压线束破皮接地；

❸ 高压零部件内部损坏。

表 4-4-1　广汽 GS4 PHEV BMS 故障码（部分数据）

10	混动控制系统	1110003BAC0300H.B	1110003BAC0300S.B	1110003BAC0300	U007388	历史的	HCAN 总线关闭	08
11	混动控制系统	1110003BAC0300H.B	1110003BAC0300S.B	1110003BAC0300	P171019	历史的	DCDC 输出电流超出阈值	08
12	混动控制系统	1110003BAC0300H.B	1110003BAC0300S.B	1110003BAC0300	P16C119	历史的	高压电池充电电流过大（1 级）	08
13	混动控制系统	1110003BAC0300H.B	1110003BAC0300S.B	1110003BAC0300	U10C287	历史的	丢失与充电机的通信超过 1 秒	08
14	混动控制系统	1110003BAC0300H.B	1110003BAC0300S.B	1110003BAC0300	P0AA601	历史的	高压电池系统绝缘故障	08
15	混动控制系统	1110003BAC0300H.B	1110003BAC0300S.B	1110003BAC0300	P169796	当前的	BMS 故障级别 4	8B
16	集成启动发电机	1520007BAC0000H.0	1520007BAC0000S.1	1520007BAC0000	无故障码			

了解车辆的高压线束走向，然后通过测量动力电池端的所有高压线束的接插件的绝缘值来判断整车的绝缘情况（图 4-4-1）。

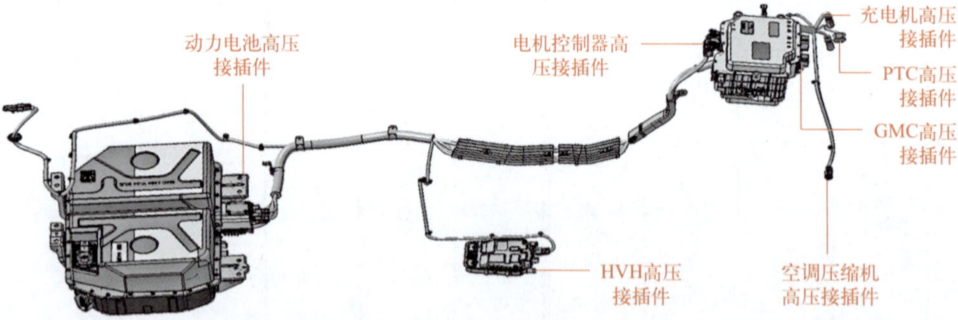

图 4-4-1　广汽 GS4 PHEV 高压线束连接

拔掉动力电池连接的 4 个高压接插件（图 4-4-2），分别用绝缘表测量高压接插件的正负极，确认当前的绝缘阻值（正常为 550MΩ）。

如测量值不符，则说明该点绝缘故障。

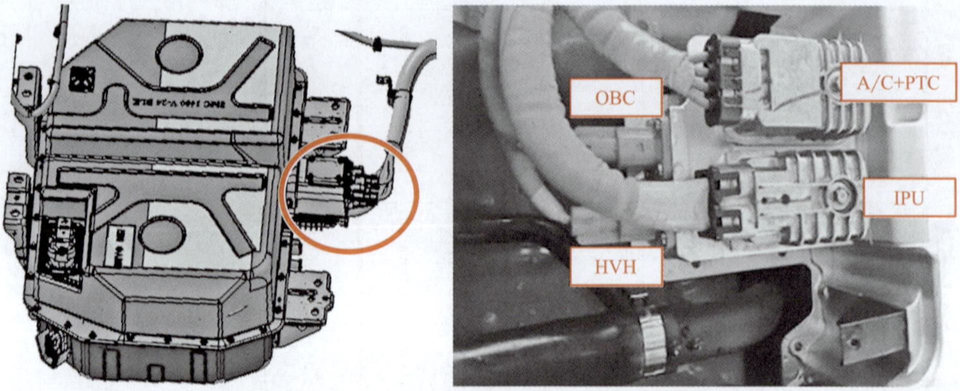

图 4-4-2　拔掉动力电池连接的 4 个高压接插件

如果测量到 IPU 端口绝缘值有异常，则拆除电机控制器直流母线高压接插件，然后再测量直流母线的高压接插件的绝缘阻值，如阻值不符合 550MΩ 的标准，则说明动力电池到 IPU 端的高压线绝缘故障；反之，再次测量 IPU 的绝缘值（图 4-4-3）。

测量 IPU 的绝缘值，如此时绝缘值不符合 550MΩ，则拆除 GMC（发电机及驱动电机的高压三相线），再次测量 IPU 的绝缘值，此时绝缘值仍不符合 550MΩ，说明 IPU 绝缘了；反之，分别测量 GMC（发电机及驱动电机的高压三相线），若不符合 550MΩ，说明该部件已绝缘，需更换（图 4-4-4）。

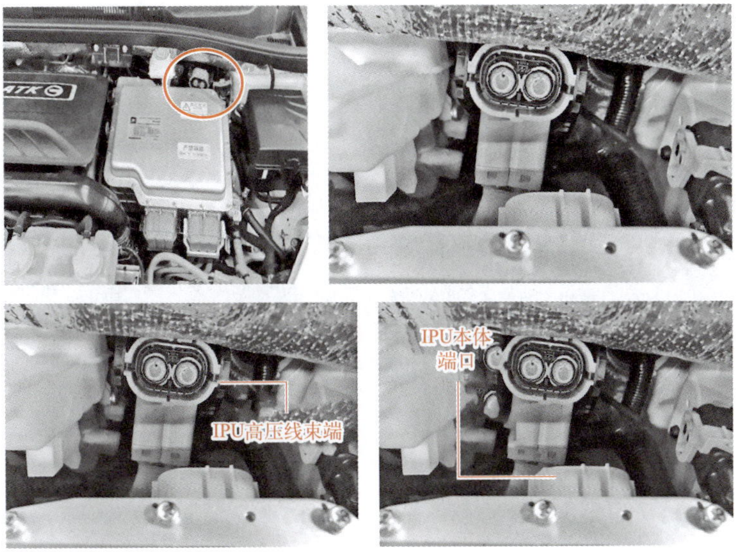

图 4-4-3　IPU 连接器

图 4-4-4　驱动电机及发电机三相线连接

如果测量 AC/PTC 端时绝缘值不符合标准，则拆除 AC（空调压缩机）高压接插件，测量高压线束端的绝缘值。如此时测量到的绝缘值低，则说明此段高压线束绝缘，需要更换；反之测量 AC（空调压缩机）本体的绝缘值，如绝缘值不符，说明压缩机绝缘。

如上述步骤绝缘值正常，则测量 PTC 高压线束端的绝缘值，从而判断 PTC 的高压线是否绝缘；反之则测量 PTC 本体的绝缘情况（图 4-4-5）。

如果测量 HVH 端口绝缘值有异常，则拆除 HVH（高压液体加热器）高压接插件，然后测量 HVH 高压线束接插件的绝缘阻值，阻值不符合 550MΩ 的标准，说明动力电池到 HVH 端的高压线存在绝缘故障（图 4-4-6）。

图 4-4-5　PTC 高压线束端

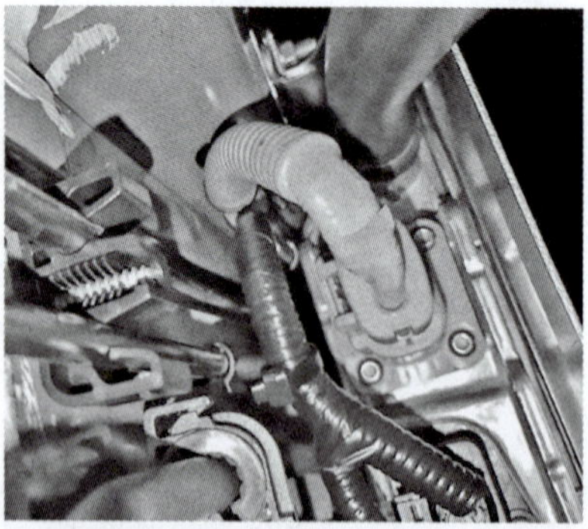

图 4-4-6　HVH（高压液体加热器）高压接插件

更换动力电池到 HVH 端的高压线束，故障排除。

4.5 高压互锁线断开

（1）车辆信息

车型：广汽传祺 GA3S PHEV 混合动力汽车。行驶里程：44387km。

（2）故障现象

组合仪表报“系统故障、联系维修”。车辆无法启动，且上不了高压电。

（3）故障诊断与排除

使用诊断仪读取故障码，见表 4-5-1。

确认当前故障码有：

❶ 当前的，HVIL 线断开；

❷ 当前的，BMS emergency 线断开；

❸ 当前的，高压电池电池包电压过低（1 级）；

❹ 当前的，高压电池电池包电压过低（2 级）；

❺ 当前的，高压电池初始化错误。

有上述故障，为高压互锁线路断开，需要排查高压互锁线路。

高压互锁回路电路如图 4-5-1 所示。

检查前舱电器盒（EF16）熔丝是否有松动、烧坏、氧化现象。

检查仪表电器盒（F42 熔丝、R10、R11 继电器）是否有松动、烧坏、氧化现象。

检查后备厢动力电池 B 包手动维修开关安装状态（无松脱）。

表 4-5-1　广汽传祺 GA3S PHEV 故障码

序号	控制器	硬件号	软件号	零件号	故障码	故障类型	定义	状态
1	制动控制系统	8030009BAC020H.0	8030009BAC020S.0	8030009BAC0200	无故障码			
2	助力转向系统	3410006BAC010H??	3410006BAC010S??	3410006BAC0100	无故障码			
3	发动机管理系统	1120003BAC1100H.C	1120003BAC1100S.C	1120003BAC1100	无故障码			
4	辅助安全系统	8040003BAC000H???	8040003BAC000S???	8040003BAC0000	U041881	历史的	从 BCS 收到的车速值无效或者 BCS_VehSpdVD 的值是无效的	28
5	电池管理系统				通信异常			
6	前驱电机	1520007BAC0000H.0	1520007BAC0000S.4	1520007BAC0000	无故障码			
7	混动控制系统	1110003BAC0300H.C	1110003BAC0300S.C	1110003BAC0300	P0A0A13	当前的	高压互锁线开路	8B
8	混动控制系统	1110003BAC0300H.C	1110003BAC0300S.C	1110003BAC0300	P0A0B13	历史的	HVIL 反馈线开路	0A
9	混动控制系统	1110003BAC0300H.C	1110003BAC0300S.C	1110003BAC0300	P16FC16	当前的	高压电池电池包电压过低（1 级）	0B
10	混动控制系统	1110003BAC0300H.C	1110003BAC0300S.C	1110003BAC0300	P16FC84	当前的	高压电池电池包电压过低（2 级）	0B
11	混动控制系统	1110003BAC0300H.C	1110003BAC0300S.C	1110003BAC0300	P166496	当前的	高压电池初始化错误	0B
12	混动控制系统	1110003BAC0300H.C	1110003BAC0300S.C	1110003BAC0300	U10C181	当前的	HVIL 线断开	0B
13	混动控制系统	1110003BAC0300H.C	1110003BAC0300S.C	1110003BAC0300	P166900	当前的	BMS emergency 线断开	0B
14	集成启动发电机	1520007BAC0000H.0	1520007BAC0000S.4	1520007BAC0000	无故障码			

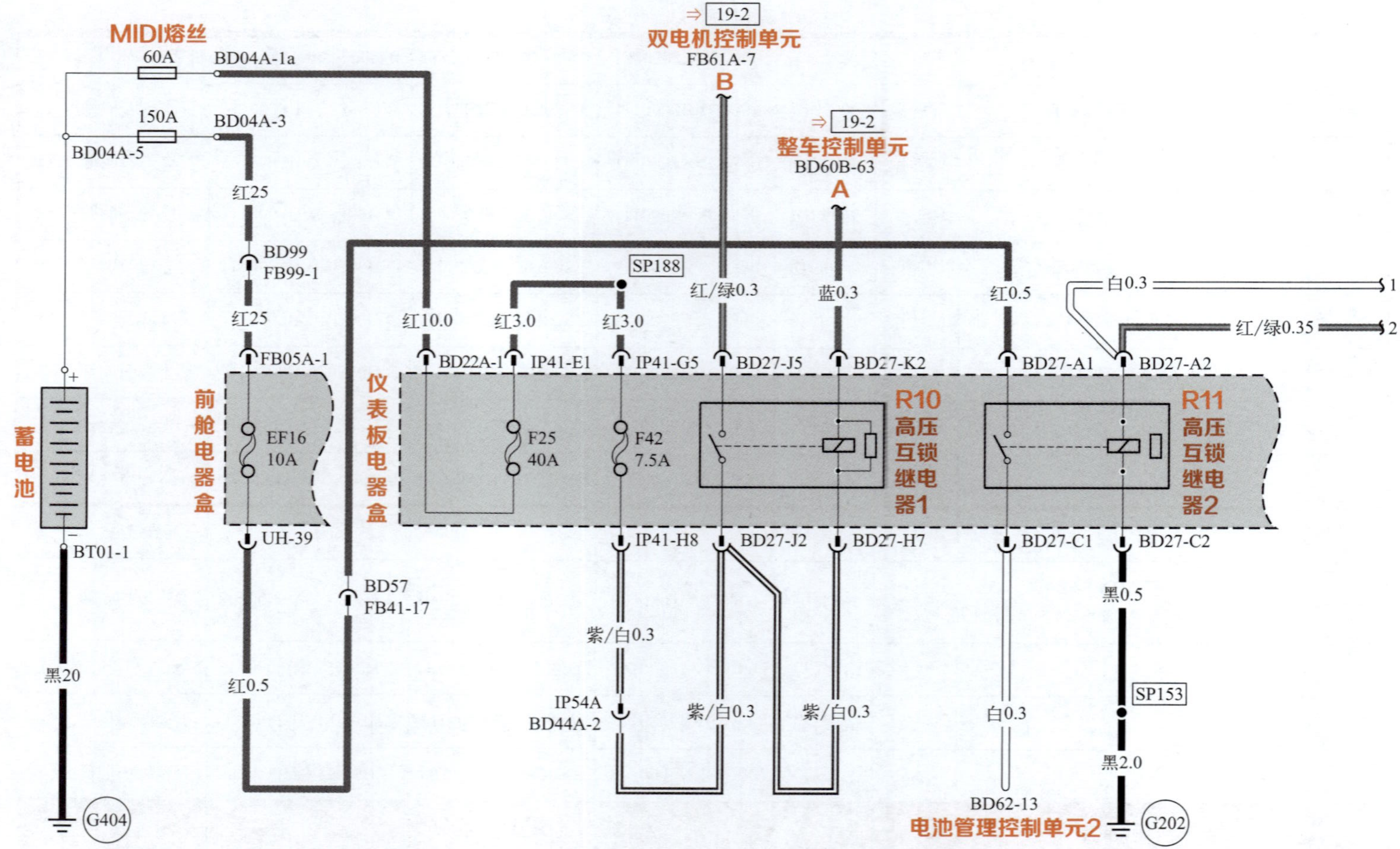

MIDI熔丝
60A
BD04A-1a
150A
BD04A-3
BD04A-5
蓄电池
BT01-1
黑20
G404
红25
BD99
FB99-1
红25
FB05A-1
前舱电器盒
EF16
10A
UH-39
红0.5
BD57
FB41-17
仪表板电器盒
红10.0
BD22A-1
红3.0
IP41-E1
F25
40A
SP188
红3.0
IP41-G5
F42
7.5A
IP41-H8
紫/白0.3
IP54A
BD44A-2
19-2
双电机控制单元
FB61A-7
B
红/绿0.3
BD27-J5
19-2
整车控制单元
BD60B-63
A
蓝0.3
BD27-K2
R10
高压互锁继电器1
BD27-J2
BD27-H7
紫/白0.3
紫/白0.3
红0.5
BD27-A1
白0.3
1
红/绿0.35
2
BD27-A2
R11
高压互锁继电器2
BD27-C1
白0.3
BD62-13
电池管理控制单元2
BD27-C2
黑0.5
SP153
黑2.0
G202

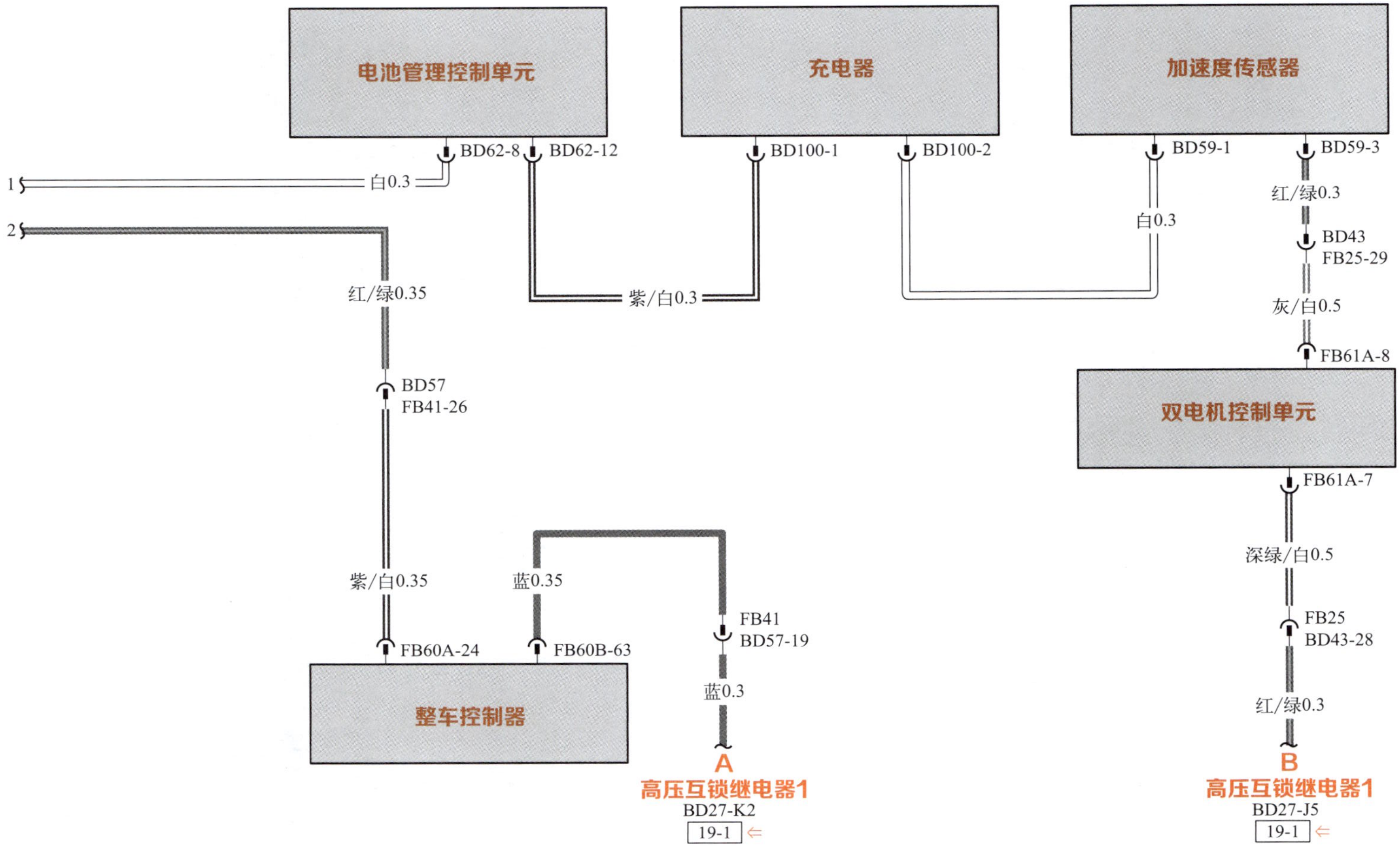

图 4-5-1　广汽传祺 GA3S PHEV 高压互锁回路电路

❶ 检测动力电池系统。

a. 使用万用表检测动力电池 B 包低压输出插头端（动力电池的左侧）$8^{\#}$、$12^{\#}$ 针脚是否导通。如导通，判断为动力电池 A、B 包状态正常；反之，再分开检测电池 A、B 包（图 4-5-2）。

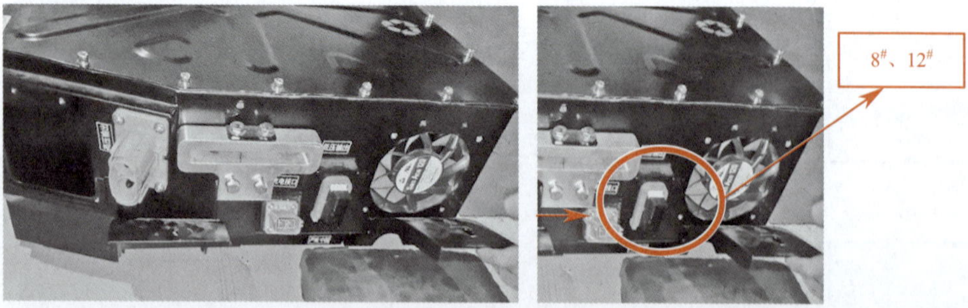

图 4-5-2　检测动力电池 B 包低压输出插头端 $8^{\#}$、$12^{\#}$ 针脚

b. 使用万用表检测动力电池 A 包低压输出端口 $10^{\#}$、$11^{\#}$ 针脚。如导通，则动力电池 A 包状态正常；反之则异常，检查动力电池 A 包手动维修开关安装状态。

❷ 检查充电机。

利用万用表检测充电机输出端 $C^{\#}$、$D^{\#}$ 针脚是否导通（图 4-5-3）。如导通，判断为充电机状态正常；反之，检查动力电池 B 包低压输出线连接到充电机线束状态。如不导通，判断动力电池 B 包低压输出线连接到充电机线束异常；反之为充电机异常（图 4-5-4）。

图 4-5-3　检测充电机输出端 $C^{\#}$、$D^{\#}$ 针脚

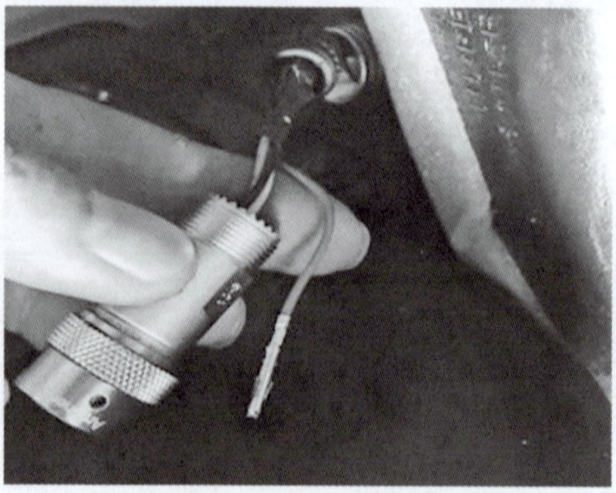

图 4-5-4　检查动力电池 B 包低压输出线连接到充电机线束

❸ 检查加速度传感器。

使用万用表检测加速度传感器端 $1^{\#}$、$3^{\#}$ 针脚是否导通。如导通，判断

为加速度传感器状态正常；反之，检查充电机连接到加速度传感器线束状态（图 4-5-5）。

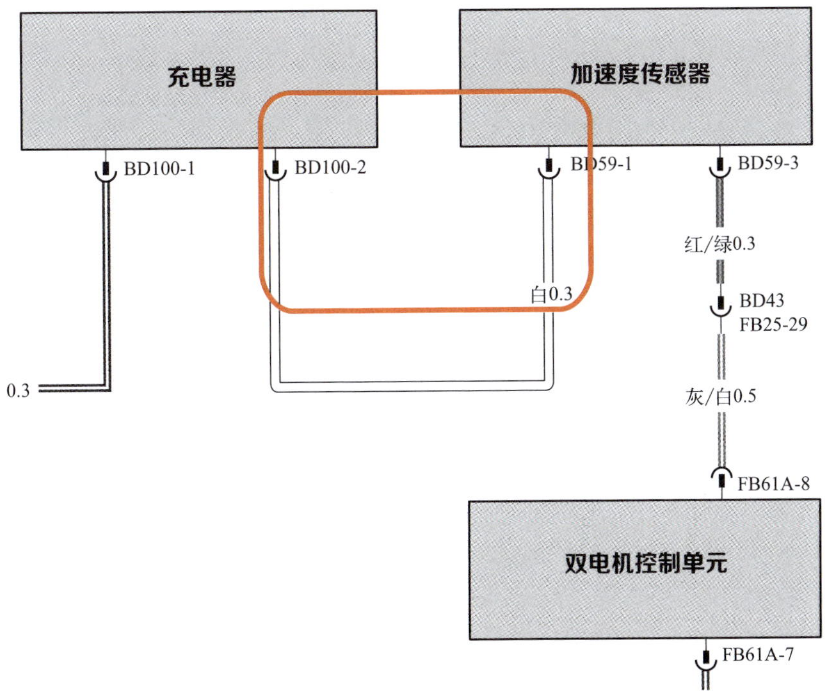

图 4-5-5　加速度传感器电路

❹ 检查控制器。

使用万用表检查电机控制器（低压输出、白色）插头 7#、8# 针脚（图 4-5-6）。如导通，判断为控制器状态正常。

扫一扫

视频精讲

图 4-5-6　检查电机控制器（低压输出、白色）插头 7#、8# 针脚

再检测加速度传感器连接到电机控制器线束状态（图 4-5-7）。如不导通，判断为加速度传感器连接至控制器线束不正常。

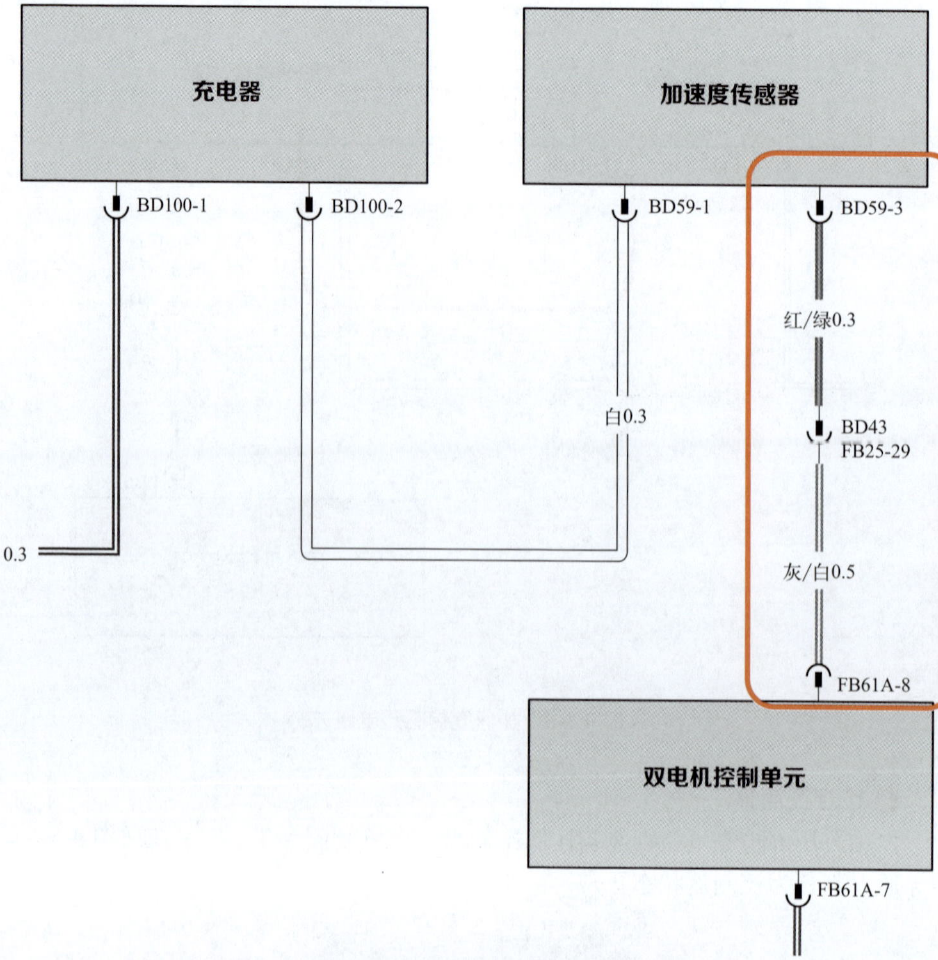

图 4-5-7　检测加速度传感器连接到电机控制器线束状态

❺ 检查双电机控制单元。

使用万用表检查 VCU 控制器（60A-24、60B-63）针脚是否导通（图 4-5-8）。如导通，则判定 VCU 控制器状态正常。如不导通，则需检查仪表电器盒 R10、R11 继电器（BD27-K2、BD27-A2）到 VCU 控制器的连接线束状态。

经检查发现 R11 继电器 BD27-A2 端子至整车控制器 FB60A24 线束测量值为无限大，线束有断路。检查发现线束插接器 BD57/FB41-26 有断路。

修复断路线束后，故障排除。

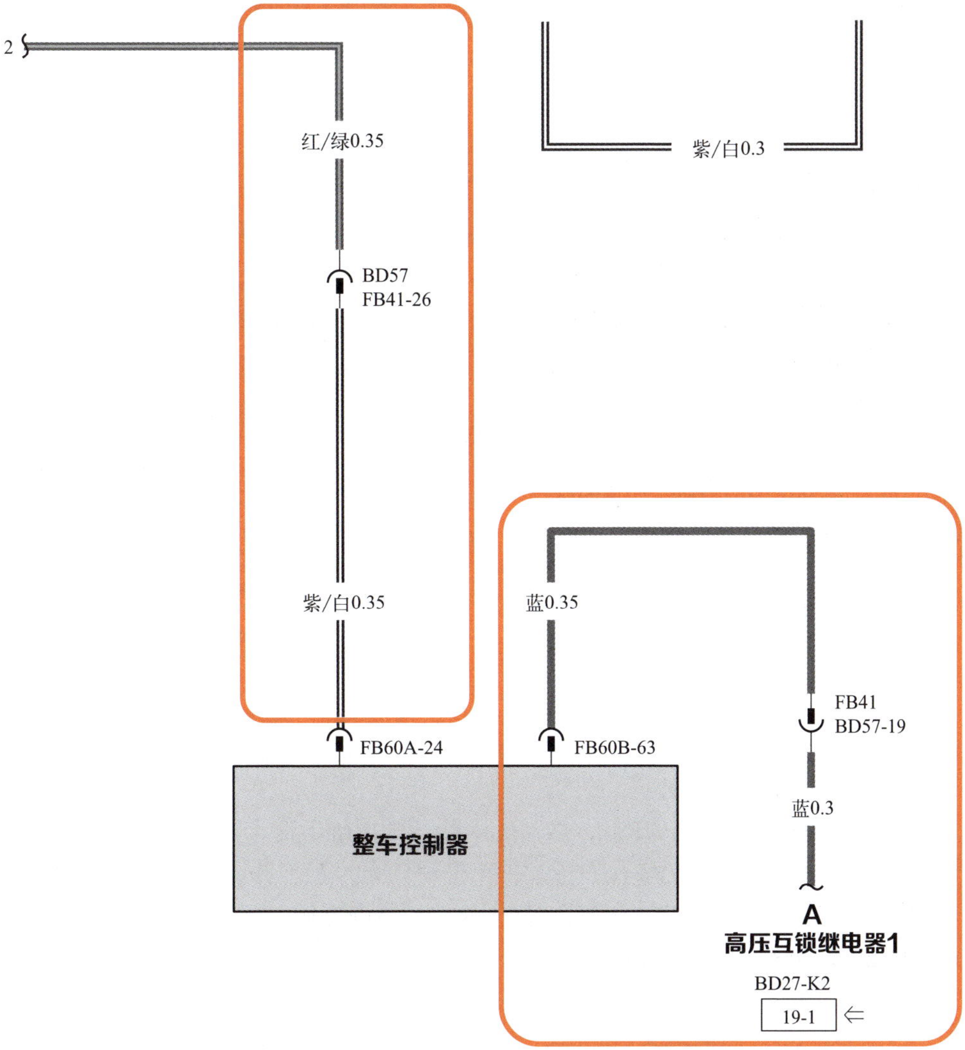

图 4-5-8　检查 VCU 控制器（60A-24、60B-63）针脚

4.6 车辆不能上电

（1）车辆信息

车型：广汽 iA5 纯电动汽车。行驶里程：33412km。

（2）故障现象

车辆不能上电，打开电源仪表无显示。

（3）故障诊断与排除

使用诊断仪读取故障码。

P180016：蓄电池欠压。

查阅维修手册，导致故障的原因有：

蓄电池亏电；

DC/DC 故障；

蓄电池故障。

❶ 检查蓄电池电压。

将电源开关置于“OFF”，断开蓄电池负极。

使用万用表测量蓄电池正负极之间的电压，为 7V（标准电压值为 12V）。

对蓄电池进行充电。

❷ 上电检查。

充电后，再次检查蓄电池电压为 12.5V。

重新上电检查车辆，车辆可以上电，仪表没有报故障。

考虑到蓄电池亏电导致车辆不能上电，因此需确认蓄电池充电是否正常。

❸ 检查 DC/DC 输出电压。

电源开关置于“ON”。

使用万用表测量蓄电池正负极之间的电压，测量为 0，异常（标准电压值为 13.5V）。

❹ 检查 DC/DC 线路。

将电源开关置于“OFF”。

检查正极熔丝（200A IPS），熔丝无熔断、无接触不良，正常。

检查集成电源系统的搭铁，正常，无松动、无接触不良。

断开集成电源系统 FB59 端子（图 4-6-1），检查集成电源系统 FB59-1 端子与 FB74 线束，无松动、无接触不良。

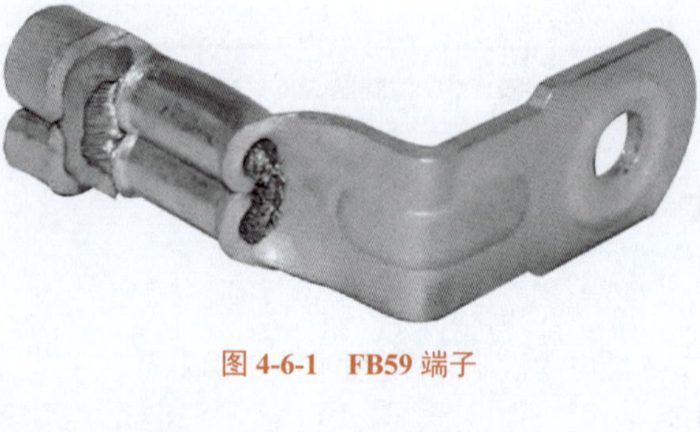

图 4-6-1　FB59 端子

使用万用表检查，无断路。

更换集成电源系统（图 4-6-2）后，再次检查 DC/DC 输出电压，为 13.5V，车辆正常充电。

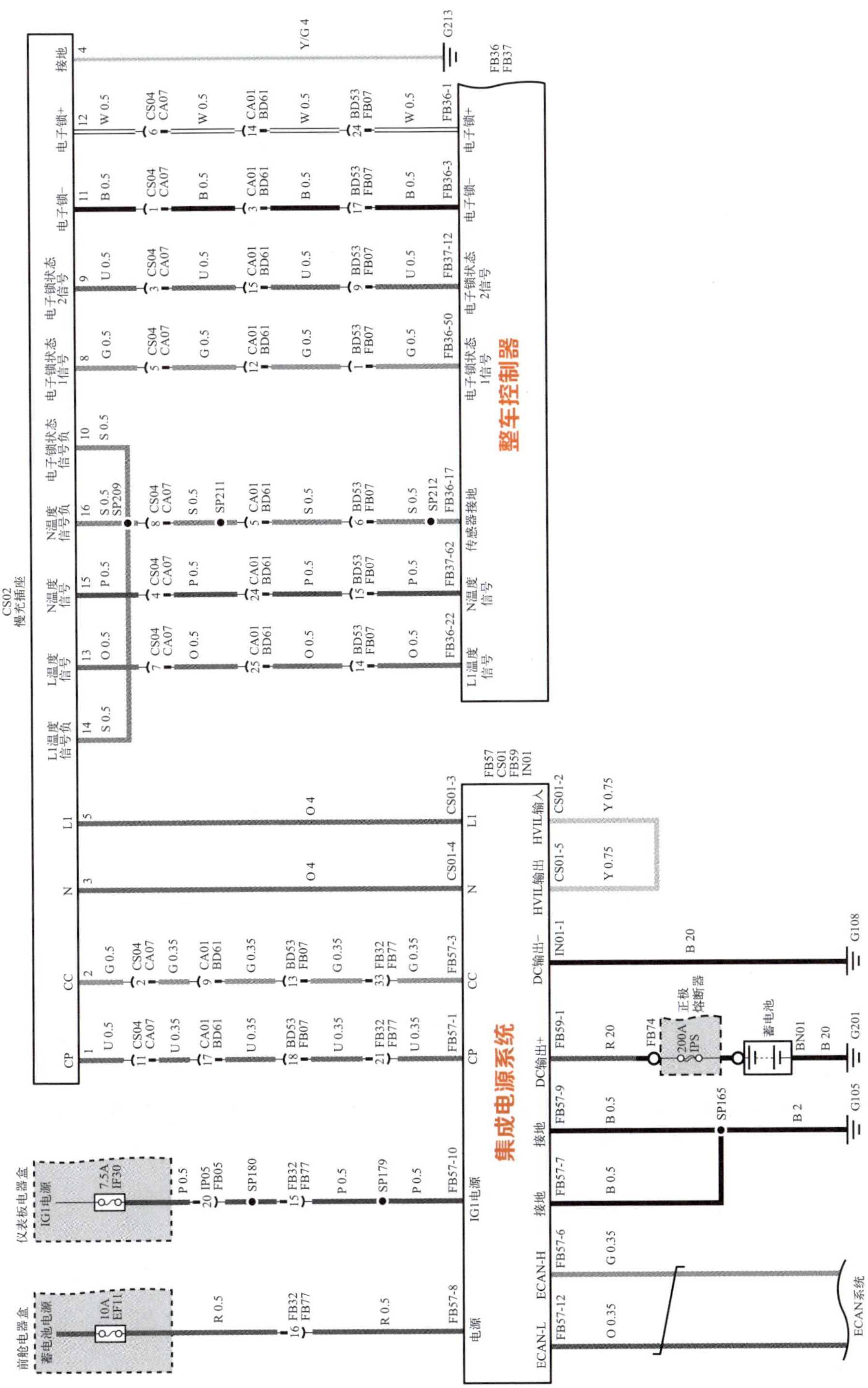

图 4-6-2　广汽 iA5 集成电源系统电路

注意：更换集成电源系统后，需用诊断仪进行集成电源系统重新标定。

客户用车一周后回访，故障未再出现，至此故障已经排除。

4.7 纯电动汽车偶尔无法进入 Ready 状态

（1）车辆信息

车型：长城欧拉 iQ 纯电动汽车。行驶里程：21122km。

（2）故障现象

车辆偶尔无法进入 Ready 状态，仪表提示动力系统严重故障。

（3）故障诊断与排除

使用诊断仪读取 BMS 故障码。

P108102：主负接触器粘连（不能断开），历史故障码。

查阅相关维修资料，找到排除方法。

❶ 整车下电静置 10min。

❷ 用诊断仪读取是否有故障码。

❸ 检查主正继电器及其线束是否故障，如有故障，则更换主正继电器或线束；如正常，则进入下一步。

❹ 检查主负继电器及其线束是否故障，如有故障，则更换主负继电器或线束；如正常，则进入下一步。

❺ 检查预充电继电器及其线束是否故障，如有故障，则更换预充电继电器或线束；如正常，进入下一步。

❻ 清除故障码，重启车辆。

动力电池内部与主负继电器有关的工作部件主要有 BDU、BMS 主控板、高压板和从控板等（图 4-7-1）。

根据维修资料，检查主负继电器线束，无松动、无虚接、无氧化，正常。检查主负继电器线圈及开关，也正常。因为故障偶尔出现，所以更换主负继电器，删除故障码，试车，车辆正常。第 2 天，故障再现，故障码还是报原来的。

根据电池包高压原理图，负极主继电器上端的控制器是高压板对其进行充放电等功能检测。更换高压板后，试车，车辆同样正常。车辆在店里连续试车 7 天，故障未再出现，故障排除。

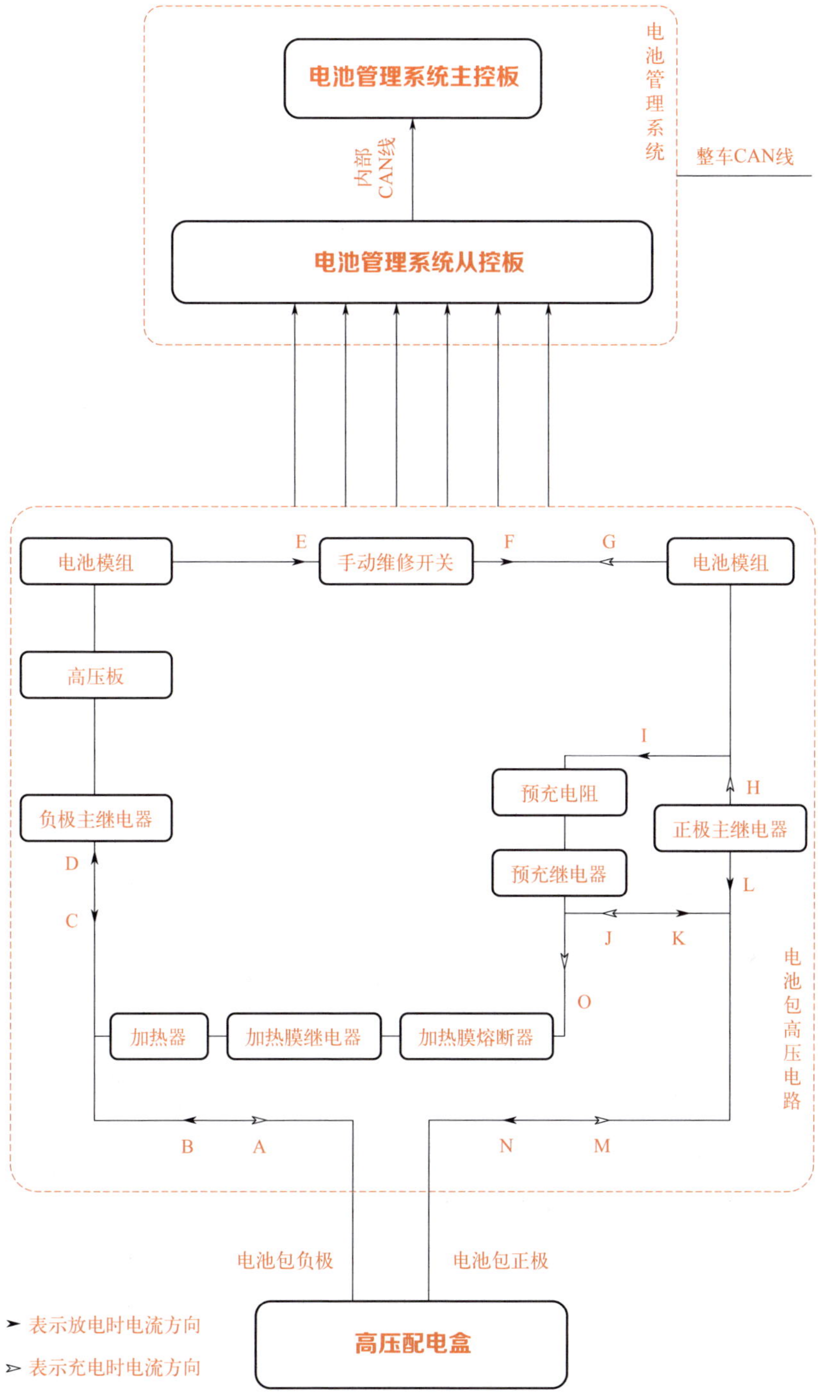

图 4-7-1 电池包高压原理

4.8 混合动力汽车无法启动

（1）车辆信息

车型：宝马 750Li 混合动力汽车。行驶里程：139892km。

（2）故障现象

车辆不能启动，仪表显示充电系统故障。

（3）故障诊断与排除

使用诊断仪读取故障码，当前未出现故障码，不过在电机和电机控制器系统内有多个“功率输出级，相位：损坏或短路”的历史故障码。

检查高压蓄电池维修开关，维修开关连接牢固可靠，维修开关端子无烧蚀。

使用诊断仪读取高压蓄电池数据流：充电状况为 48.7%；电压为 127V，与电池的额定电压 126V 相近；电池 4 个温度传感器的信号，均在 33 ～ 35℃之间，符合实际状况。排除高压电池的故障。

发动机的启动和发电共用同一个电机，从历史故障码推断，因电机“功率输出级损坏或短路”，可造成电机不能正常工作，因而导致发动机不能启动。

导致电机不能正常工作的可能原因主要有：

❶ 电机故障；

❷ 控制器故障；

❸ 网络通信系统故障。

对电机的绝缘性能和线圈电阻值进行检测，检测包括两部分：一是车辆静态时的绝缘测试；二是在线绝缘检测，包括对动力电池组、电机驱动系统、电机以及电池充电器等的检测。实测绝缘电阻为 220MΩ，大于标准值 0.6MΩ，绝缘正常。对电机控制器、正负母线绝缘性能进行检测，结果数据为 220MΩ，大于标准值 0.6MΩ，说明绝缘性能良好。实测电机相线绕组的阻值，电阻在 21.72 ～ 23.69MΩ 之间，线圈电阻数据也正常。

检查 IGBT 管组件：用万用表二极管挡对 IGBT 管进行检测，发现其中有一个功率开关管数据不正确，确认功率开关元件已损坏，导致检测时正反方向均不导通（图 4-8-1）。

具体的检查方法：用万用表的黑表笔（万用表的正电）接 IGBT 的集电极 C，红表笔（万用表的负电）接发射极 E，此时万用表的指针应指向无穷大；接着用手指同时接触栅极 G 和集电极 C，这时 IGBT 即被触发导通，万用表指针会向阻值较小的方向偏摆，并维持在某一位置附近；然后用手指同时触一下栅极 G 和发射极 E，这时 IGBT 被阻断，万用表指针重新指向无穷大。在检测中，如果上述现象均符合，则可判定 IGBT 工作正常，否则表明存在故障。

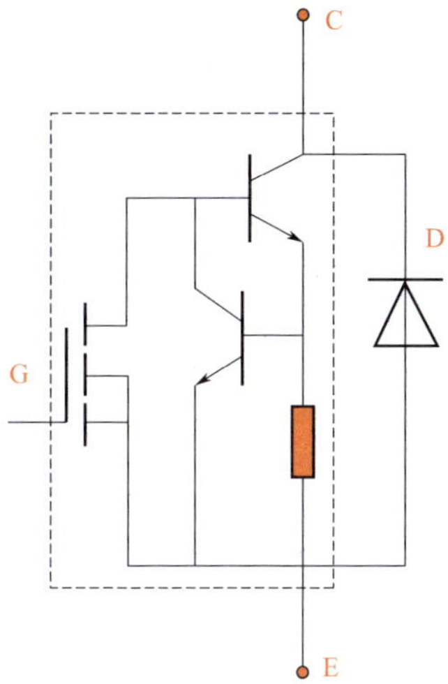

图 4-8-1　IGBT 功率管

并联二极管的原理图，二极管与 IGBT 已固化在一体

由于 IGBT 功率管安装在变频器总成内，不能单独更换，所以更换变频器总成，试车，故障排除。

4.9 车辆降功率行驶

（1）车辆信息

车型：广汽 iA5 纯电动汽车。行驶里程：11872km。

（2）故障现象

车辆降功率行驶，车速最快只能开 40km/h。

（3）故障诊断与排除

使用诊断仪读取故障码。

P189A4B：IGBT 模块过温。

查阅维修手册，导致故障的原因有：

❶ 冷却液不足；

❷ 集成电力驱动总成运行时间过长；

③ 冷却系统故障；

④ 集成电力驱动总成内部故障。

检查冷却液液位，正常。

检查冷却管路，无破损，路接口连接良好。

检查水泵熔丝 EF33（15A），正常（图 4-9-1）。

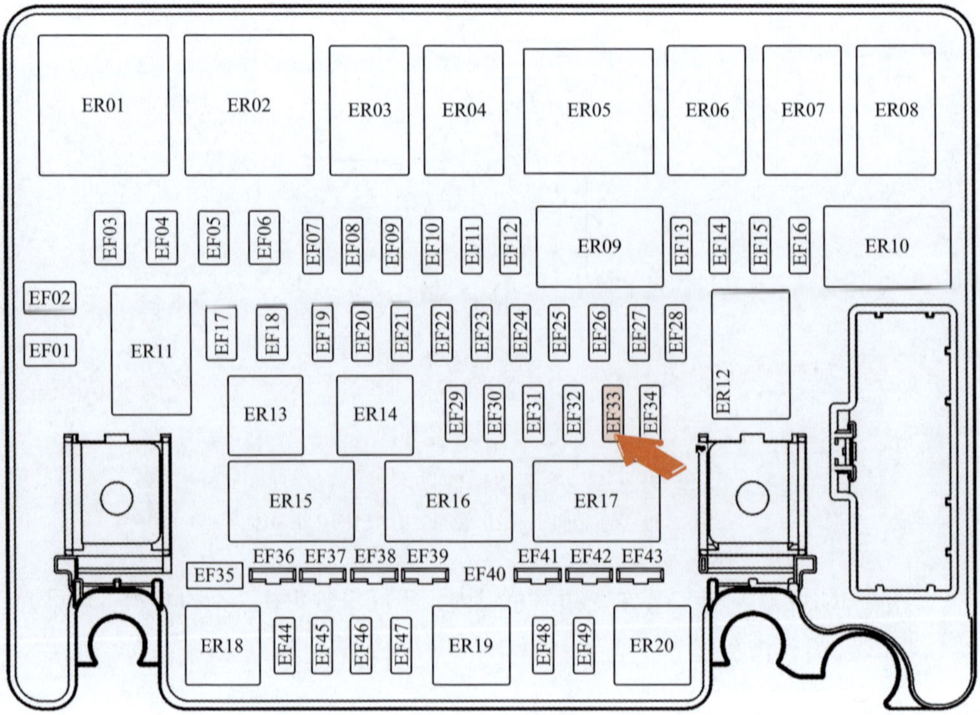

图 4-9-1　水泵熔丝 EF33

① 检查电机冷却水泵电源线束（图 4-9-2）。

电源置于“OFF”，断开蓄电池负极。

断开电池冷却水泵接插件 FB67。

使用万用表测量 FB67 的 2 号针脚到前舱电器盒熔丝 EF33 之间的电阻，测量值为 0.6Ω（标准电阻值：＜ 1Ω）。

② 检查电机冷却水泵接地线束（图 4-9-3）。

电源置于“OFF”，断开蓄电池负极。

断开电池冷却水泵接插件 FB67。

使用万用表测量 FB67 的 3 号针脚与接地之间的电阻，测量值为 0.6Ω（标准电阻值：＜ 1Ω）。

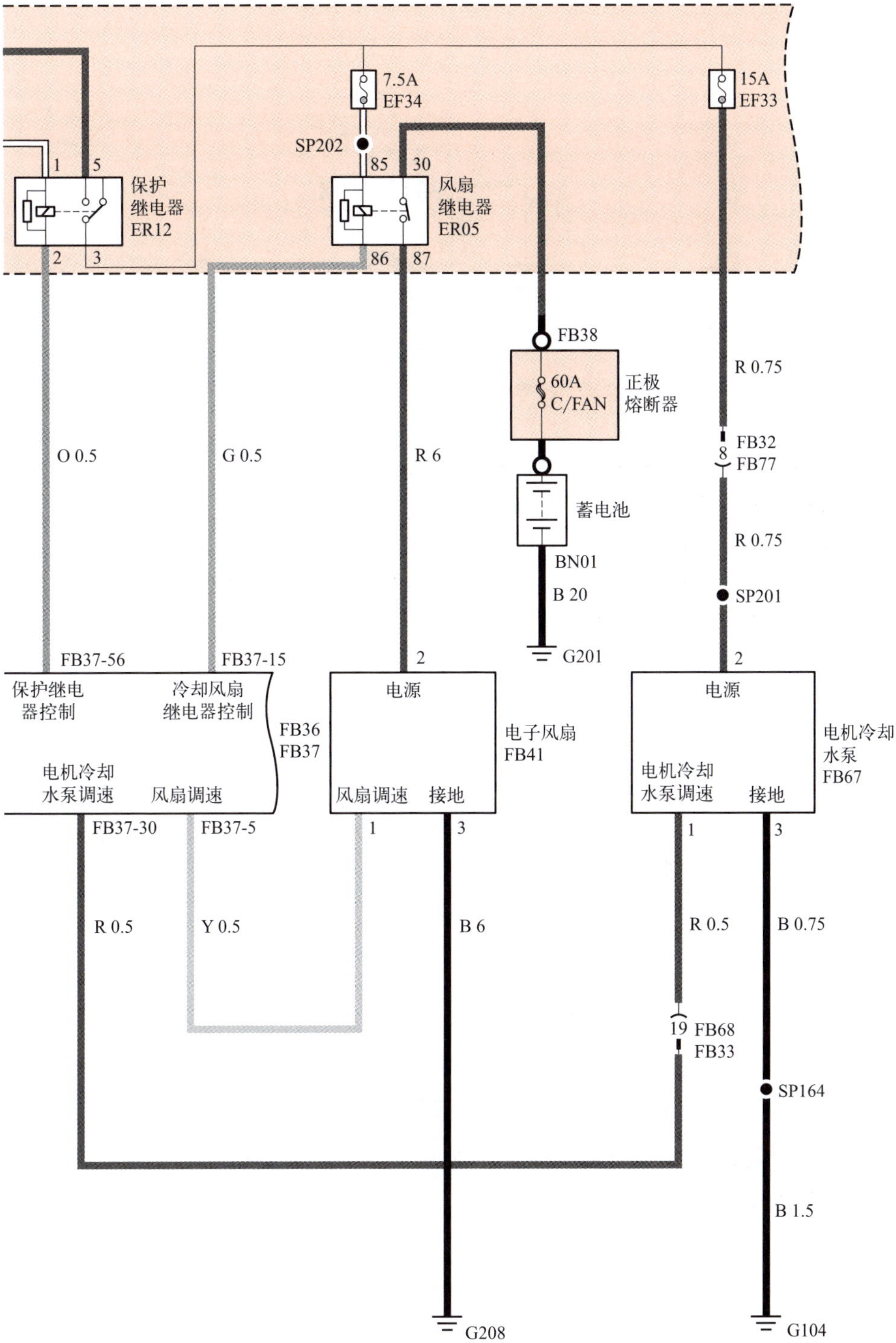
7.5A
EF34
15A
EF33
SP202
85
30
1
5
保护
继电器
ER12
风扇
继电器
ER05
2
3
86
87
FB38
60A
C/FAN
正极
熔断器
R 0.75
FB32
8
FB77
O 0.5
G 0.5
R 6
蓄电池
R 0.75
BN01
B 20
SP201
FB37-56
FB37-15
2
G201
2
保护继电
器控制
冷却风扇
继电器控制
FB36
FB37
电源
电子风扇
FB41
电源
电机冷却
水泵
FB67
电机冷却
水泵调速
风扇调速
风扇调速
接地
电机冷却
水泵调速
接地
FB37-30
FB37-5
1
3
1
3
R 0.5
Y 0.5
B 6
R 0.5
B 0.75
19
FB68
FB33
SP164
B 1.5
G208
G104

图 4-9-2 水泵电路

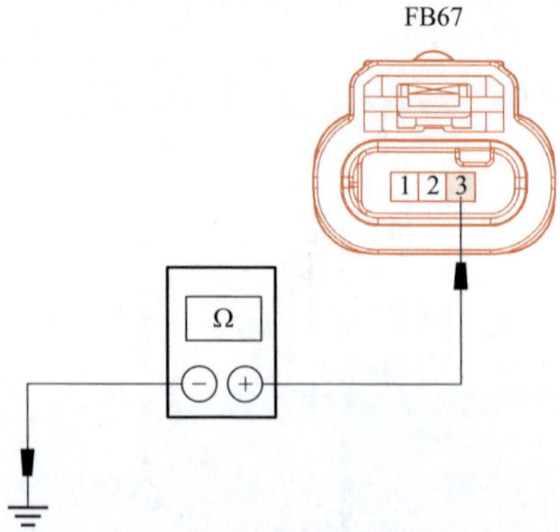

图 4-9-3 检查电机冷却水泵接地线束

❸ 检查电机冷却水泵调速信号线束（图 4-9-4）。

电源置于“OFF”，断开蓄电池负极。

断开电池冷却水泵接插件 FB67 和整车控制器接插件 FB37。

使用万用表测量 FB67 的 1 号针脚与 FB37 的 30 号针脚之间的电阻，测量值为 0.6Ω（标准电阻值：＜ 1Ω）。

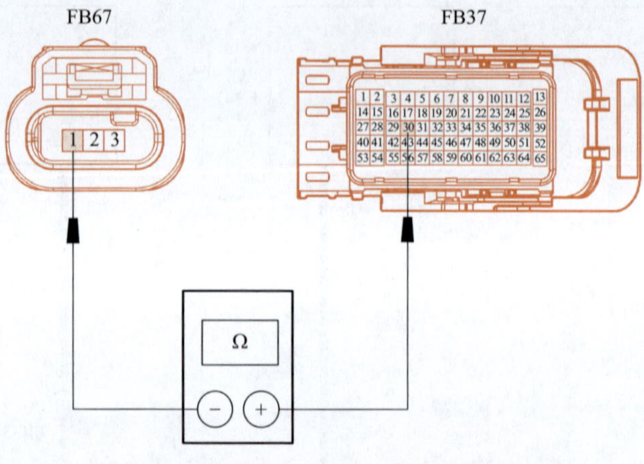

图 4-9-4 检查电机冷却水泵调速信号线束

尝试更换电机冷却水泵，试车，故障依旧。更换集成电力驱动总成后，试车，故障排除。

第5章 低压系统故障

5.1 耗电异常

（1）车辆信息

车型：比亚迪秦 ProDM 混合动力汽车。行驶里程：77615km。

（2）故障现象

插枪后低压电池耗电异常。

（3）故障诊断与排除

❶ 使用诊断仪读取多个模块的故障码，同时报：供电电压低的故障，用万用表测蓄电池电压，为 8V 左右，怀疑为车辆存在漏电造成蓄电池电压过低。

❷ 测量静态耗电量为 60mA，正常，故障是插枪充电后偶发性出现的。

❸ 根据电路图检查充电保险 F8/4，正常。测量车载充电器 K43B/8 端子与蓄电池正极，导通，且阻值小于 1Ω，线路及保险连接正常。

❹ 反复插枪测试，仪表显示正常充电，用万用表测量蓄电池在放电状态，读取车载充电器数据流，为 111V，正常。

根据数据流判定车载充电器本身故障。

更换车载充电器后，故障排除。

5.2 低压蓄电池不能唤醒

（1）车辆信息

车型：比亚迪秦混合动力汽车。行驶里程：45321km。

（2）故障现象

使用遥控器无法打开车门，开门后仪表灯全部不亮，按左前门微动开关，无法唤醒低压蓄电池。

（3）故障诊断与排除

根据现象判断低压蓄电池没有正常工作：

❶ 低压蓄电池亏电严重；

❷ 低压蓄电池单节电池故障；

❸ 低压蓄电池存虚电。

使用机械钥匙打开车门，拉开后备厢，测量低压蓄电池启动极柱电压为10.1V，亏电严重。

低压BMS工作电压为6V以上，工作电源直接由低压蓄电池提供。此时人为将该车低压BMS 4号针脚进行搭铁，若蓄电池正常，则应被唤醒，此时测量正极极柱仍没有电压输出，判定低压蓄电池内部损坏（图5-2-1）。

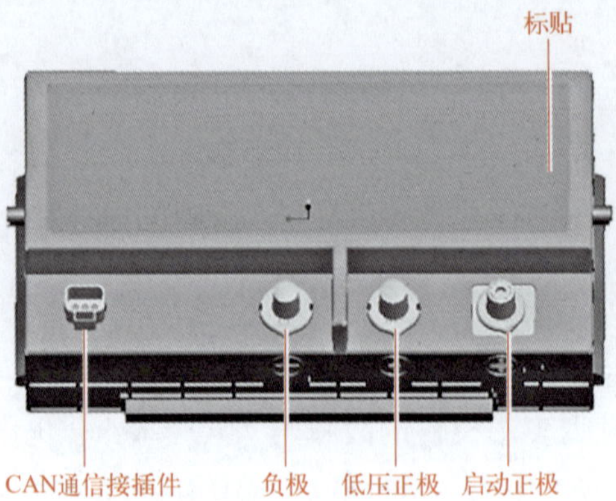

图5-2-1　低压蓄电池

低压BMS工作电压为6V以上，若测量启动极柱电压为6V以下，使用充电设备将低压蓄电池的电压充到6V以上，再将低压BMS 4号针脚进行搭铁。若仍不能唤醒，则更换蓄电池。

低压蓄电池有智能充电功能，前提条件：四门、后备厢盖、发动机舱盖需关闭。

智能充电原理：当低压蓄电池BMS监测到自身SOC过低时，控制吸合OFF挡充电继电器，同时给动力电池BMS发送充电请求信号，动力电池BMS接收并检测判定后吸合放电主接触器，发送“放电允许”信号给双向DC，双向DC判断自身无故障后给蓄电池进行智能充电。

更换低压蓄电池后，故障排除。

5.3 车辆无法启动

5.3.1 发动机控制单元及低压电池故障

（1）车辆信息

车型：比亚迪唐混合动力汽车。行驶里程：33214km。

（2）故障现象

无法启动。

（3）故障诊断与排除

打开点火开关，换挡杆置于 P 挡，整车无电，低压电池进入休眠状态。唤醒低压电池，仪表板上有多个故障灯提示，且仪表板的中央故障显示屏相继提示“请检查发动机系统”“EV 功能受限”“请检查车辆网络”和“请检查低压电池系统”等维修信息。

根据“请检查低压电池系统”检查低压电池；根据“EV 功能受限”检查各高压熔丝是否熔断；根据“请检查车辆网络”检查网关、各网络控制单元及相关线路；根据“请检查发动机系统”判断可能是由于车身网络故障引起的并发症，待定检查。由于故障提示较多，需要逐一排查，因此决定先对网络进行检查。

维修人员检查时发现，因低压电池电量不足，唤醒不足 2min 就再次休眠，需外接电源。外接蓄电池后，用专用故障诊断仪检测，扫描时发现多个控制单元不存在，且故障码多数由于通信故障引起。

测量 OBD 诊断接口，发动机控制单元（ECM）的 CAN-H 端子（9 号）对搭铁电压为 0.9V（正常值 2.5 ～ 3.5V），CAN-L 端子（10 号）对搭铁电压为 0.8V（正常值 1.5 ～ 2.5V），其他网络端子电压正常。CAN-H 与 CAN-L 线对搭铁电压接近 0，故推断 ECM 内部 CAN 线出现对搭铁短路（图 5-3-1）。

断开蓄电池线束，测量 ECM 内阻，阻值为 29.6Ω（正常为 60Ω 左右），ECM 内部可能存在故障。

查看网络拓扑图，发现扫描不出的控制单元基本都属于同一网络。逐一断开各控制单元，测量 OBD 诊断接口 ECM 网的端子电压，断开发动机控制单元后，测量电压在正常范围内，且此时 VDS 可以扫描出其他各个控制单元，由此确认为 ECM 故障，更换 ECM 后网络恢复正常，车辆亦可以正常启动（图 5-3-2）。

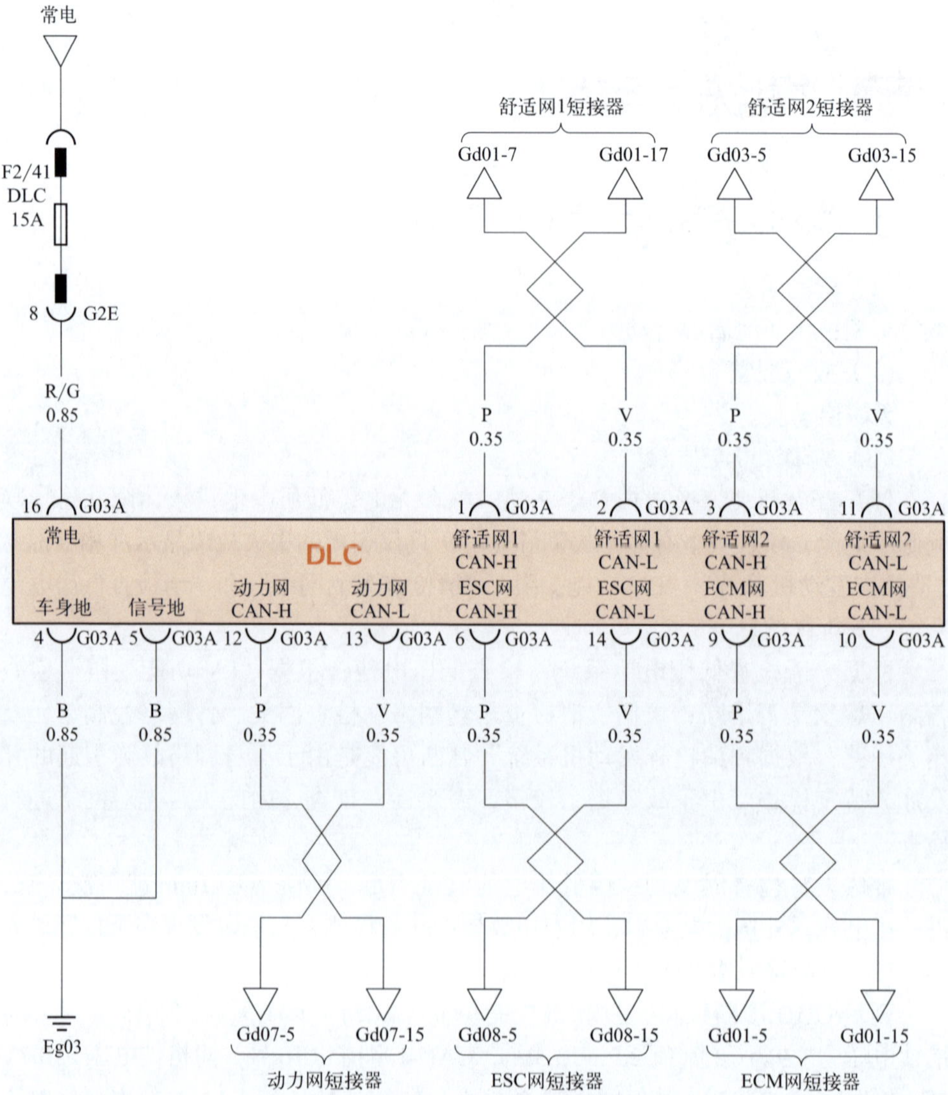

图 5-3-1 诊断接口电路

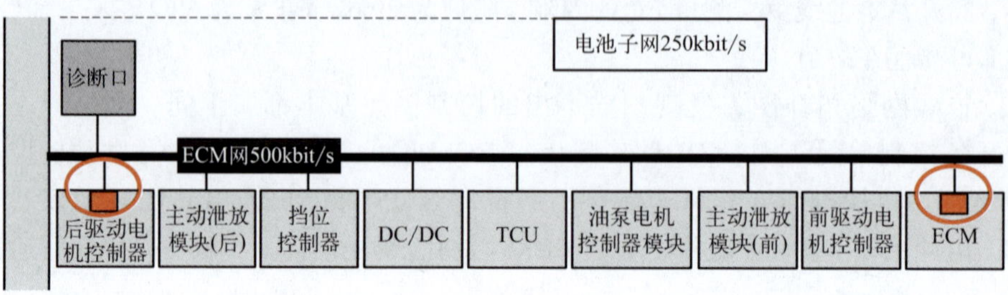

图 5-3-2 网络拓扑

车辆启动后，仪表板依然提示“EV 功能受限”，此时开空调不制冷，低压电池管理系统检测到故障码 B1FC8，内容为不允许智能充电故障。先按照故障导引检查各高压熔丝，发现熔丝并没有熔断。

负责高压控制的主接触器上容易产生烧结点，也容易造成与高压熔丝熔断一样，产生“EV 功能受限”的故障。

对主接触器进行了处理后，试车发现低压电池容易休眠，且唤醒后不能正常智能充电。在唤醒低压电池后，马上测量整车线束端低压接插器 1 号（CAN-H）、3 号（CAN-L）和 4 号（搭铁）端子的网络供电以及对搭铁阻值情况（图 5-3-3），测量值正常。

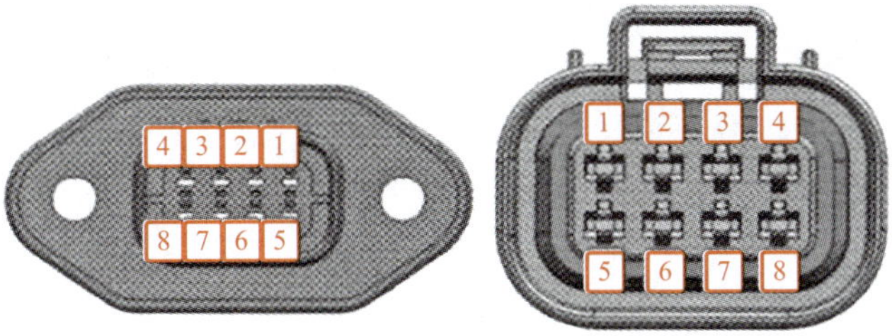

(a) 低压启动电源端　　(b) 整车线束端

图 5-3-3　整车线束端插接器

在发动机运行状态下，读取 DC/DC 和发动机控制单元数据流，发电机的发电电压均为 13V，正常。读取低压电池管理系统数据流，低压电池的 1 号、2 号及 4 号单体电压都为 3.1V，3 号单体电压为 3.2V。从数据上可以看出，3 号单体电池的电压虽然比另外 3 个仅高出 0.1V，但这属于不正常的充电现象。按照该车的低压电池系统充电设计，充电后 4 个单体电池的充电量应该一致。由此判断低压电池发生故障。

更换发动机控制单元以及低压电池后，故障排除。

5.3.2　插接器故障

（1）车辆信息

车型：大众探岳 GTE 混合动力汽车。行驶里程：32716km。

（2）故障现象

车辆无法启动，组合仪表上提示“混合动力系统故障，请立即停车并参阅用户手册”，同时仪表板中央的红色高压系统故障指示灯点亮。

（3）故障诊断与排除

使用新能源汽车故障诊断仪检测，在 8C- 混合蓄电池管理系统中存在故障码

P0A0D00，内容为高电压系统的先导线路对正极短路，静态。

根据故障现象和检测到的故障码分析，故障原因可能有：a. 先导线路问题；b. 高压断电熔丝故障；c. 维修断电插接器 TW 故障；d. 高压蓄电池控制单元故障。

先导线路对正极短路，会引起高压蓄电池控制器控制内部接触器断开，从而停止对外输出，这与仪表板上的故障提示直接相关。

根据大众探岳 GTE 的先导线路监控原理图得知，先导线路的监控由高压蓄电池 AX2 的控制单元 J840 实施，输出端加载 5.00V 低压监控电信号，内部有上拉电阻监控。先导线路外部，在功率电子装置 JX1 内安装了 50Ω 左右的分流电阻，在 J840 内的输入端通过下拉电阻接地，J840 在先导线路的供电和接地端都有电压监控。线路正常时，在输出端电压为 1.50 ～ 1.90V，在输入端电压为 0.60 ～ 0.90V；断开先导线路，在 J840 两端正常应该是 5.00V 和 0。如果无法测量到 5.00V 和 0，可以说明问题出在 J840 控制器内部（图 5-3-4）。

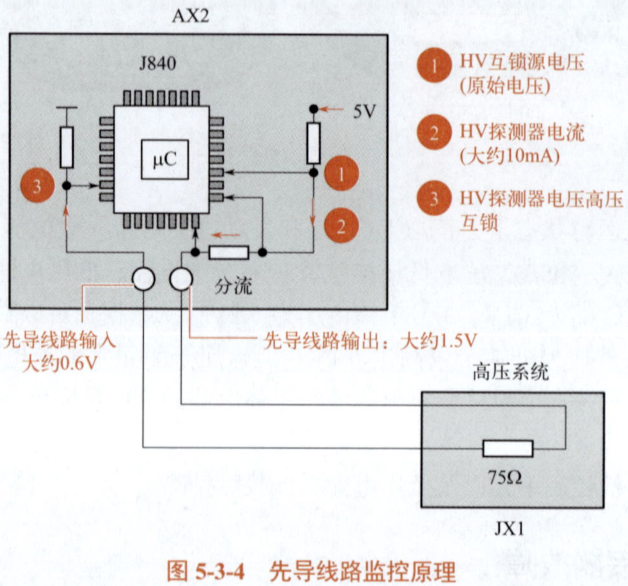

图 5-3-4　先导线路监控原理

根据大众探岳 GTE 车型的先导线路连接原理图（图 5-3-5），AX2 的 T14w/11 端子是输出端，T14w/4 端子是输入端。由于先导回路连接了所有高压部件，按照监控原理图，本着先易后难的监测原则，先在高压系统保养插接器 TW 处进行测量。当 TW 连接正常时，测量 TW 的 T4gt/4 端子电压应为 0.60 ～ 0.90V，TW 的 T4gt/3 端子电压应为 1.50 ～ 1.90V；断开 TW 时，测量 TW 的 T4bv/4 端子电压应为 0 左右，TW 的 T4bv/3 端子电压应为 5.00V 左右。如果哪个端子的测量电压不符合以上的情况，则按照先导线回路的走向分段测量。

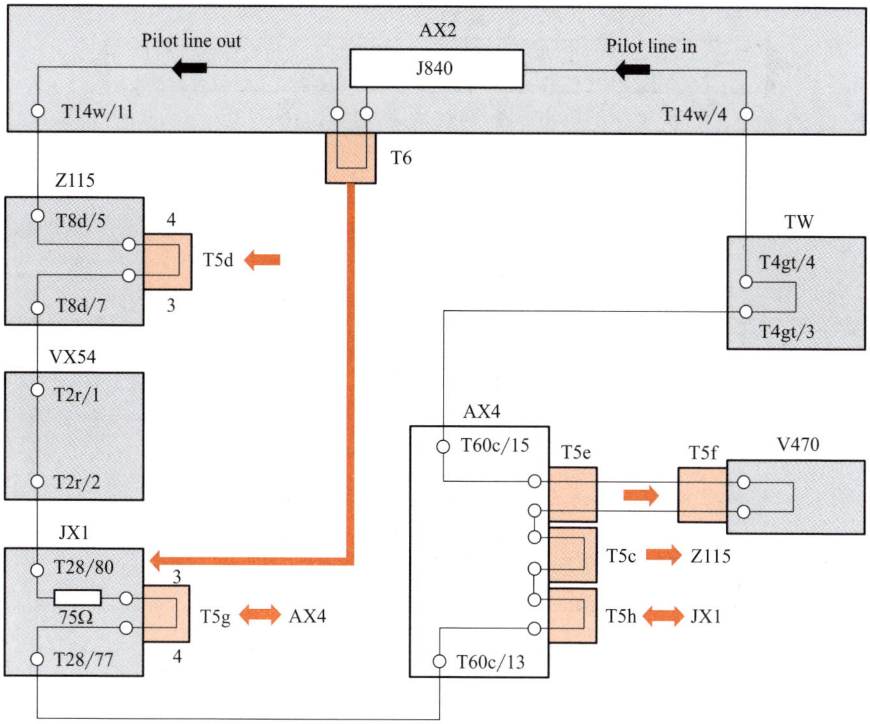

图 5-3-5　先导线路连接原理

AX2—高压蓄电池；J840—高压蓄电池控制单元；Z115—高压加热器（PTC）；VX54—电机；JX1—功率电子装置；AX4—高压充电机；V470—高压空调压缩机；TW—高压系统保养插接器

测量先导线路电压为 10.95V（正常应为 1.50 ～ 1.90V），接近低压蓄电池电压。

拔出 JX1 的高压插接器，测量 T5g/3 端子电压为 5V，正常，可证明 AX2 输出 -PTC-JX1 输入无故障。

检测 T5g/4 端子电压为蓄电池电压，异常（正常值应为 0）。

断开 AX4 的 T60c/15 端子后该电压降为 0，可证明 JX1-AX4-V470 部件及电路无故障。将测量点改到 AX4 的 T60c/15 端子，测得电压仍为蓄电池电压，由此判断故障位于 AM 的 T60c/15 端子至 J840 之间。直接断开高压蓄电池的低压连接，此时电压依然为蓄电池电压，说明 J840 没有问题。

断开 TW 插头后电压降为 0；重新连接 TW 后，拔下高压断电熔丝 SC30 后电压也变为 0。查阅电路图得知，SC30 的电路分两路：一路直接进入 AX2，另一路经 TW 后向 J840 供电。怀疑 TW 插接器故障，断开 TW 后检查插接器无异常；测量各端子间的电阻，当测量 T4gt/4 和 T4gt/2 间的电阻时发现电阻为 327Ω，正常应该是不相通的。由此可以确定，TW 的线束存在短路故障（图 5-3-6）。

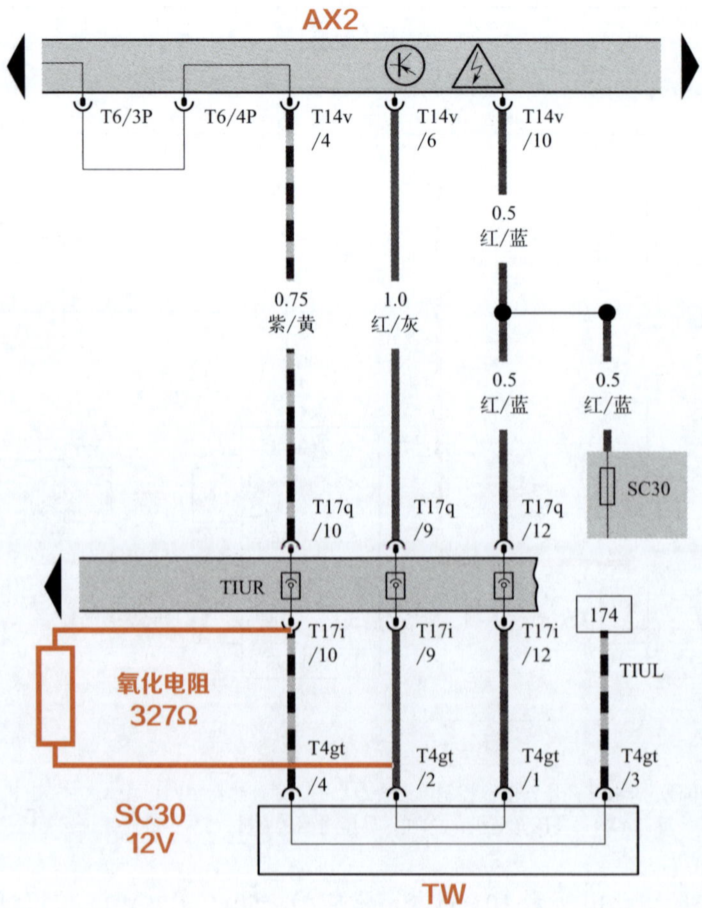

图 5-3-6 TW 的线束存在短路现象

根据维修资料检查 TW 的线束，当检查到位于左侧 A 柱下方的中间过渡插接器 T17 时，发现插接器内部腐蚀氧化。经分析，过渡插接器 T17 的 T17q/9 端子（SC30 供电线）和 T17q/10（先导线路）由于进水氧化导致对正极短路，导致 J840 无法对外上电，车辆无法行驶。

更换进水氧化的插头后，故障排除。

5.3.3 维修开关故障

（1）车辆信息

车型：雷克萨斯 ES300H 混合动力汽车。行驶里程：33817km。

（2）故障现象

车辆无法启动，中央信息显示屏显示“检查混合动力系统”。

（3）故障诊断与排除

使用诊断仪在混合动力系统中读得故障码：P0A0D，内容为高压系统互锁电路高电位。

使用诊断仪查看互锁开关信号（Inter Lock Switch），为 ON 状态。正常情况下，如果高压系统的线路连接完整，互锁开关信号应为 OFF，否则在启动车辆时，动力管理控制单元无法控制 3 个高压系统主继电器（SMRP、SMRB 及 SMRG）工作，混合动力蓄电池无法供应电压给带转换器的逆变器总成。由此确定该车高压系统互锁电路确实存在故障。

拆下维修开关，等待 15min。

按维修手册要求，使用万用表电压挡（量程要大于 750V）测量带转换器的逆变器总成高压正、负极上的电压，确定电压为 0 后再进行诊断作业。

检查 5 个互锁开关的连接情况（图 5-3-7），均正常。

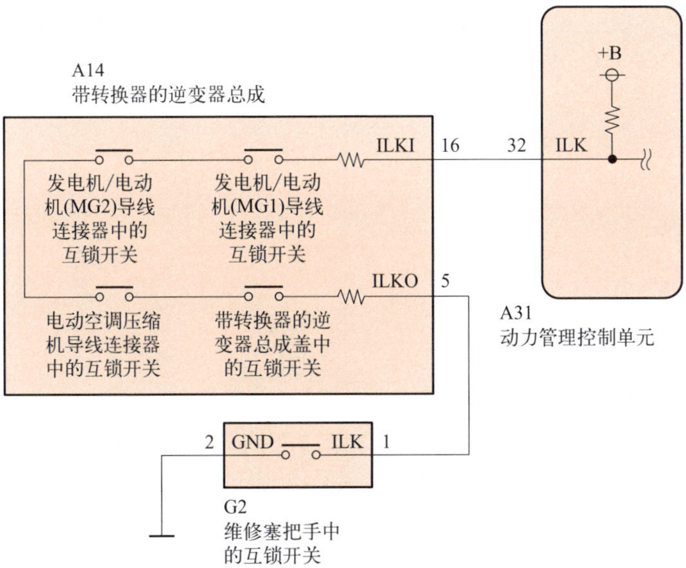

图 5-3-7　高压系统互锁电路

断开逆变器总成连接器 A14，关闭电源，测量端子 16 上的电压，为 12V，正常。

测量逆变器总成端子 16 与端子 5 间的电阻，为 6.2Ω（正常情况下小于 10Ω），正常。

安装维修塞把手，测量逆变器总成连接器 A14 端子 5 与搭铁间的电阻，为∞，说明此段线路存在断路。检查逆变器总成连接器 A14 端子 5 与维修开关连接器 G2 端子 1 间的导通性，正常；检查维修开关连接器 G2 端子 2 与搭铁间的导通性，也正常。

拆下维修开关，检查互锁开关内的端子，出现退针现象。

更换维修开关，反复多次试车后故障未再出现，故障排除。

5.3.4 线路断路

（1）车辆信息

车型：雷克萨斯 ES300H 混合动力汽车。行驶里程：156678km。

（2）故障现象

车辆熄火后，无法再启动，中央信息显示屏显示“检查混合动力系统”。

（3）故障诊断与排除

使用诊断仪读取混合动力系统故障码：P0A94，内容为 DC/DC 变换器性能异常，无法清除。

查看故障码 POA94 的停帧数据，发现详细代码 I（Detail Code 1）为 127，含义为增压转换器过电压信号检测（由于系统故障引起的过电压）。

查看维修资料，故障部位可能有：

❶ 混合动力蓄电池接线盒；

❷ 逆变器总成；

❸ 维修塞把手；

❹ 传动桥；

❺ 发电机 / 电动机线束；

❻ 动力管理控制单元。

拆下维修塞把手，并等待 15min。

使用万用表电压挡（量程要大于 750V）测量带转换器的逆变器总成高压正、负极上的电压，确定电压为 0 后再进行诊断作业。

将电源开关置于 IG ON 状态，查看混合动力系统数据流，发现 SMRG 的状态为 ON，异常。正常情况下，此时 3 个高压系统主继电器（均安装在混合动力蓄电池接线盒上）的状态均应为 OFF。

查阅电路图（图 5-3-8），测量动力管理控制单元端子 2 的电压，为 12V，异常，正常情况下应为 0；断开动力管理控制单元连接器 H1，测量其端子 2 与搭铁间的电阻，为∞，异常，正常情况下应该为 25 ～ 59Ω。

断开混合动力蓄电池接线盒连接器 Q6，测量其端子 3 与搭铁间的电阻，为 32Ω，正常。

动力管理控制单元连接器 H1 端子 2 与混合动力蓄电池接线盒导线连接器 Q6 端子 3 间的线路断路。

修复断路的导线后试车，故障排除。

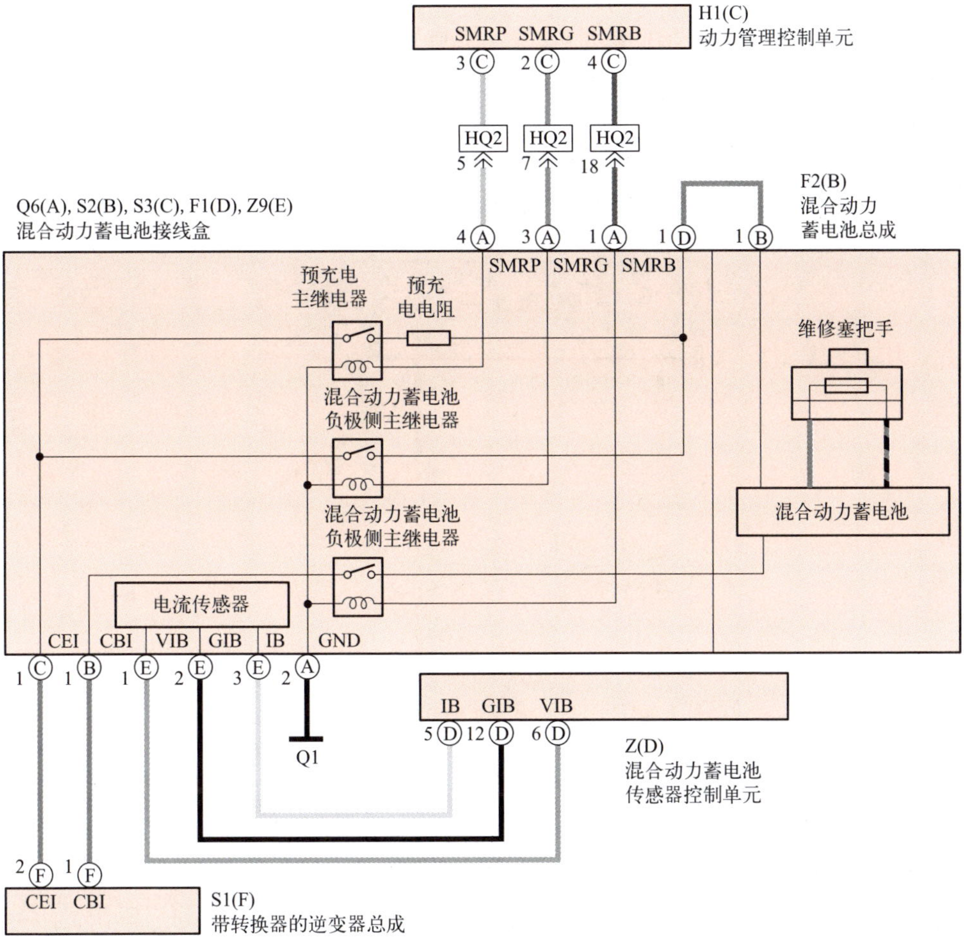

图 5-3-8 主继电器控制电路

5.3.5 动力系统故障

（1）车辆信息

车型：比亚迪海豚纯电动汽车。

（2）故障现象

车辆行驶中仪表提示“EV受限，动力系统故障，请安全停车并联系服务店”，车辆失去动力，熄火重启，车辆无法上OK电。

（3）故障诊断与排除

使用诊断仪读取故障码，左车身控制器、助力转向、前驱动电机控制器、换挡操纵机构、后车身控制器、动力域控制器、电液制动、安全系统都报了通信故障的历史故障码，根据网络拓扑图得知这些系统都属于底盘网。

根据底盘网排查 OBD 诊断接口，测量 G03-6 和 G03-14 端子的 CAN-H 和 CAN-L 电压正常，网关电阻 59.6Ω，此时故障不再现，网络也是正常状态，处理偶发性故障时，优先检查下低压接插件。

用手摇晃集成式智能控制器的 BK45（A）插接器时，故障出现，发现 27 端子的针脚歪斜，在插入公端插头时，线束针脚会被退出，导致线路虚接（图 5-3-9）。

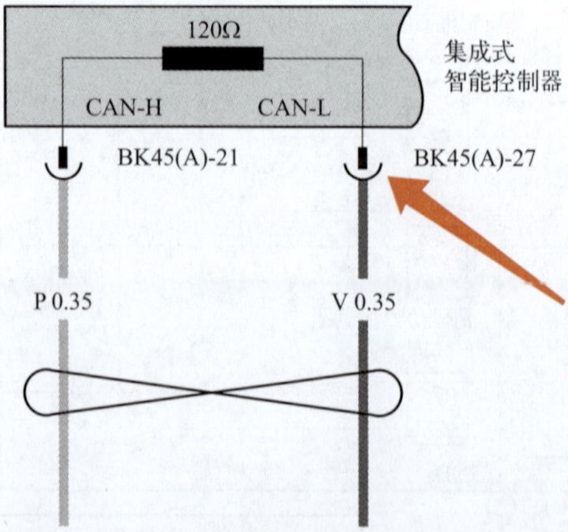

图 5-3-9　比亚迪海豚集成式智能控制器电路

查看线路图，该线束刚好是 CAL-L 的通信线路，而集成式智能控制器刚好是底盘网的终端电阻，在行驶时由于震动会导致线路虚接，造成网关电阻异常，底盘网络瘫痪，多个系统同时报故障。修复歪斜的针脚，用手摇晃集成式智能控制器的 BK45（A）插头时，故障未现，待客户回去使用车辆两周后回访，故障未再出现，故障排除。

5.4 车辆漏电

（1）车辆信息

车型：比亚迪 e2 纯电动汽车。

（2）故障现象

车辆停放 2h 后无法启动。

（3）故障诊断与排除

导致故障的原因：

❶ 低压蓄电池故障；

扫一扫

视频精讲

❷ 用电器不休眠故障。

车辆在静态搭电后可以启动，于是重点检查静态耗电量。车辆上电后，没有开空调，但空调出风口有微风出来。

关闭空调开关，在锁车后发现出风口有时有微风出来，初步将故障锁定在空调系统。 查找电路图，怀疑最有可能出现故障的是鼓风机调速伺服器，拆下伺服器测量 1 号与 4 号针脚电阻，为 5.31Ω； 倒换试驾车的伺服器，测量 1 号与 4 号针脚阻值，为无穷大。

更换鼓风机调速伺服器，停车 2h 后车辆可以启动，检查低压蓄电池电压为 12.5V，正常（图 5-4-1），故障排除。

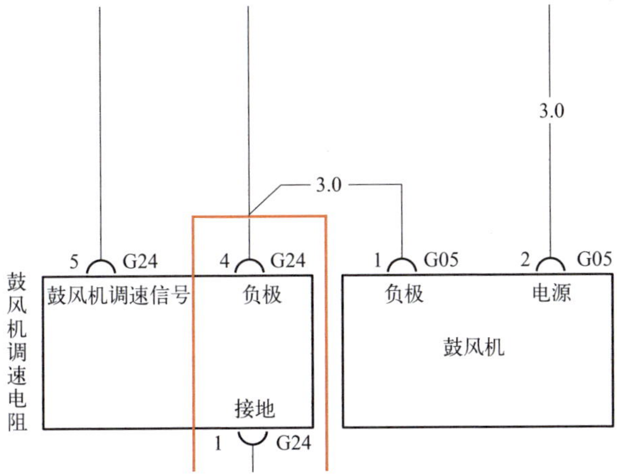

图 5-4-1 比亚迪 e2 鼓风机调速伺服器电路

5.5 低压线束故障

5.5.1 车辆无法上电

（1）车辆信息

车型：一汽大众探岳 GTE 插电混动力汽车。行驶里程：22123km。

（2）故障现象

车辆偶尔无法上电，仪表板提示“故障：混合动力系统，请立即停车”。

（3）故障诊断与排除

使用故障诊断仪检测，在 80- 混合蓄电池管理系统中读取到故障码。

P0A0A00：高电压系统的先导线路，断路（被动 / 偶发）。

根据故障现象和检测到的故障码分析，故障原因可能有：

❶ 先导线路相关故障；

❷ 高压蓄电池控制单元故障。

保存诊断报告后，尝试断开低压电及高压电，故障码均无法消除。

对高压系统部件做全面检查，未发现问题。外出试车中，无论是高速行驶、低速行驶以及颠簸路面行驶，均未发现故障。

检查低压先导线路，也没有发现线束干涉、破损及老鼠咬线的现象。插拔相应低压连接插接器，未发现有端子虚接及氧化现象。

在车辆 Ready 状态下启动车辆，然后举升车辆，用绝缘物体轻轻拨动压缩机到充电机的高压连接线束，发动机熄火，而且熄火后无法再次启动。故障复现时读取高压互锁数据流，先导线工作电流正常时应在 10mA 左右，但数据流显示只有 0.1mA，而且先导线路电压为监控电压，没有产生应有的压降，由此判定先导线路存在接触不良故障。

拔掉充电机的低压插接器，测量充电器侧的 T60c/13 端子和 T60c/15 端子间的电阻，为无穷大，正常电阻为 4.6Ω。拔掉充电器侧到压缩机的高压插接器，测量 T5e/3 端子和 T5e/4 端子间电阻为 0.1Ω，正常；同时发现两端子高低不平。更换此线束，在车辆启动后再次晃动此线束，车辆不会熄火，故障排除。

5.5.2 插接器端子氧化

（1）车辆信息

车型：一汽大众探岳 GTE 插电混动力汽车。行驶里程：44312km。

（2）故障现象

偶发无法启动，仪表板发动机故障灯报警。

（3）故障诊断与排除

使用诊断仪检测，8C- 混合蓄电池管理系统存在故障码。

P0A0000：高电压系统的先导线路，对地短路，故障频率 43 次。

在 19- 数据总线诊断接口存在故障码。

U011200：混合蓄电池能量管理控制单元，无通信。

从故障码含义分析可能的故障原因有：

❶ J840 的供电、搭铁和驱动 CAN 故障；

❷ 先导线路对地短路；

❸ 低压线束与其他部件干涉导致线束表皮磨破，导线与车身偶发搭铁；

❹ 线束插头进水导致内部端子氧化、虚接或短路。

读取高压互锁数据流，数据正常，说明故障还没有复现。检查低压先导线路，没有发现有干涉及破损的线束。

检查低压线束的插接器，当检查仪表台右侧下方的线束连接部位黑色的TIUR插接器时，发现T17q/8端子和T17q/9端子已经氧化。

处理氧化的端子后，试车，故障排除。

注意：

① 先导线路正常时，输出端电压为1.5～1.9V，输入端为0.6～0.9V；

② 先导线路断开时，正常状态下J840两端电压分别为5.0V和0，如果异常，可以说明问题出在J840控制器内部；

③ 先导线路对正极短路时，整条线路上的任何一处，车辆电压都是短路的高电压；

④ 先导线路对负极（搭铁）短路时，整条线路上的任何一处，车辆电压都是短路的低电压；

⑤ 先导线路虚接时，整条先导线路电阻值变大，电流值变小，相应的标准电阻分压变小。

5.6 12V蓄电池匹配故障

（1）车辆信息

车型：大众ID4纯电动汽车。行驶里程：12312km。

（2）故障现象

仪表显示“故障：12V供电，请去维修站”（图5-6-1）。

图5-6-1　仪表报故障

（3）故障诊断与排除

使用诊断仪读取19网关，故障码如下。

U162600：电源管理系统加热负载控制，EEPROM 不可信（图 5-6-2）。

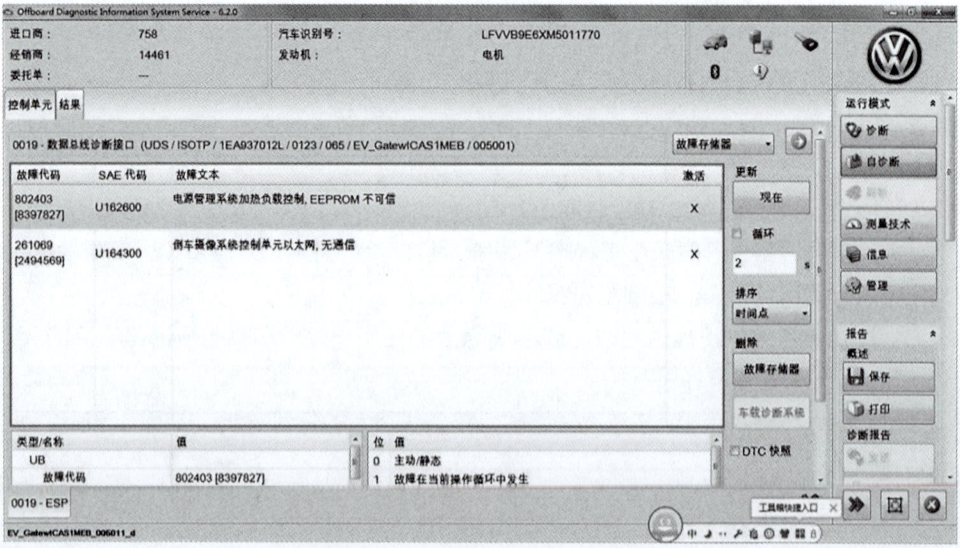

图 5-6-2　大众 ID4 网关故障码

按照引导性故障查询功能检测计划执行 J533 数据总线诊断接口。

检测计划执行完，没有提示写入匹配步骤，直接跳过该步骤（故障码无法清除），MIB 界面依旧提示“故障：12V 供电，请去维修站”，小仪表三角符号故障灯依旧点亮，遥控锁车休眠之后，断开蓄电池负极，等待 15min，再接上蓄电池负极，清除故障码（故障码依旧为静态无法清除），小仪表界面及 MIB 界面依旧存在故障。

倒换低压蓄电池进行测试，故障依旧。

对发动机舱 E-BOX 熔断器螺栓进行紧固（未见螺栓松动情况），对低压蓄电池负极线接地点进行打磨后试车，故障现象依旧。

在特殊功能菜单列表中找到蓄电池匹配选项，对蓄电池进行匹配后故障消除（MIB 界面提示：特殊功能—蓄电池匹配—输入蓄电池标签 10 位“故障：12V 供电请去维修站”字样，彻底消除码—诊断仪执行完匹配即可）。

在 ODIS 的特殊功能中完成蓄电池匹配后，故障排除。

5.7 接地故障

（1）车辆信息

车型：比亚迪唐混合动力汽车。行驶里程：108921km。

（2）故障现象

打开点火开关，车辆没有任何反应，全车无电，无法启动。仪表提示低压电池电量低。

（3）故障诊断与排除

把车辆搭电后，使用诊断仪检查，没有发现故障码，读取 DC 和低压电池数据流，发现 DC 数据流为“低压侧电压为 14V，电流为 22A”，低压电池数据流为“电池总电压为 13.1V，电流为 0”。

测量低压电池电压，为 13.1V，排除低压电池故障。测量正极保险 1DC 端输入电压，为 14V，怀疑是 DC 到低压电池线路问题，测量正极柱头到正极保险 1DC 端线路，是导通的。

熄火后，全车断电，车辆无任何反应。再次测量低压电池正极柱头电压，为 13.1V，正极保险 1DC 端低压电压为 3V。已测正极柱头到正极保险 2 线路是导通的，怀疑是搭铁不良。

测负极柱到车身的电阻为无穷大，检查发现负极柱搭铁线装在车身上的螺栓不牢固，处理后故障排除（图 5-7-1）。

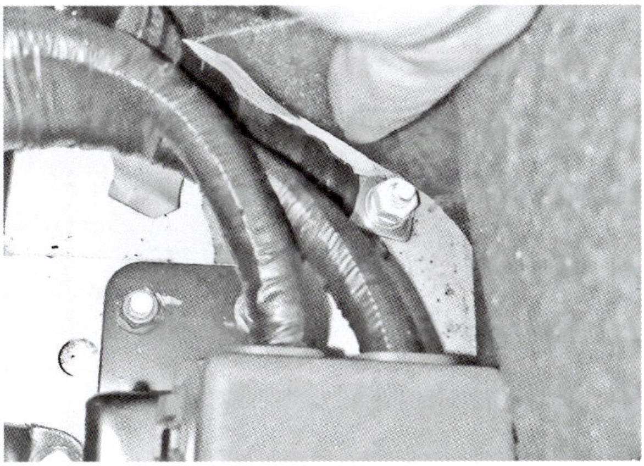

图 5-7-1 比亚迪唐负极柱搭铁线

5.8 散热风扇控制模块故障

（1）车辆信息

车型：奥迪 A6L e-tron 混合动力汽车。行驶里程：55982km。

（2）故障现象

车辆停车后风扇 2 会继续运转很长时间。

（3）故障诊断与排除

使用诊断仪读取热管理控制单元故障码。

P069300：散热风扇促动 2，对地短路。

导致故障的原因有：

❶ 风扇控制模块 2（J671）到热管理控制单元 J1024 的控制线有断路或对地短路的情况；

❷ 风扇控制模块 2（J671）存在内部损坏；

❸ 热量管理模块存在内部损坏。

查阅电路图（图 5-8-1），主副风扇分别有 1 个主电源、1 个主搭铁、1 个 KL87 线和 1 个信号控制线。在打开点火开关时 KL87 的电压为 9.35V 左右，当 CTRL 控制线输出占空比为 10%时，风扇为停止状态；当占空比输出超过 10%且越接近 100%时，风扇转速越高。

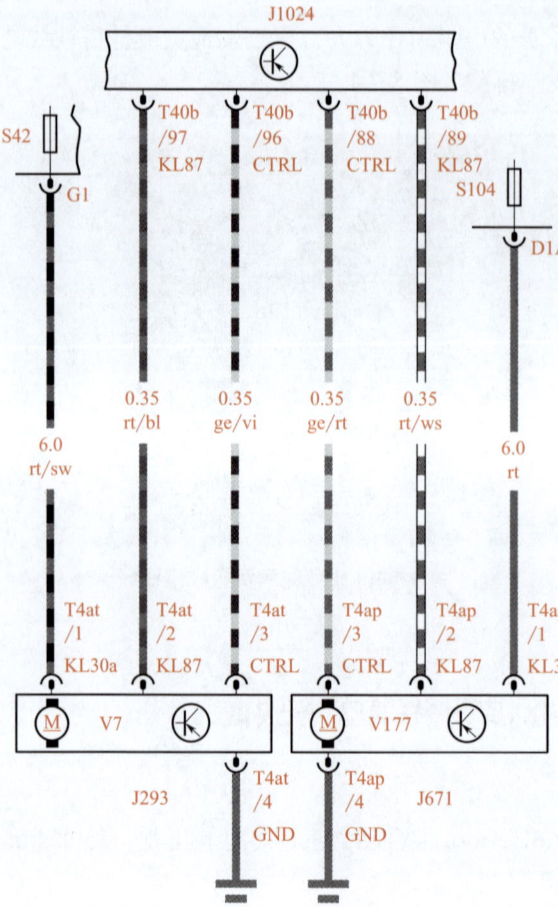

图 5-8-1　散热风扇电路

首先检查J671的3号端子到J1024的T40/88端子，无虚接、松动、断路和对地短路的现象。

检查风扇控制单元：当风扇2出现故障运转时，读取热管理控制单元J1024的散热风扇控制占空比均为10%，也就是没有控制风扇运转。

更换散热风扇2控制模块J671，经多次试车，故障未再出现，故障排除。

5.9 充电故障

5.9.1 混合动力汽车无法充电

（1）车辆信息

车型：丰田凯美瑞混合动力汽车。行驶里程：66518km。

（2）故障现象

车辆无法启动，不能进入Ready On模式。

（3）故障诊断与排除

使用诊断仪读取故障代码。

发动机系统：P3190，内容为发动机功率不良。

混合动力控制系统：DTCP0A0F，内容为发动机启动失败。

ABS和VSC系统：C1259，内容为HV控制系统再生故障；C1310，内容为HV系统故障。

清除故障码后，按下点火开关，车辆能进入Ready模式，此时发动机启动，约5s后，发动机故障灯再次点亮，仪表显示：检查混合动力系统，随后发动机熄火。

导致故障的原因有：

❶ 燃气和进气系统；

❷ 曲轴和凸轮轴位置传感器；

❸ ECM；

❹ 动力管理ECU。

首先检查燃油剩余量，燃油液位指示在1/2的位置，正常。

检查进气系统，无漏气、进气管路无损坏、无变形等现象，空气流量计热线表面无污损。读取数据流IG ON时，MAF为0.38g/s，发动机工作时MAF在2.2～3.7g/s间变化，正常。

发动机运行时，无异响和抖动，排除发动机机械故障的可能。发动机能正常启动，说明曲轴和凸轮轴位置传感器无异常。

检查节气门体总成，测量节气门 1、2 号端子间电阻，正常。清洗节气门体后，故障依旧。

检查燃油泵：连接燃油压力表，然后做油泵主动测试，燃油压力显示为 0，有可能为燃油泵故障或燃油清器堵塞。

拆下燃油滤清器，发现燃油滤清器非常脏，更换燃油滤清器后测量油压为 330kPa，多次试车后均正常，故障排除。

5.9.2 无法使用交流充电

（1）车辆信息

车型：吉利帝豪 EV450 纯电动汽车。行驶里程：99186km。

（2）故障现象

车辆交流充电口状态指示灯显示红色，无法充电。

（3）故障诊断与排除

使用诊断仪读取整车控制器（VCU）故障码：U111587，内容为与车载充电机通信丢失，解码器与 OBC 系统无法通信。

导致故障的部位有：

❶ 充电插座温度检测（-）；

❷ 充电插座温度检测（+）；

❸ 充电座本体 CC 信号；

❹ 充电插座本体 CP 信号；

❺ 车载充电机 OBC 供电线路；

❻ 熔丝 EF27；

❼ 搭铁；

❽ OBC；

❾ 交流充电器插座。

检查交流充电口，内部无异物，无烧蚀。使用万用表检查 CC 与 PE 之间的电压值为 10.80V，CP 与 PE 之间的电压值为 0.40V，正常（图 5-9-1）。

测量充电枪 CC 与 PE 之间的电阻值为 1500Ω，正常。连接电源后测量充电枪 CP 与 PE 之间的电压值为 12.00V，正常。

由于诊断仪无法与 OBC 进行通信，因此首先检查常供电熔丝 EF27。经过检查，该熔丝没熔断，正常。

检查充电座温度电阻值，万用表测量 OBC 插接器 BV10 的 13 号端子与 34

号端子之间电阻，显示 3.35kΩ，正常。

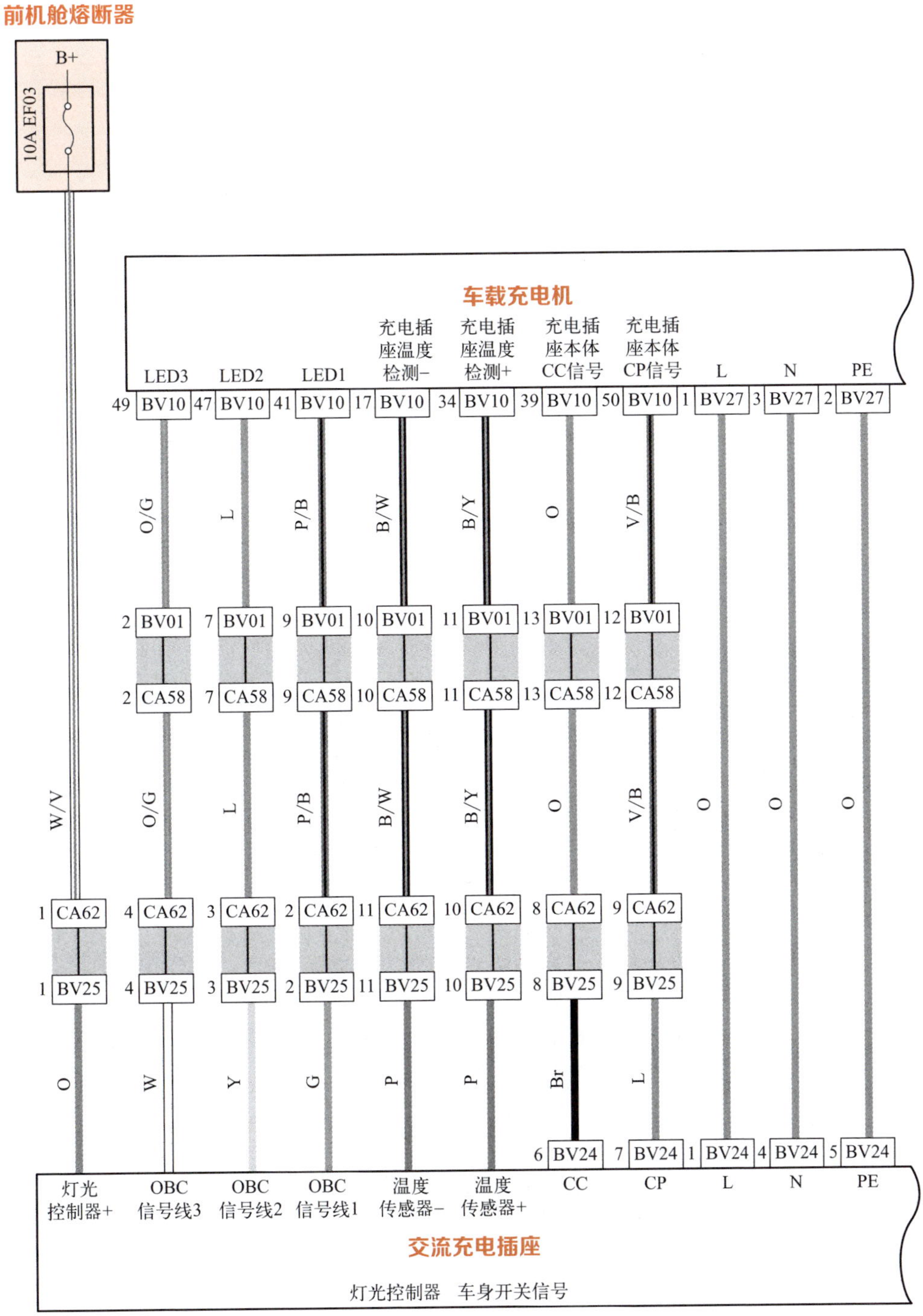

图 5-9-1

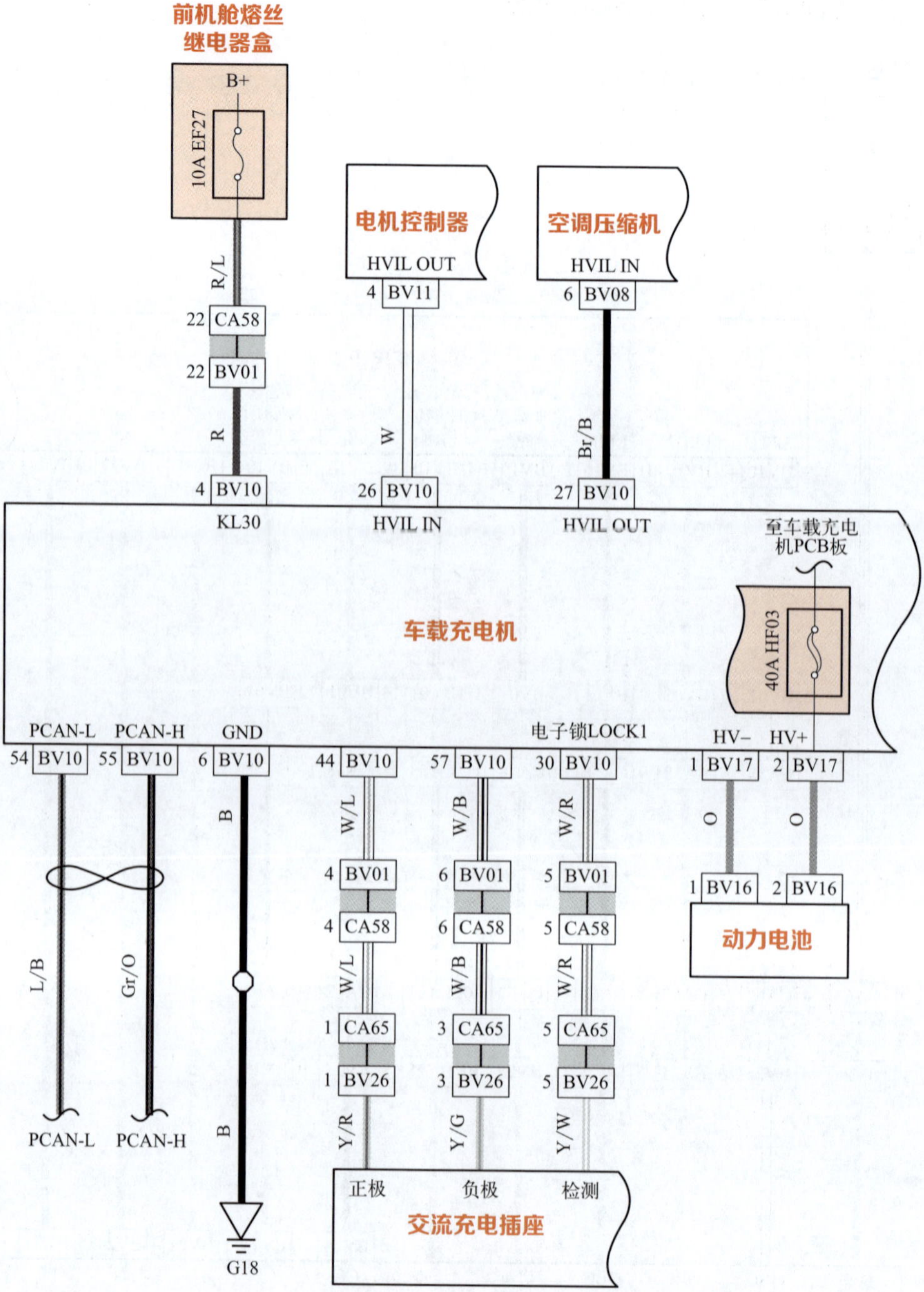

图 5-9-1 吉利帝豪 EV450 交流充电系统电路

查阅相关资料得知，插入充电枪后，OBC 接收到充电插座本体 CC 和充电插座本体 CP 的信号，且验证有效。OBC 通过 PCAN 通信唤醒整车控制器（VCU）

和电池管理器（BMS），VCU 通过 12.00V 硬线唤醒电机控制器（PEU）。BMS 接收到 VCU 发送的允许充电指令后，闭合主正接触器、主副接触器和预充接触器，车载充电机将额定输入电流值及电缆的额定容量进行比较，将最小值设定为车载充电机当前最大允许输入电流，开始充电。

查阅电路图（图 5-9-2），VCU 的 CA66 插接器 16 号端子至 PEU 的 BV11 插接器 14 号端子为唤醒线，经检查该线路存在断路。

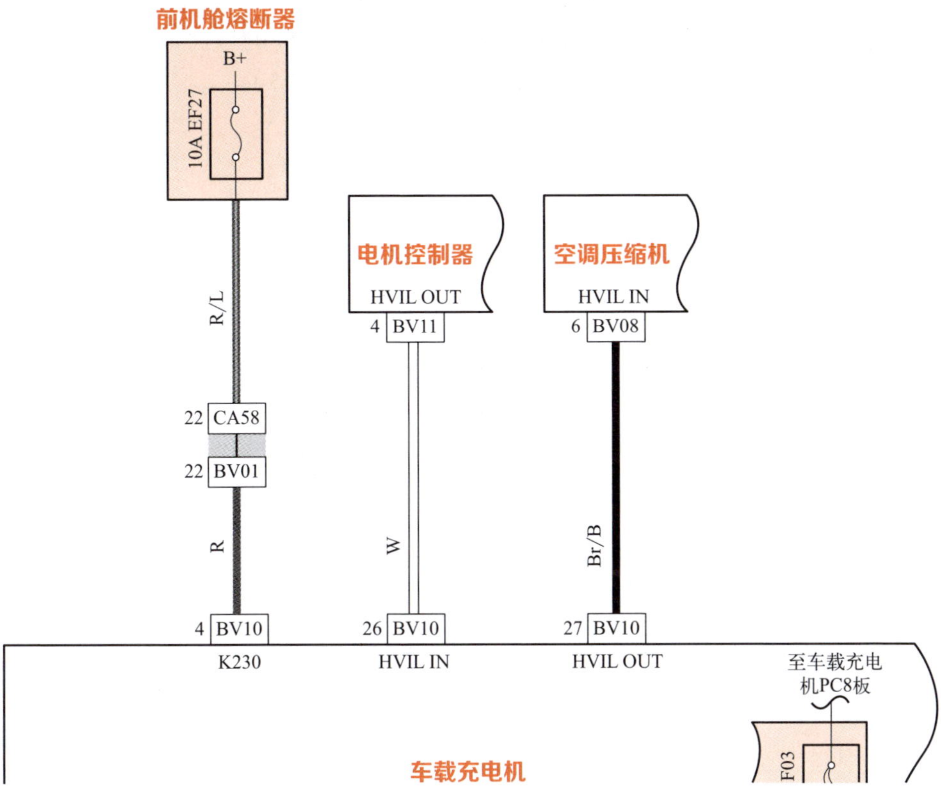

图 5-9-2　唤醒线电路

修复断路的线路，重新使用交流电充电，车辆可以充电，故障排除。

5.9.3　交流充电故障

（1）车辆信息

车型：比亚迪 E5 纯电动汽车。行驶里程：129980km。

（2）故障现象

车辆连接充电枪后显示充电连接中，但无充电连接成功显示，交流充电无法完成。

（3）故障诊断与排除

车辆可以正常启动完成高压上电，仪表OK灯点亮，并未见其他故障灯点亮。

使用诊断仪读故障码，系统无故障码。

使用万用表测量充电枪端子PE与端子CP之间的电压为12V，端子L与端子N之间的电压为0，供电设备正常。

查阅维修手册，使用万用表测量交流充电口线束端导线连接器B53（B）端子1与高压电控总成导线连接器B28（A）端子47之间的导通情况，测量值为无限大，正常应该小于1Ω，确定CP连接线束断路（图5-9-3）。

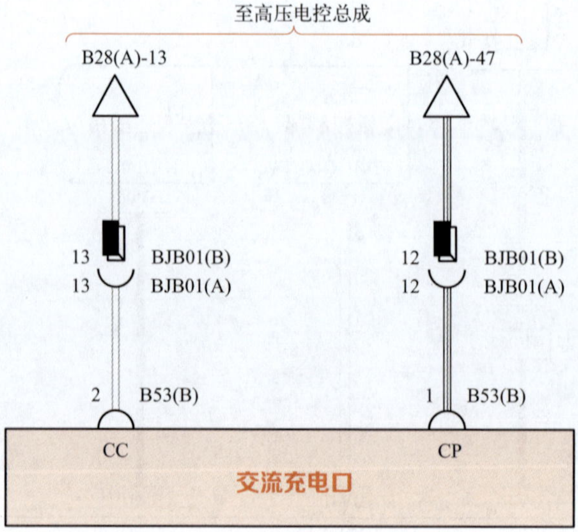

图5-9-3　交流充电电路

找到线束连接器BJB01（A），检查发现端子12有退针现象，从而导致CP信号在充电连接过程中断掉，出现无法充电的故障。

修复退针的插接器，试车，故障排除。

5.10 无法使用纯电动模式

（1）车辆信息

车型：东风标致4008混合动力汽车。行驶里程：55122km。

（2）故障现象

无法使用纯电动模式，仪表没有报故障。

(3) 故障诊断与排除

使用诊断仪读取车辆的 DC/DC 转换器故障码：P13EE 16，内容为车载充电器 / 直流变压器总成内部电压值故障。故障特征：电压过低。故障性质：临时性故障。

低压蓄电池亏电也可能导致纯电模式不能工作，首先目视仪表上动力电池储存电量，在 90%以上；用专用工具（蓄电池检测仪）对车辆的低压蓄电池进行状态检查，得到以下相关参数值。

❶ 测量前低压电池：12.84V/775CCA。

❷ 测量后低压电池：13.12V/449CCA。

❸ 电压和使用寿命 100%。

以上检查结果为正常。

查阅厂家技术手册，使用诊断仪对车辆各控制单元系统内的全部临时性故障码进行读取和删除操作，并按技术手册要求完成一次 PHEV 下上电流程操作；模拟假设打开一次油箱盖加注燃油操作；路试 20km 左右，发现混动模式下可以正常自动切入纯电模式，故障排除。

5.11 动力输出中断

(1) 车辆信息

车型：2020 年款宝骏 E200 纯电动汽车。

(2) 故障现象

车内仪表信息中心显示“电机过热”的报警提醒信息，并出现动力输出中断，无法行驶情况。

(3) 故障诊断与排除

使用诊断仪读取故障码：B104800，内容为电机及控制器温度过高。

导致故障的原因：

❶ 驱动电机温度高于 130℃；

❷ 电机控制器温度高于 80℃；

❸ 驱动电机温度传感器故障；

❹ 电机控制器温度传感器故障。

当车辆报电机过热故障时，如果读得故障码的内容是电机或电机控制器温度过高且没有关于温度传感器故障的故障码，首先确认车辆是否刚经历过长时间高速行驶或持续大功率输出（比如长路段爬坡）或制动有拖刹抱死等情况；再用诊断仪读取 MCU 实时显示数据，确认电机控制器和驱动电机当前温度是否超出报警阈值。如有，先将车辆下电静置一段时间或排除制动问题后，用诊断仪读取 MCU 实时显示的驱动电机和电机控制器当前温度，确认温度是否已恢复正常（接近外界温度），并试车确认车辆故障是否消除。

当车辆报电机过热故障时，如果读得故障码为 P1C1213（电机控制器温度传感器异常），则判断为电机控制器本身的故障，需要更换新的电机控制器进行故障排除。

当车辆报电机过热故障时，如果读得故障码为 P190017（电机定子温度传感器到电源短路）或 P1B0013（电机温度传感器故障）时，可按以下步骤进行检查。

❶ 检查驱动电机和电机控制器低压线束及插头有无松动、进水、退针、歪斜等情况。

❷ 如果线束及接插件检查无异常，则用万用表分别测量驱动电机低压线束 3 号端子与 9 号端子之间的电阻值，电机控制器线束插头 5 号端子和 13 号端子之间的电阻值。故障判断标准如下：如果公端和母端测量值均不在标准范围内，判断为驱动电机故障，更换驱动电机；如果公端测量数据在标准范围内，母端测量结果不在标准范围内，更换底盘线束（图 5-11-1）。

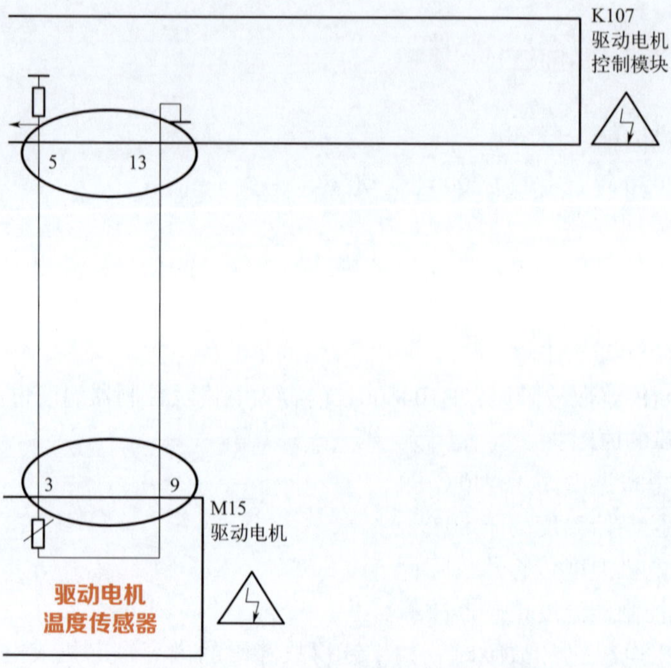

图 5-11-1 驱动电机温度传感器电气原理

通过检查发现驱动电机线束插头针脚退针，修复退针的针脚，试车，故障排除。

5.12 网络系统故障

(1) 车辆信息

车型：比亚迪海豚纯电动汽车。

(2) 故障现象

仪表报“请检查网络系统、行车记录仪没电”。

(3) 故障诊断与排除

使用诊断仪检查左域版本号，为最新版本号，无须更新。

使用诊断仪进行定向烧写程序，可以烧写成功，但故障依旧，断电 15min 后再次进行烧写，烧写完故障依旧。

检查 CAN 线电压，均正常，用诊断仪检测也无任何故障码。

根据电路图（图 5-12-1）所示，旋转电机、无线充电、组合开关、ETC、时钟弹簧都是同一路供电，检查这几个功能，均无法使用；检查旋转电机 1 号端子、无线充电 1 号端子、组合开关 5 号端子、ETC2 号端子、时钟弹簧 5 号端子，均无电源电压，查阅电路图，找到 F13 组合开关 7.5A 熔丝，检查发现熔丝烧蚀。

更换熔丝后记录仪有电，仪表故障也未再现，故障排除。

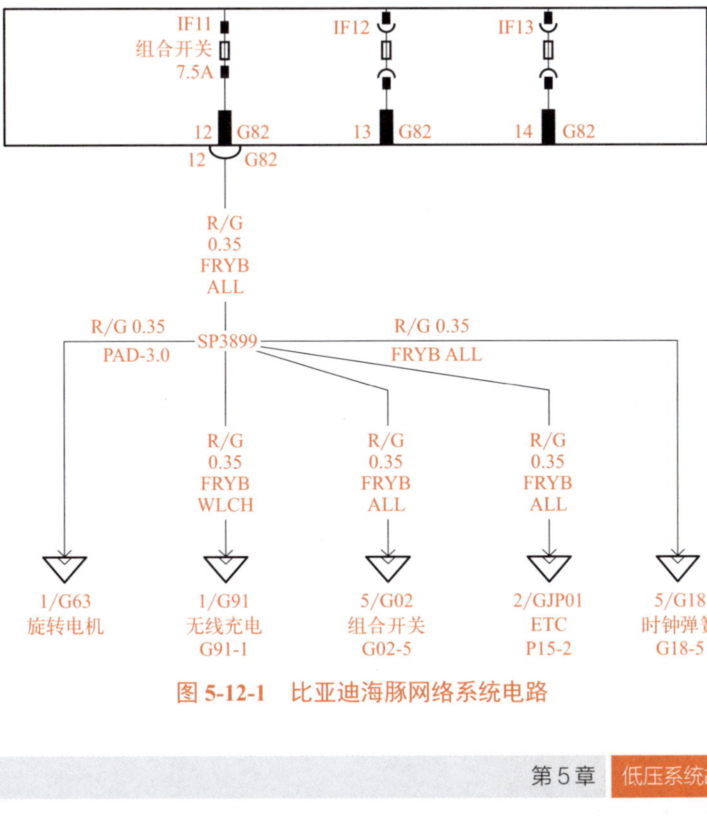

图 5-12-1　比亚迪海豚网络系统电路

5.13 指示灯点亮故障

5.13.1 气囊灯偶尔点亮

（1）车辆信息

车型：小鹏 P7 纯电动汽车。

（2）故障现象

车辆行驶时气囊故障灯有时候会点亮。

（3）故障诊断与排除

就车检查时车辆无故障。

使用诊断仪检查有历史故障码：SRS B16201B，内容为前驾驶员侧安全气囊阻值太高。

根据故障码检查前驾驶员侧安全气囊线束，侧气囊连接线连接在座椅线束中，反复晃动座椅下方线束，故障复现。

读取故障出现时的数据流，电阻为 4.33Ω，异常，正常在 2.0Ω 左右。

检查线束插头，无进水、退针、磨损现象，但母端线束针孔有扩孔。

修复驾驶员侧安全气囊母端扩孔的线束后，故障排除。

5.13.2 车辆侧滑灯点亮

（1）车辆信息

车型：小鹏 P7 纯电动汽车。

（2）故障现象

车辆更换完动力电池后，仪表亮侧滑灯、智能驾驶故障灯、前向碰撞预警故障。

（3）故障诊断与排除

车辆更换完动力电池，所有软件版本都已更新；车辆能正常充电，能上路行驶，转向制动无异常，辅助驾驶不可使用。

使用诊断仪读取码，EPS 报 C110754（标定值丢失或者不正确），故障码无法清除。

根据故障码对车辆 EPS 进行标定：车辆重新断电之后，放慢速度左右打死方向盘 2 次，在转到尽头后往打死方向多摆动几次；然后回正，在诊断仪中点击

"标定"。

通过对车辆 EPS 进行标定，故障排除。

5.13.3 行驶时动力系统故障指示灯点亮

（1）车辆信息

车型：别克 VELITE6 纯电动汽车。

（2）故障现象

行驶时动力系统故障指示灯点亮。

（3）故障诊断与排除

使用诊断仪读取的故障码：P1B17，内容为冷却风扇脉宽调制电路对搭铁短路，当前状态为断路，确认故障。

根据故障现象和故障码，分析导致该故障的原因可能为：

❶ 控制模块故障；

❷ 线路故障；

❸ 冷却风扇电机故障；

❹ 电源故障。

参考维修手册故障码表 DTC-PlB17 和混合动力 / 电动车辆电路图（图 5-13-1），并按照诊断步骤进行测量。

电路系统检验：连接诊断仪，执行冷却风扇 PWM 控制的强制输出，没有相应的响应或动作。

检查电路系统：

❶ 通过使用万用表测量 G10 冷却风扇电机 1 号端子供电电源，测量电压值为 0.003V，异常；

❷ 测量 G10 冷却风扇电机供电发动机舱 F5UB 60A 熔丝与接地之间电压值为 0.096V，异常；

❸ 测量 F6UB 60A 熔丝与接地之间电压值为 11.78V，正常。

熔断器内冷却风扇电机 F5UB 60A 熔丝、仪表板 F6UB 60A X51A、动力转向控制模块 F8UB 80A K43、F7UB 60A 未使用，这 4 个熔丝在熔断器内是并联在一起的。断开蓄电池，测量 F5UB 60A 熔丝与 F6UB 60A X51A 熔丝之间的电阻为无穷大，异常；F6 熔丝与 F8 熔丝之间电阻为 4.4Ω，正常。

故障为 G10 冷却风扇电机供电电源熔丝 F5UB60A 熔断，因 F5UB 60A 冷却风扇电机熔丝不能单独更换，所以更换熔断器总成，再次使用诊断仪清除故障码，试车，车辆正常，故障排除。

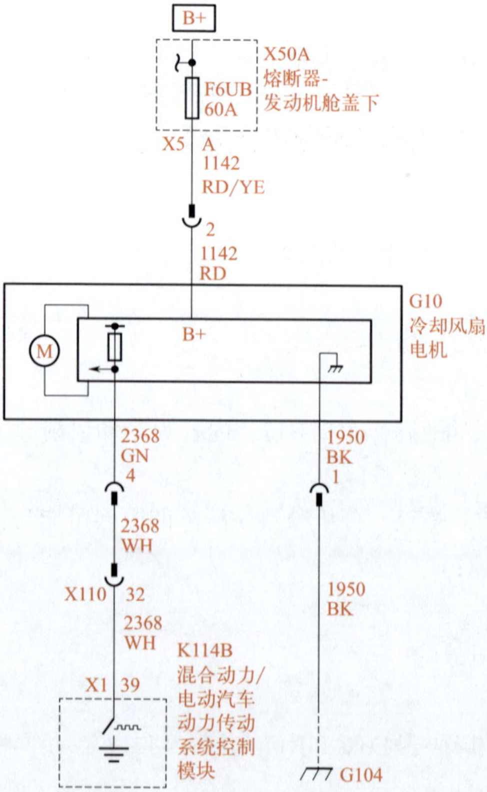

图 5-13-1　别克 VELITE6 电路

5.13.4　仪表功率限制指示灯点亮

（1）车辆信息

车型：吉利 EV450 纯电动汽车。

（2）故障现象

仪表盘上的功率限制指示灯点亮（图 5-13-2）。

图 5-13-2　仪表盘上的功率限制指示灯点亮

（3）故障诊断与排除

检查组合仪表的故障提示，Ready 指示灯正常点亮，行驶时加速踏板踩到底，车速最高到 30km/h，仪表功率限制指示灯点亮，没有听到电动真空泵工作的声音。

仪表盘上的功率限制指示灯点亮，一般有两种情况：一种是表示电机温度太高，须停车并使电机降温；另一种是电动真空泵出现故障，制动无助力（图 5-13-3）。

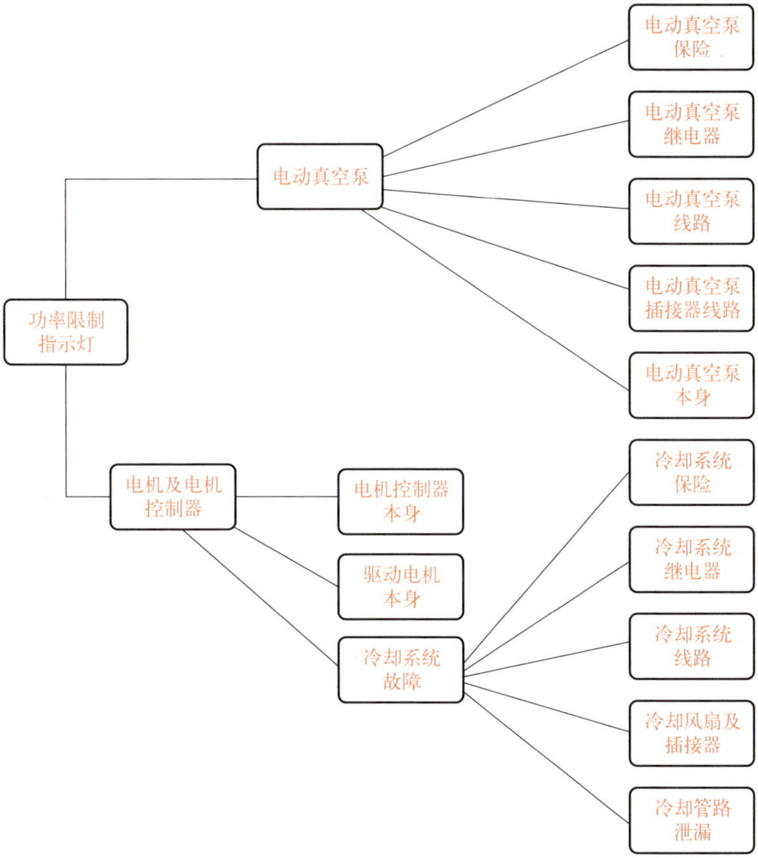

图 5-13-3　限制功率故障指示灯点亮故障分析

根据故障分析制定的检查流程（图 5-13-4）。

使用诊断仪读取故障码和数据流，BCM 中故障码为 P1C3E96，内容为 HBB 失败。初步判断为电动真空泵系统可能出现故障，故障部位可能是保险、线路等，按照由简至难的故障诊断思路，可以先对电动真空泵电路进行检查。

查阅吉利帝豪 EV450 纯电动汽车电动真空泵控制电路图，确定故障范围为电动真空泵及其相关线路、保险、插接器、继电器等，根据故障范围找到电动真空泵控制电路供电保险 EF05 的电流为 20A，电动真空泵控制电路供电线路为 B+ 至 BV06/1 针脚（图 5-13-5）。

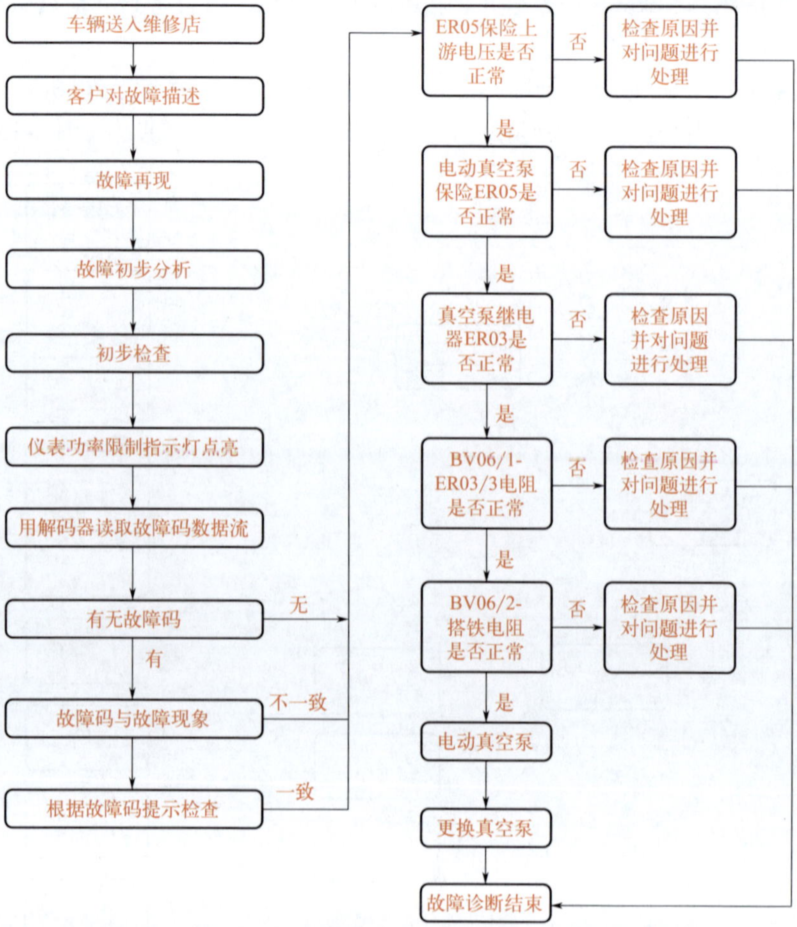

图 5-13-4　检查流程

对 EF05 保险外观连接情况进行检查，正常。

使用万用检查 EF05 保险上游电压，标准电压应为蓄电池电压，实测电压为 12.6V，正常。继续检查 EF05 保险下游电压，标准电压应为蓄电池电压，实测电压为 0，异常。

断开蓄电池负极，等待 5min，取下 EF05 保险，目测检查，发现保险熔断。使用万用表检查 EF05 保险通断，标准电阻小于 1Ω，实测电阻大于 1Ω，为保险故障，更换相同大小的保险。

连接蓄电池负极。车辆上电，使用诊断仪进行故障码，整车控制器显示无故障码，确认故障已排除。

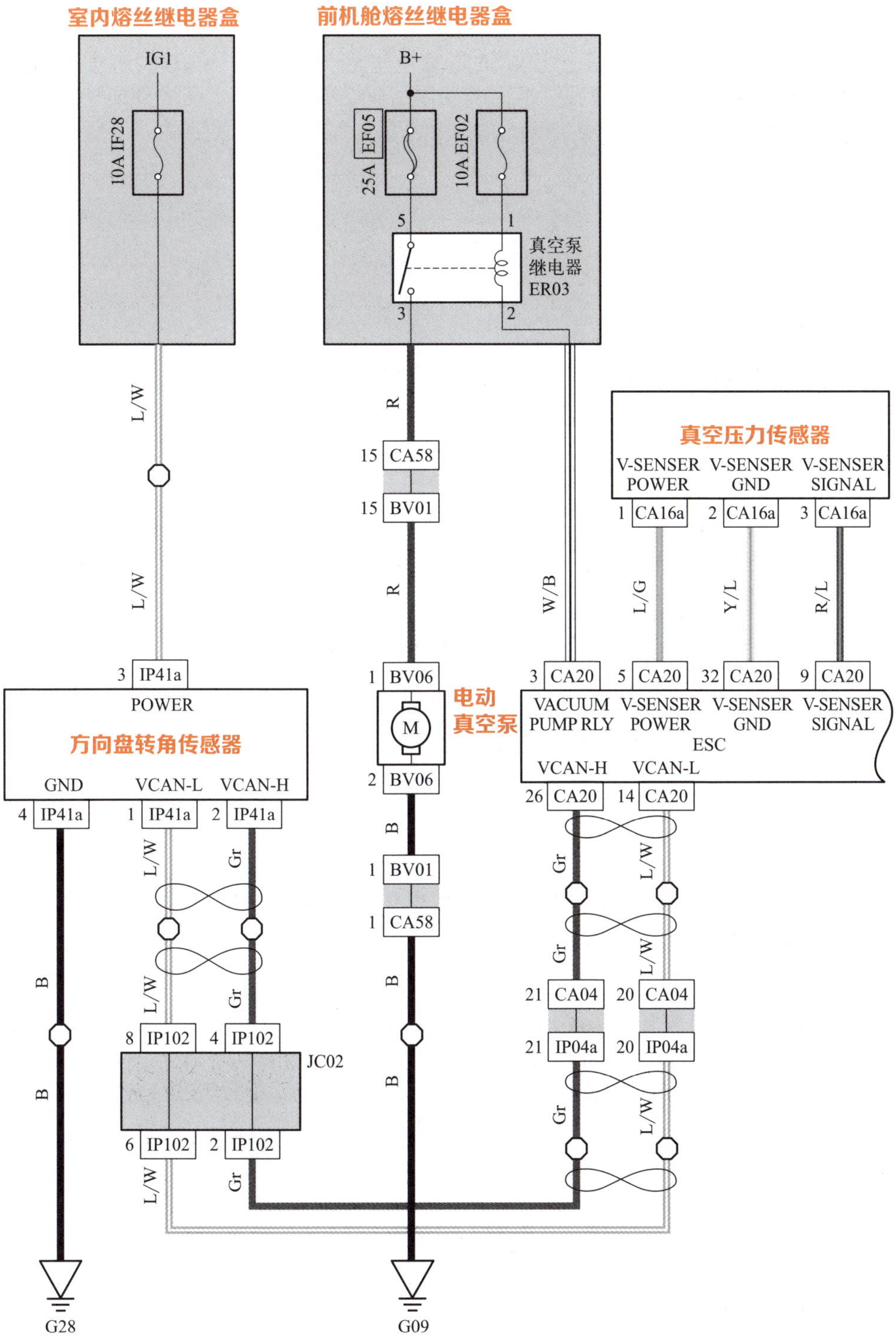

图 5-13-5　吉利帝豪 EV450 电动真空泵控制电路

> 注意：电动真空泵出现故障时，真空压力传感器检测到错误的压力，将错误的信号传递给 ESC，ESC 认为电动真空泵出现故障，将信号传递给 BCM，BCM 再将信号传给仪表，仪表会显示限制功率指示灯。

5.14 无法上高压电故障

5.14.1 插接件进水

（1）车辆信息

车型：比亚迪唐 DM-i 混合动力汽车。

（2）故障现象

车辆上不了高压电，仪表报网络故障，同时动力电池故障灯点亮（图 5-14-1）。

图 5-14-1　比亚迪唐 DM-i 仪表报故障

（3）故障诊断与排除

使用诊断仪读取故障码发现扫描不到整个动力网，使用万用表测量诊断口动力网 12 号、13 号针脚：CAN-L 为 2.355V；CAN-H 为 2.637V；终端阻值为 8.6Ω（异常）。

由于动力网中所有模块都扫描不到，怀疑某个模块故障导致动力网瘫痪，逐个断开动力网的模块，当断开主驾门插接器（NFC 模块集成在左前后视镜里）时故障消失，车辆恢复正常。

拆开左前门饰板发现后视镜插接器 2 个针脚有进水腐蚀现象，处理接插件后故障排除。

5.14.2 车辆搭电后不能上高压电

（1）车辆信息

车型：奇瑞星途追风 ET-i 插电式混合动力汽车。

（2）故障现象

12V 蓄电池电压低压电搭铁后整车不能上高压电，仪表报电驱系统故障。

（3）故障诊断与排除

使用诊断仪读取故障码：P1C01-49，内容为 IGBT 驱动芯片电源故障；P1C02-49，内容为 IGBT 驱动芯片故障。

此故障产生的原理是：电机控制器 12V 工作电压不稳定，结合此车刚刚被搭电过，蓄电池处于亏损状态，电压极其不稳定，造成此故障现象。

按维修手册指引操作：拆卸蓄电池负极桩头搭电，搭电成功后钥匙不关，装负极桩头，然后让车辆持续工作 30min 以上。

操作后车辆恢复正常，故障排除。

5.15 纯电动汽车 ABS 工作异常

（1）车辆信息

车型：2020 年款雪佛兰畅巡纯电动汽车。

（2）故障现象

踩制动踏板时，有类似 ABS 启动时制动踏板弹脚的感觉，且能听到 ABS 电机工作的声音。

仪表上的车速表、电耗和电池电量均无法显示，而出现“制动助力减弱”“转向助力故障”等故障提示信息。

（3）故障诊断与排除

使用诊断仪对全车控制模块进行扫描，多个控制模块中均存储了与网络通信相关的故障码（表 5-15-1）。

表 5-15-1　雪佛兰畅巡网络通信故障码

序号	模块	通信状态	故障码数量 / 个	故障码	描述	状态
1	车身控制模块	连接正常	1	83981	未从电子制动控制模块接收到环境识别符	确认故障
2	组合仪表	连接正常	0			
3	充气式约束系统传感和诊断模块	连接正常	4	U0121	与电子制动控制模块失去通信	确认故障
				U0140	与车身模块失去通信	确认故障
				U0131		确认故障
				U007C	D 总线断开	确认故障

续表

序号	模块	通信状态	故障码数量 / 个	故障码	描述	状态
4	HVAC 控制模块	连接正常	5	U0073	控制模块通信总线断开	确认故障
				U0140	与车身控制模块失去通信	确认故障
				U0155	与组合仪表失去通信	确认故障
				U0198	与远程通信接口控制模块失去通信	确认故障
				U1803	与混合动力 / 电动汽车动力总成控制模块 2 失去通信	确认故障
5	电子制动控制模块	连接正常	11	C1284	制动辅助信息 1 信息计数器不正确	测试失败
				C1285	制动辅助信息 2 信息计数器不正确	测试失败
				U0073	控制模块通信总线 A 断开	测试失败
				U0100	与发动机控制模块失去通信	测试失败
				U0131	与动力转向控制模块失去通信	测试失败
				U0140	与车身控制模块失去通信	测试失败
				U0146	与串行数据网关模块失去通信	测试失败
				U0147	与防火墙 1 失去通信	测试失败
				U0151	与充气式约束系统和诊断模块失去通信	测试失败
				U0155	与仪表模块失去通信	测试失败
				U04B5	接收到来自制动系统控制模块 2 的无效数据	测试失败
6	动力转向控制模块	连接正常	8	U0155	与仪表板组合仪表失去通信	确认故障
				U0100	与发动机控制模块失去通信	确认故障
				U0129	与制动系统控制模块 1 失去通信	确认故障
				U0140	与车身控制模块失去通信	确认故障
				U0159	与驻车辅助模块失去通信	确认故障
				U0418	接收到来自制动系统控制模块 1 的无效数据	确认故障
				U0073	控制模块通信 CAN 总线 2 断开	确认故障
				U0129	与制动系统控制模块 1 失去通信	确认故障

该车车身网络由Dl-CAN、D2-CAN、P-CAN、I-CAN、X-CAN、动力总成扩展总线、高电压扩展总线、电池包管理总线以及LIN线等构成（图5-15-1）。

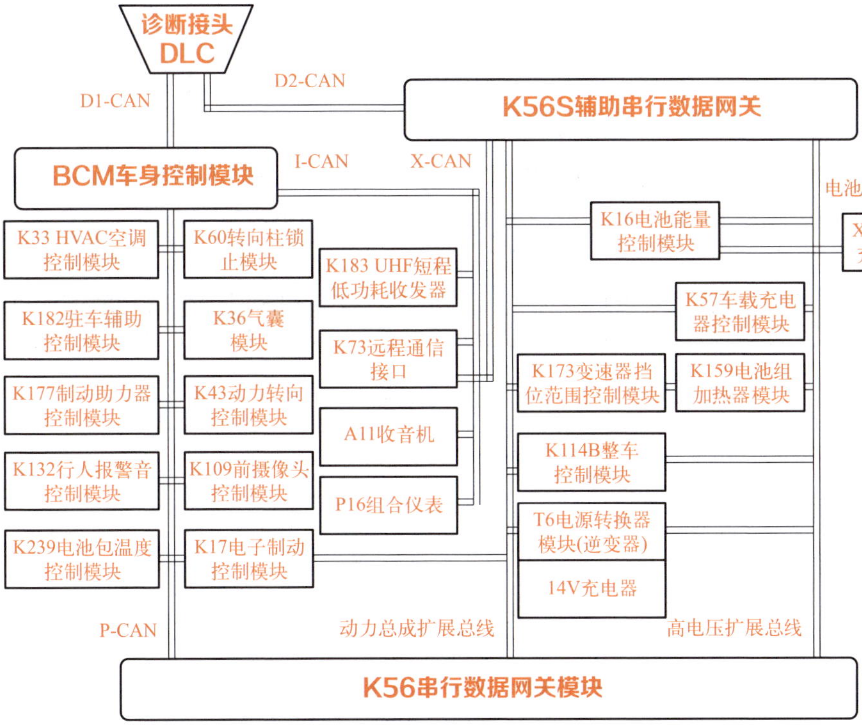

图5-15-1　雪佛兰畅巡车身网络组成

该车与P-CAN相关的通信类故障码共66个，与动力总成扩展总线相关的通信类故障码共17个，与I-CAN相关的通信类故障码共6个，其他类故障码9个，由此推测，P-CAN无法通信引发故障的可能性最大。

结合故障现象，制动时制动踏板弹脚和ABS泵作动的声音，说明制动助力模块和ABS模块可能工作异常，而这两个模块均在P-CAN上；转向沉重，说明助力转向也可能工作异常，而转向助力模块也在P-CAN当中。另外，仪表台上与电量相关的显示，与动力总成扩展总线有关，且通过网关模块、P-CAN，经由BCM，到达I-CAN，再由仪表显示。因此，电量显示异常，也与P-CAN通信异常间接相关。车辆能正常加速、正常行驶，说明负责动力驱动的动力总成扩展总线，运转正常。

导致网络无法通信的可能原因有：网络线的电路故障，如开路、对电源短路、对搭铁短路、线间短路；控制模块自身故障；网络线受到外部干扰等。

与P-CAN通信中断的故障码有两个：U00073，内容为控制模块通信CAN

总线断开；U0007C，内容为控制模块通信高速扩展控制器局域网（CAN）总线2断开（P-CAN）。查阅维修手册，获知故障码00073的运行条件是各设备的电源电压在正常运行范围内，车辆电源模式请求串行数据通信；设置条件是5s内设备尝试在串行数据电路上建立通信的次数超过3次。故障码0007C的运行条件是系统电压介于9～16V之间，车辆电源模式要求进行串行数据通信；设置条件是未接收到包含发射器设备可用性的定期监控信息。

P-CAN中绝大多数的模块都明确指认了P-CAN网络存在无通信的问题，但车身控制模块却没有指认P-CAN存在网络中断的故障（表5-15-2）。

表5-15-2　与P-CAN断开无法通信的控制模块

模块	故障码	故障码解释	所在总线
充气式约束系统传感和诊断模块	U007C	D总线断开	P
HVAC控制模块	U0073	控制模块通信总线断开	P
电子制动控制模块	U0073	控制模块通信总线A断开	P
动力转向控制模块	U0073	控制模块通信CAN总线2断开	P
前视摄像头模块	U0073	控制模块通信总线断开	P
驻车辅助控制模块	U0073	控制模块通信CAN总线2断开	P
防火墙控制模块	U007C	控制模块通信高速扩展控制器局域网（CAN）总线2断开（P-CAN）	P+网关+动力
制动助力器控制模块	U0073	控制模块通信总线A断开	P
行人警报音控制模块	U0073	控制模块通信CAN总线2断开	P
串行数据网关模块	U007C	控制模块通信高速扩展控制器局域网（CAN）总线2断开（P-CAN）	P

检查BCM故障码，只设置了一个故障码：B3981，内容为未从电子制动控制模块接收到环境识别符。正常情况下，多个控制模块与BCM失去通信，P-CAN网络可能处于瘫痪状态，但BCM却只设置了一个故障码，其中最大的可能是BCM存在问题，而没有及时触发相关的故障码。

首先检查车身控制模块至动力转向控制模块之间P-CAN网络线，存在通信故障，与正常车辆对调车身控制模块，并对P-CAN网络线的插接端子进行处理后试车，车辆正常。

更换车身控制模块，暂时交车给客户使用，两周后回访客户，故障未再出现，故障彻底排除。

5.16 低压供电故障

（1）车辆信息

车型：比亚迪宋 Pro DM-i 混合动力汽车。

（2）故障现象

仪表偶尔出现“请检查低压供电系统”，车辆可以正常行驶。

（3）故障诊断与排除

使用诊断仪扫描系统，无更新；读取系统，无故障码。

导致故障的原因分析：

1. 双向车载电源总成故障；
2. 低压线路故障；
3. 低压蓄电池故障。

系统模块未报故障码，查看低压蓄电池数据流，蓄电池内部单体正常。对比双向车载电源总成数据流与低压蓄电池数据流发现故障点，双向车载电源总成数据流显示有 13.8V 电压输出，而低压蓄电池数据流显示只有 12.9V，怀疑低压线路虚接（表 5-16-1）。

表 5-16-1　数据流

数据项	当前	范围	单位
充电是否允许	允许		
放电是否允许	允许		
蓄电池故障报警	蓄电池正常		
SOC 过低请求充电命令	正常		
充放电状态	充电状态		
总电压	12.9	10/16	V
1 号单体电压	3.2	0/25.5	V
2 号单体电压	3.2	0/25.5	V
3 号单体电压	3.2	0/25.5	V
4 号单体电压	3.2	0/25.5	V
平均温度	35	−60/160	℃

续表

数据项	当前	范围	单位
负极柱温度	35	-60/160	℃
MOS 温度	38	-60/160	℃
冷却水道温度	28	-40/160	℃
箱体温度	24	-40/160	℃
DC 工作模式	降压状态		
DC 工作允许	正常启动		
DC 系统故障状态	正常		
高压侧电压	385	0/1000	V
高压侧电流	1.0	-50/50	A
低压侧电压	13.8	0/25	V

通过上述数据流分析，分别检查双向车载电源总成低压输出线 13 号螺栓与输出电压，正常。查看电路图（图 5-16-1），发现低压蓄电池上线路经过一个 300A 熔丝，检查熔丝发现固定线螺母未拧紧，造成线路虚接，导致仪表偶发性报“请检查低压供电系统”，重新拧紧螺母，故障排除。

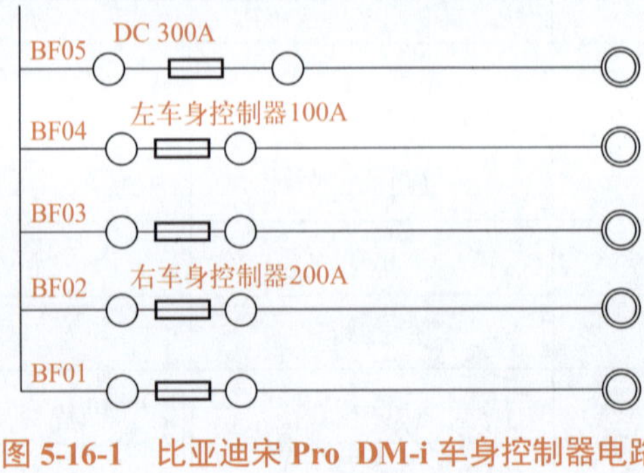

图 5-16-1　比亚迪宋 Pro DM-i 车身控制器电路

扫一扫

视频精讲

第6章 EV模式故障

6.1 无EV功能

6.1.1 车辆偶尔无EV模式

（1）车辆信息

车型：比亚迪宋混合动力汽车。行驶里程：77616km。

（2）故障现象

车辆行驶过程中偶发性无EV，仪表提示EV功能受限。

（3）故障诊断与排除

使用新能源诊断仪检查故障码：电子车身稳定系统报U100304（EPB超时）；整车控制器报U011100[与电池管理系统（BMS）通信故障]、U012800（与EPB通信故障）、U029800（与DC通信故障）和P1B6000（发动机启动失败）；发动机系统报P0627（油泵控制线路开路故障）和P0087（油轨压力过低）等。同时，车载充电器、DC、电池管理器、EPB、漏电传感器等无法通信。

测量所有模块，又可以通信，保险电源及CAN系统无异常。因多个模块同时无法通信，怀疑这些模块的电源及接地存在异常。

查询电路图，寻找这几个模块共同点，发现很多模块的电源都在后舱配电盒，怀疑是后舱配电盒供电或接地存在异常（图6-1-1）。检查后舱配电盒确认，发现后舱配电盒电源螺栓未完全拧紧。重新紧固后清除故障码，故障排除。

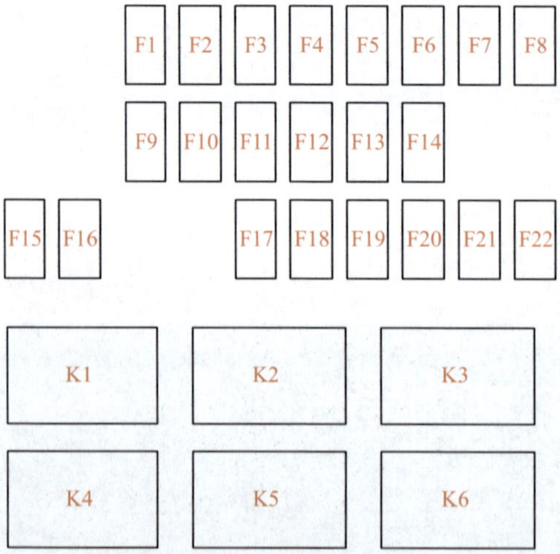

K1 预留继电器(Reserve Relay)
K2 预留继电器(Reserve Relay)
K3 IG3继电器(IG3 Relay)
K4 预留继电器(Reserve Relay)
K5 预留继电器(Reserve Relay)
K6 IG1-2继电器(IG1-2 Relay)

F1	7.5A	电池管理器(BMS)
F2	15A	车载充电器(Charger)
F3		预留(Reserve)
F4	30A	EPB
F5	30A	EPB
F6	20A	副驾电动座椅(P/SEAT)
F7	20A	IG3
F8	30A	IG1
F9		预留(Reserve)
F10	15A	后雨刮(RR WIP)
F11	7.5A	车载充电器(Charger)
F12		预留(Reserve)
F13	7.5A	低压燃油模块(Fuel ECU)
F14	7.5A	模块IG1(ECU IG1)
F15	15A	后电控(DMC)
F16	7.5A	整车控制器(ECU)
F17		预留(Reserve)
F18	15A	后电控(DMC)
F19	7.5A	电控水泵继电器(DMC Pump Relay)
F20	7.5A	电池管理器(BMS)
F21	7.5A	高压配电箱(HVDB)
F22		预留(Reserve)

图 6-1-1 熔丝和熔断器说明

6.1.2 线束故障导致无 EV 模式

(1) 车辆信息

车型：比亚迪唐混合动力汽车。行驶里程：55112km。

(2) 故障现象

仪表提示 EV 功能受限，无 EV 模式。

(3) 故障诊断与排除

使用新能源汽车诊断仪，在变速器系统读取到如下故障码，其他系统无故障：P165C（挡位自适应未完成）、P1681（主压力电磁阀 -1 线路故障）、P1684EV2（挡挂不到位）、P1685（EV 挡回不了空挡）。

车辆使用 EV 模式行驶或 P 挡原地发电，变速器内需挂 EV 挡或 EV2 挡。挂挡时，先由外置模块上的油泵电机建立油压，再由 TCU 控制外置模块上的电磁阀动作来实现挂挡。读取变速器 TCU 内的数据流：油泵压力为 14.08bar（$1bar=10^5Pa$，下同），正常，电机不工作时电机运行占空比为 0、电机使能信息为 0、电机转速为 0，均为正常数据，可排除油泵电机控制器和油泵电机及相关线路故障的可能。

原地退电再上电，读取数据流，促动器 5 设置电流与实际电流不一致，查看促动器 5 位置传感器数据为 0.51mm（促动器 5 在空挡位置），说明促动器 5 的电磁阀没有执行挂挡动作，由此可排除变速器机械故障的可能，EV2 挡挂不到位和 EV 挡回不了空挡是电磁阀工作异常导致，需进一步检查 TCU、外置模块及线束。

根据图 6-1-2，分别测量外置模块上 SVP 阀和 SVECD 阀的阻值，在正常范围内。测量外置模块 A27 插头至 TCUA49 插头对应线束的导通情况：A27-7 与 A49-24 正常导通，A27-5 与 A49-40 正常导通，A27-2、A27-4 与 A49-25 不导通（异常）。

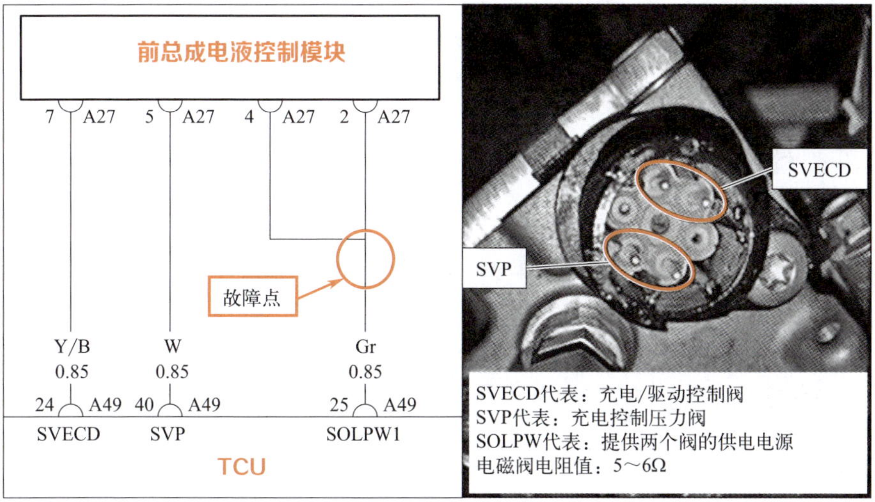

图 6-1-2　前总成电液控制模块电路

逐段测量，最终找到线束内部导线的断裂点，连接断裂导线后上电测试，车辆恢复正常，由此判定车辆 EV 功能受限是线束故障导致。

更换发动机线束后，故障排除。

6.1.3　车辆行驶中失去 EV 功能

（1）车辆信息

车型：比亚迪秦混合动力汽车。行驶里程：87899km。

（2）故障现象

车辆行驶时偶发性无纯电模式，仪表报动力系统故障。

（3）故障诊断与排除

❶ 检查是否有更新版本升级，无升级；清除故障码，反复测试。

❷ 把车辆充满电，带上新能源汽车诊断仪进行路试；大约行驶了 50min，故障出现。

❸ 使用新能源汽车诊断仪读取数据流，发现 89 号电池最高电压达到 4.360V，88 号电池最低电压为 1.753V，读取采样信息，发现 87 号电池采样异常。

❹ 故障重现，再次读取故障显示。

a. P1A1000BIC5：电压采样异常故障。

b. P1A3800：动力电池单节电压一般过低。

c. P1A9400：因电压低导致限放电功率为 0。

d. P1A9500：因采样系统故障导致充放电功率为 0。

e. P1A9600：因电压高导致无法回馈。

❺ 分析为动力电池或 BIC5 采集器故障，把 BIC5 和 BIC3 对调，故障出现时依然是报 BIC5 电压采样异常故障。更换 BIC5 采集器后试车，故障排除。

6.1.4 开空调无 EV 模式

（1）车辆信息

车型：比亚迪秦混合动力汽车。行驶里程：67987km。

（2）故障现象

开空调后无 EV 模式，仪表提示“因空调需求已启动发动机”。

（3）故障诊断与排除

仪表 SOC 值为 66%，开启空调后发动机立即启动，仪表提示“因空调需求已启动发动机”。

使用诊断仪读取压缩机控制器和 AC 控制器，都无故障码；看数据流，母线电压正常；电动压缩机不请求、无转速。

测量电动压缩的低压电源及接地，正常；CAN 电压都在 2.5V 左右，正常；倒换电动压缩机、AC 控制器、PTC 后，故障依旧。

怀疑是高压 BMS 问题导致一直给空调控制器发出命令，不允许高压工作。倒换高压 BMS，故障依旧。

鉴于空调系统已经确认无故障，怀疑是否为其他模块引起。再次使用诊断仪进行整车扫描发现，低压 BMS 报出：智能充电系统故障。读取数据流发现，1# 单体单节电压为 3.7V。怀疑是否为该问题导致空调故障，尝试倒换低压蓄电池测试。

更换低压蓄电池后，故障排除。

6.2 行驶中 EV 模式自行切换至 HEV 模式

（1）车辆信息

车型：比亚迪唐混合动力汽车。行驶里程：33212km。

（2）故障现象

行驶中纯电动模式自行切换至混合动力模式。

（3）故障诊断与排除

使用新能源汽车诊断仪检查车辆，发现有多个模块软件提示更新，按照指导逐一将软件版本更新，更新完成后路试车辆，故障依然存在。路试发现车速在 60 ～ 70km/h 时偶发纯电动模式仍然会跳变到混合动力模式，行驶中还可以手动切换回纯电动模式，但行驶不足 200m 车辆再次变为混合动力模式，在此过程中车辆仪表无任何故障灯提示。

使用诊断仪读取变速器报故障码 P1688（油泵压力过低）和 P1689（电子油泵电机转速异常）。根据前期维修通知检查油泵电机控制器接插件无异常，外置模块电机接插件插接无异常，外置模块传感器测量阻值正常。

根据维修资料指导使用纯电动模式路试，同时连接诊断仪读取变速器中促动器 5 设置电流、电机使能信息、占空比、油压等数据，发现车速在 20 ～ 40km/h 路试时，发动机会频繁启动，在发动机未启动状态，油泵压力基本持续在 0.94bar 左右，同时油泵电机有使能信息和占空比，就是没有转速。

持续低速路试发现，随发动机启动后机械油泵工作时油压会马上上升到 5bar 以上。路试时还发现偶发性电子油泵有可以建立 2bar 左右的油压，怀疑油泵电机控制器故障，更换油泵电机控制器后试车，故障彻底排除。

6.3 EV 模式起步抖动冲击

（1）车辆信息

车型：比亚迪秦混合动力汽车。行驶里程：33212km。

（2）故障现象

开空调后无 EV 模式，仪表提示“因空调请求已启动发动机”。

（3）故障诊断与排除

使用新能源汽车诊断仪读取驱动电机控制器故障码。

P1B15：电机缺 B 相。

P1B63：未定义，根据故障码定义，初步判断此故障为电机缺相引起。

缺相有两种可能原因：a. 电机故障；b. 驱动电机控制器故障。

读取数据流，在故障出现时电机三相电流相差太大，B 相电流为 0，明显异常。进一步测量电机三相输入线两两之间电阻，均为 0.2Ω（正常），且对壳体绝缘，从测量数据看可以排除电机故障导致。到此确定为驱动电机控制器三相输出故障。

更换驱动电机控制器后试车，故障排除。

6.4 EV 模式失效

（1）车辆信息

车型：起亚 K3 PHEV 混合动力汽车。行驶里程：66512km。

（2）故障现象

无法正常使用 EV 模式，高压故障灯点亮。

（3）故障诊断与排除

使用诊断仪读取故障码：P0AA6，内容为高电压电池系统绝缘故障。

使用诊断仪中软件管理绝缘故障检测功能进行测试，结果显示“高压蓄电池模块故障”。

断开 12V 低压辅助电源与安全插头，等待 10min。测量高压蓄电池系统绝缘状态。

安全插头前方绝缘电阻正常，后方绝缘电阻 0.2MΩ（不正常）。

拆开后备厢高压电池上盖板进行检查发现，在高压蓄电池连接处有水，导致绝缘故障。

清理水迹，复原车辆，故障排除（高压蓄电池连接处的水迹并没有造成其他故障及零件损坏）。

6.5 车辆限速行驶

（1）车辆信息

车型：比亚迪汉 EV 纯电动汽车。

（2）故障现象

车辆行驶中仪表报 EV 功能受限，车辆限速行驶。

（3）故障诊断与排除

使用诊断仪扫描，无软件升级。

读取后电控故障码。

❶ P1C0500：后驱动电机控制器高压欠压。

❷ P1BDE00：后驱动电机控制器驱动 CPLD 检测 IGBT 上桥报错故障。

❸ P1BDF00：下桥臂故障。

❹ P1C0100：后驱动电机控制器 IPM 故障。

读取电池管理器故障码。

❶ P1A0000：严重漏电故障。

❷ P1AFF00：后电控高压互锁故障。

故障原因分析：

❶ 高压负载故障；

❷ 电控故障；

❸ 电池包故障；

❹ 线路故障。

故障码全都是当前故障，判断后电控应该存在故障，检测后驱动电机控制器三相输出端子对壳体绝缘阻值，为 0.2 ～ 0.5MΩ，存在漏电问题，更换后电控。

再次读取故障码，电池管理器依然报 P1AFF00[后电控高压互锁故障（当前）]，后电控报 P1C0500（后驱动电机控制器高压欠压）。车辆上电后仪表依然报 EV 功能受限，故障未彻底排除。

根据更换后电控之后的故障码，判断可能为动力电池对后电控未能输出电压造成软件互锁。

查阅动力电池内部电路图（图 6-5-1），测量动力电池两端输出正极，不导通，确定动力电池内部熔丝熔断，拆解动力电池，更换动力电池内部熔断的熔丝。

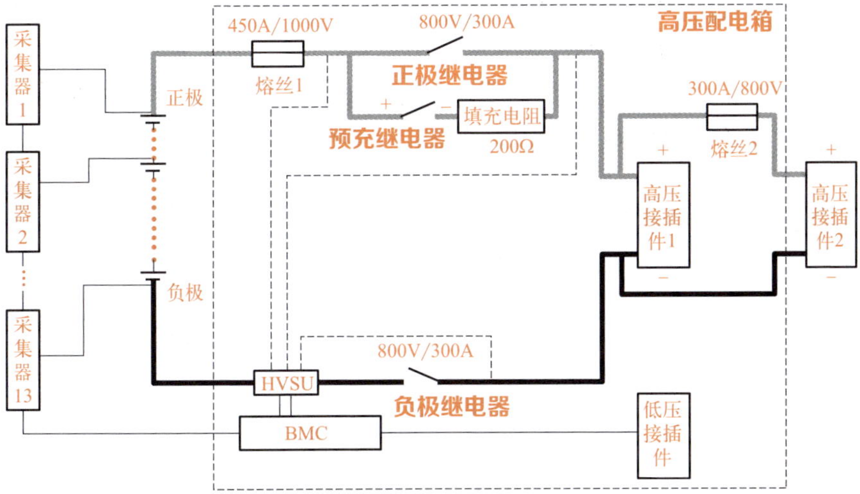

图 6-5-1　动力电池内部电路

复原车辆，试车，故障排除。

6.6 EV 功能受限

（1）车辆信息

车型：比亚迪宋 DM-i 混合动力汽车。

（2）故障现象

组合仪表报 EV 功能受限，只能以 HEV 模式行驶。

（3）故障诊断与排除

使用诊断仪读取码，BMS 控制器报严重漏电故障。

导致故障的原因分析：

❶ 漏电传感器故障；

❷ BMS 故障；

❸ 高压零部件漏电。

断开漏电传感器检测端（与高压配电箱连接），上 ON 挡电，依旧报漏电，可确认为假漏电。

仔细检查漏电传感器内有水，询问客户得知下雨时忘记关天窗导致进水。

更换漏电传感后，故障排除。

注意：

如果断开漏电传感器检测端（与高压配电箱连接），上 ON 挡电不再报漏电，则为真漏电。需要通过逐步断开高压负载的方法来确定具体漏电零部件，例如：

① 断开高压配电箱上连接前、后电控的高压接插件，上 ON 挡电，依旧报漏电，可排除前后电控及下游负载导致的漏电；

② 断开高压配电箱与动力电池包连接的正负极母线，上 ON 挡电，不再报漏电故障，此时可基本确认为动力电池包问题。

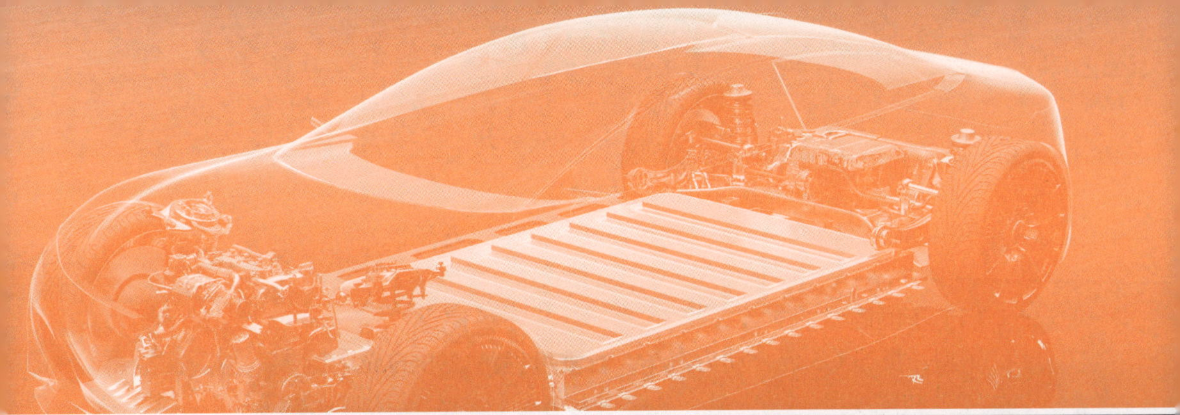

第7章 HEV模式故障

7.1 油电模式不转换

（1）车辆信息

车型：丰田凯美瑞混合动力汽车。行驶里程：89765km。

（2）故障现象

油电模式不能互相转换。

（3）故障诊断与排除

❶ 读取故障码。使用新能源汽车诊断仪，读取故障码：P0A80，内容为更换混合动力蓄电池组。

查阅维修手册得知导致故障的部位有两个：HV 蓄电池和 HV 蓄电池智能单元。

❷ 检查故障。根据维修手册，如果没有输出故障码 P0A7FC-123，则下一步检查 HV 蓄电池智能单元。

检查 HV 蓄电池智能单元，用诊断仪读取混合动力系统数据流时发现 BatteryblockVol-V16 电压为 12.86V。其他 16 组电压均为 14.30 ～ 14.38V（标准是 9 对单元的电压差均为 0.3V 或更高）。第 16 单元电压较低，和其他单元相比电压差不均。HV 蓄电池由 34 个模块组成，HV 蓄电池智能单元在 17 个位置上监视蓄电池单元电压，各蓄电池单元由 2 个模块组成。

因此判断为 HV 蓄电池故障，尝试更换 HV 蓄电池后试车，故障排除。

7.2 混合动力系统故障灯点亮

（1）车辆信息

车型：奥迪 Q5 混合动力汽车。行驶里程：129856km。

（2）故障现象

混合动力系统故障灯点亮。

（3）故障诊断与排除

使用新能源汽车诊断仪读取故障码，显示关于“HV 系统绝缘故障”的故障码。接着按照引导性故障查询一步一步进行排查，提示要做好对高压部件检查前的断电、松开保养插头以及安全插头。

关于“HV 系统绝缘故障”的故障码，可能的原因有某高压部件或者高压导线绝缘电阻低于标准值，导致漏电，从而通过组合仪表进行显示并存储故障码。接下来，进一步通过引导性故障查询，对绝缘电阻进行测量，检测值在 153 ～ 200Ω 之间，低于 210 ～ 230kΩ 的正常值，由此，确认是某高压部件不绝缘的故障。

对所有高压部件进行检查。首先对其前部的电动空调压缩机进行检查，看其外观和线束插头有无破皮、漏水。然后检查电驱动装置的功率和控制电子系统 JX1，当拆开 JX1 的保护盖板时，发现里面居然有积水。初步怀疑这就是故障原因，于是用风枪把里面的积水清理干净，装上保护盖板。把所有部件进行复位之后，使用诊断仪再次读取故障码，并再一次执行引导性故障查询，对高压部件进行绝缘电阻测量，发现其电阻值为 128 ～ 132MΩ，数值正常。

案例总结

车辆在美容店用高压水枪清洗过发动机，导致功率和控制电子系统 JX1 进水引发了这个绝缘电阻故障。

7.3 无法进入混合动力模式

（1）车辆信息

车型：瑞风 M4 混合动力汽车。行驶里程：156856km。

（2）故障现象

无法进入混合动力模式，发动机启停功能失效，仪表盘上的 EPC 灯及充电指示灯长亮。

（3）故障诊断与排除

使用新能源汽车故障诊断仪检测，读取到 4 个故障码。

P1A17：48V 预充失效。

P1A20：12V 端电压测量偏差较大。

U0120：BSG 和 CAN 通信故障。

U0298：DC/DC 和 CAN 通信故障。

根据故障码的提示，结合该车的故障现象分析，可能的故障原因有：电路或电器设备对搭铁短路；通信故障；12V 蓄电池电量不足；48V 蓄电池电量不足；DC/DC 故障。

用故障诊断仪读取 12V 蓄电池剩余电量，显示“剩余电量为 70%，可正常预充”，排除 12V 蓄电池电量低导致混合动力功能失效的可能。检查发动机室内的搭铁并紧固，排除搭铁故障。再检查混合动力系统电路，对混合动力系统 CAN 总线及各导线连接器进行检查，并对接通电源时 DC/DC 等部件的通电顺序进行测试，均无异常，排除电路连接不良造成混合动力功能失效的可能。

常规检查结束后，根据故障码“U0120”和“U0298”的提示，维修人员推断，可能是 BSG 或 DC/DC 出了故障。本着先易后难的原则，尝试更换 DC/DC，清除故障码后试车，行驶中车辆能正常进入混合动力模式，且发动机启停功能恢复正常，EPC 灯及充电指示灯不再点亮，故障排除。

7.4 混合动力系统报警

（1）车辆信息

车型：保时捷 Cayenne 混合动力汽车。行驶里程：98856km。

（2）故障现象

混合动力系统报警。

（3）故障诊断与排除

使用新能源汽车诊断仪读取故障码。

P0A21300：DriveMotor"A"TemperatureSensorCircuitRange/Performance。

P0A2D00：DriveMotor"A"TemperatureSensorCircuitHigh。

检查高压电源电子设备的低温冷却系统回路，对换电源电子设备的节温器，故障依旧。

检查电机的高温冷却系统回路、冷却液位、电机的节温器，都正常。

根据故障码判断，有可能是线路故障、电源电子设备故障或是电机温度传感器故障。所以先检查从电源电子设备到电机温度传感器的两条线路，其中还有中转插头，位于发动机熔断器内，都正常。对比电源电子设备的参考电压，也正常。

在试车中发现，每当电机温度徘徊在140℃左右时，温度变化波动幅度加大，故障就会出现。正常车辆电机工作温度应接近190℃。

更换电机后，故障排除。

7.5 DC/DC变换器故障

（1）车辆信息

车型：雷克萨斯300h混合动力汽车。行驶里程：66546km。

（2）故障现象

仪表报警：检查混合动力系统。

（3）故障诊断与排除

用诊断仪对混合动力系统读取故障码。

P0A08-264：DC/DC转换器状态电路异常。

如果车辆行驶时DC/DC转换器不工作，则辅助蓄电池的电压将降低，这将阻止车辆继续运行。因此动力管理控制ECU监视DC/DC转换器的工作情况，并在检测到故障时提醒驾驶员。生成故障码的条件是：在电源开关置于ON（Ready）位置的情况下，DC/DC转换器故障或辅助蓄电池电压降至12V或更低时出现故障码P0A08-264（图7-5-1）。

首先检查系统相关熔丝（IGCT-MAINO、DC/DC-IGCT、DC/DC-S）和系统内的熔丝，均正常。读取GTS中定格数据流（表7-5-1），发现+B电压已经低于12V，证明系统报P0A08-264故障码的原因在于DC/DC转换电压低于12V。

测量逆变器总成A13上的3号脚上的电压，实测电压与辅助蓄电池上的电压相同，说明逆变器3号脚的电压正常。将电源开关置于“ON”位置，测量逆变器1号脚与车身搭铁之间的电压，实测电压也与辅助蓄电池电压相同，说明逆变器总成的供电正常。

更换逆变器总成后，故障排除。

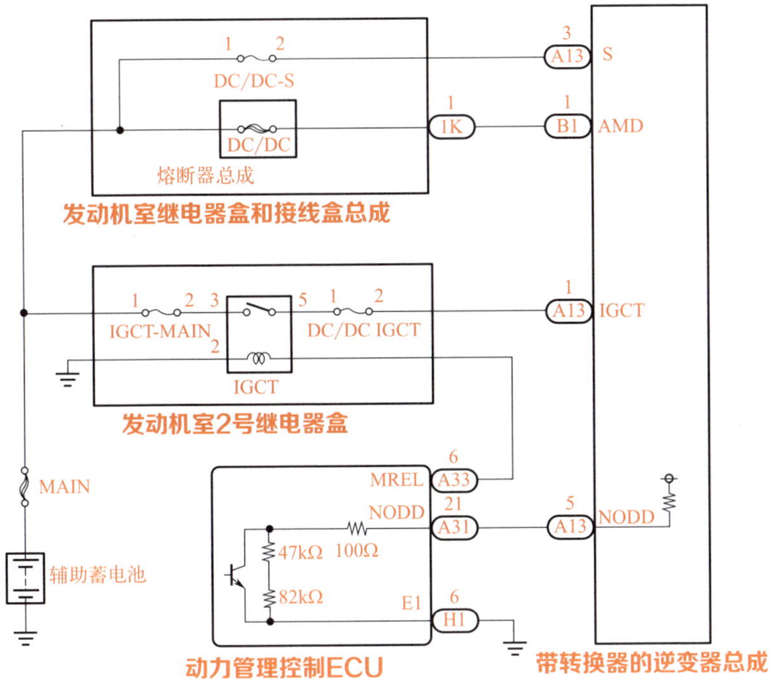

图 7-5-1 雷克萨斯 300h 混合动力系统电路

表 7-5-1 GTS 中定格数据流

参数	单位	-3	-2	-1	0	1
发动机冷却液温度	℃	122	122	122	122	122
发动机转速	r/min	1344	1280	1216	1162	1152
车速	km/h	0	0	0	0	0
发动机运行时间	s	6359	6360	6360	6361	6361
+B 电压	V	12.28	12.07	11.89	11.46	11.46
加速踏板位置 1#	%	16.6	16.6	16.6	16.6	16.6
加速踏板位置 2#	%	31.7	31.7	31.7	31.7	31.7
环境温度	℃	29	29	29	29	29
进气温度	℃	85	85	85	85	85
故障码清除预热		11	11	11	11	11
清除故障码时的行驶里程	km	562	562	562	562	562
故障码存在的时间	min	739	739	739	739	739

续表

参数	单位	-3	-2	-1	0	1
进气压力	kPa	42	42	42	43	43
大气压力	kPa	99	99	99	99	99
准备信号		ON	ON	ON	ON	ON
MG2 转速	r/min	0	1	8	-3	-7
MG2 扭矩	N·m	-8.88	-13.25	-10.50	-13.13	-12.10
MG2 执行阀扭矩	N·m	-8.00	-15.25	-10.00	-12.00	-12.50
MG1 发电机转速	r/min	4870	4626	4381	4222	4164
MG1 发电机扭矩	N·m	-11.75	-12.63	-12.5	-12.5	-12
MG1 执行阀扭矩	N·m	-10.88	-11.88	-10.13	-11.75	-11.25

7.6 HEV 模式下报发动机系统故障

（1）车辆信息

车型：比亚迪唐混合动力汽车。行驶里程：51423km。

（2）故障现象

车辆在 HEV 模式下仪表显示“请检查发动机系统”。

（3）故障诊断与排除

使用诊断仪进行全车检查，发现发动机系统有故障码 P2118：节气门调整故障或控制线路开路故障。

变速箱系统有故障码 U1707：CAN 节气门信号错误。

清洗节气门后试车，故障依旧，怀疑电子节气门有问题。

将车辆举起，拔下节气门体的插头，检查有关的线路，检查发现 AbJ01 和 AJ48 的插头完好，无退针现象，线束接触良好。

检查发动机 ECU 至节气门的线路：

发动机 ECU 插接器 A01-71# 与节气门插接器 A27-2# 的电阻，小于 1Ω，正常；

发动机 ECU 插接器 A01-52# 与节气门插接器 A27-5# 的电阻，小于 1Ω，正常；

发动机 ECU 插接器 A01-88# 与节气门插接器 A27-3# 的电阻，小于 1Ω，正常；

发动机 ECU 插接器 A01-14# 与节气门插接器 A27-6# 的电阻，小于 1Ω，正常；

发动机 ECU 插接器 A01-60# 与节气门插接器 A27-1# 的电阻，小于 1Ω，正常；

发动机 ECU 插接器 A01-5# 与节气门插接器 A27-4# 的电阻，小于 1Ω，正常。

同时在 HEV 模式下，节气门插接器 A27-3# 有 5V 的输入电压，将故障现象缩小到电子节气门总成有故障（图 7-6-1）。

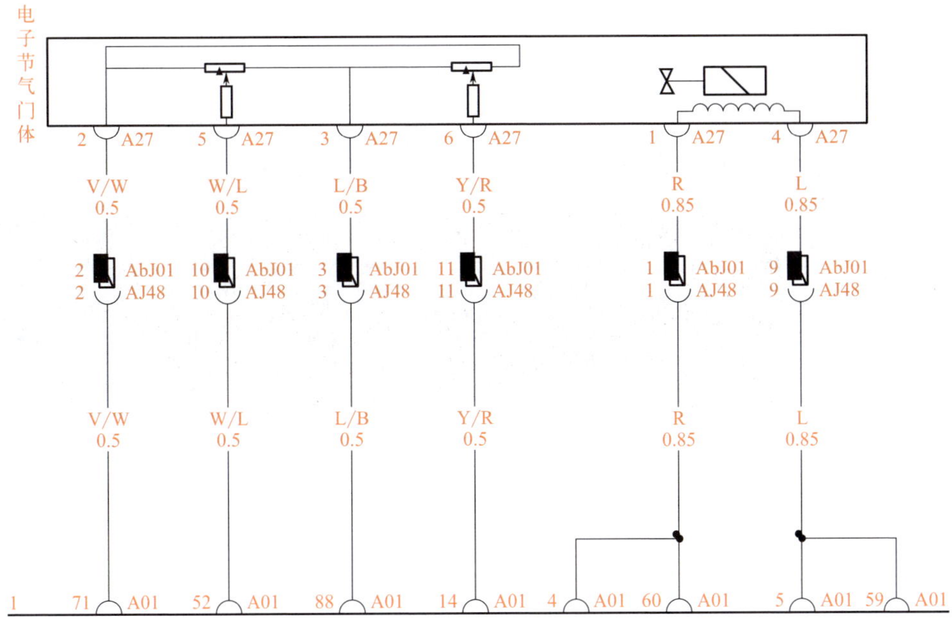

图 7-6-1　比亚迪唐电子节气门总成电路

拆下节气门，检查发现节气门的翻板有卡滞现象，翻板开度间隙较大，安装新的节气门总成后，路试，故障排除。

第 8 章 充电系统故障

8.1 慢充故障

8.1.1 无法慢充

(1) 车辆信息

车型：上汽荣威 eRX5 混合动力汽车。行驶里程：71265km。

(2) 故障现象

仪表板显示“充电连接中”，无法充电。

(3) 故障诊断与排除

使用新能源汽车诊断仪检测电池管理系统（BMS）、车载充电系统（OBC）和整车控制系统（VCU），均无故障码。

查看 OBC 控制单元的数据，在连接充电枪的状态下，“BMS 唤醒信号状态”显示“未唤醒”，而正常情况下应显示“唤醒”。由此可见，连接充电枪后 BMS 并未请求充电器工作，导致无法进行交流慢充。另外排查中还发现，若点火开关处于打开位置，则慢充功能正常，OBC 控制单元显示的数据与正常车一致。

查阅电路图，BMS 有两条唤醒线：一条是网关（GW）提供的，用于点火开关打开状态下唤醒 BMS；另一条是车载充电器提供的，可以在充电枪有效连接后，向 BMS 发出唤醒信号（图 8-1-1）。若唤醒信号异常，则 BMS 无法充电。

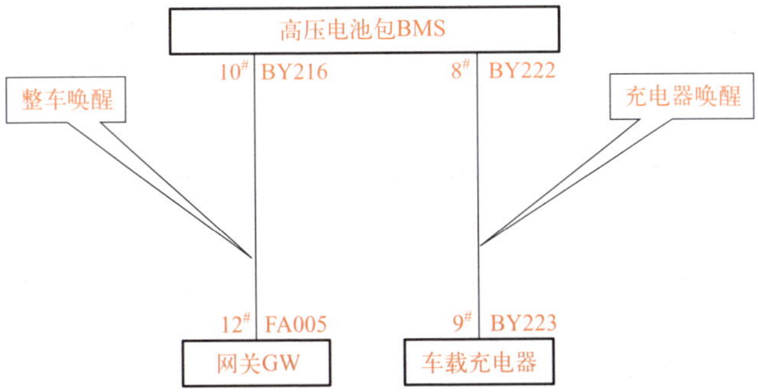

图 8-1-1 唤醒线简图

在点火开关打开的状态下，测量 BY216 插接器 10 号端子的电压为 12V，关闭点火开关，待整车休眠后，10 号端子电压变为 0。使用充电枪连接 220V 电源后，测量 BY222 插接器 8 号端子的电压为 12V，但是在 BMS 内部并未听到继电器闭合的声音，移动充电线上的指示灯也全部熄灭。断开充电枪，30s 后再次连接，反复测试多次，均未能成功唤醒。测量正常车辆，连接 220V 电源后 BY222 插接器的 8 号端子电压为 12V，此时能听到 BMS 内部继电器闭合的声音。之后车辆开始充电，且唤醒电压始终保持在 12V。

通过对两条唤醒线的测量发现，网关与车载充电器在不同状态下均提供唤醒电压，但 BMS 在点火钥匙打开时能被正常唤醒，而在连接充电枪时无法被唤醒。检查 BMS 的 BY222 插接器，无异常，由此判断是 BMS 内部故障。

更换 BMS 后，故障排除。

8.1.2 慢充系统不能充电

（1）车辆信息

车型：吉利帝豪 EV300 纯电动汽车。行驶里程：34212km。

（2）故障现象

无法使用慢充充电。

（3）故障诊断与排除

使用新能源汽车诊断仪对系统进行扫描，发现整个系统没有任何故障码；初步怀疑是车载充电机的原因，使用诊断仪进入车载充电机模块并读取相关数据流，一切正常。

重新连接充电枪后，充电指示器显示无法充电。再次读取故障码，此时扫描系统，系统显示“整车非期望的整车停止充电”和“DC/DC 故障等级 2（零输出）”这 2 个故障内容。

根据“整车非期望的整车停止充电”和“DC/DC 故障等级 2（零输出）”这 2 个故障内容进行分析，其中“DC/DC 故障等级 2（零输出）”这个故障内容将故障直接指向了电机控制器，电机控制器的作用之一就是将 359.6V 的直流高压电转变为 12V 的直流低压电，由于电机控制器的这个功能失效，进而导致整车无法充电。

尝试更换电机控制器，然后对车辆进行充电，车辆可以正常充电，故障排除。

8.1.3 随车充电枪损坏

（1）车辆信息

车型：北汽 EV160 纯电动汽车。行驶里程：138345km。

（2）故障现象

使用随车充电设备对车辆进行充电时，车辆无充电现象，同时仪表盘上没有充电指示灯的显示，车辆不能进行正常充电。

（3）故障诊断与排除

使用新能源汽车诊断仪进行充电系统数据读取，显示无充电唤醒信号。随后在充电设备连接时，再次使用专用诊断仪进行相关充电信息的读取操作，结果没有充电电流、电压等信息。初步判断故障可能为充电枪和充电插口的充电连接确认线路出现故障或者充电机唤醒线路出现故障。

检查随车充电设备的外观、充电接口等有没有烧蚀、损坏现象，再闻闻有没有烧焦的气味等，以上检查均正常。

将随车充电设备连接车辆，此时电源指示灯常亮，连接 / 充电指示灯常亮，车辆不能充电，仪表无任何充电显示。随后打开点火开关，发现仪表没有充电指示灯，车辆可以正常上电，但没有任何充电信息显示，则可以进一步确定存在充电故障（正常充电时，电源指示灯常亮，连接 / 充电指示灯闪烁；在未上电或上电时，车辆仪表上都会有充电指示灯点亮，并显示充电电流、电压等信息）。

由以上检测结果得出该车辆还一直处于等待充电的状态，所以车辆与充电设备还没有进行充电连接确认。接下来判断相关保险是否损坏，根据电路图（图 8-1-2）确定慢充唤醒熔丝为 FB22 号保险，在车辆熔断器里面找到并拔下该保险对其阻值进行测量，其阻值为 0.2Ω，保险正常。

随后在充电枪锁止按键弹起与按下两种状态下分别测量充电设备车辆端 CC 脚与 PE 脚之间的电阻值（图 8-1-3），电阻值均为∞，则确定充电枪存在故障（正常情况下，锁止按键在弹起的状态应该是 680Ω 左右）。

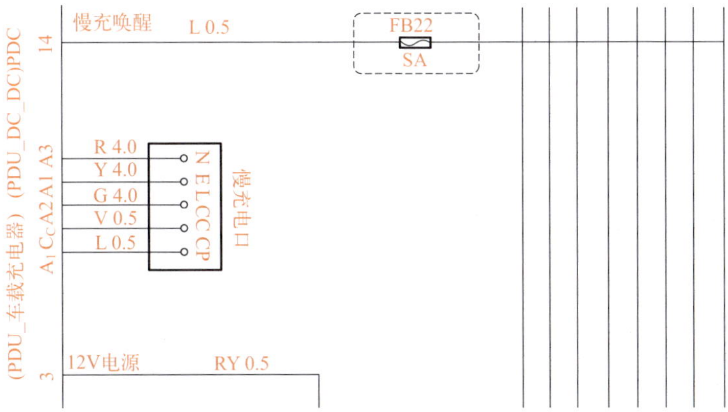

图 8-1-2 车载充电机唤醒信号电路

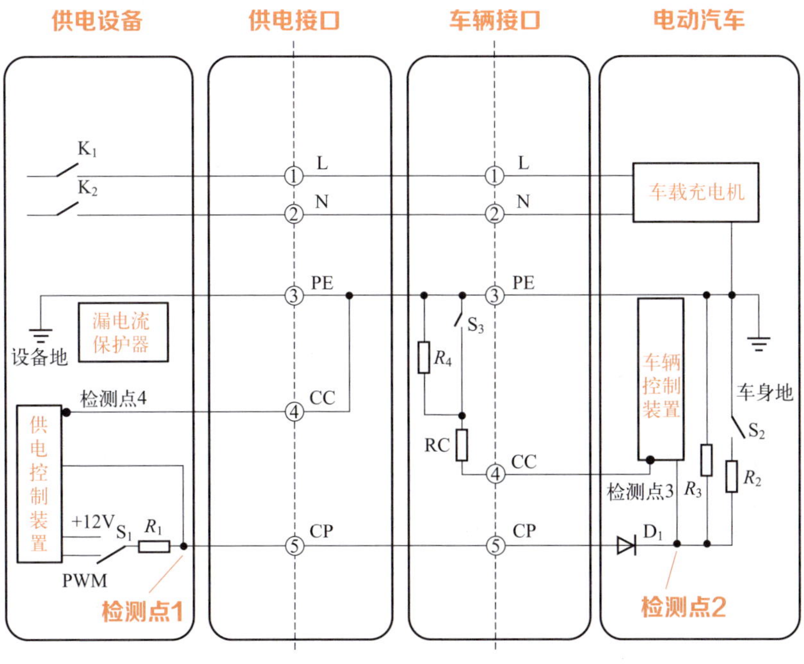

图 8-1-3 充电连接电路

测量充电机工作线束的电阻情况，测得其阻值都小于 0.5Ω，则线束正常。

综上诊断结果，确认为随车充电枪损坏，经过仔细观察发现充电枪上的按钮在按下和回弹的过程中有严重卡滞现象，因此造成电气开关故障。随后更换新的随车充电设备，重新对车辆进行充电。车辆在未上电的状态下，仪表能够正常显示充电信息；车辆在上电状态下，无故障指示灯点亮，充电指示灯常亮，故障排除。

8.2 交流充电故障

8.2.1 无法用交流模式充电

（1）车辆信息

车型：奔驰 EQC350 纯电动汽车。行驶里程：29346km。

（2）故障现象

车辆交流充电接口无法充电，但直流充电功能正常。

（3）故障诊断与排除

❶ 使用新能源汽车诊断仪读取故障码。使用交流电充电时发现充电枪无法锁止，交流电充电插座上的锁止 / 解锁 LED 指示灯呈白色闪烁，说明存在故障。

连接新能源汽车诊断仪读取故障码，交流充电装置 N83/11 设置了两个故障码（图 8-2-1）。

P0DA000：传感器“车辆内置充电器充电电缆锁止”对地短路。

P0D5A00：接触插座与充电电缆之间的接触识别传感器存在偶发性功能故障。

N83/11-充电装置(SG-LG)

型号	零件号	供货商	版本
硬件	000 901 72 10	Panasonic	18/46 000
软件	000 902 56 42	Panasonic	18/34 000
引导程序软件	---	---	17/25 000
诊断标识	004009	控制单元型号	OBL222_7Kw_Var_004009_Gen3

故障	文本	状态
P0DA000	传感器“车辆内置充电器充电电缆锁止”对地短路	A+S

事件	文本	状态
P0D5A00	接触插座与充电电缆之间的接触识别传感器存在偶发性功能故障	S

S=已存储，A+S=当前且已存储

图 8-2-1　奔驰 EQC350 充电系统故障码

❷ 导致故障的故障原因有：

a. 高电压交流充电器 N83/11 软件故障；

b. 高电压交流充电器 N83/11 电气故障；

c. 交流充电插座 G10/4 电气故障；

d. 交流充电插座 G10/4 与高电压交流充电器 N83/11 之间的线路故障。

❸ 检查高电压交流充电器 N83/11 软件是否需要升级，未发现新软件。

❹ 拆检 G10/4 交流充电插座，发现 G10/4 与 N83/11 之间线路中的电动锁止装置促动电机的 3 根线已挤压变形、破损（图 8-2-2）。

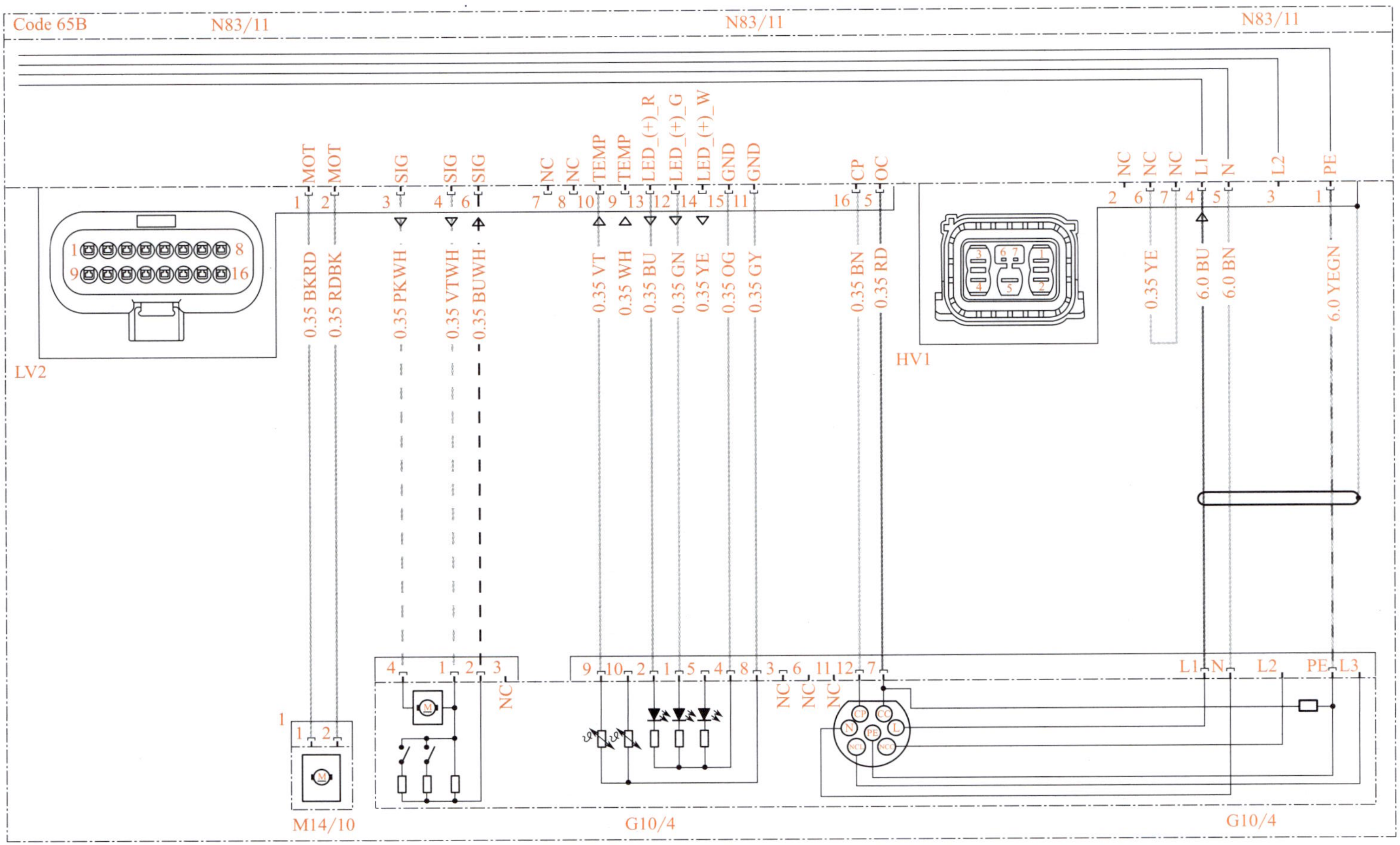

图 8-2-2 交流充电器电路

N83/11—高压动力电池的交流充电器；G10/4—交流充电车辆插座；M14/10—充电口盖锁促动器

修复损伤的电动锁止装置促动电机线束，交流充电恢复正常，故障排除。

8.2.2　交流充电指示灯常亮

（1）车辆信息

车型：比亚迪 E5 纯电动汽车。行驶里程：129231km。

（2）故障现象

车辆无法正常上电，“OK”指示灯熄灭且充电指示灯点亮。插上充电枪充电，车辆仪表盘上红色的充电指示灯依旧点亮，车辆无法正常进行慢充。

（3）故障诊断与排除

❶ 使用新能源汽车诊断仪读取故障码。使用新能源汽车诊断仪读取 BMS 模块，未读取到故障码存储。读取 BMS 充电时的相关数据流，显示“充电不允许，无电感应交流且充电接触器不吸合”。

车辆处于正常交流充电（慢充）模式状态时，双向逆变充放电式电机控制器（VTOG）会首先检查交流充电口的充电连接确认信号（CC），以及控制引导信号（CP）。当确认完成物理连接后唤醒电池管理系统（BMS），再由 BMS 控制车载充电机进行充电。此时，控制接触器 K3 闭合，开始充电。

❷ 检查故障。

a. 在断电状态下，测量充电枪 CC 端子口与 PE 端子之间电阻值为 680Ω，正常，排除充电枪本身故障。

b. 连接车辆充电枪与插座，关闭点火开关，测量 B28（A）插接器 13 端子与搭铁之间的电阻小于 1Ω，而正常值应大于 10kΩ，此测量值表示存在短路故障（图 8-2-3）。

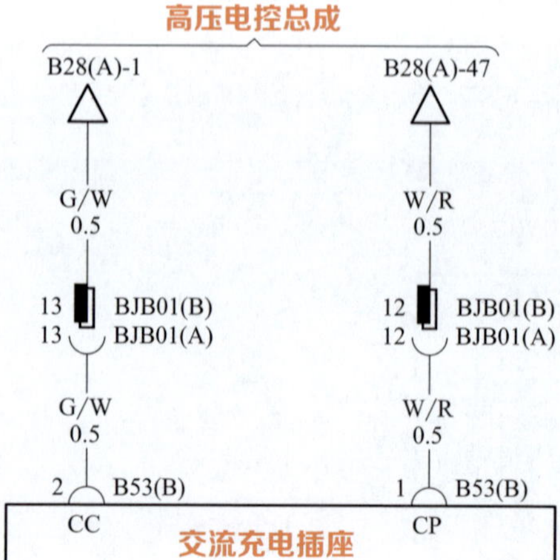

图 8-2-3　比亚迪 E5 交流充电口控制电路

c. 断开 BJB01 插接器，测量 BJB01（A）插接器 13 号端子与搭铁之间的电阻小于 1Ω。由此判断短路点位置在交流充电插座到 BJB01（A）插接器之间的线路上。

d. 断开 B53（B）插接器，测量交流充电插座 CC 与 PE 端子之间的电阻大于 10kΩ，交流充电插座内部无短路。

至此，确定短路位置位于 B53（B）插接器至 BJB01（A）插接器这段线束上。

更换损坏的换线束后，故障排除。

8.2.3 充电插座线束故障

（1）车辆信息

车型：奥迪 C-BEV 纯电动汽车。行驶里程：22376km。

（2）故障现象

插入交流充电枪后，充电指示灯呈现绿色呼吸状态并持续数秒后变成白色呼吸状态，此后再次在绿色和白色状态切换，直到约 1min 后指示灯变成红色，充电失败。

仪表提示充电系统故障，如图 8-2-4 所示。

图 8-2-4　仪表提示充电系统故障

（3）故障诊断与排除

更换充电桩也无法给车辆充电，其他车辆可以通过充电桩充电，说明充电桩正常。

使用诊断仪读取数据流，如图 8-2-5 所示。

检测交流充电插座（表 8-2-1）

因此，车辆的充电插座 N 与车载充电器连接端 PIN2 导通，充电插座 L3 与 PIN5 导通，故障由此产生。

正常车辆充电插座 L3 接车载充电器连接端 PIN2，充电插座 N 接车载充电器连接端 PIN5（图 8-2-6）。

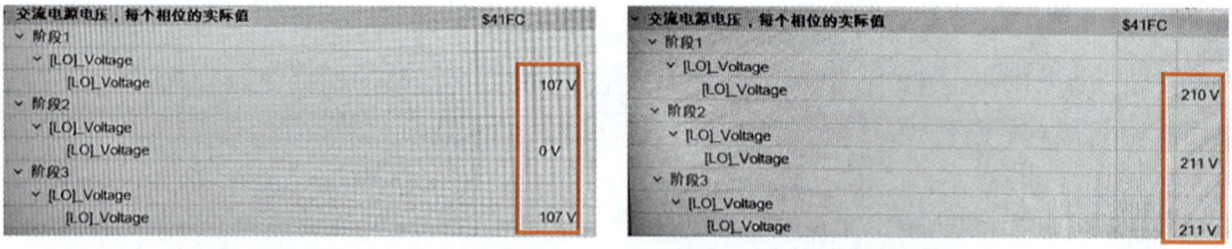

(a) 故障车交流电源电压测量值异常，正常车交流电源电压测量值正常

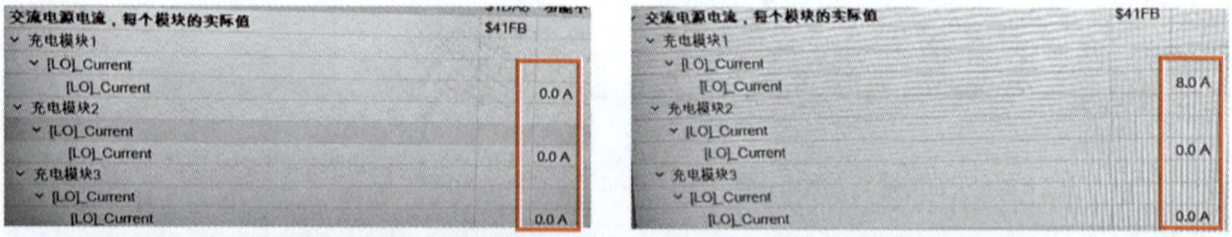

(b) 故障车交流电源电流测量值异常，正常车交流电源电流测量值正常

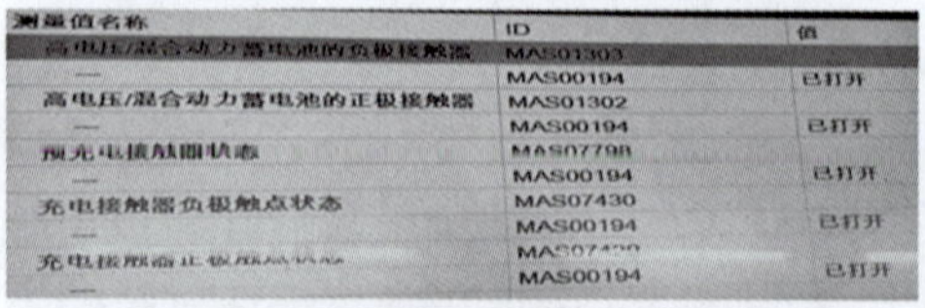

(c) 故障车交流指示灯由绿色闪烁变为白色闪烁，接触器由闭合变为打开

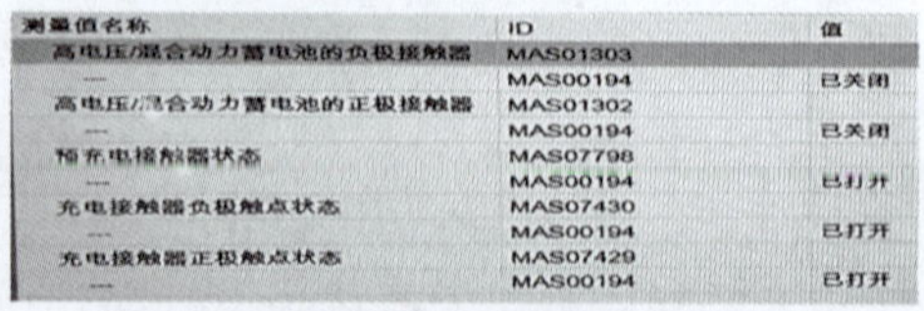

(d) 正常车交流指示灯一直绿色闪烁，接触器一直闭合

图 8-2-5　奥迪 C-BEV 交流充电系统数据流

表 8-2-1　检测交流充电插座

测量点	正常值	测量值
L1 与 N 间电阻	70kΩ	140kΩ
L2 与 N 间电阻	70kΩ	140kΩ
L3 与 N 间电阻	70kΩ	70kΩ
L1 与 L2 间电阻	140kΩ	140kΩ
L1 与 L3 间电阻	140kΩ	70kΩ
L2 与 L3 间电阻	140kΩ	70kΩ
CC 与 PE 间电阻	4.72Ω	4.72Ω

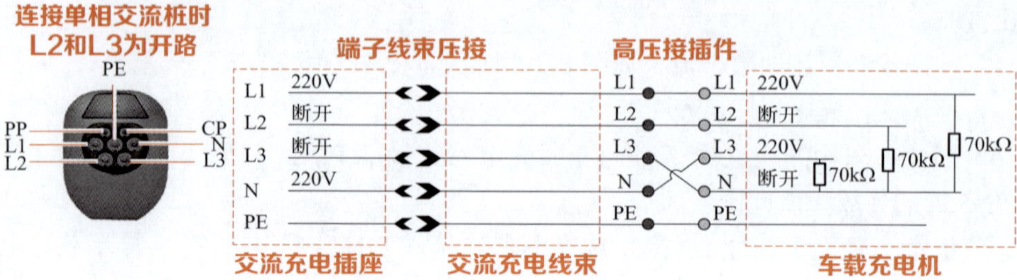

图 8-2-6　车载充电器连接

检测交流充电插座：由于连接单相交流充电桩，因此 L2 与 L3 为断开状态，此时充电机输入端 N 线实际为插座的 L3，因此也是断开状态，L2 电压的测量值为 0（表 8-2-2）。

表 8-2-2　检测交流充电插座

测量点	正常值 /V	测量值 /V
充电机输入端 L1 电压	210	107
充电机输入端 L2 电压	210	0
充电机输入端 L3 电压	210	107

对于 L1 和 L3 相来说，交流电压进入车载充电机后经过全桥整流电路变成脉动直流波，且由于负半桥为断开状态，在一个周期内只有半周期有电压，另一半周期电压为 0，因此其有效值约为 220V 的一半，大约 110V。

交流充电插座线束 L3 相线与 N 线顺序颠倒，导致充电系统故障。

更换交流充电插座线束总成后，故障排除。

8.2.4　交流充电接口传感器故障

（1）车辆信息

车型：大众 ID4 纯电动汽车。行驶里程：44591km。

（2）故障现象

交流接口无法充电，直流接口能正常充电。

（3）故障诊断与排除

使用诊断仪读取故障码：P0E5F00，内容为蓄电池充电器充电插座 1 温度过高，被动 / 偶发（图 8-2-7）。

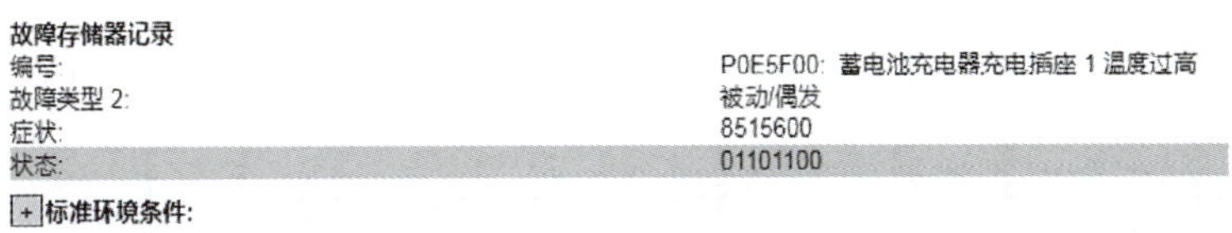

图 8-2-7　大众 ID4 故障码

根据故障码，指向性比较明确，因为在 ID 车型上面 AC 温度传感器区间在 30 ～ 120℃。温度低于 30℃，充电电流会减小，充电指示灯会红绿交替闪烁；如果高于 120℃，将不再充电，充电指示灯为红色。于是读取故障车数据流与正常车进行对比：故障车的温度确实比较高，临近边缘值（图 8-2-8）。

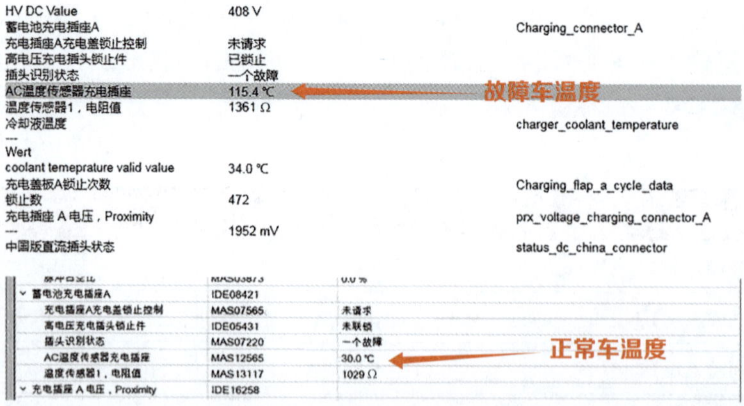

图 8-2-8　大众 ID4 故障车数据流

查询电路图（图 8-2-9），T20/7、T20/8 为温度传感器信号线，在后备厢右侧把充电插口低压过桥线插头拔下来，测试一下充电线的热敏电阻，可以判断线是否有问题。

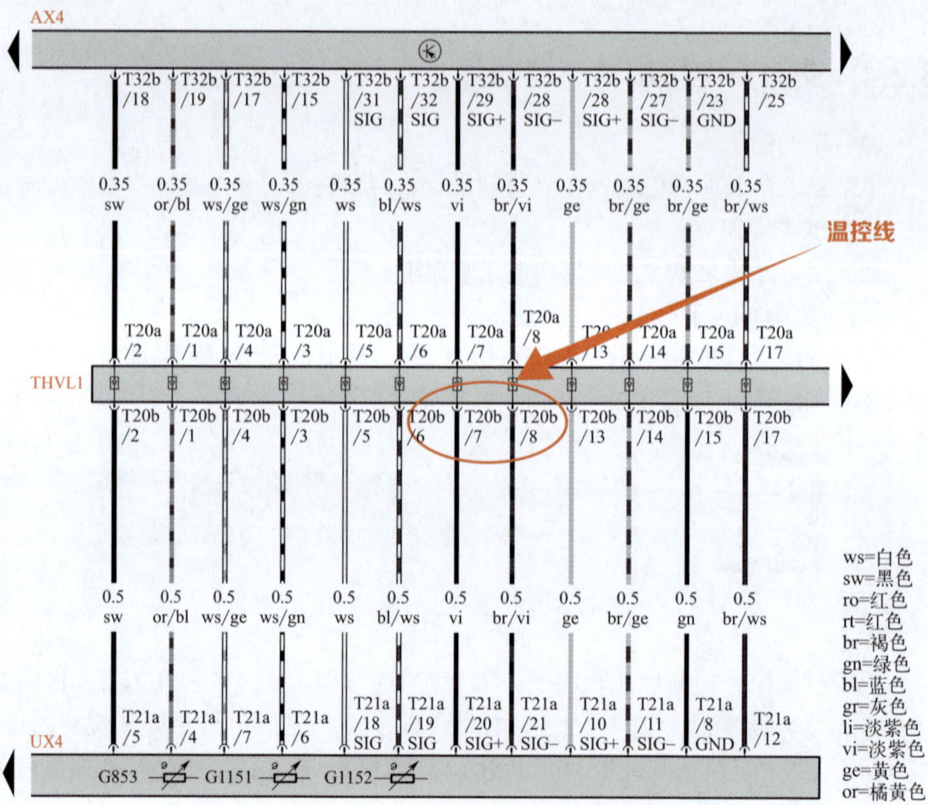

图 8-2-9　大众 ID4 充电系统电路

经测量 T20/7 和 T20/8 之间的电阻值只有 1.36Ω，正常车电阻值应在 1000Ω左右，偏离了正常值。

更换交流充电接口，插枪后充电枪指示灯显示正常，白色指示灯闪烁，处于待充电状态。确认是充电接口中的温度传感器故障导致交流接口无法正常充电。至此，故障排除。

扫一扫

视频精讲

8.3 直流充电故障

8.3.1 直流桩无法充电

（1）车辆信息

车型：比亚迪 E5 纯电动汽车。行驶里程：87676km。

（2）故障现象

无法使用直流桩充电。

（3）故障诊断与排除

❶ 使用新能源汽车诊断仪读取故障码，系统无故障码。

❷ 直流充电时仪表一直显示充电连接中大概几秒钟后自动断开，在 OK 挡测量直流充电口 CAN 线电压，为 2.5V 左右（因仪表显示充电连接中可排除直流继电器和低压线束电源故障）。

❸ 插枪充电时读取 VTOG 数据流：直流充电目标输入电压为 360V，直流充电实际输入电压为 5V，怀疑直流充电桩没有接收到动力电池到高压电控端反灌电压导致车辆无法充电（正常直流充电实际输入电压不低于 360V）。

❹ 拔掉电控端直流充电接插件测量直流充电时高压电控端直流电压为 0，判定为异常。

更换高压电控后使用直流桩充电，车辆可以充电，故障排除。

8.3.2 壁挂式交流充电盒无法充电

（1）车辆信息

车型：比亚迪 E1 纯电动汽车。行驶里程：49127km。

（2）故障现象

使用 7kW 壁挂式交流充电盒充电时跳枪。

（3）故障诊断与排除

使用其他 7kW 交流充电桩测试，故障依旧存在，发现充电 1.5h 后仪表充电灯熄灭时读取充配电三合一报故障码 P157219，内容为直流侧过流。

在充电时使用诊断仪读取数据流，发现交流侧电压由209V瞬间涨到300V左右，再次降到209V。来回升降几次后电压停到300V左右，读取直流侧电流由原先充电时的负5.4A变成正8.1A，车辆跳枪，怀疑是充配电总成内部故障导致。试换充配电三合一后试车，故障排除，确认为充配电总成故障。

8.3.3 充电机无法充电

(1) 车辆信息

车型：广汽GA5REV混合动力汽车。

(2) 故障现象

充电机无法充电。

(3) 故障诊断与排除

❶ 检查12V蓄电池电量是否足够（标准：12.5V）。

❷ 检查充电线是否异常。

a. 家用充电线：

ⓐ 检查下插座有无接地线，如无，则接好地线；经确认，已有地线；

ⓑ 更换充电线（无法测量充电线的故障）。

b. 充电桩用的充电线：用万用表检查充电线的输入端与输出端的线有无导通。如无导通，可确认充电线故障。

❸ 检查与充电机相连接的三条线是否有退针现象。经检查，未有退针现象（图8-3-1）。

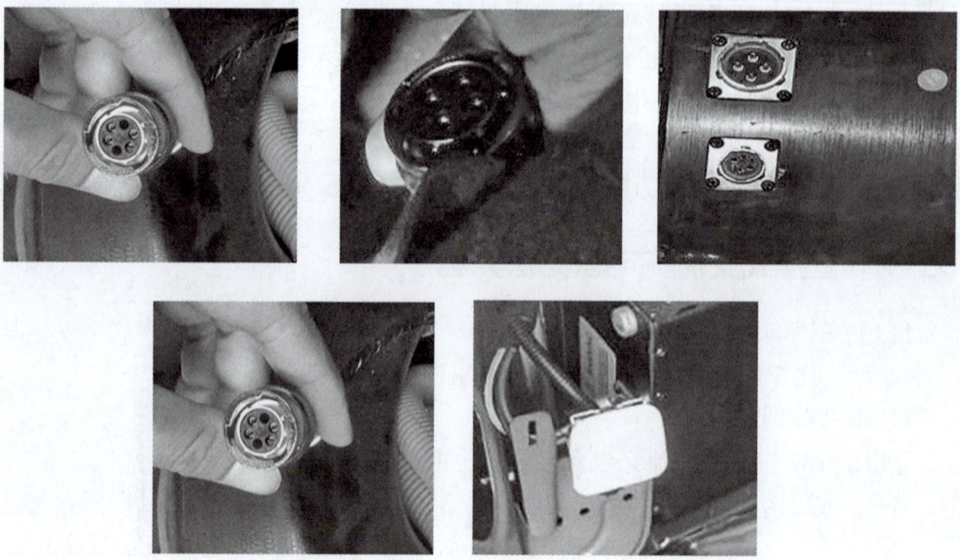

图8-3-1 检查与充电机相连接的三条线

❹ 检查充电开始时充电机输出的12V（由充电盒“黑色的、与线束相连”输出）电压是否唤醒电机控制器/HCU/BMS。可重新连接外接充电，连接后前5s听电池包里有无发出4声“砰”的响声（为电池继电器唤醒后合闸的声音），如有，则已唤醒；如无，则检查充电盒的插接线是否插好、有无退针现象、充电盒是否失效（图8-3-2）。

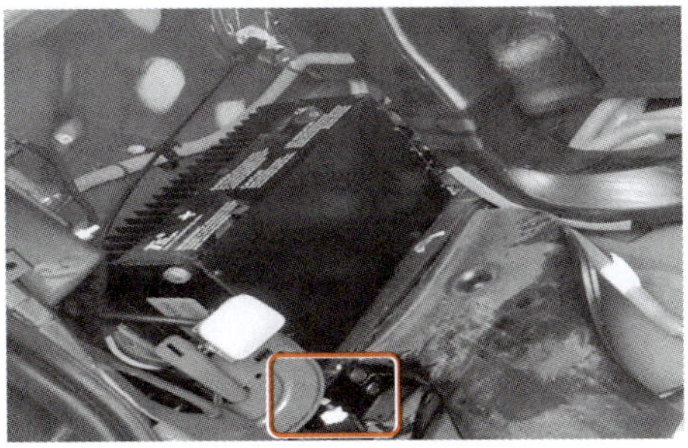

图8-3-2　检查充电盒的插接线

注意：检查充电盒的接插状态，如接插无异常，则更换新的充电盒测试。

❺ 检查充电机外壳接地是否良好（用万用表检测，一端接触充电机外壳，另一端接地。如接地不通，则拆卸充电机上的4个紧固螺栓，用打磨机打磨充电机4个螺栓孔，如接地不良，则拆卸充电机，用砂纸打磨4个紧固螺栓孔）。

❻ 以上方法均未解决无法充电故障，更换充电机，故障排除。

8.3.4　无法使用直流充电

（1）车辆信息

车型：大众ID4纯电动汽车。行驶里程：46124km。

（2）故障现象

仪表报警提示：充电插座失灵，请去维修站。直流充电桩不能进行充电，用交流充电桩可以进行充电。

（3）故障诊断与排除

用交流充电桩充电正常，用直流充电桩充电，刚一启动充电立刻停止，红色LED灯持续亮起（图8-3-3），表示充电系统有故障，充电过程未开始或者已中断。换车用直流充电桩可以进行充电，可以排除充电桩问题。

图8-3-3　红色LED灯持续亮起

使用 VAS6150 诊断仪检测，00C6- 高电压蓄电池充电装置有故障码 C1249F4，内容为功能限制。

由于充电基础设施造成过多唤醒呼叫（图 8-3-4）。

P1D9E00：充电插座 A 温度传感器 DC 负极超过了温度坡度线。

P1CF300：DC 温度传感器充电插座 A 不可信数值，主动 / 静态。

其中 P1CF300 故障码无法清除。

故障存储器记录	
编号:	P1CF300: DC 温度传感器充电插座 A 不可信数值
故障类型 2:	主动/静态
症状:	14750753
状态:	00101111
故障存储器记录	
编号:	P1D9E00: 充电插座 A 温度传感器 DC 负极 超过了温度坡度线
故障类型 2:	主动/静态
症状:	14750764
状态:	00101111

图 8-3-4　大众 ID4 充电系统故障码

读取数据流显示“一个故障”和“充电插头 - 插入”，说明充电桩与车辆已经确认连接，排除线路问题，交流充电与直流不一样，直流车辆无锁止装置，所以不显示已锁止（图 8-3-5）。

Wert		
HV DC Value	408 V	
蓄电池充电插座A		Charging_connector_A
充电插座A充电盖锁止控制	未请求	
高电压充电插头锁止件	已锁止	
插头识别状态	一个故障	
AC温度传感器充电插座	30.0 ℃	
温度传感器1，电阻值	1081 Ω	
冷却液温度		
---		charger_coolant_temperature
Wert		
coolant temeprature valid value	23.0 ℃	
充电盖板A锁止次数		Charging_flap_a_cycle_data
锁止数	1597	
充电插座 A 电压，Proximity		prx_voltage_charging_connector_A
---	1945 mV	
中国版直流插头状态		status_dc_china_connector
---	充电插头的状态为未插入	

(a) 充电插头的状态为未插入

蓄电池充电插座A		Charging_connector_A
充电插座A充电盖锁止控制	未请求	
高电压充电插头锁止件	未联锁	
插头识别状态	一个故障	
AC温度传感器充电插座	30.0 ℃	
温度传感器1，电阻值	1064 Ω	
冷却液温度		charger_coolant_temperature

Wert		
coolant temeprature valid value	14.0 ℃	
充电盖板A锁止次数		Charging_flap_a_cycle_data
锁止数	4982	
充电插座 A 电压，Proximity		prx_voltage_charging_connector_A
---	4635 mV	
中国版直流插头状态		status_dc_china_connector
---	充电插头已插入状态	

(b) 充电插头的状态为插入

图 8-3-5　充电插头的状态

读取到 DC 温度时发现传感器 2 温度相对传感器 1 较高，不正常（图 8-3-6）。

DC温度传感器充电插座		Charging_connector_temperature_dc
直流充电插座（传感器 1）的温度	13.4℃	
直流充电插座（传感器 2）的温度	110.0℃	
蓄电池充电插座A故障统计		Charging_connector_A_cycle_data
锁止数	119	

图 8-3-6　直流充电插座传感器的温度

检查 CC1 与 PE 电阻为 981kΩ，S+ 与 S- 阻值为 120.3Ω，CC2 与 PE 电压 11.42V，均符合标准值（图 8-3-7）。

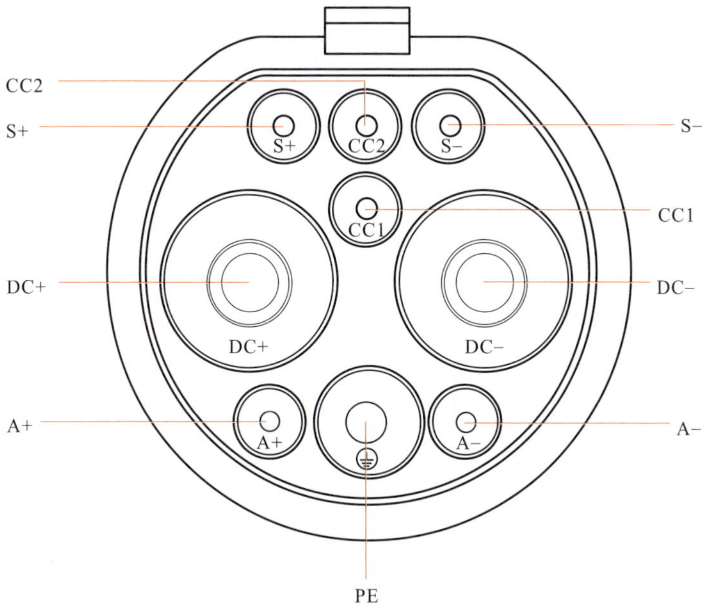

图 8-3-7　直流充电插口

根据电路图针脚定义（图 8-3-8），测量温度传感器 T20B/13 针脚为 HV 正极温度传感器信号；T20B/14 脚为 HV 负极温度传感器信号；T20B/17 脚为公用接地。两个传感器是并联的， PTC 是正温度系数的热敏电阻，温度越高，电阻越大，超过 90℃就不会进行充电了。测量 T20A/13 和 14 针脚电压，为 3.5V 左右，正常，说明充电机传感器输出信号没问题。单独测量 G1151 电阻为 1.077kΩ，G1152 为 1.081kΩ，断开充电座与充电机连接过渡插头，读取数据流，DC 温度都显示 160°，说明充电接收信号正常，判断是充电座问题。

更换充电座总成后，故障码变成 P1CF300，内容为 DC 温度传感器充电插座 A，不可信数值，为偶发故障，充电正常，故障排除。

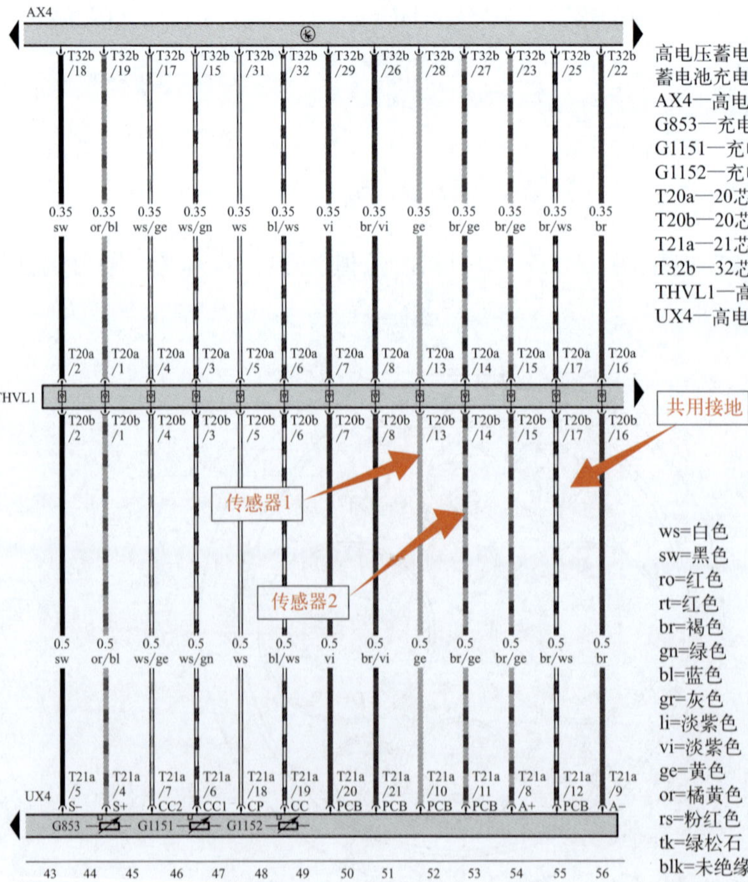

高电压蓄电池充电装置1，高电压蓄电池充电插座1
AX4—高电压蓄电池充电装置1
G853—充电插座1的温度传感器
G1151—充电插座2的温度传感器1
G1152—充电插座3的温度传感器1
T20a—20芯插头连接
T20b—20芯插头连接
T21a—21芯插头连接
T32b—32芯插头连接，黑色
THVL1—高电压充电插座连接位置1
UX4—高电压蓄电池充电插座1

ws=白色
sw=黑色
ro=红色
rt=红色
br=褐色
gn=绿色
bl=蓝色
gr=灰色
li=淡紫色
vi=淡紫色
ge=黄色
or=橘黄色
rs=粉红色
tk=绿松石
blk=未绝缘

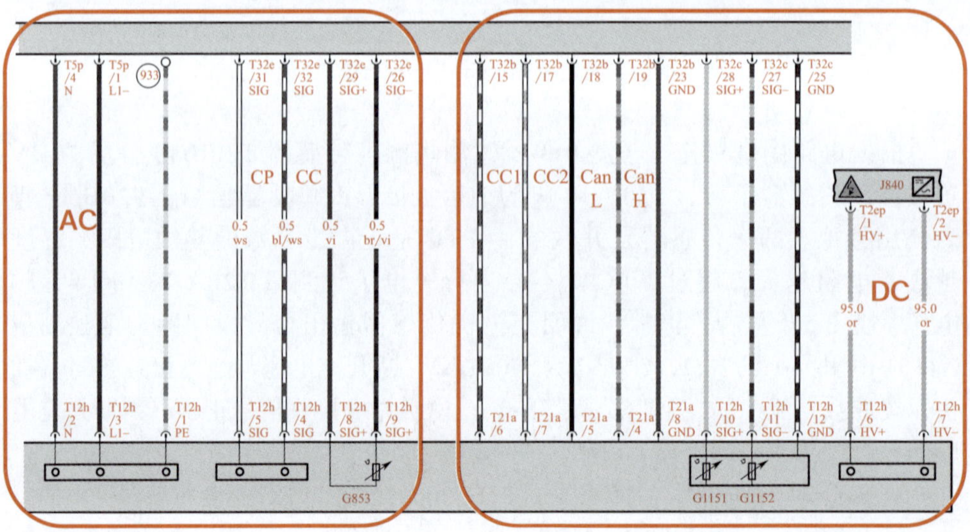

图 8-3-8　大众 ID4 充电座总成电路

8.3.5 充电插座失灵

（1）车辆信息

车型：大众 ID4 纯电动汽车。行驶里程：9800km。

（2）故障现象

插上交流 AC 充电插头，插座的指示灯常亮红色，在充电墙盒上刷卡无法充电。车内 MIB 屏幕显示“充电插座失灵，请去维修站”。

（3）故障诊断与排除

使用 7kW 交流充电墙盒给车辆充电，插上充电插头后，插座指示灯常亮红色，无法进行充电；使用直流充电桩可以正常给车辆充电，所以充电故障仅仅是在 AC 交流充电这一部分。

使用诊断仪读取故障码，C6- 高电压蓄电池充电器报故障码（图 8-3-9）。

P1CB000：AC 温度传感器充电插座 A 电气故障，静态，且故障无法删除。

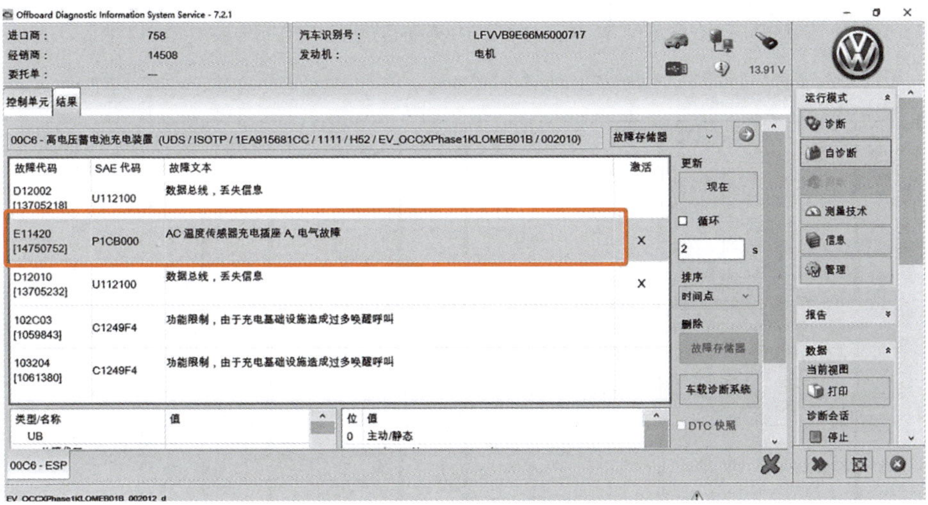

图 8-3-9 大众 ID4 AC 交流充电系统故障码

根据故障码内容初步判断有下列几个可能的故障点：

❶ AC 交流充电插座的温度传感器故障；

❷ 充电插座与 AX4 高压电池充电器之间的线路故障；

❸ AX4 充电器内部故障。

按照 ODIS 诊断程序的检测计划进行功能引导，读取到蓄电池交流电充电插座温度传感器的温度为 160.0℃，额定值为 -50 ～ 100℃（图 8-3-10）。G853 传感器温度值明显不在正常范围内，且充电插座当前不存在高温，该温度值是一个故障错误值。

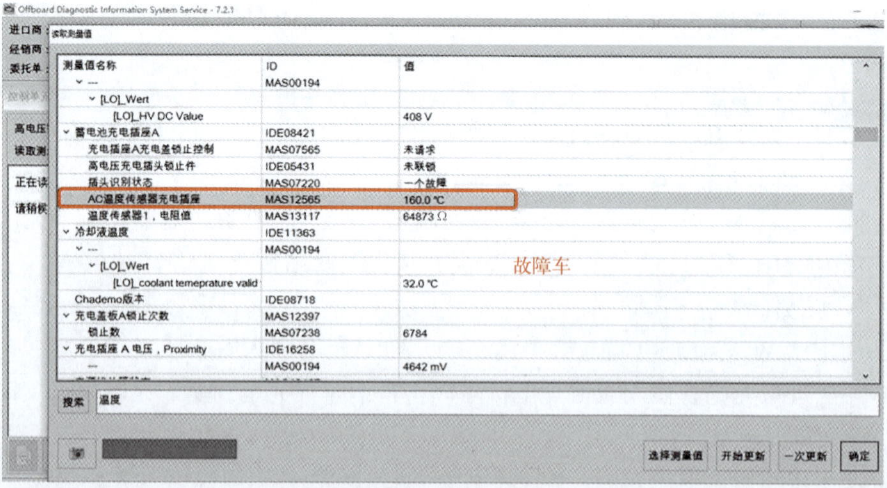

图 8-3-10　大众 ID4 故障车数据流

查询 ID4 维修手册的电路图（图 8-3-11），找到 G853 传感器的电路。

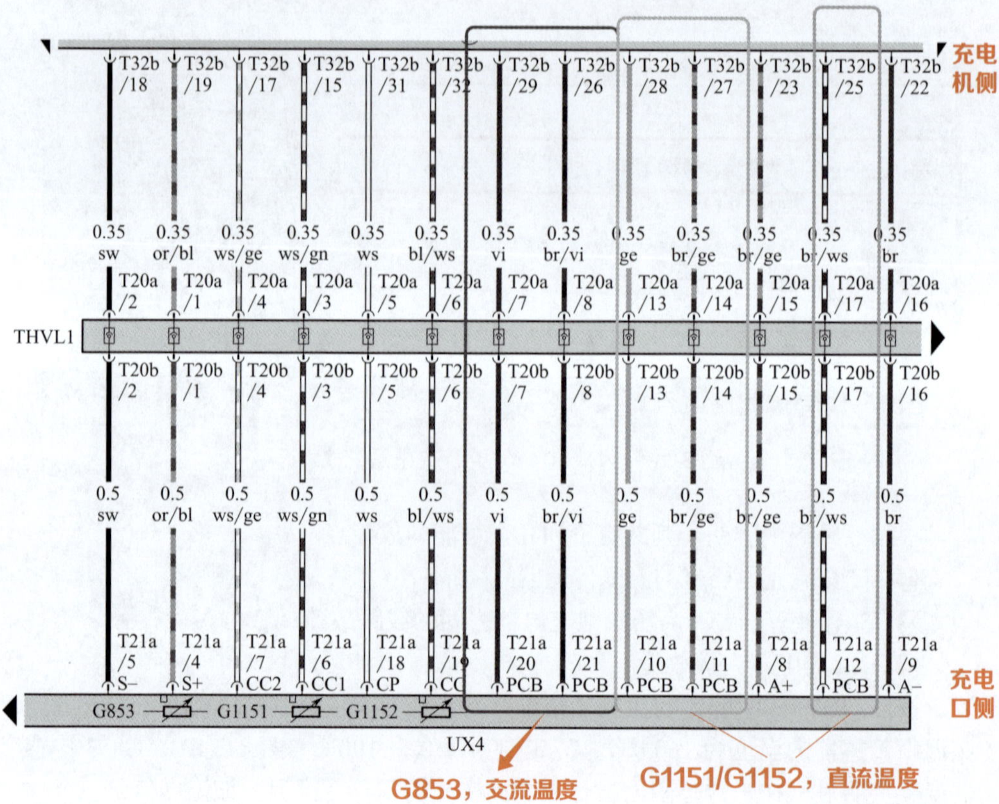

图 8-3-11　大众 ID4G853 传感器电路

先给车辆执行高压电断电，拔下 SB 熔断器里散热器风扇的熔丝，连接 VAS6150E 诊断仪，打开点火开关，挂入 P 挡，启用 SFD 诊断保护之后，8C 控制单元引导功能点选“实现高压断电”并执行，按照步骤提示把断电证明状态填入检测报告，例如仪表断电显示符号、TW 先导线插座的断开、各个高压电单元的测量值、使用 VAS6558A 进行验证等操作信息。成功断电后，拔下高压电池 A19 充电器的接插件。交流温度传感器充电插座和 AX4 充电器之间有一个连接插件 T20b，在后备厢右侧饰板内找出该接插件，拔开插头，万用表测量充电插座侧 T20b/7 和 T20b/8 之间的电阻，测到的电阻值是 451.8kΩ。

同样测量试驾车 T20b/7 和 T20b/8 之间的电阻，电阻值为 1kΩ。故障车的 G853 温度传感器电阻过大。

更换充电插座，删除偶发故障后，使用交流充电墙盒对车辆进行充电，车辆恢复了正常充电，故障排除。

注意：拆下插座扭开插座后盖，发现 G853 温度传感器已经烧蚀，但插座的接触电极并没有高温烧蚀变色的痕迹。

8.3.6 充电枪无法锁到车上

（1）车辆信息

车型：大众 ID4 纯电动汽车。行驶里程：22123km。

（2）故障现象

车辆无法充电，充电指示灯亮红色（图 8-3-12），充电枪无法锁到车上。

图 8-3-12　充电指示灯亮红色

（3）故障诊断与排除

使用诊断仪读取 C6 故障码，C6 中有很多偶发故障（图 8-3-13）。

P1CB200：充电插座 A 温度传感器 DC 负极，电气故障。

P33E100：充电插座 A，电气故障。

P33E800：充电插座 A，充电插头锁止，机械故障。

P1CF400：充电插座 A，充电插头锁止，卡止。

C1249F4：功能限制，由于充电基础设施造成过多唤醒呼叫。

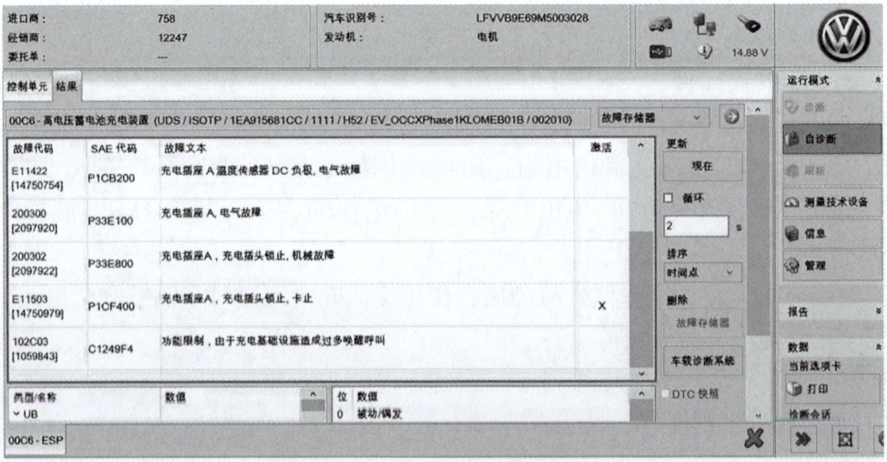

图 8-3-13　大众 ID4 C6 偶发故障码

导致故障的原因：

❶ 高压蓄电池充电装置 AX4 自身损坏；

❷ 高压蓄电池充电插座 UX4 损坏；

❸ 高压充电插头锁止装置 F498 损坏；

❹ 前 3 点之间的线束连接存在故障。

目前车辆可以充电，正常。分析交流充电枪由 CC/CP 信号线共同确定后，充电桩就开始给车辆充电（图 8-3-14）。

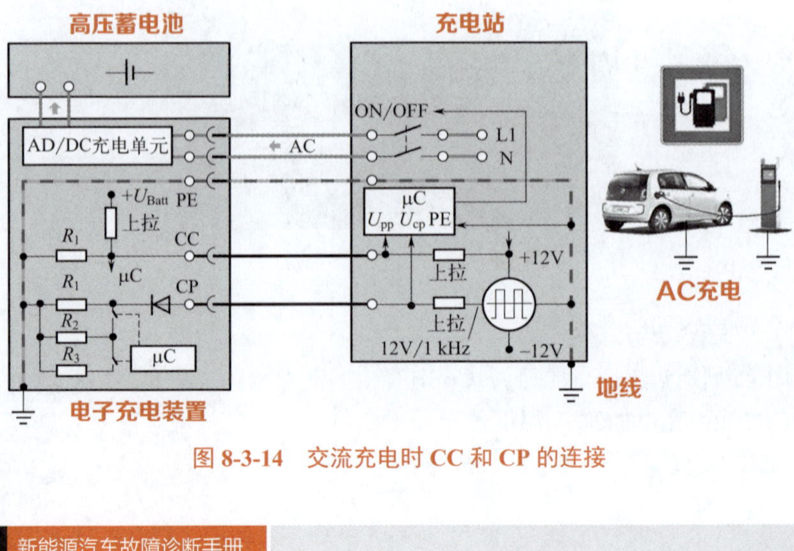

图 8-3-14　交流充电时 CC 和 CP 的连接

读取数据流，不插充电枪和插充电枪时的数据流完全正常，没有问题（图 8-3-15）。

读取测量值

测量值名称	ID	值
˅蓄电池充电插座A控制信号	IDE08423	
频率	MAS02949	0.0 Hz
控制电压	MAS02952	0.0 mV
脉冲占空比	MAS03873	0.0 %
˅蓄电池充电插座A	IDE08421	
充电插座A充电盖锁止控制	MAS07565	未请求
高电压充电插头锁止件	IDE05431	未联锁
插头识别状态	MAS07220	未识别
AC温度传感器充电插座	MAS12565	30.0 ℃
温度传感器1，电阻值	MAS13117	1067Ω
˅充电插座 A 电压，Proximity	IDE16258	
---	MAS00194	4669 mV

(a)

读取测量值

测量值名称	ID	值
˅蓄电池充电插座A控	IDE08423	
频率	MAS02949	1000.0 Hz
控制电压	MAS02952	5774.0 mV
脉冲占空比	MAS03873	52.8 %
˅蓄电池充电插座A	IDE08421	
充电插座A充电盖锁	MAS07565	未请求
高电压充电插头锁	IDE05431	已锁止
插头识别状态	MAS07220	一个故障
AC温度传感器充电	MAS12565	30.0 ℃
温度传感器1，电阻	MAS13117	1067Ω
˅充电插座 A 电压，	IDE16258	
---	MAS00194	1952 mV

(b)

图 8-3-15　大众 ID4 故障车数据流

故障可能是充电组件之间线路虚接问题，经各种路况试车后，把车放在室外，经过 3h 再次充电，故障出现。插枪时的数据流显示充电插座 A 的电压为 1959mV，证明电枪已经插到车上，CC 线没有问题，脉冲占空比为 53% 证明 CP 线也没问题，而电机锁止件 F498 不锁止（图 8-3-16）。

电机锁止件 F498 不锁止有 3 种可能：

❶ F498 和 AX4 之间连接线路上存在故障；

❷ F498 故障；

❸ AX4 故障。

先测量 F498 和 AX4 之间的线路（图 8-3-17）。在扯动 THVL1 插头时 T32B/10 号脚与 T4AK/1 号脚之间不导通，其他针脚正常。查看 THVL1 插头 9

号脚插针松旷，故障确定；处理插头后，试车，故障排除。

读取测量值

测量值名称	ID	数值
˅ 蓄电池充电插座A控制信号	IDE08423	
频率	MAS02949	1000.0 Hz
控制电压	MAS02952	8699.0 mV
脉冲占空比	MAS03873	53.0 %
˅ 蓄电池充电插座A	IDE08421	
充电插座A充电盖锁止控制	MAS07565	未请求
高电压充电插头锁止件	IDE05431	未联锁
插头识别状态	MAS07220	一个故障
AC温度传感器充电插座	MAS12565	30.0 ℃
温度传感器1，电阻值	MAS13117	1067 Ω
˅ 充电插座 A 电压，Proximity	IDE16258	
—	MAS00194	1959 mV

图 8-3-16　插枪时的数据流

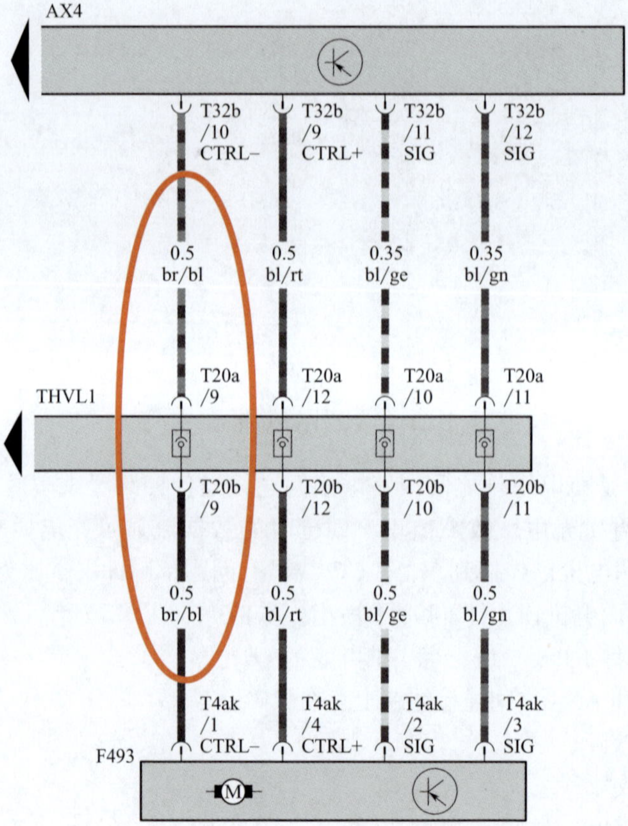

图 8-3-17　大众 ID4 故障车故障位置

8.3.7 开关盒继电器故障

（1）车辆信息

车型：上汽大众朗逸 BEV 纯电动汽车。

（2）故障现象

交流正常充电，但是直流无法充电，MIB 显示屏显示“电力驱动故障，请去维修站”。

（3）故障诊断与排除

车辆交流 / 直流充电口均位于右侧叶子板上，首先插入交流充电，可见绿色充电指示灯在闪烁，表示正在充电中。但是用直流充电口充电过程中，可见黄灯常亮，说明直流充电存在异常。

使用诊断仪读取系统故障码，只有制动助力器记忆故障码 2FF00，内容为控制单元异常，继续运行有故障。

查阅维修记录，在第一次检测时发现 008C- 混合蓄电池管理系统报故障码：P0D0900，内容为蓄电池充电系统正极充电接触器卡在开启位置；P0D1000，内容为蓄电池充电系统负极充电接触器卡在开启位置。针对这两个故障码，厂家有专门的 TPI 指导文件来刷新软件，也按照指导文件对系统刷新之后，两个故障码均不再出现，但是故障现象依旧。

根据直流充电接口各端子和车辆的连接，对直流充电过程进行分析（图 8-3-18）：左侧方框代表充电桩，中间方框代表充电桩与车辆充电的插头，右侧方框代表电动汽车。

具体充电过程如下。

❶ 检测点 1 的电压能确定 CC1 和 PE 是否正常连接，其判定的逻辑是：在电阻 R_1 前端输出 12V 电压，当充电接口没有物理连接时，R_1 和 R_2 串联且 R_2 上端开关 S 未按下处于接通状态。由于 R_1 和 R_2 电阻大小完全相同，此时检测点 1 的电压为 6V，6V 电压说明插头插座未连接；如果需要充电，捏住开关若被打开，则检测点 1 电压为 12V，此为准备连接状态；当插头插座插好后，此时该处电路为 R_2 与 R_4 并联后再与 R_1 串联，由于 R_1、R_2 和 R_4 电阻值均为 1000Ω，因此相当于 R_1 和 500Ω 电阻串联。根据分压的原则，此时检测点 1 的电压为 4Ω，充电桩则认为 CC1 已经正常连接。

❷ 充电桩判断 CC1 连接好之后，控制辅助电源接通 K_3/K_4，给车辆控制器提供辅助电源，由车辆控制器再确认一次插头插座是否正常连接，此时车辆控制器在检测点 2 处的 U_2 输入电压为 12V。如果连接正常，由于 R_5 和 R_3 串联，两者的电阻相同，则检测点 2 的电压为 6V，由此车辆控制器确认 CC2 也连接正常。

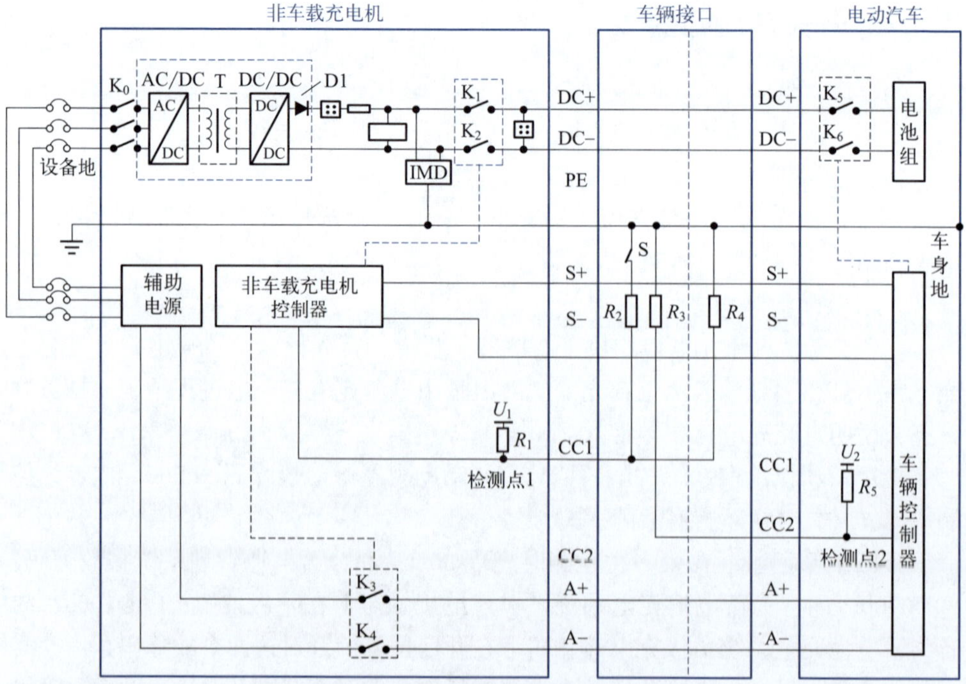

图 8-3-18　直流充电接口各端子和车辆的连接

❸ 充电桩和车辆控制器均确定已经连接好之后，则会通过 S+ 和 S− 进行数据交换，包括充电协议及充电的需求。在充电协议确认无误后，接下来充电桩继续进行下一步的准备工作。

❹ 充电协议确认之后，充电桩闭合 K_1 和 K_2 进行绝缘监测，监测充电桩内部绝缘是否正常，绝缘监测瞬间输出高达 500V 电压。若绝缘监测正常，则对绝缘检测电压进行泄放，断开 K_1 和 K_2，泄放高压电压。

❺ 充电桩绝缘监测的同时，车辆控制器也监测其本身内部的状态，包括外界温度、SOS 电量、电池组是否准备好、电压是否正常、是否能充电等，如果全部准备好，则会闭合 K_5/K_6（也就是 DC+/DC−），当然直流充电时 HV+/HV− 同时闭合。

❻ 车辆控制器监测一切正常，则闭合 K_5/K_6，电池组电压通过 K_5/K_6 引导至充电桩，充电桩检查电池组的电压，是否在充电桩的允许电压范围内（最大电压和最小电压）。如果在允许范围内，则闭合 K_1/K_2，由此充电桩就正常给车辆提供充电服务。

了解充电流程后，再来看看开关盒内部的原理，其左侧 HV+、HV− 为来自交流充电接口经过整流后的输入，对于交流充电，在开关盒里面只需要闭合主正、主负继电器，即可将充电电源直接连接至高压模组的正负极，完成充电的过程。而直流充电则不仅主正、主负继电器闭合，同时还要闭合 DC 正继电器、DC 负继电器，也就是将 DC 正负继电器对应的主正、主负继电器串联后，才能完成直流电源与高压模组的导通，完成充电的过程（图 8-3-19）。

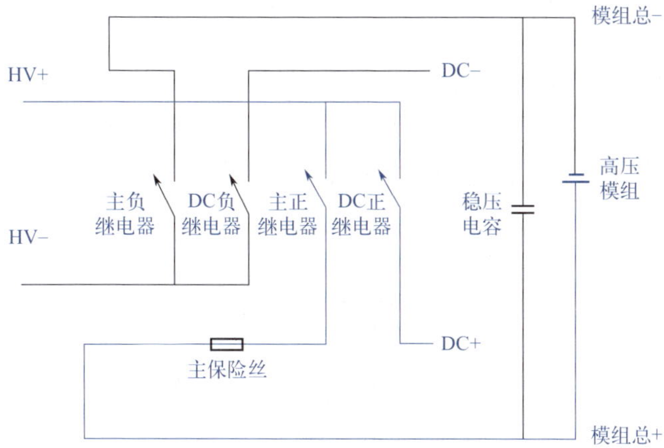

图 8-3-19　开关盒内部电路

根据第一次报的故障码，蓄电池充电系统正极充电接触器以及负极充电接触器卡在开启位置，分不清指向的是主继电器还是 DC 继电器。

可通过数据流检查继电器是否粘连，在未充电且车辆状态未处于 Ready 时观察数据流，此时高电压 / 混合动力蓄电池的负极接触器、高电压 / 混合动力蓄电池的正极接触器均处于已关闭状态，而充电接触器负极触点状态 / 充电接触器正极触点状态则为打开，由此可以证明该负极接触器、正极接触器确实处于粘连状态，导致影响了直流的充电（表 8-3-1）。

表 8-3-1　上汽大众朗逸 BEV 数据流

高电压 / 混合动力蓄电池的负极接触器	已关闭
高电压 / 混合动力蓄电池的正极接触器	已关闭
充电接触器负极触点状态	打开
充电接触器正极触点状态	打开

对于开关盒里继电器故障，需要更换开关盒总成，更换后，试车，故障排除。

8.3.8　直流充电口故障

（1）车辆信息

车型：2020 年款一汽 - 大众宝来纯电动车。

（2）故障现象

车辆使用直流充电时无法充电。

（3）故障诊断与排除

使用诊断仪检查，未发现与高电压蓄电池充电电压控制单元 J966 相关的故障码。

读取数据流，发现充电口插枪后的数据与充电正常车辆插枪后的数据没有区别（图 8-3-20）。仪表板上充电指示灯点亮，说明车辆已经识别到插入的直流充电枪，所以在车辆高电压蓄电池充电电压控制单元内没有故障码。

蓄电池充电插座A	
插头识别状态	未识别
高电压充电插头锁止件	未联锁
插头锁止机构请求	0
插头解锁请求	0
充电插座A充电盖锁止控制	未请求
充电插座A充电盖锁止状态	已锁止
充电插座A充电盖解锁控制	未请求
充电插头最大电流	63 A
AC温度传感器充电插座	9.9 ℃
DC温度传感器充电插座	0.0 ℃
蓄电池充电插座B	
插头识别状态	未识别
高电压充电插头锁止件	未联锁
插头锁止机构请求	0
插头解锁请求	0
充电插头最大电流	63 A
充电插座温度	7.0 ℃

图 8-3-20　插枪后充电控制单元内的数据流

根据直流充电控制导引电路原理图分析（图 8-3-21），电阻 R_2、R_3 及开关 S 安装在直流充电枪内部，电阻 R_4 安装在车辆直流充电插座内部。开关 S 为充电枪内部的常闭开关，当充电枪与车辆直流充电插座完全连接后，开关 S 闭合。同时，直流充电桩内部设计有检测电压 U_1、R_1 和检测点 1，电动汽车充电控制器内部设计要求有检测电压 U_2、R_5 和检测点 2。

R_1 ～ R_5 的阻值都应该是 1.00kΩ 左右，同时检测点 1 上的电压应该在 12V、6V 和 4V 左右变化（表 8-3-2）。

表 8-3-2　直流充电控制导引电路的参数

对象	参数①	符号	单位	标称值	最大值	最小值
非车载充电机	R_1 等效电阻	R_1	Ω	1000	1030	970
	上拉电压	U_1	V	12	12.6	11.4

续表

对象	参数[1]	符号	单位	标称值	最大值	最小值
非车载充电机	测试点1电压	U_{1a}	V	12	12.8	11.2
		U_{1b}	V	6	6.8	5.2
		U_{1c}	V	4	4.8	3.2
车辆插头	R_2等效电阻	R_2	Ω	1000	1030	970
	R_3等效电阻	R_3	Ω	1000	1030	970
车辆插座	R_4等效电阻	R_4	Ω	1000	1030	970
电动汽车	R_5等效电阻	R_5	Ω	1000	1030	970
	上拉电压	U_2[2]	V	12	12.6	11.4
	测试点2电压	U_{2a}[2]	V	12	12.8	11.2
		U_{2b}[2]	V	6	6.8	5.2

① 在使用环境条件下和可用寿命内都要保持精度范围。

② 车辆厂家可自定义。

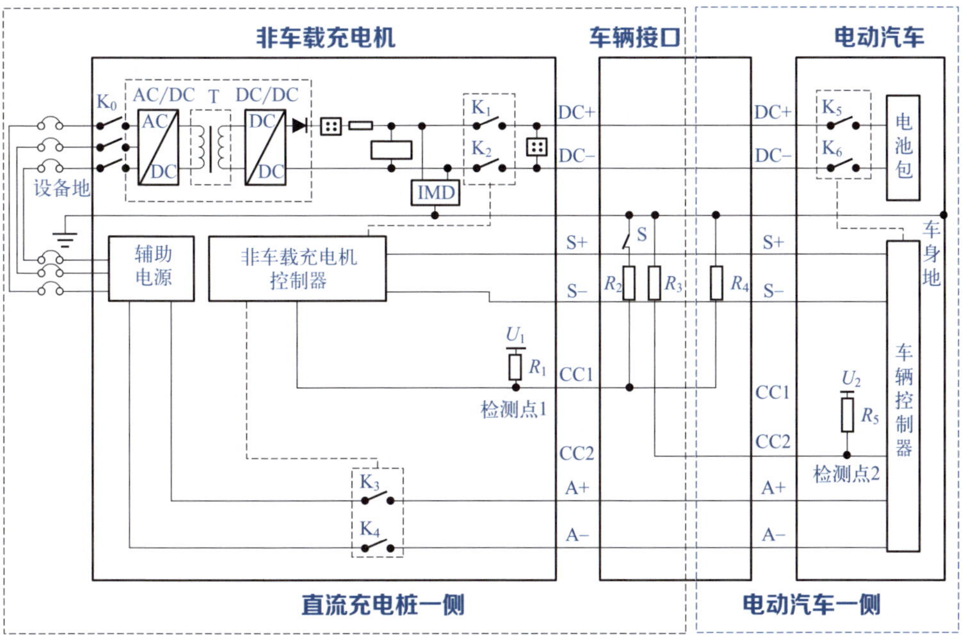

图 8-3-21　直流充电控制导引电路原理

直流充电口的工作原理如下。

❶ 车辆充电控制单元内部。

插枪后，充电枪与车辆连接，车辆充电控制单元内部的 U_2 电压通过 R_5，经过 CC2 口和直流充电枪内部的 R_3 串联，最后通过 PE 搭铁构成回路（图 8-3-22）。

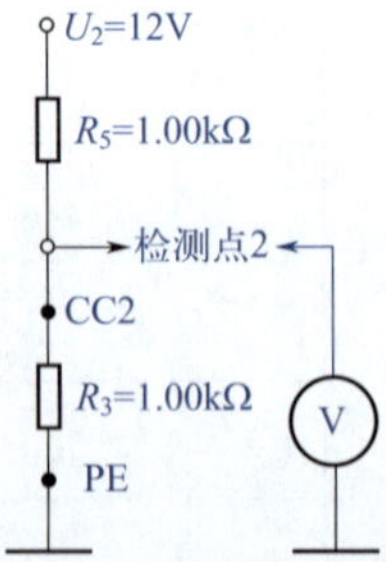

图 8-3-22 直流充电 CC2 控制原理

不插枪时，电路断开，在检测点 2 上测量到的是 12V 电压；插枪后构成串联回路，由于 R_5 和 R_3 都是 1.00kΩ 左右，因此检测点 2 的电压变为 6V 左右。由此车辆识别到充电枪插入，仪表出现充电指示灯提示。拔枪后检测点 2 上的电压又回到 12V，车辆识别到充电枪拔出。

❷ 直流充电桩。

不插枪时，直流充电桩内部的 U_1 电压通过 R_1 与充电枪内部的 R_2 和常闭开关 S 串联，最后通过直流桩搭铁构成回路。直流充电桩检测点 1 设计在 R_1 和 R_2 之间，从其控制原理等效电路原理图可以看出，常闭开关 S 闭合时，构成串联回路（图 8-3-23）。由于 R_1 和 R_2 的阻值都是 1.00kΩ 左右，因此检测点 1 电压在 6V 左右。按下充电枪上的开关 S 时，电路断开，在检测点 1 上测量到的是 U_1 为 12V，因此直流充电桩内的控制器识别到充电枪按钮按下。

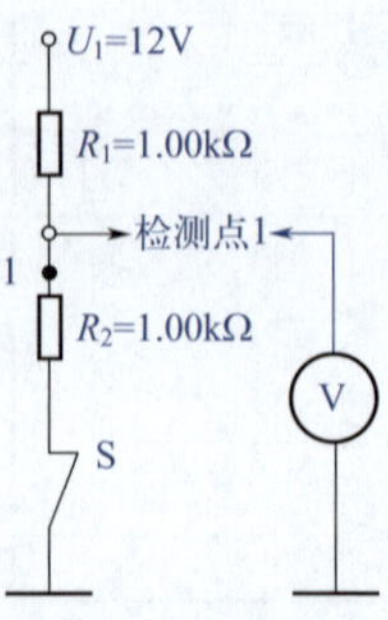

图 8-3-23 不插枪时直流充电 CC1 控制原理

插枪时，车辆直流充电口内部的 R_4 和充电枪内部的 R_2 构成并联，再和直流

充电桩内部的 R_1 构成串联回路。从其控制原理等效电路原理图来看，R_4 和 R_2 的阻值都是 1.00kΩ 左右，因此并联后的电阻阻值是 0.50kΩ，相当于是 0.50kΩ 和 R_1 的 1.00kΩ 串联，此时检测点 1 的电压会变为 4V 左右（图 8-3-24）。直流充电桩通过检测点 1 的电压判断车辆接口完全连接。

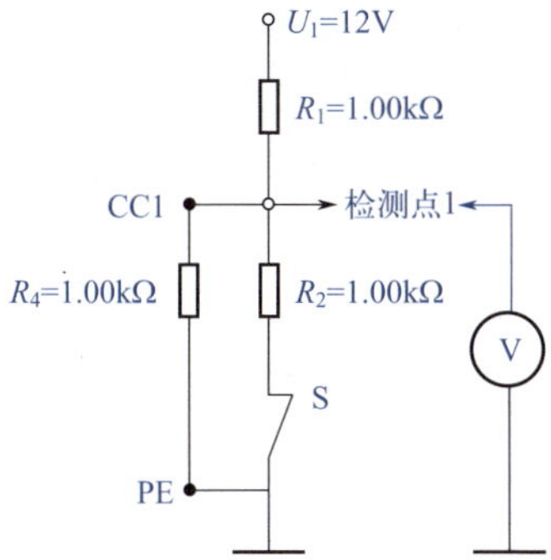

图 8-3-24　插枪时直流充电 CC1 控制原理

对车辆直流充电口上的线路进行检测，CC1 端子和 PE 端子间的电阻测量值为 59.59kΩ（正常值应为 1.00kΩ 左右），异常。

充电枪上的 CC1 与 PE 之间有一个 1.00kΩ 左右的电阻（R_2），并串联一个机械开关 S。按下充电枪上的按钮时，开关 S 断开，检测点 1 的电压为 12V；松开按钮时检测点 1 的电压为 6V，此为未插枪状态下充电桩识别到的正常电压值（图 8-3-25）。

当充电枪插到车上，充电口与充电枪的 CC1 连接后，在开关 S 闭合的情况下，检测点 1 的电压应为 4V，此时充电桩判断与车辆完成连接。但故障车 R_4 的电阻值为 59.59kΩ，这就导致 R_4 和 R_2 的并联电阻为 0.98kΩ，因此检测点 1 的电压基本没有变化，还是 6V 左右，这和未插枪时的电压值基本一致。因此，直流充电桩控制器无法识别出电压变化，所以充电桩上显示“枪未连接，请插枪”。

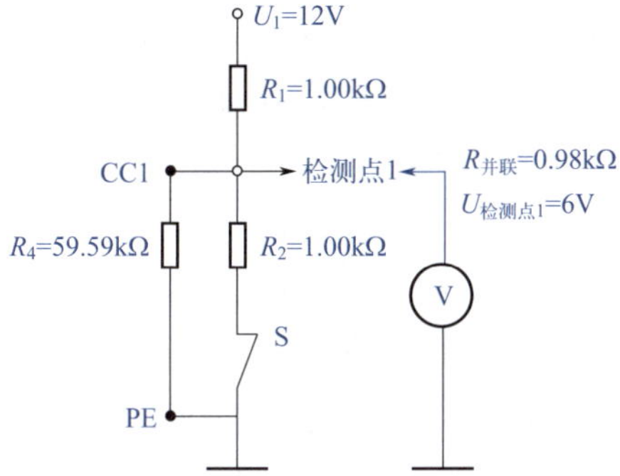

图 8-3-25　故障车插枪时直流充电 CC1 原理

该电阻集成在车辆直流充电口内部，更换充电口总成后，故障彻底排除。

8.3.9 无法上电

（1）车辆信息

车型：2022 年款别克 VELITE 6 畅巡电动汽车。

（2）故障现象

车辆在充电站充电后无法启动。

（3）故障诊断与排除

检查车辆，无加装和改装；低压蓄电池及正负极连接器，车辆高压电池组充电与放电口，机舱线束连接器、高压连接线束插头等连接可靠，外观无异常，无进水痕迹。

使用诊断仪读取故障码，发现 M114B 混合动力 / 电动汽车动力系统控制模块 2 内存在一个故障码 P1B4100，内容为高压系统绝缘故障。

目视检查高压电池组 A4 的高压线束连接器，Y238（高压配电盒）的线束连接器及发动机舱高压线缆及插接件外观，未发现异常，车辆也没有涉水痕迹。

根据故障码分析，蓄电池能量控制模块会对高压电的电流以及绝缘性进行实时检测，如绝缘低，会上报绝缘故障至整车，绝缘电阻小于 250kΩ 就会设置故障码，同时它会检查绝缘电阻检测回路是否存在故障及进行合理性检查。绝缘失效后，为了安全，会禁止车辆进入“Ready”模式。

导致故障的原因：

❶ 相关高压线路故障；

❷ 高压部件绝缘失效；

❸ 连接器故障或配合不良；

❹ 蓄电池能量控制模块故障；

❺ 高压部件进水漏电；

❻ 混合动力 / 电动汽车动力传动系统控制模块 2 故障。

卸了高压电之后，对车辆进行绝缘性能检查：分别测量 X3 的 1/2/3 端子的绝缘，发现 1/2/3 端子的绝缘阻值分别为 0/550MΩ/0，对比正常车，发现 X3 的 1/3 端子绝缘异常（正常车均为 5.4 MΩ）（图 8-3-26）。

根据维修手册的指引，需要对高压部件电气中心的高压配电盒进行测量：打开高压配电盒 K238 盖，依次断开每个配电分支，发现当断开直流快充口高压配电线 DC+ 的时候，车辆的高压绝缘恢复正常为 5.4MΩ（这个绝缘值是逆变器的绝缘值，如果把逆变器断开就会是 550MΩ）（图 8-3-27）。

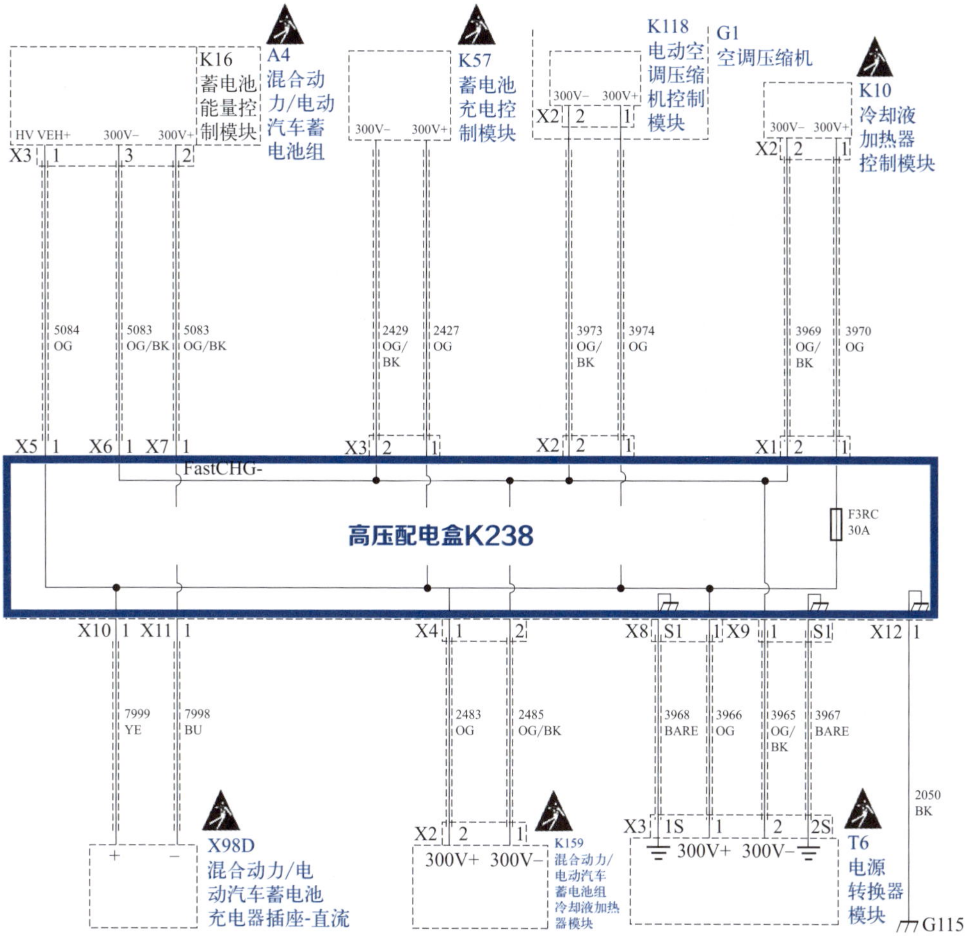

图 8-3-26　别克 VELITE6 畅巡高压系统电路

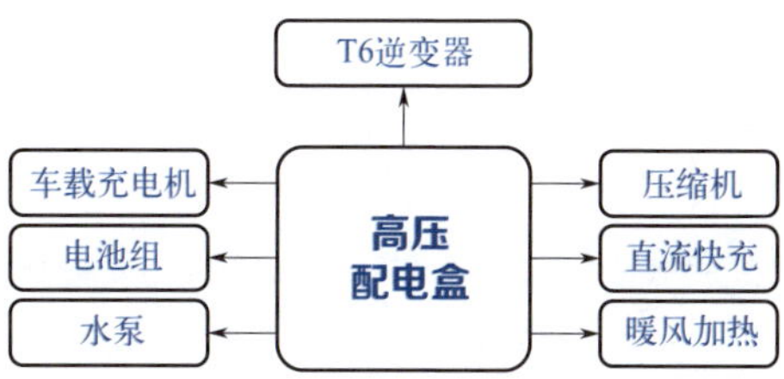

图 8-3-27　高压配电盒 K238 控制示意

使用万用表测量高压直流充电口 DC+ 的绝缘值，为 0，异常。高压直流充电口 DC+ 绝缘失效，直流充电口 DC 线束与充电口是一体的，更换直流充电口总成后，试车，故障排除。

8.4 充电慢故障

8.4.1 充电时间变长

（1）车辆信息

车型：比亚迪宋混合动力汽车。行驶里程：65427km。

（2）故障现象

充电 12h，第二天只充到 40%左右。

（3）故障诊断与排除

车上的随车充电器功率应达到 3.3kW，若动力电池的放电较深，即使剩余电量 SOC 指标只有 20%时，一般经 6h 左右的交流充电，基本能让动力电池充满电。

❶ 使用新能源汽车诊断仪读取数据流。怀疑动力电池的温升过高导致充电慢，检测电池最高温度仅为 28℃，电池组平均温度为 27℃，均在正常的范围内。

❷ 检查故障。

a. 对调随车充电枪充电，故障依旧。

b. 对充电口进行检查，未发现异常。

c. 对随车充电枪进行检查，未发现异常。

d. 对车载充电器圆形插接器检查时，发现 19 孔插接器第 8 针脚有退针现象，造成接触不良（图 8-4-1）。

对圆形 19 孔线束接插件的第 8 号针脚进行复针处理后，并将原随车充电器装回到车上，再进行交流充电，充电功率恢复到 3.2kW 的正常水平，故障排除。

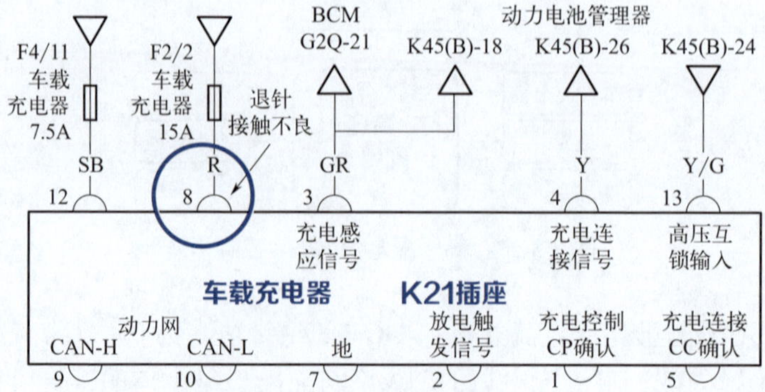

图 8-4-1　车载充电器电路

8.4.2 直流充电功率低

（1）车辆信息

车型：比亚迪宋 PRO DM-i 混合动力汽车。行驶里程：77159km。

（2）故障现象

使用直流充电转接头在直流充电桩上充电的时候充电功率低，从低电量充到高电量的时候最高才能到 7kW。

（3）故障诊断与排除

与正常车辆相比，电量在 60% 左右时充电功率为 17kW，车辆直流充电确实有问题。用交流充电桩测试，充电功率在 3kW 左右，是正常的。

使用诊断仪检查车辆模块，没有需要升级的，再次查看电池管理器里面的电池温度，也无明显异常，对比正常车辆数据也相差不大。

检查充电口连接线束，没有发现异常。查看电路图（图 8-4-2）时发现交流充电口上有两个温度检测点和一个温度检测地；检查交流充电口上的 K82 接插件，无松动、无虚接、无退针的现象；再顺着线束往前排查到右 A 柱下方的地板线束和前仓线束的对插件 KJB03 时，发现地板线束上有一根线断开，根据线的颜色初步判定为温度检测地线，需修复断开的线束。使用万用表电阻挡检查交流充电口 K82/10 端子与 BMS 电池管理器 KJ803/10 端子，为导通，确定为温度检测地线。

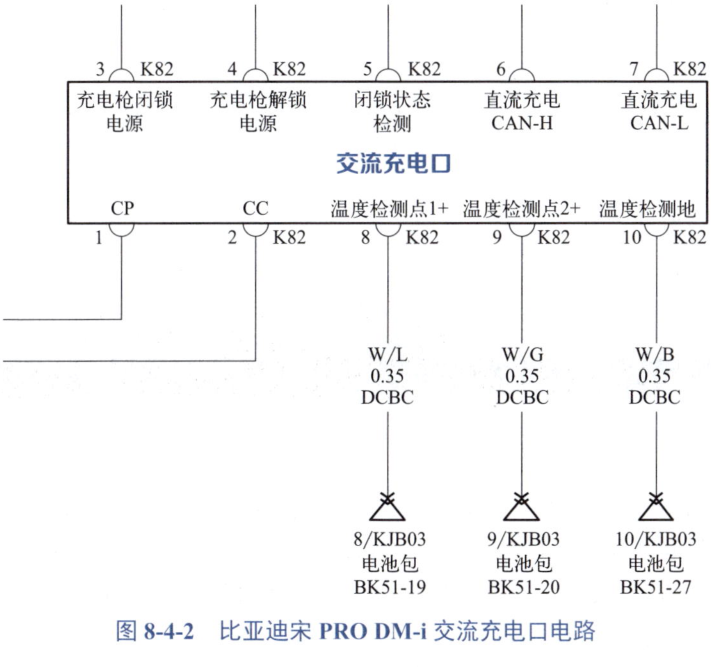

图 8-4-2 比亚迪宋 PRO DM-i 交流充电口电路

修复断开的线束后，再次充电，到直流充电 60% 左右的电量时充电功率可以达到 17.1kW，故障排除。

8.4.3 充电枪故障

（1）车辆信息

车型：2022 年款比亚迪秦 EV 纯电动汽车。

（2）故障现象

检查组合仪表的故障提示，发现正确连接充电枪后，仪表不显示充电连接指示灯和充电指示灯。

（3）故障诊断与排除

使用诊断仪读取故障码，诊断仪与各模块能正常通信，不存在相关的故障码，如图 8-4-3 所示。

图 8-4-3　诊断仪与各模块能正常通信

车辆充电异常是指电动汽车正确连接充电枪或者充电桩后不能正常对车辆充电。车辆充电异常故障现象可以分为车辆仪表不显示充电和车辆仪表显示充电电流小两种。其中仪表一直显示充电电流小一般由于动力电池本身故障导致或者使用车载充电枪型号与原车不匹配导致，如图 8-4-4 所示。

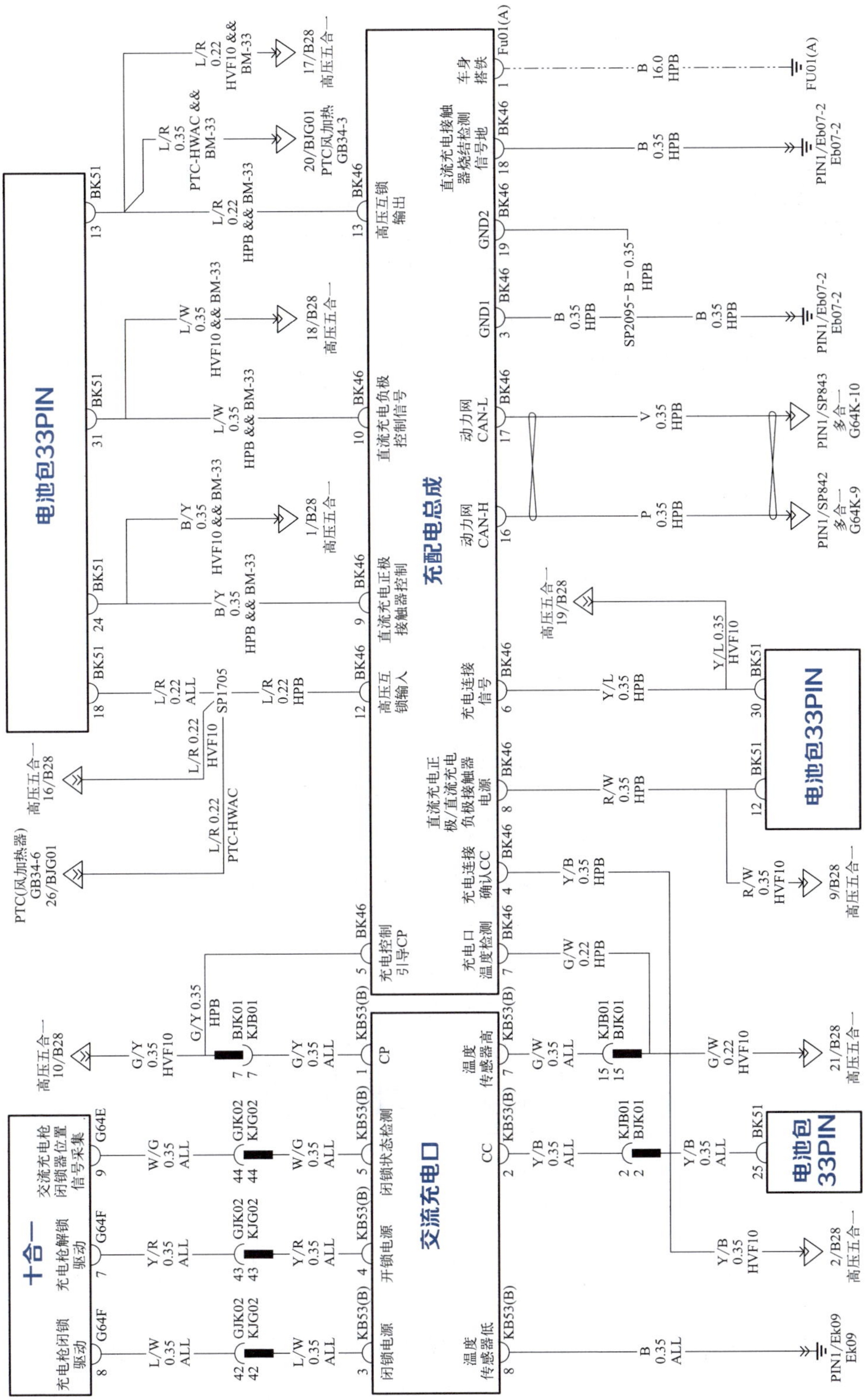

图 8-4-4　充配电总成电路

车辆不能正常充电的原因主要有车辆外部设备故障、车辆 VCU 故障、电池本身故障、通信故障以及相关线路故障，如图 8-4-5 所示。

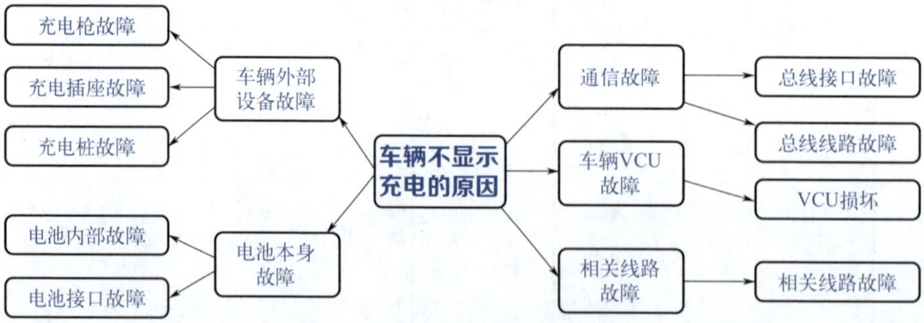

图 **8-4-5** 车辆不显示充电的原因

当车辆发生充电不显示异常故障时，一般遵循故障诊断流程进行排除，如图 8-4-6 所示。

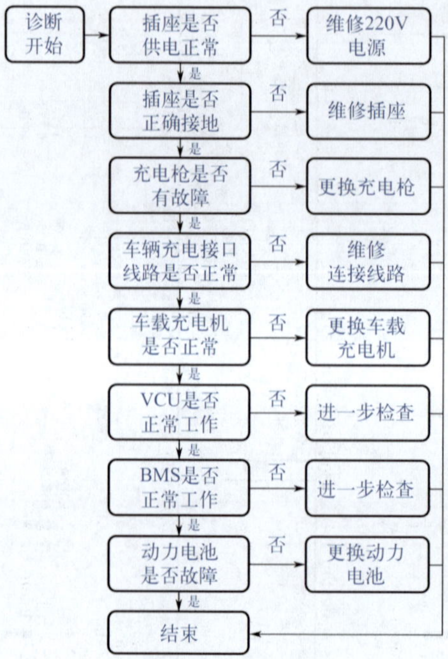

图 **8-4-6** 车辆充电不显示充电的故障诊断

首先进行车外的检查，检查插座是否正常供电，可用万用表检测，如不正常则更换插座。

如果检查充电插座正常，则检查交流充电枪是否有故障。若检查充电枪无故障，则需要检查车辆电控接口线路电压和电阻情况，以判断 VCU 和 BMS 是否有故障，进行下一步诊断和专业检查。

❶ 根据诊断流程对车辆进行故障诊断与排除。

❷ 检查充电连接插座供电，经检查，供电电压正常，为 220V。

❸ 检查充电连接插座接地，经检查，接地正常。

❹ 检查充电枪端子 CP 电压值：拔下交流充电枪，使用万用表 20V 直流电压挡测量，红表笔连接 CP 端子，黑表笔连接 PE 接地端子，电压为 12V，电压正常，如图 8-4-7 所示。

> 注意：充电枪需连接电源。

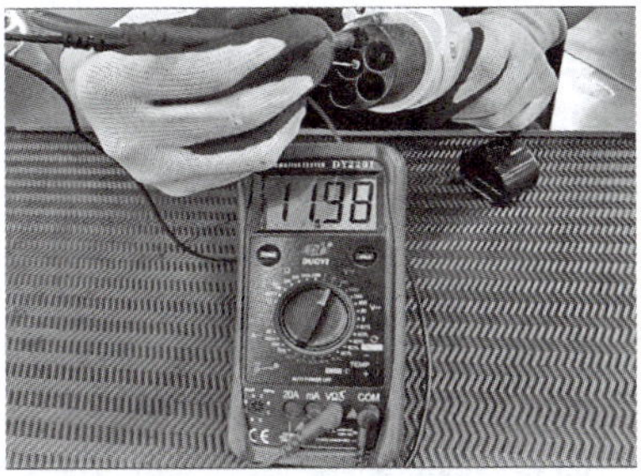

图 8-4-7　检查充电枪端子 CP 电压

❺ 检查充电枪 CC 端子与 PE 接地端子电阻：使用万用表 20kΩ 电阻挡测量，红表笔连接 CC 端子，黑表笔连接 PE 端子，测量值为 1.49kΩ。按下锁止按钮仍然是 1.49kΩ，没有变化，属于不正常现象，正常情况下按下锁止按钮电阻应变大，因此判断充电枪内部损坏，无法产生连接信号，导致出现无法充电现象，如图 8-4-8 所示。

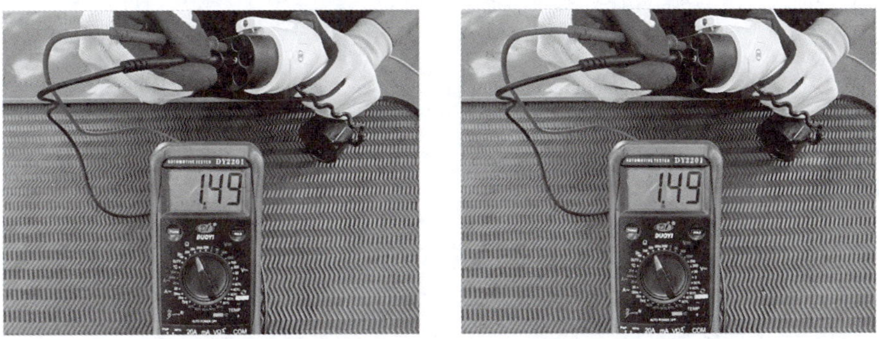

(a) 未按下锁止按钮　　(b) 按下锁止按钮

图 8-4-8　检查充电枪 CC 端子与 PE 接地端子电阻

❻ 更换一把新的充电枪，测量 CC 端子电阻接近 1.52kΩ，按下锁止按钮后电阻为 3.29kΩ，数值正常，如图 8-4-9 所示。

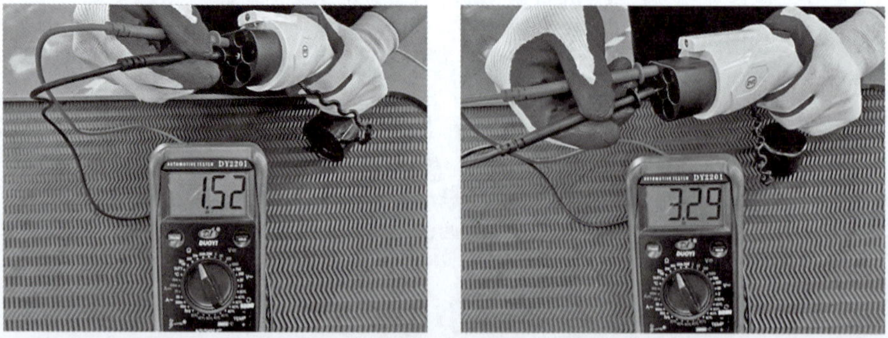

(a) 未按下锁止按钮　　(b) 按下锁止按钮

图 8-4-9　重新检查充电枪 CC 端子与 PE 接地端子电阻

将充电枪重新插入充电口，仪表显示充电信息，正常显示充电连接符号，慢充正常，如图 8-4-10 所示，故障排除。

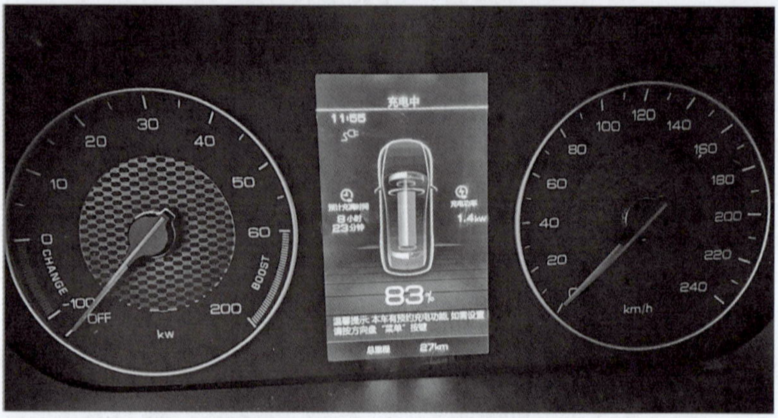

图 8-4-10　仪表显示正常充电

8.5 充电不满故障

（1）车辆信息

车型：比亚迪秦混合动力汽车。行驶里程：65427km。

（2）故障现象

充电的时候只能充到 10%就停止充电。

(3) 故障诊断与排除

❶ 导致故障的原因有：

a. BMS 故障；

b. 仪表故障；

c. BMS 至仪表之间线路异常。

❷ 检查故障。

a. 使用新能源汽车诊断仪扫描系统软件时发现 BMS 和仪表系统有升级提示，将各个系统升级至最新版本后试车，故障依旧。

b. 扫描系统检查各模块时未发现故障，再次测试充电枪，插枪连接后充电数据流均正常，仪表依然显示 SOC 只有 10%，预计充满电时间只有 3min 。

c. 检查 BMS 数据流时发现 SOC 为 100%，怀疑 BMS 故障，与其他车互换后试车，故障依旧。

d. 检查 BMS 至仪表之间的 CAN 线路，未发现异常。

e. 尝试更换仪表，车辆充电正常，故障排除。

8.6 车载充电机故障

(1) 车辆信息

车型：比亚迪秦混合动力汽车。行驶里程：77854km。

(2) 故障现象

车辆无法充电，仪表上无显示。

(3) 故障诊断与排除

❶ 根据车载充电工作过程，分析无法充电的原因如下。

a. 外部电源故障；

b. 交流充电连接装置故障；

c. 低压线束故障；

d. 车载充电器总成故障；

e. 电池管理控制器故障；

f. 高压配电箱总成故障。

❷ 检查故障。在低压蓄电池充足和动力电池无故障的情况下检查。

a. 插上交流充电连接装置，观察仪表上无充电信息显示，用 ED400 诊断仪读取系统故障码，故障码为 P150C00（供电设备故障）；

b. 检查外部电源，外部电源正常；

c. 检查交流充电连接装置，测量交流充电连接装置的 CC 端与 PE 端之间的阻值，实测阻值为 680Ω，此阻值在正常范围（注：如有条件可直接倒换交流充电连接装置）；

d. 测量交流充电口到车载充电器之间的线束，各线束导通；

e. 用两根导线将车载充电器 K55 插件的 4 号、10 号针脚搭铁，仪表上显示充电连接中，测量车载充电器上的两个 CAN 线电压，分别为 2.4V、2.35V，说明低压线路正常，但仍不能充电，怀疑车载充电器总成故障（图 8-6-1）。

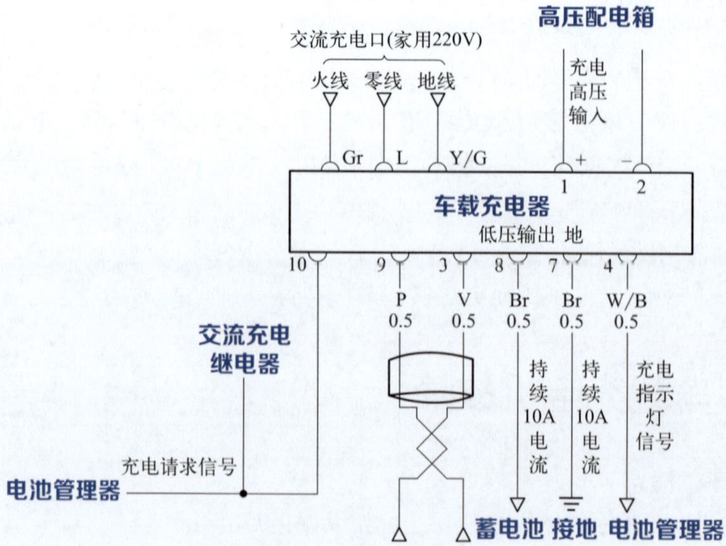

图 8-6-1　车载充电器电路

更换车载充电器总成后，故障排除。

8.7 车辆不能放电

（1）车辆信息

车型：比亚迪秦混合动力汽车。行驶里程：126511km。

（2）故障现象

车辆不能对外放电，无论是连接放电排插还是车内都无法放电，连接放电排插后无任何反应。

（3）故障诊断与排除

用便携式充电器对该车进行充电，充电正常。

使用新能源汽车诊断仪检查各系统，正常。

读取车载充电器，无故障；读取数据流，未发现异常，连接车内的放电插座，同样也是无放电请求。初步分析车载充电器的工作条件正常（例如车载充电器的电源、接地、CAN 通信），判断是车载充电器内部异常。

在更换车载充电器前，首先对车载充电器的电源和接地进行检查，检查发现车载充电器没有 12V 的供电，继续向上检查熔丝，发现车载充电器保险烧毁。

更换车载充电器保险后，充放电正常，故障排除。

8.8 充电时 SOC 仪表显示异常

（1）车辆信息

车型：比亚迪秦混合动力汽车。行驶里程：126511km。

（2）故障现象

车辆充电时仪表显示“SOC：45%”，不显示充电功率和充满剩余时间。

（3）故障诊断与排除

❶ 使用新能源汽车诊断仪读取整车故障码，没有故障码记录，没有模块需要更新。

❷ 连接充电枪，车载充电器数据流显示交流侧和直流侧电压均正常，充电电流为 0.2A。

❸ 路试车辆 EV 功能正常，制动能量回馈有显示。当自动切换到 HEV 模式时，SOC 还显示 45%，怀疑电池管理器有故障，更换电池管理器后试车，故障依旧。

❹ 继续给动力电池充电，数据显示模组电压都有相应升高，说明有电充进动力电池，BIC 采样也正常。SOC 和充电功率没变化，问题出在电流计算，再次试车发现当前功率和能量回馈没显示。

❺ 已经更换过 BMS，可排除 BMS 故障，检查 BMS 到高压配电箱电流霍尔传感器的线路，均正常。

测量霍尔传感器的正负电压，均为 15V，正常。

❻ 尝试更换电流霍尔传感器，充电功率和能量回馈显示均正常，故障排除。

8.9 不能充电故障

8.9.1 不充电

（1）车辆信息

车型：丰田凯美瑞混合动力汽车。行驶里程：44768km。

（2）故障现象

发电机充电指示灯亮及发动机故障灯亮，混合动力系统不能充电。

（3）故障诊断与排除

使用诊断仪读取故障码：P0A08-264，内容为DC/DC转换器状态电路异常。清除故障码后，启动发动机，故障灯和充电灯再次点亮。发动机工作时读取数据流，发现混合动力电池及辅助电池没有充电，并且发动机故障灯马上又点亮。

导致故障的部位：

❶ 熔丝；

❷ 线路；

❸ 混合动力传动桥；

❹ 带转换器的逆变器总成；

❺ 动力管理控制ECU；

❻ 辅助蓄电池。

检查辅助蓄电池电压，只有11V左右；对辅助电池进行充电后检测，为12.3V；分别检查熔丝和保险，没有断路；检查各连接器插头，连接牢固，没有松动现象。可以排除保险及连接器故障。

检查电机1的电阻，分别是O1-1、2、3脚与车身接地电阻，为2MΩ，标准电阻是1MΩ或更大。

检查电机2的电阻，分别是N1-1、2、3脚与车身接地电阻，为2MΩ，标准电阻是1MΩ或更大。

检查发动机室3号线束C1-1与1K-1的电阻，是0.15Ω，标准值是始终小于1Ω。

检查逆变器总成连接器A13插头的A13-3与车身接地的电压，为12.9V，规定值为与辅助电池电压相同。

检查逆变器总成连接器A13插头的A13-1与车身接地电压，电源开关转至ON，检测的电压为12.9V，规定值为与辅助电池电压相同。

检查逆变器总成连接器A13插头的A13-5与车身接地电阻，电源开关转至OFF，检测电阻为128Ω，规定值为120～140Ω，说明线路正常。

检查逆变器冷却系统及水泵，工作时有震动，说明工作正常。

检查混合动力传动桥的电机1、2的电阻，电机1为71.4MΩ，电机2为84.6MΩ，都在正常范围内；通过读取混合动力系统的数据流，分析发现：+B的电压只有11.5V，而发电机又显示发电量是262V，混合动力传动桥的发电机发电（表8-9-1）。

表 8-9-1　丰田凯美瑞数据流

参数	值	单位
Engine Coolant Temp	57	C
Engine Revolution	1152	r/min
Vehicle Spd	0	km/h
Engine Run Time	12	s
+B	11.52	V
Accel Pedal Pos #1	59.2	%
Accel Pedal Pos #2	75.2	%
Ambient Temperature	36	C
Intake Air Temperature	38	C
DTC Clear Warm Up	0	
DTC Clear Run Distance	0	km
DTC Clear Min	12	min
MIL on Run Distance	0	km
Number of Emission DTC	0	
Ready Signal	ON	
Motor（MG2）Revolution	0	r/min
Motor （MG2） Torq	-7.88	N • m
M（MG2） Trq Exec Val	-7.38	N • m
Generator（MG1） Rev	4230	r/min
Generator（MG1） Torq	-7.63	N • m
G（MG1） Trq Exec Val	-6.25	N • m
Regenerative Brake Torq	0.0	N • m
Inverter Temp-（MG1）	40	C
Inverter Temp-（MG2）	37	C
Motor Temp No2	44	C
Motor Temp No1	42	C
Accelerator Degree	90.0	%
Target Engine Rev	1175	r/min
Engine Rev （Sensor）	1174	r/min

续表

参数	值	单位
Total Distance Traveled	13158	km
State of Charge（All Bat）	36.4	%
Power Resource VB	263.0	V
Power Resource IB	-11.69	A
VL-Voltage before Boosting	263	V
VH-Voltage after Boosting	262	V
Boost Ratio	0.0	%
Drive Condition ID	3	
Shift Sensor Shift Pos	P	
Short Wave Highest Val	2.51	V
MG1 Control Mode	0	
MG2 Control Mode	0	
Num of Current Code	1	
Num of History Code	1	
Calculate Load	37.6	%
Throttle Position	18.4	%
DCDC Cnv Tar Pulse Duty	66.5	%
Prohibit DC/DC conv sig	OFF	
EV Request	OFF	
Permit Start by Immobiliser	Norml	
Inv-T（MG1）aftr IG-ON	38	C
Inv-T（MG2）aftr IG-ON	37	C
Mtr-T（MG2）aftr IG-ON	42	C
Conv-Tmp after IG-ON	39	C
SOC after IG-ON	53.5	%
Status of Charge Max	53.5	%
Status of Charge Min	35.5	%
Stop Light Switch	OFF	
Auxiliary Batt Temperature	35	C

检查动力管理 ECU 的线路，有 12V 电压，地线对地正常；检查动力管理 ECU 至逆变器的线路，也正常。

根据维修手册检查辅助蓄电池输出的电流和电压，将 AC/DC 400A 的探头连接到辅助蓄电池正极引线上，把点火开关转到 ON（Ready），并静止车辆直至流入辅助蓄电池的电流变为 10A 或更小。当打开大灯和鼓风机及后窗除雾器开关时，检测自辅助蓄电池流出的电流为 15.3A，正常是 0 或更小。根据维修手册检测辅助蓄电池电压，把点火开关转到 ON（Ready），当打开大灯和鼓风机及后窗除雾器开关时电压只有 11.6V，标准是 13 ～ 15V，电流及电压都不在正常范围内；可以判断是逆变器内部故障。

更换逆变器总成后，故障排除。

8.9.2 车辆有时不能充电

（1）车辆信息

车型：大众 ID4 纯电动汽车。行驶里程：55132km。

（2）故障现象

插上充电枪后车辆不能进行交直流充电，充电指示灯显示红色（图 8-9-1），并且仪表有文字提示“充电插座失灵，请去维修站”。

图 8-9-1 充电指示灯显示红色

（3）故障诊断与排除

使用诊断仪读取故障码。

P31D500：充电插座 A 插头锁止识别电气故障。

P33E800：充电插座 A 充电插头锁止机械故障。

U112100：数据总线，丢失信息。

P1CF300：DC 温度传感器充电插座 A 不可信数值。

P31D100：充电插座 A 温度传感器电气故障。

P1D9F00：充电插座 A 温度传感器 DC 正极超过了温度坡度线。

P1D9E00：充电插座 A 温度传感器 DC 负极超过了温度坡度线。

插上充电枪发现充电枪不能锁止，多次插拔偶尔会锁止，锁止后就可以正常充电，根据测量值分析车辆确认连接（已经插入充电枪）（图 8-9-2）。

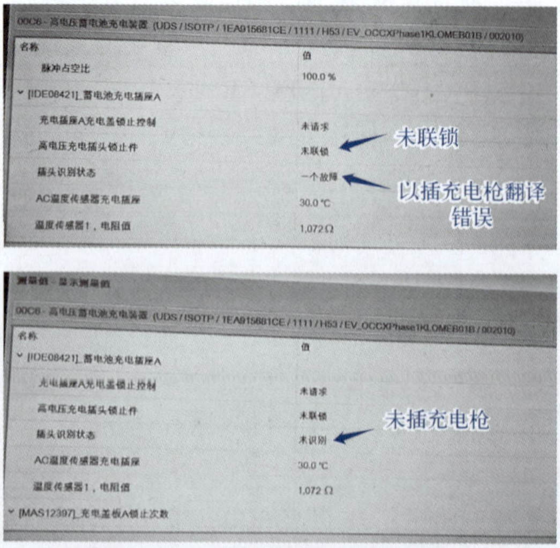

图 8-9-2　大众 ID4 故障车数据流

使用 VAG1526 万用表电阻挡测量 CP 与 PE 之间的电阻（图 8-9-3），仪表显示插入充电枪。测量值显示插入充电枪，用普通万用表电阻挡测量时有时锁舌弹出 4 次，分析联动机构正常（图 8-9-4）。

图 8-9-3　测量 CP 与 PE 之间的电阻

根据线路图（图 8-9-5）检测分析，THVL 插脚（后备箱右侧）处测量数据如下。

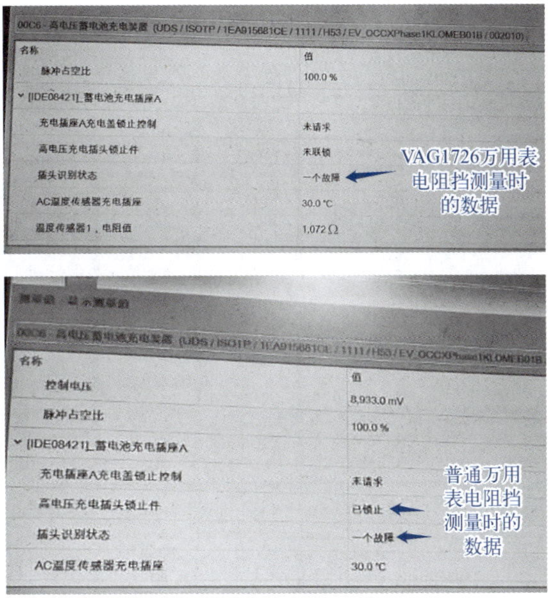

图 8-9-4　测量结果

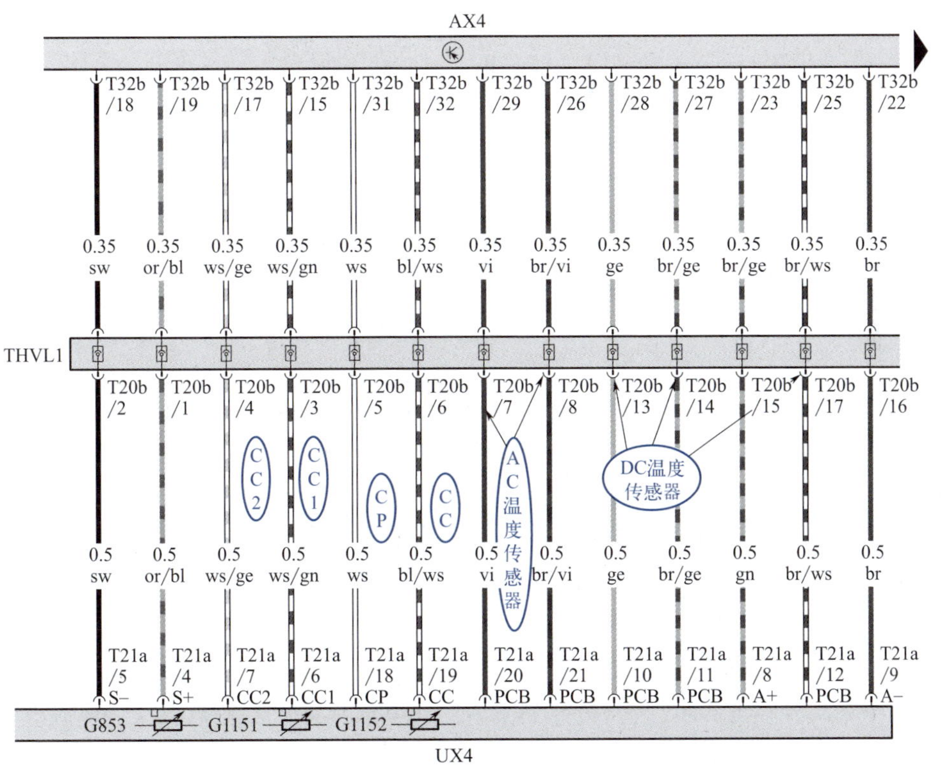

图 8-9-5

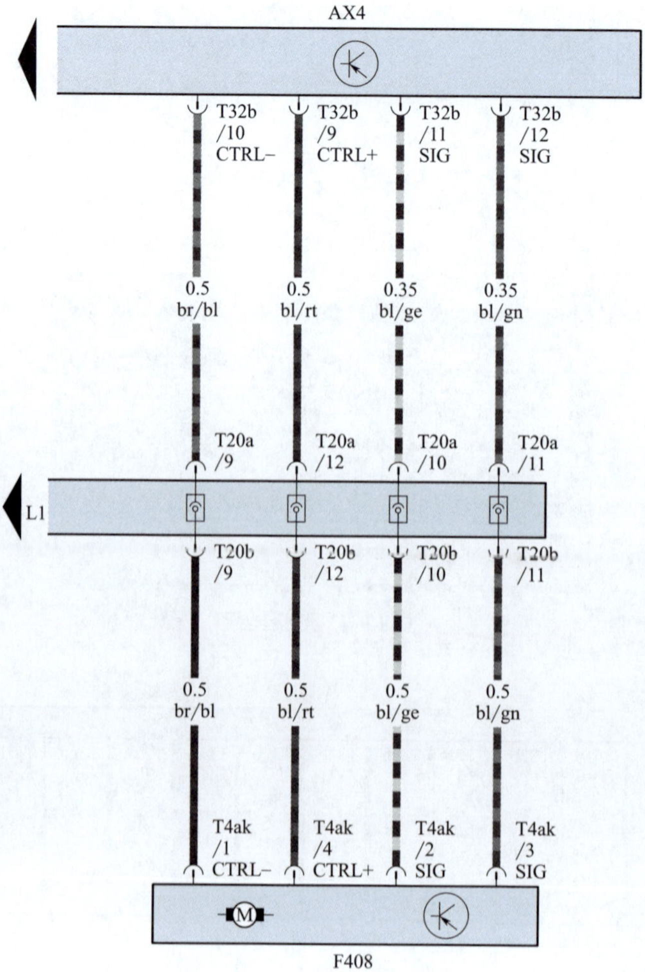

图 8-9-5　大众 ID4 电路

测量 T20/6 脚 CC 线的电压值，未插充电枪是 4.68V，插入充电枪是 1.93V，和其他正常车对比数值是一样。断开 T20 插脚，测量 CC 与 PE 之间的电阻是 4.7kΩ，说明线束正常。

测量 T20/5 脚 CP 线的电压值，未插充电枪是 0.031V，插入充电枪未充电是 0.031V，插入充电枪充电是 2.215V，和其他正常车对比数值是一样，说明线束正常（正常是 PWM 信号）。

测量线束发现，在晃动 THVL 插脚时，仪表就会报警，有文字提示“充电插座失灵，请去维修站”。测量值上显示：充电插头锁止“未联锁”、AC 温度值“160.0℃”、温度传感器电阻值“64873Ω”，说明故障是插头虚接导致不能充电（图 8-9-6）。

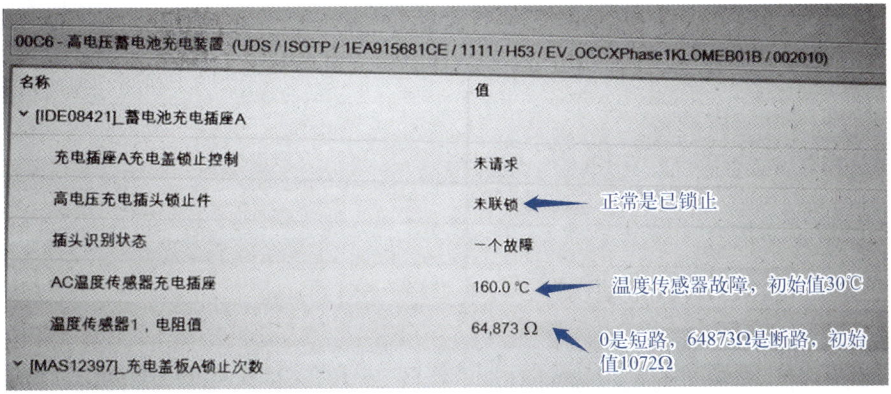

图 8-9-6　大众 ID4 故障车数据流

重新压接线束后再次试验，故障码如下（图 8-9-7）。

P1CF300：DC 温度传感器充电插座 A 不可信数值。

P1D9F00：充电插座 A 温度传感器 DC 正极超过了温度坡度线。

故障均为偶发故障。

故障存储器记录	
编号:	P1CF300: DC 温度传感器充电插座 A 不可信数值
故障类型 2:	被动/偶发
症状:	14750753
状态:	00101110
- 标准环境条件:	
日期:	21-11-27
时间:	8:05:53
里程（DTC）:	5372
优先等级:	3
频率计数器:	11
递减计数器/驾驶周期:	40
故障存储器记录	
编号:	P1D9F00: 充电插座 A 温度传感器 DC 正极 超过了温度坡度线
故障类型 2:	被动/偶发
症状:	14750763
状态:	00101110
- 标准环境条件:	
日期:	21-11-27
时间:	8:05:48
里程（DTC）:	5372

图 8-9-7　大众 ID4 偶发故障码

读取直流充电插座（传感器 1 和 2）的温度的数据流，如图 8-9-8 所示。

DC温度传感器充电插座		
直流充电插座（传感器 1）的温度	31.5 ℃	相差
直流充电插座（传感器 2）的温度	21.8 ℃	10℃
蓄电池充电插座A故障统计		
锁止数	43	
插入过程数	0	
成功的充电插头锁止次数	11	
控制单元断开，计数器		
控制单元	0	
数据总线	0	

图 8-9-8　大众 ID4 直流充电插座温度数据流

故障原因是 UX4 充电接口的中间 THVL 插脚虚接，导致信号中断，不能充电。

重新跨接 T20/13、T20/14、T20/17 插脚后，故障排除。

8.10 充电时自动中断

（1）车辆信息

车型：大众 ID4 纯电动汽车。行驶里程：55123km。

（2）故障现象

使用交流充电桩充电，大约 10min 后自动中断，再次充电大约 2min 又会自动中断，更换 3 个交流充电桩，故障依旧。

（3）故障诊断与排除

使用诊断仪进行各控制单元故障查询。

00C6 系统名：00C6 高电压蓄电池充电器。协议改版：UDS/ISOTP 存储。

❶ C1249F4：功能限制，由于充电基础设施造成过多唤醒呼叫。

❷ U112100：数据总线，丢失信息。

0001 系统名：0001- 发动机电控装置存储。

P1BC100：充电装置识别到高电压断路。

导致故障的原因为：

❶ 充电插座故障；

❷ 充电机故障；

❸ 线束故障；

❹ 电池内部故障。

对充电插座进行检查：电动车涉及高压部件，务必对车辆先行断电，检查交流充电插座上 CC 对 PE 的电阻（正常是 4700Ω）。CP 对 PE 的电阻正常是开路，测量数据未见异常（图 8-10-1 和图 8-10-2）。

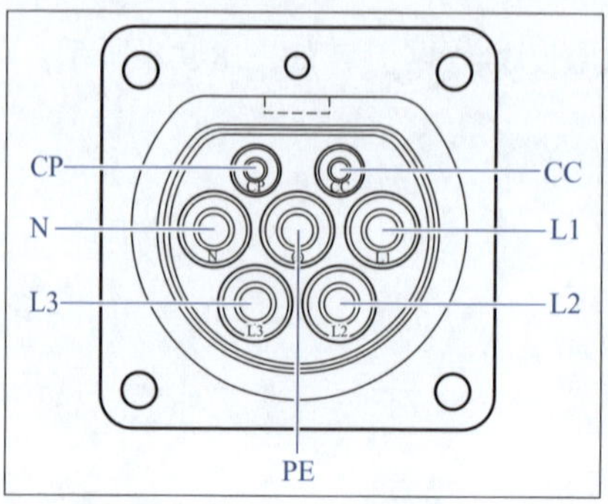

充电接口端子定义(国标)

触头编号/标识	额定电压和额定电流	功能定义
1-(L1)	250V 10A/16A/32A	交流电源(单相)
	440V 16A/32A/63A	交流电源(三相)
2-(L2)	440V 16A/32A/63A	交流电源(三相)
3-(L3)	440V 16A/32A/63A	交流电源(三相)
4-(N)	250V 10A/16A/32A	中线(单相)
	440V 16A/32A/63A	中线(三相)
5-(PE)	—	保护接地，连接供电设备地线和车辆电平台
6-(CC)	0～30V 2A	充电连接确认
7-(CP)	0～30V 2A	控制引导

图 8-10-1　交流充电接口

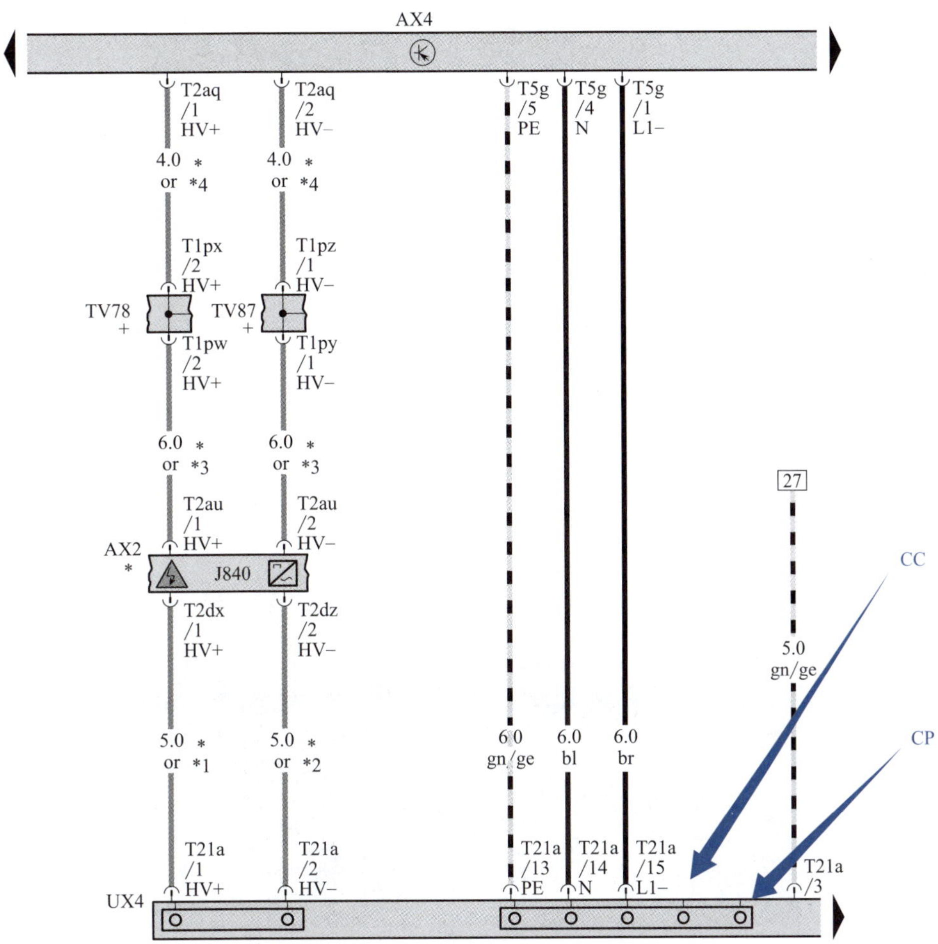

图 8-10-2　大众 ID4 充电插座内部电路

对充电机进行倒换检查，故障依旧。倒换后发现充电中断时间更短，大约1min就会自动中断且仪表显示“电驱动装置工作不确定，请去维修站”。存储故障码P1BC100，内容为充电装置识别到高电压断路故障，无法删除。

排除充电插座及充电机故障，根据故障引导进行线路排查。当检查到充电机AX4到高压电池AX2的线路插头时发现插头针脚脱出，判断故障为线束插头针脚脱出导致接触不良（图8-10-3）。

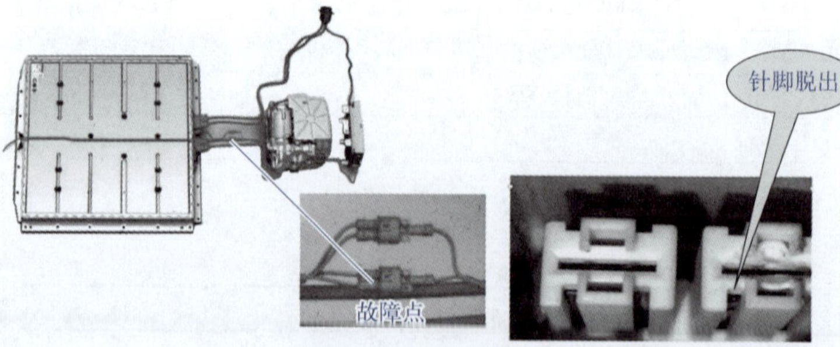

图 **8-10-3** 故障位置

处理充电机AX4到高压电池AX2的线路插头针脚后，故障排除。

8.11 无法退出充电模式

（1）车辆信息

车型：大众ID4纯电动汽车。行驶里程：11287km。

（2）故障现象

车辆在直流充电桩处充完电时，拔掉直流充电枪，仪表显示“请拔下充电电缆重新连接”，而且车辆无法进入“Ready”模式，无法行驶（图8-11-1）。

图 **8-11-1** 仪表报故障

(3) 故障诊断与排除

使用诊断仪读取故障码(图 8-11-2)。

P33EC00：充电插座 A 上的外部插头，电气故障，主动 / 静态。

C1249F4：功能限制，由于充电基础设施造成过多唤醒呼叫，主动 / 静态。

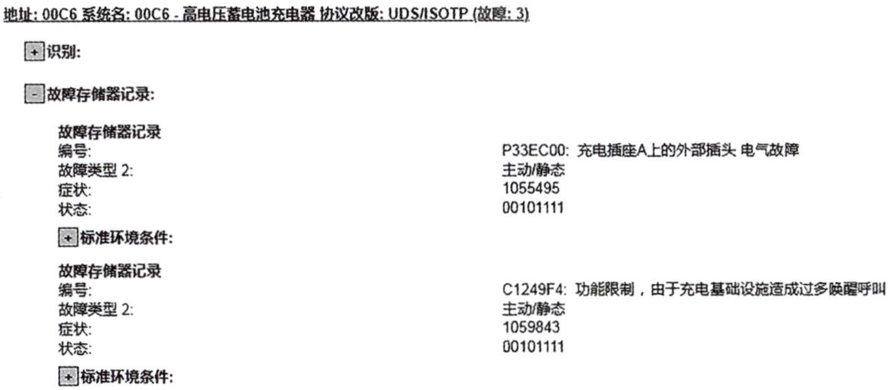

地址: 00C6 系统名: 00C6 - 高电压蓄电池充电器 协议改版: UDS/ISOTP (故障: 3)

[+] 识别:

[-] 故障存储器记录:

故障存储器记录	
编号:	P33EC00: 充电插座A上的外部插头 电气故障
故障类型 2:	主动/静态
症状:	1055495
状态:	00101111

[+] 标准环境条件:

故障存储器记录	
编号:	C1249F4: 功能限制，由于充电基础设施造成过多唤醒呼叫
故障类型 2:	主动/静态
症状:	1059843
状态:	00101111

[+] 标准环境条件:

图 8-11-2　大众 ID4 高压蓄电池充电器故障码

读取直流端充电接口的参数值，如图 8-11-3 所示。

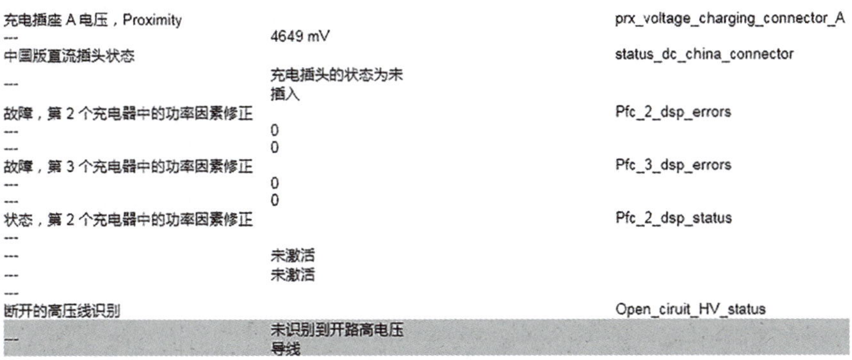

充电插座 A 电压，Proximity		prx_voltage_charging_connector_A
---	4649 mV	
中国版直流插头状态		status_dc_china_connector
---	充电插头的状态为未插入	
故障，第 2 个充电器中的功率因素修正		Pfc_2_dsp_errors
---	0	
---	0	
故障，第 3 个充电器中的功率因素修正		Pfc_3_dsp_errors
---	0	
---	0	
状态，第 2 个充电器中的功率因素修正		Pfc_2_dsp_status

---	未激活	
---	未激活	

断开的高压线识别		Open_ciruit_HV_status
---	未识别到开路高电压导线	

图 8-11-3　直流端口数据流

直流端口的状态：未插入是正常状态，不会引起仪表报故障。

交流端口数据流如图 8-11-4 所示。

插头识别状态：有一个故障，不正常，该信息可能会是引起故障的原因。

导致故障的原因有：

❶ 充电接口故障；

❷ 充电接口 UX4 到 AX4 之间的线路故障；

❸ 充电机 AX4 内部故障。

HV DC Value	408 V	
蓄电池充电插座A		Charging_connector_A
充电插座A充电盖锁止控制	未请求	
高电压充电插头锁止件	未联锁	
插头识别状态	一个故障	
AC温度传感器充电插座	30.0 ℃	
温度传感器1，电阻值	1053Ω	
冷却液温度		charger_coolant_temperature

Wert		
coolant temeprature valid value	26.0 ℃	
充电盖板A锁止次数		Charging_flap_a_cycle_data
锁止数	1193	
充电插座 A 电压，Proximity		prx_voltage_charging_connector_A
---	4649 mV	

图 8-11-4　交流端口数据流

使用诊断仪进行 8C 引导切断高压电。将 AX4 中的 T5g 橘色电缆插头拔掉，将 AX4 的 T32b 插头拔掉。根据充电桩与充电端口及充电器原理（图 8-11-5）进行分析。

交流充电端口通过 CC 端判断充电枪是否接通，正常的情况下，CC 和 PE 之间有 4700Ω 的阻值，通过这个阻值可以判断交流充电接口与充电枪是否接通（图 8-11-5）。

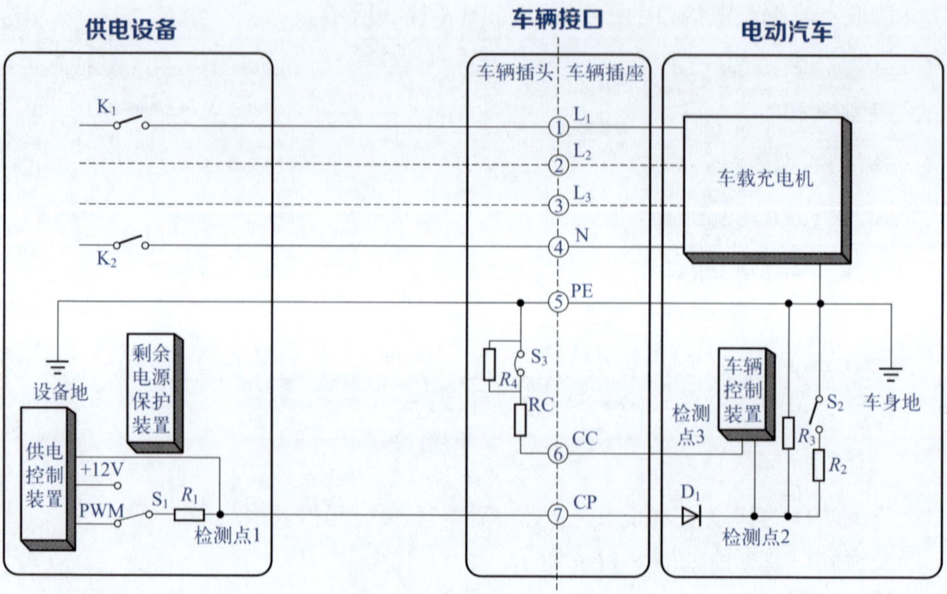

图 8-11-5　交流充电接口原理

经过测量，为 4700Ω，正常。

直流充电端口中的 CC1 用于监控充电枪是否接通。红色线是监控线，在充电端口进行阻值测量，CC1 和 PE 之间正常值应有 1000Ω（图 8-11-6）。

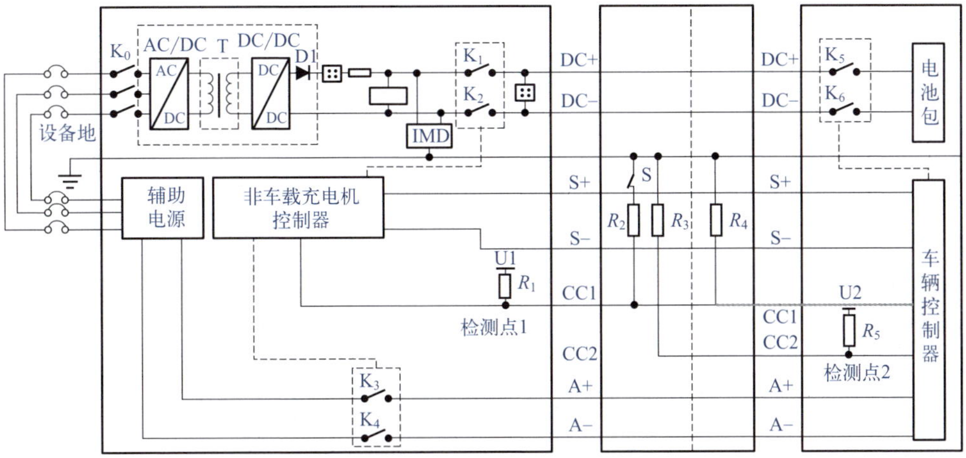

图 8-11-6　测量直流充电端口中 CC1 和 PE 电阻

经过测量，为 2.6Ω，不正常。

在 UX4 和 AX4 之间还有一个插转接器，在后备厢右侧衬板内将其拔掉，再检查 CC1 和 PE 之间的阻值，仍是 2.53Ω。

确定充电端口 UX4 内部故障，更换后故障排除。

8.12 充电枪指示灯亮起

（1）车辆信息

车型：比亚迪宋 PLUS DM-i 汽车。行驶里程：12211km。

（2）故障现象

在未插入充电枪时，充电枪指示灯亮起。

（3）故障诊断与排除

使用诊断仪检测系统，无故障，也无程序更新。

测量充电口 CC 与 PE 之间电压值，为 5V，正常（CC 值有两种，取决于控制器，分别为 11V 和 5V）。连接充电枪测试，也能正常充电，说明车载能监测到插枪信号。拔枪后指示灯会熄灭，但一会后再次点亮。

断开充电枪，诊断仪数据流显示车载充电器充电枪连接状态为未连接，证明车载并未向外发出插枪信号。断开车载低压接插件，此时仪表依旧亮插枪指示灯，于是可以排除车载到充电口之间的故障。

检查电池包到车载充电器之间线路，拔下电池包低压接插件发现有进水现象，为密封圈脱落导致。处理接插件后故障排除。

8.13 充电枪无法正常拔出

(1) 车辆信息

车型：2022 年款北京奔驰 EQA300 4MATIC 混合动力汽车。

(2) 故障现象

使用墙盒交流电充电后充电枪拔不下来，应急解锁后，充电枪可以拔下，但仪表提示“充电电缆已连接”，此时车辆无法启动。

(3) 故障诊断与排除

连接诊断仪进行快速测试，发现交流充电器控制单元 N83/11 无法通信，单独进入交流充电器控制单元 N83/11 也不成功。

交流充电器控制单元 N83/11 的功能：用于通过交流电源为高压蓄电池充电，其将外部电源（例如充电桩）的交流电压转换为直流电压，然后通过直流充电连接装置 N116/5 将直流电供至高压蓄电池；交流充电器控制单元 N83/11 与车辆的网络架构相连 [电驱动控制器区域网络（CAN ED）]。

交流充电器控制单元 N83/11 处理以下信息。

❶ 电路状态；

❷ 高压蓄电池电流；

❸ 高压蓄电池电压；

❹ 电流 / 电压请求；

❺ 蓄电池断开开关状态；

❻ 发动机运转状态（混合动力车辆）。

交流充电器控制单元 N83/11 处理这些输入因素并传送以下信息。

❶ 充电电压；

❷ 充电电流；

❸ 交流充电器状态；

❹ 故障信息。

充电电缆锁止电机 M14/3 由交流充电器控制单元 N83/11 直接驱动，而交流充电器控制单元 N83/11 无法通信，所以交流充电枪无法拔下的可能原因如下。

❶ 交流充电器控制单元 N83/11 供电，搭铁故障；

❷ 交流充电器控制单元 N83/11 死机；

❸ 交流充电器控制单元 N83/11 软件故障；

❹ 交流充电器控制单元 N83/11 自身电气故障；

❺ CAN ED 的分配器 X30/71 故障；

❻ 交流充电器控制单元 N83/11 至 X30/71 线路故障。

交流充电系统电路如图 8-13-1 所示。

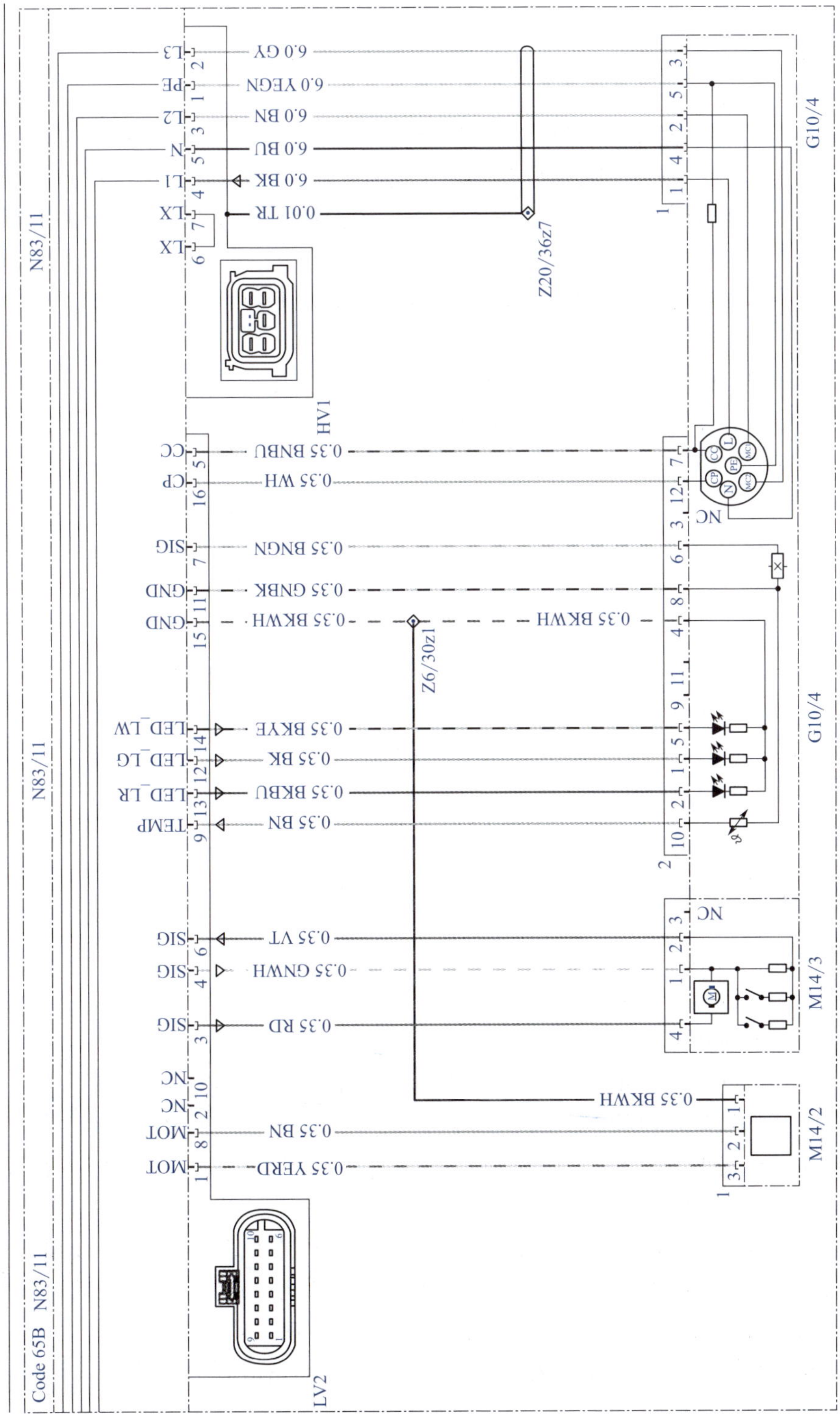

图 8-13-1 交流充电系统电路

测量交流充电器控制单元 N83/11 供电和搭铁，均未发现异常。

对交流充电器控制单元 N83/11 断电几分钟，故障消失。

使用诊断仪检查，交流充电器控制单元 N83/11 报有故障码：P066700 控制单元内部温度传感器存在故障。尝试升级交流充电器控制单元 N83/11，未发现新软件。删除故障码后测试，没有出现充电枪无法拔出故障，仪表没有发现提示“充电电缆已连接”等提示，但交流充电器控制单元 N83/11 仍然有故障码 P0667000。

在以下 3 种状态下使用电流钳测量交流充电器控制单元 N83/11 的 12V 供电线电流。

❶ 交流充电器工作时电流 0.82A；

❷ 交流充电器不工作时电流 0.43A；

❸ 车辆休眠时交流充电器电流 0.07A。

此时车辆处于休眠状态，再次对车辆进行测试，发现充电枪无法拔出，充电枪插座指示灯不亮，故障再现。

使用电流钳测量故障状态下交流充电器控制单元 N83/11 供电线电流，为 0.08A，说明处于休眠状态，未被唤醒。

故障原因是交流充电器控制单元 N83/11 总成故障，导致充电枪无法拔出，从而车辆无法启动。

更换交流充电器控制单元 N83/11 后，再次对车辆进行测试，车辆正常，此时故障已排除。

8.14 仪表上一直显示插枪信号

（1）车辆信息

车型：比亚迪汉 DM-i。

（2）故障现象

车辆在没有连接充电枪的情况下，仪表上显示有插枪信号，车辆无法行驶。

（3）故障诊断与排除

使用诊断仪进行整车扫描，车辆无故障码，拔掉动力电池低压插接件后，仪表不显示充电插枪信号灯，可以排除 BMS 问题，怀疑故障出在 CC 信号上。

使用诊断仪读取双向车载数据流，发现充电枪连接状态为断开，可以判断充电口没问题。检查电池包 14# 针脚到双向车载 6# 针脚阻值正常，怀疑是双向车载问题，与正常车辆对调双向车载，故障依旧，排除双向车载故障。

根据电路图排查，双向车载到动力电池中间没有插接器，可排除中间插接器出故障的可能。

重点检查低压插接器，拆掉后备厢饰板、左后门槛饰板及左 A 柱饰板，逐个检查所有插接器，发现左 A 柱下方的插接器内有进水腐蚀的痕迹，清理后故障排除。

案例总结

根据车主回忆上两周下雨忘记关窗，车内饰板的水擦干了，应该又有水漏到插接器里，未被发现。

8.15 充电口盖无法锁止

（1）车辆信息

车型：小鹏 P5 纯电动汽车。

（2）故障现象

在慢充充完电之后，拔掉充电枪发现充电口盖无法关闭。

（3）故障诊断与排除

检查慢充口盖执行器，无异物卡滞；检查外观，无损伤。

拆卸后检查并测量连接线，正常。

进行手动按压发现执行器无法上下活动，对比同车型测试，存在异常情况。

进行清理并重新安装后测试，故障依旧存在。

根据维修资料，BCM 执行解闭四车门锁时，会联动解闭锁充电口盖，不判断充电口盖是否处于开闭状态。

尝试向下按住执行器，同时解锁车辆门锁后，故障排除。

扫一扫

视频精讲

第9章 制动系统故障

9.1 电子手刹故障

9.1.1 插接件接触不良

（1）车辆信息

车型：北汽 EU5 纯电动汽车。行驶里程：65123km。

（2）故障现象

电子驻车系统故障。

（3）故障诊断与排除

使用新能源汽车诊断仪读取故障码，系统内存储有三个历史故障码。

U1100887：MCU 与 ESK 通信丢失。

U110887：MCU 与 PCU 通信丢失。

U113047：MCU 反馈转矩命令校验错误故障。

车辆早上有时无法启动，报“P 挡（旋钮式电子换挡 ESK）系统故障”。

车辆挡位指示灯不亮，正常车辆挡位指示灯亮起。

拆掉挡位开关，测量插头数据，数据正常，有 12V 电压，两个 2.5V 左右通信电压，一个接地，都正常。

查阅电路图，寻找这两个故障的共同点所在。怀疑是高速 CAN 或者低速 CAN 的线路存在问题，EU5 车型通过 CAN 总线把整个车上的控制单元连接起来。

检查 CAN 总线的线束，发现 T16W/9 插头存在问题（图 9-1-1）。

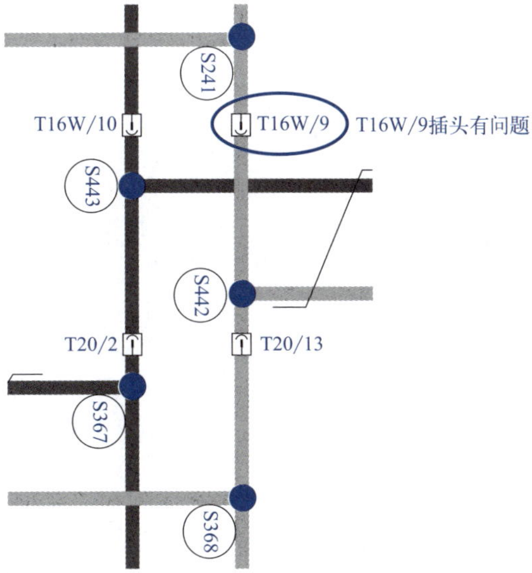

图 9-1-1　故障位置

阅读维修手册中的 T16W 插接件，9 号针脚连接的是 CAN-H 线路（图 9-1-2）。

车身线束与前舱线束对接插头1(BU1/UB1)

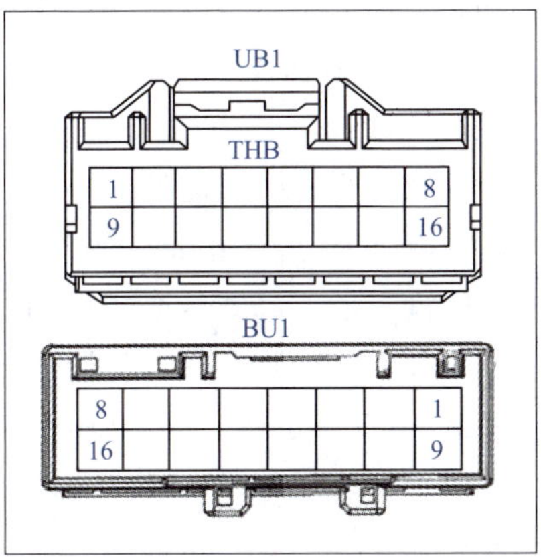

PP0457803(护套)	
PP0137501(端子0.3～0.5)	
PP0137502(端子1.25～1.5)	
PP0130301(小端子0.3～0.5)	
PP0479803(护套)	
PP0117505(大端子0.3～0.5)	
PP0117501(大端子0.75～1.25)	
PP0117507(大端子2.0～2.5)	
针脚编号	定义
1	行人警示开关指示灯
2	行人警示开关
3	—
4	—
5	—
6	—
7	倒车灯电源
8	后视镜加热电源
9	CBUS CAN-H
10	CBUS CAN-L
11	后雾灯电源
12	—
13	—
14	ACC继电器控制
15	IG2继电器控制
16	IG1继电器控制

图 9-1-2　T16 插头针脚定仪

找到 T16W 插接件，拔开插接件，仔细检查发现 9 号针脚的弹簧片没有弹起来，造成接触不良。

对 9 号针脚进行处理后装复，故障排除。

9.1.2 汽车溜车

(1) 车辆信息

车型：比亚迪元纯电动汽车。行驶里程：87912km。

(2) 故障现象

车辆已挂入 P 挡，仪表盘上却没有 P 挡指示，拉起驻车制动器后，驻车制动器会自动解除。

(3) 故障诊断与排除

使用新能源汽车诊断仪检查，却没有检测到电子驻车制动系统。

检查车轮的制动卡钳、电机及减速装置等外表，以及制动片和电机连线接插件等，均正常。

电子驻车制动是通过 EPB 控制单元对伺服电机进行操纵的，EPB 单元在网络上属于 ESC 子网，是通过 CAN 线进行联系的。若车辆在坡道上停车，有智能调节的功能，按坡道的陡度不同，对车轮可进行大、中、小三种制动力的自动调节，最大的制动力可达 15000N，电机最大工作电流达 30A。坡道陡度信号则由 EPB 模块发出（图 9-1-3）。

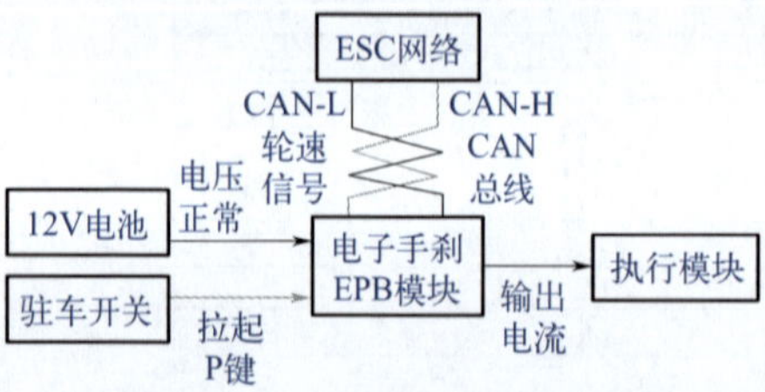

图 9-1-3 电子驻车制动控制

拔下模块的接插件，检测发现模块的供电及搭铁均正常。CAN 线是从插件 K 输出的，高线为 7 号针脚，低线为 10 号针脚。检测 CAN 高线电压为 2.5V，无异常，但低线电压却为 0，不符合要求。CAN 线连接仪表和地板线束，检查地板线束时发现有断路。

修复断开的线路后，故障排除。

9.1.3 电子制动灯异常点亮

(1) 车辆信息

车型：雷克萨斯 ES300H 混合动力汽车。行驶里程：114121km。

(2) 故障现象

车辆仪表上面的电子制动灯异常点亮，制动系统正常。

（3）故障诊断与排除

启动车辆，故障灯不会点亮，但是只要踩下制动踏板，电子制动灯就会点亮，并且能听到电子液压泵工作时发出的声音。

使用新能源汽车诊断仪，读取存储故障码：C1253，内容为泵电机继电器。

删除故障码，但是只要踩下制动踏板，故障现象就会再现，故障码也会再次出现。检查制动油液位，正常。试车确认 ABS 系统也可以正常工作，无异常。

可能的原因：①制动助力器泵总成故障；②防滑控制 ECU 故障；③线路故障；④蓄压器压力传感器故障。

防滑控制 ECU 根据蓄压器压力传感器的数据监测蓄压器压力的降低，然后通过操作电机继电器启动和停止泵电机（图 9-1-4）。

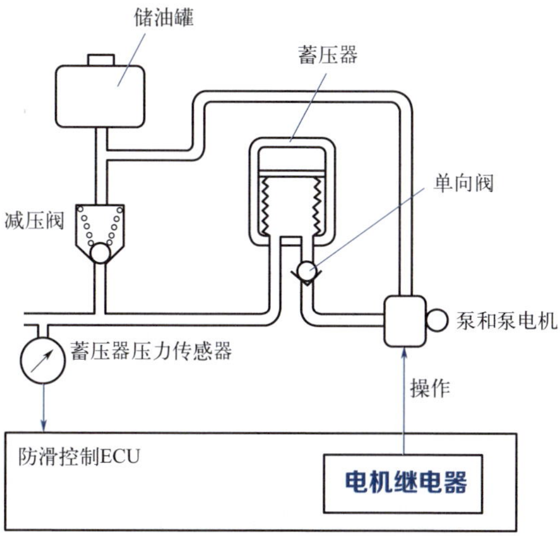

图 9-1-4 防滑控制系统控制原理

泵电机继电器内置在防滑控制 ECU 的内部，使用三个继电器中的其中两个向泵电机供电，如果防滑控制 ECU 检测到故障，则使用另一个继电器确保向泵电机供电；另外，蓄压器压力传感器也会时刻反馈其压力信号给防滑控制 ECU，来判断泵电机是否工作正常。

连接诊断仪进入 ABS 系统的主动测试，ABS 泵电机继电器打到 ON 的时候，发现一切正常，泵电机会工作，且在车里都能很清晰地听到泵电机工作的声音，无任何的异常。

查阅电路图，发现防滑控制 ECU 给泵电机的供电有两条线路，包括泵电机的搭铁也有两条，怀疑其中一条供电线路或者是搭铁线路存在内部问题，于是决定根据电路图进行测量（图 9-1-5）。

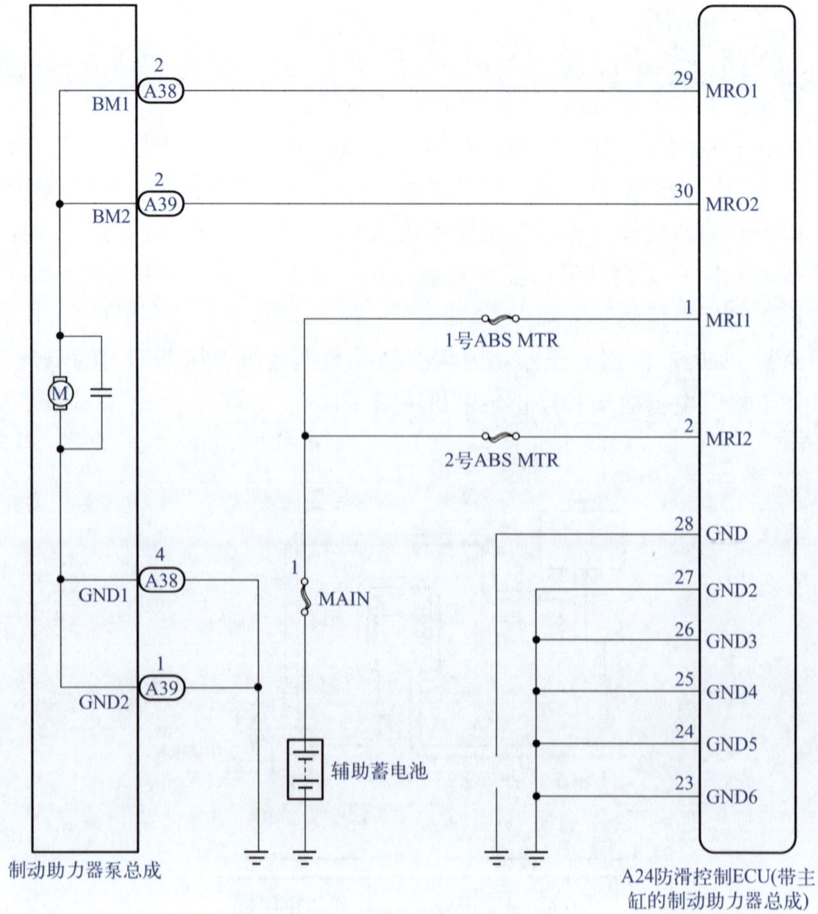

图 9-1-5　防滑控制系统电路

分别拔下其泵电机的插头 A38 和 A39，测量其泵电机 A38 的 2 号端子到 A39 的 2 号端子，电阻为 0.3Ω。接着测量其插座 A38 的 4 号端子与 A39 的 1 号端子，其电阻为 0.6Ω。测量其插头 A38 的 4 号端子与搭铁的电阻，为 0.2Ω。测量其插头 A39 的 1 号端子到搭铁的电阻，为 0.2Ω。都小于 1Ω，制动助力泵内部线路正常。

使用诊断仪再次执行主动测试，再使用万用表测量电压，发现在泵电机工作的同时，泵电机的两路供电都有 12V 的供电电压，无任何异常，说明防滑控制 ECU 到泵电机的供电线路正常。

为了判断内置的继电器是否存在问题，对系统进行排气测试，如果排气测试可以正常工作，则说明内置的继电器工作正常，因为在测试的过程中，会单独接通继电器让泵电机工作。

当测试到第 3 步的时候，就进行不下去了，诊断仪就显示与车辆通信丢失，正常情况会让泵电机工作 3 次，每次持续时间为 10s 左右，才工作了 1 次，泵电机就不工作，说明其防滑控制 ECU 内部的泵电机继电器肯定有 1 个存在异常情况。

尝试更换防滑控制 ECU，对制动系统重新排空气，故障排除。

9.2 踩刹车踏板时噪声大

（1）车辆信息

车型：比亚迪宋 EV 纯电动汽车。行驶里程：88765km。

（2）故障现象

车辆在刚启动时或者行驶过程中踩刹车踏板时噪声大。

（3）故障诊断与排除

试车测试，启动车辆时真空泵介入工作时，会发出超出真空泵正常工作的声音，读取主控制器，无故障码，且数据流正常。

原因分析：

❶ 真空泵故障；

❷ 真空泵管路固定支架干涉；

❸ 真空泵固定支架干涉。

首先排查真空泵固定支架，无异常。车辆真空泵启动时在机舱内又无法听到异常声音，排除真空泵本身故障。

检查真空泵管路支架，发现上支架与前舱前围板处有干涉，将固定支架重新调整后，反复测试，故障排除（图 9-2-1）。

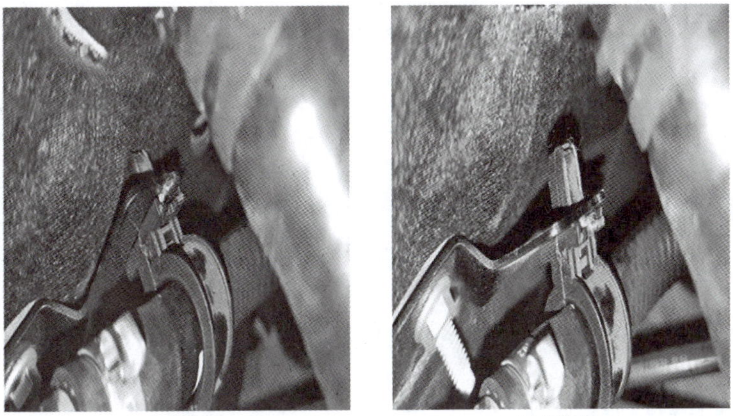

(a) 调整前　　(b) 调整后

图 9-2-1　故障位置

9.3 电子驻车无法解除

（1）车辆信息

车型：比亚迪秦 proDM 混合动力汽车。行驶里程：129846km。

（2）故障现象

可以挂挡，但电子驻车无法解除，无法行驶。

（3）故障诊断与排除

使用新能源汽车诊断仪连接车辆扫描，整车系统未发现程序更新，读取 ESP 内有故障码。

U100308：EPB 数据被破坏。

U100304：EPB 通信超时。

电子驻车报故障码 C116006：左右电机状态模式故障。

智能钥匙内报故障码 B229D16：高频接收模块供电过低故障。

对电子驻车进行标定，电脑提示操作失败，仪表马上亮起 ESP、电子驻车、胎压系统故障指示灯，断电后车辆无法再次上电，故障重现。

根据电路图，发现后备厢配电盒内有 EPB 的保险，检查时发现保险电压为 8.56V，异常。检查后备厢配电盒正极输入端电压为 9.82V，做 EPB 自适应时电压瞬间拉低至不足 5V。后备厢配电盒正极电源由后备厢正极熔断器提供，检查后备厢正极熔断器时发现其 50A 保险固定螺栓松动，导致虚接，将保险固定螺栓紧固好后试车，故障排除。

9.4 制动系统故障灯报警

9.4.1 短接连接器信号丢失

（1）车辆信息

车型：起亚 K5 PHEV 混合动力汽车。行驶里程：11423km。

（2）故障现象

车辆故障灯亮，仪表显示“请安全停车，检查刹车系统”。

（3）故障诊断与排除

使用诊断仪读取故障码。

C164308：与横摆率 &G 传感器的 CAN 通信故障。

C162308：转向角传感器 CAN 通信故障。

C165108：CAN 通信超时（EPB）。

C162800：与仪表盘的 CAN 通信故障。

C165100：CAN 通信超时（EPB）。

C168700：MDPS CAN 通信超时。

导致故障的原因有：

❶ 终端模块故障；

❷ 线束故障；

❸ 其他故障。

测量 MDPS 控制模块高低电位电压，正常，电阻为 121Ω（正常为 60Ω），分析线路有可能断路。

断开 MF11，测量母插头电阻为 121Ω，公插头电阻为无穷大。再断开 EF11，测量公插头电阻为无穷大，母插头电阻为 121Ω，说明 MF11 与 EF11 之间断路。

MF11 与 EF11 之间有两个短接连接器，查到 JF02 短接连接器时发现其信号丢失（图 9-4-1）。

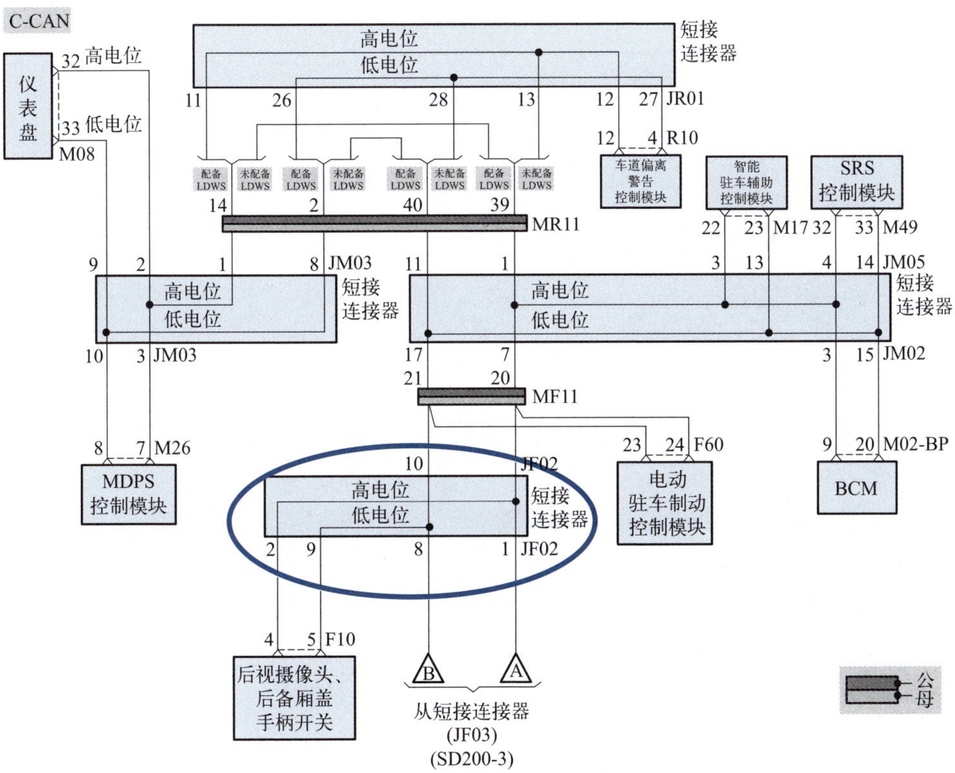

图 9-4-1

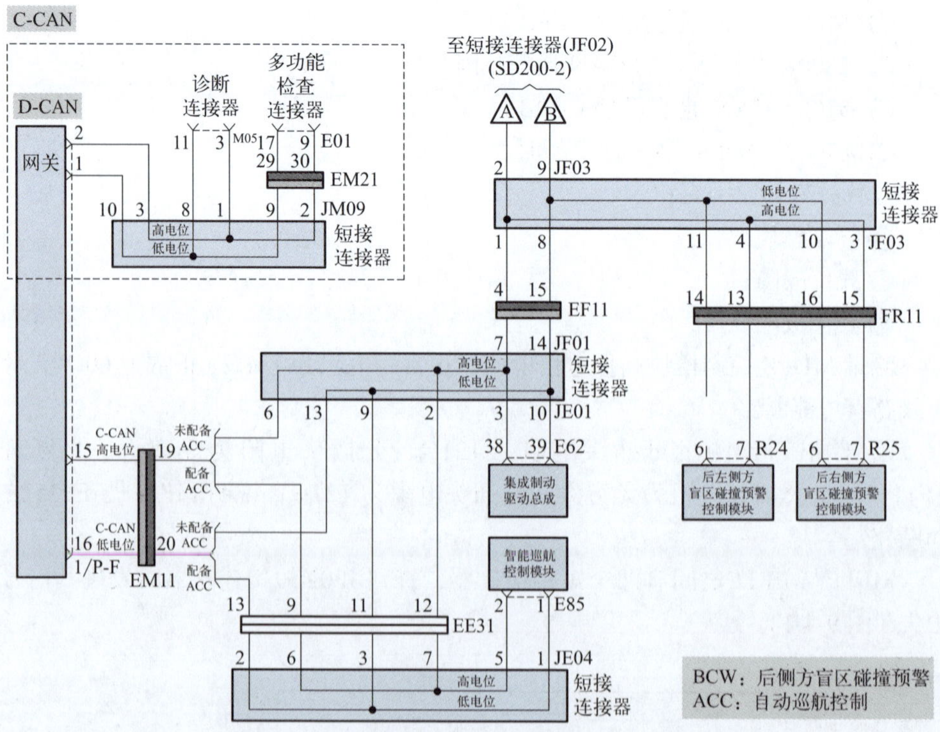

图 9-4-1　电路图

匹配短接连接器后，故障排除。

9.4.2　制动执行器故障

（1）车辆信息

车型：丰田凯美瑞混合动力汽车。行驶里程：66453km。

（2）故障现象

仪表上的发动机故障灯、防滑灯、制动系统故障灯点亮。

（3）故障诊断与排除

使用诊断仪读取混合动力系统故障码。

❶ C1203：ECM 通信故障。

❷ C1345：线性电磁阀偏移学习未进行。

根据故障码，翻阅维修手册，指示部位为：混合动力车辆控制 ECU 和线性电磁阀的初始化及校准未进行。

使用诊断仪对故障码进行清除，故障灯熄灭后马上点亮，使用诊断仪读取故障码：C1345（线性电磁阀偏移学习未进行）；C1368（线性电磁阀偏移故障）。比开始多了一个故障码，但都是线性电磁阀偏移故障，参阅维修手册，防滑 ECU

可存储并校准各零件（如行程传感器、执行器电磁阀和行程模拟器电磁阀）的差值。如果更换这些零件中的任意一个，则执行线性电磁阀的初始化和校准。

注意：执行线性电磁阀的初始化和校准之前，将输出故障码 C1203（ECM 通信故障）。

按照维修手册执行线性电磁阀的初始化和校准。

❶ 进入 Chassis/ABS/VSC/TRC/Reset Memory 菜单，清除存储的线性电池阀校准数据。

❷ 进入 Chassis/ABS/VSC/TRC/ECB（电子制动控制系统）/Utility/Linear Valve Offset 菜单，执行线性电磁阀的初始化和校准。

❸ 在车辆静止、不踩刹车踏板的情况下，检查制动警告灯（黄色）的闪烁间隔从 1s 变成 0.25s。

当初始化和校准进行到最后一步时，制动警告灯（黄色）的闪烁间隔没有从 1s 变成 0.25 s，仍是以 1s 的间隔闪烁，初始化和校准未能完成，输出故障码：C1345（线性电磁阀偏移学习未进行）；C1368（线性电磁阀偏移故障）。重复 ❶ ～ ❸ 步骤，故障依旧。依据维修手册提示，多次初始化和校准不能完成，需更换制动执行器总成。

执行蓄压器压力归零。

更换制动执行器总成，进行初始化和校准（重复 ❶ ～ ❸ 步骤）；线性电磁阀初始化和校准能够顺利完成，故障灯熄灭，故障排除。

9.5 制动系统性能受限

（1）车辆信息

车型：奥迪 Q2L e-tron 纯电动汽车。

（2）故障现象

在行驶过程中仪表显示制动系统性能受限。

（3）故障诊断与排除

使用诊断仪检查故障码。

01 发动机控制单元存在故障码 U103F00：制动助力控制单元信号不可信，被动 / 偶发。

03 制动电子装置 GABS 存在故障码 U112300：数据总线接收到的故障值，被动 / 偶发。

制动助力器控制单元 J539 存在如下故障码（图 9-5-1）。

P05E000：制动踏板行程传感器 1/2 一致性，被动 / 偶发。

C1187F4：制动助力器后退界面激活，被动 / 偶发。

C127000：制动踏板行程传感器舒适性受限，被动 / 偶发。

地址: 0023 系统名: 0023 - 制动助力器 协议改版: UDS/ISOTP (Ereignisse: 3)

[+] 识别:

[-] 故障存储器记录 (数据源: 车辆):

故障存储器记录

编号:	P05E000: 制动踏板行程传感器 1/2---致性
故障类型 2:	被动/偶发
症状:	216064
状态:	00100000
[-] 标准环境条件:	
日期:	22-5-23
时间:	10:13:11
里程（DTC）:	16179
优先等级:	1
频率计数器:	2
递减计数器/驾驶周期:	255
[+] 高级环境条件:	

故障存储器记录

编号:	C1187F4: 制动助力器 后退界面激活
故障类型 2:	被动/偶发
症状:	249600
状态:	00101000
[+] 标准环境条件:	
[+] 高级环境条件:	

故障存储器记录

编号:	C127000: 制动踏板行程传感器舒适性受限
故障类型 2:	被动/偶发
症状:	252416
状态:	00100000
[-] 标准环境条件:	
日期:	22-5-7
时间:	7:46:58
里程（DTC）:	15530
优先等级:	1
频率计数器:	5
递减计数器/驾驶周期:	255

图 9-5-1　制动助力器控制单元故障码

故障原因主要是由于制动助力器控制单元 539 内的故障码 P05E000 导致。

根据引导型测试计划，提示用力踩下 3 次制动踏板，制动踏板位置传感器数值会随着制动踏板变化而成比例变化；之后的作动器诊断，提示测得的制动踏板位置传感器数值是正常的。

为快速确定故障原因，将故障车制动踏位置传感器与正常车对比，观察在完全放开和完全踩到底的数据流（图 9-5-2 和图 9-5-3）。

制动踏板位置传感器是两个类似节气门位置传感器的信号组合，它们的信号成反比，同时符合两个信号相加是 100%的逻辑关系。反复测试发现，正常车踩下制动踏板时 G100 可以达到 30%，G836 是 70%；而故障车踩下制动踏板后，G100 只能达到 45%，G836 是 55%，制动踏板位置传感器信号偏离正常范围。

由于制动踏板位置传感器集成在电动机械式制动助力器总成上，只能更换电动机械式制动助力器总成。

恢复车辆，试车，故障排除。

故障车未踩制动踏板数据流
G036-制动踏板位置传感器2
检测传感器测量值： 交替踩下制动踏板并检测显示值 G100：17% G836：83% 制动踏板：关闭
在检测后按下按钮

故障车踩下制动踏板数据流
G036-制动踏板位置传感器2
检测传感器测量值： 交替踩下制动踏板并检测显示值 G100：45% G836：55% 制动踏板：接通
在检测后按下按钮

图 9-5-2　故障车制动踏板位置传感器数据流

正常车未踩下制动踏板数据流
G100-制动踏板位置传感器
检测传感器测量值： 交替踩下制动踏板并检测显示值 G100：17% G836：82% 制动踏板：关闭
在检测后按下按钮

正常车踩下制动踏板数据流
G100-制动踏板位置传感器
检测传感器测量值： 交替踩下制动踏板并检测显示值 G100：30% G836：70% 制动踏板：接通
在检测后按下按钮

图 9-5-3　正常车制动踏板位置传感器数据流

9.6 IPB 电源线路故障

（1）车辆信息

车型：比亚迪秦 DM-i 混合动力汽车。

（2）故障现象

比亚迪秦 DM-i 混合动力汽车出现制动踏板踩不动的故障，仪表报制动系统故障。

（3）故障诊断与排除

使用诊断仪读取故障码为 P25C700（IPB 内部硬件故障），如图 9-6-1 所示。

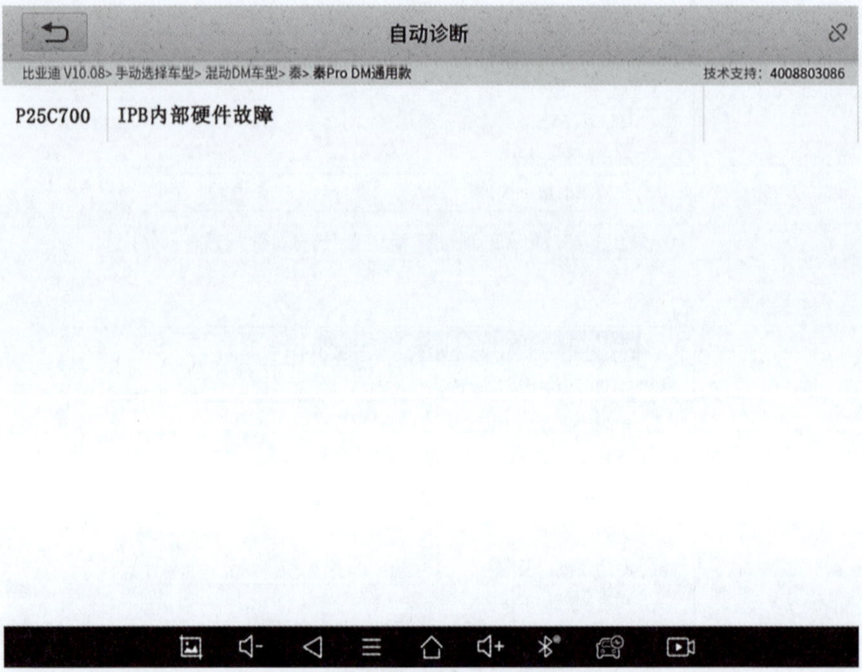

图 9-6-1　比亚迪秦 DM-i 故障码

查阅维修手册得知，引起该故障的原因为 IPB 供电故障、IPB 损坏。

检查 IPB 线束连接器，确认无松动、无损坏，连接牢固。

根据电路图查阅该车辆 IPB 的电源线路，UR17 继电器控制多个模块的电源，如果出现故障会导致多个模块电源故障，所以排除 UR17 继电器故障，如图 9-6-2 和图 9-6-3 所示。

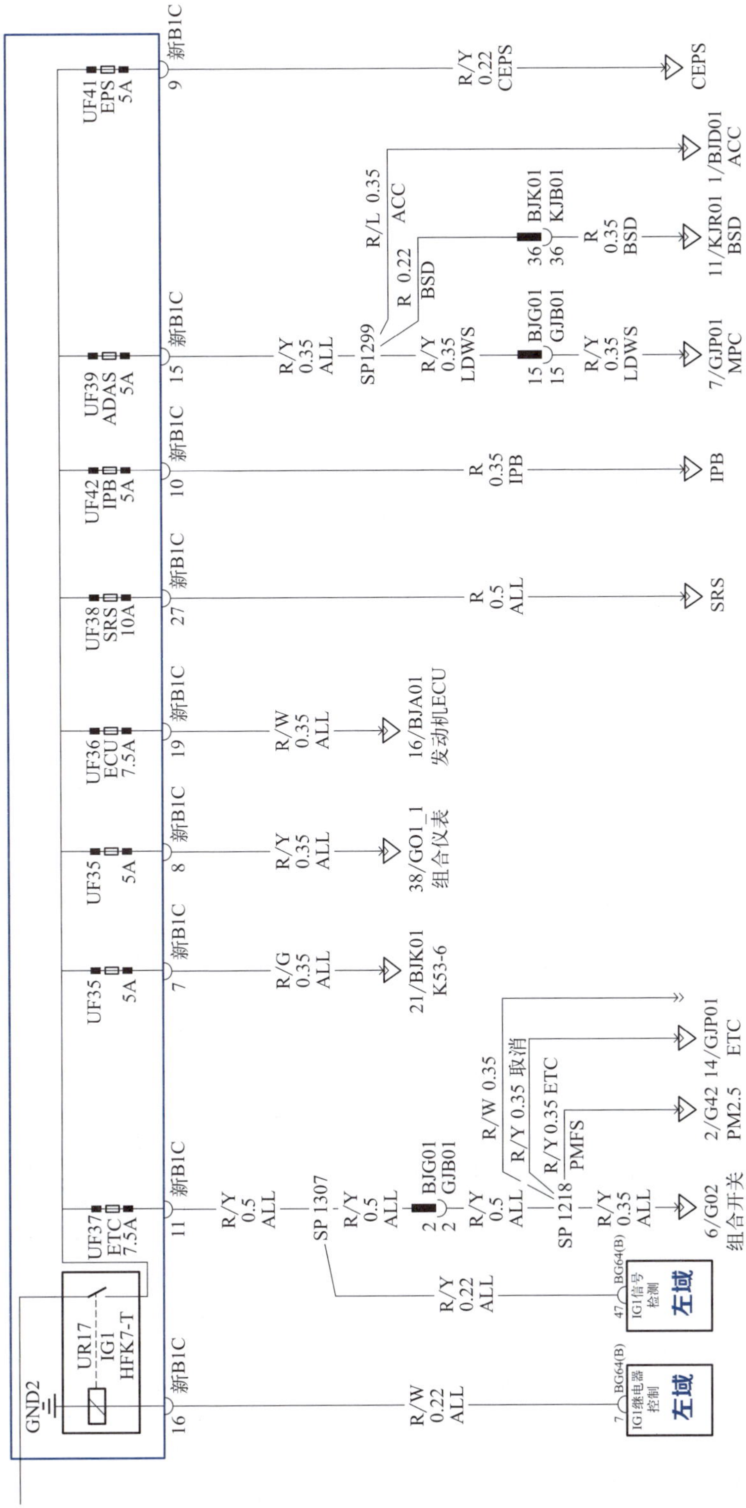

UF41 EPS 5A
UF39 ADAS 5A
UF42 IPB 5A
UF38 SRS 10A
UF36 ECU 7.5A
UF35 5A
UF35 5A
UF37 ETC 7.5A
UR17 IG1 HFK7-T
GND2
新B1C
R/Y 0.22 CEPS
CEPS
R/L 0.35 ACC
1/BJD01 ACC
R 0.22 BSD
BJK01 KJB01
R 0.35 BSD
11/KJR01 BSD
SP1299
R/Y 0.35 ALL
R/Y 0.35 LDWS
BJG01 GJB01
7/GJP01 MPC
R 0.35 IPB
IPB
R 0.5 ALL
SRS
R/W 0.35 ALL
16/BJA01 发动机ECU
R/Y 0.35 ALL
38/GO1_1 组合仪表
R/G 0.35 ALL
21/BJK01 K53-6
R/W 0.35
R/Y 0.35 取消
R/Y 0.35 ETC
R/Y PMFS
14/GJP01 ETC
2/G42 PM2.5
SP 1307
SP 1218
R/Y 0.5 ALL
R/Y 0.35 ALL
6/G02 组合开关
R/Y 0.22 ALL
R/W 0.22 ALL
BG64(B)
IG1信号检测
IG1继电器控制
左域

图 9-6-2　熔丝电路

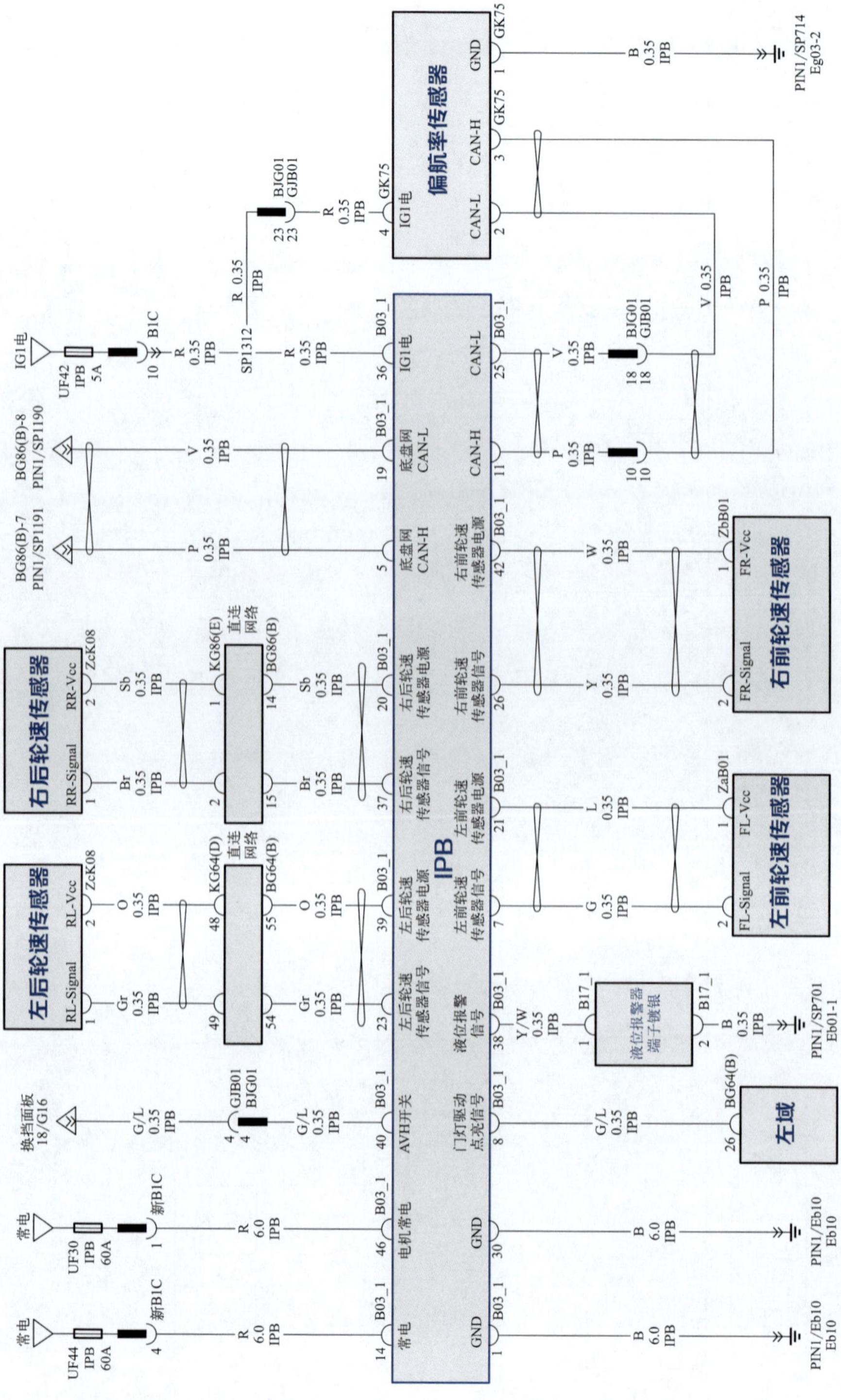
IPB
偏航率传感器
左后轮速传感器
右后轮速传感器
左前轮速传感器
右前轮速传感器
液位报警器端子镀银
左域
常电
IG1电
UF44 IPB 60A
UF30 IPB 60A
UF42 IPB 5A
新B1C
B1C
换挡面板 18/G16
BG86(B)-7 PIN1/SP1191
BG86(B)-8 PIN1/SP1190
SP1312
GJB01 BJG01
BJG01 GJB01
直连网络
KG64(D)
BG64(B)
KG86(E)
BG86(B)
ZcK08
ZaB01
ZbB01
B03_1
B17_1
GK75
PIN1/Eb10 Eb10
PIN1/SP701 Eb01-1
PIN1/SP714 Eg03-2
常电
电机常电
AVH开关
左后轮速传感器信号
左后轮速传感器电源
右后轮速传感器信号
右后轮速传感器电源
底盘网CAN-H
底盘网CAN-L
IG1电
GND
门灯驱动点亮信号
液位报警信号
左前轮速传感器信号
左前轮速传感器电源
右前轮速传感器信号
右前轮速传感器电源
CAN-H
CAN-L
RL-Signal
RL-Vcc
RR-Signal
RR-Vcc
FL-Signal
FL-Vcc
FR-Signal
FR-Vcc

图 9-6-3 IPB 电路

接下来检查 UF42（5A）熔丝：拔下熔丝，使用万用表 200Ω 电阻挡测量，测量值为 0.4Ω，正常，正常值应小于 1Ω，如图 9-6-4 所示。

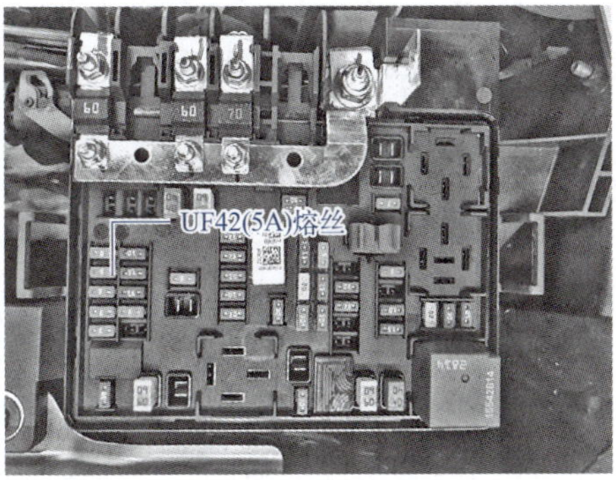

(a) UF42(5A)熔丝位置

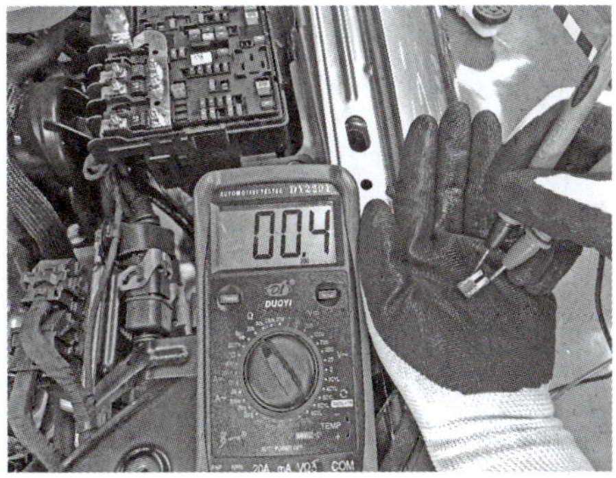

(b) 检查UF42(5A)熔丝

图 9-6-4 UF42（5A）熔丝

检查 UF30（60A）电机常电熔丝：拔下熔丝，使用万用表 200Ω 电阻挡测量，测量值为 0.3Ω，正常，正常值应小于 1Ω，如图 9-6-5 所示。

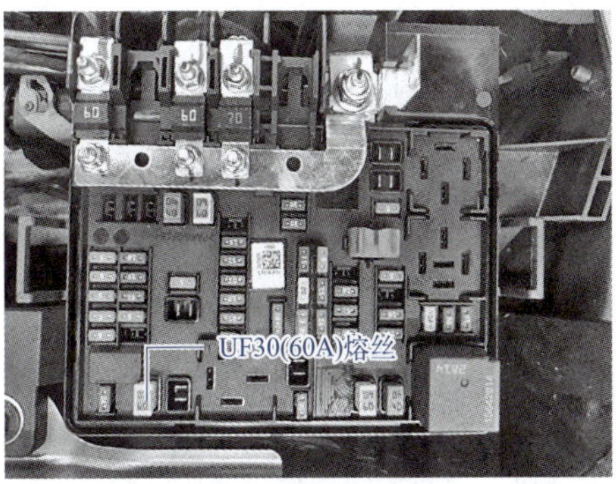

(a) UF30(60A)熔丝位置

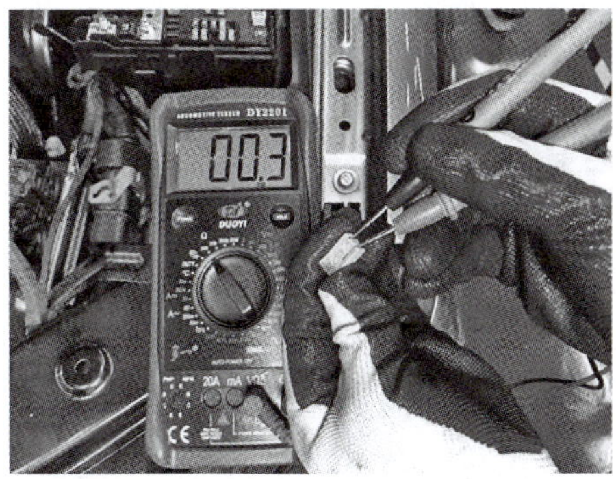

(b) 检查UF30(60A)熔丝

图 9-6-5 UF30（60A）电机常电熔丝

检查 UF44（60A）常电熔丝：拔下熔丝，使用万用表 200Ω 电阻挡测量，测量值为 0.4Ω，正常，正常值应小于 1Ω，如图 9-6-6 所示。

根据电路图，检查 UF42（5A）熔丝至 IPB 控制器 B03_1（36 号端子）线路导通状态：使用万用表 200Ω 电阻挡测量，测量值为无限大，不导通，正常值应小于 1Ω。初步发现该线路存在断路，如图 9-6-7 所示。

根据电路图，检查 UF44（60A）熔丝至 IPB 控制器 B03_1（14 号端子）线路导通状态：使用万用表 200Ω 电阻挡测量，测量值为 0.2Ω，正常导通，正常值应小于 1Ω，如图 9-6-8 所示。

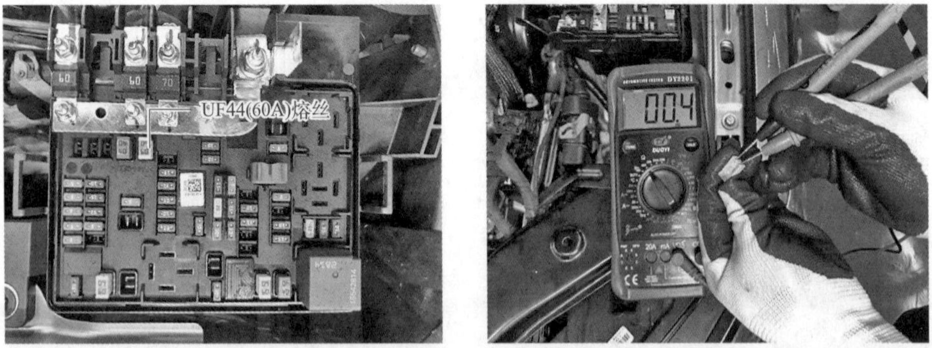

(a) UF44(60A)熔丝位置　　(b) 检查UF44(60A)熔丝

图 9-6-6　UF44（60A）常电熔丝

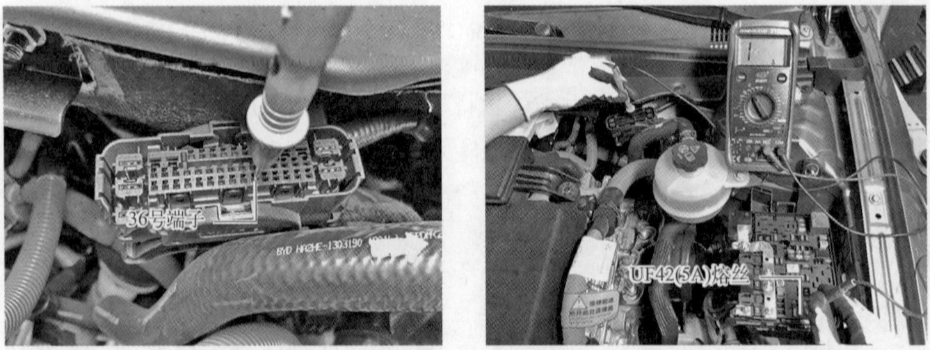

图 9-6-7　检查 IPB 控制器 B03_1（36 号端子）线路导通状态

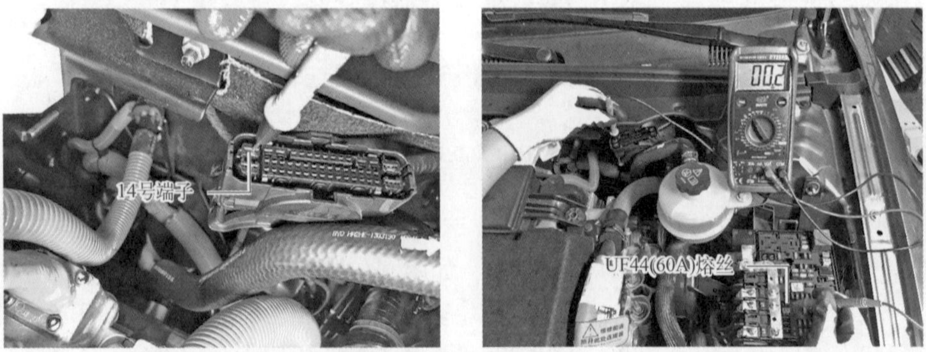

图 9-6-8　检查 IPB 控制器 B03_1（14 号端子）线路导通状态

修复 UF42（5A）熔丝至 IPB 控制器 B03_1（36 号端子）断开的线路。复原车辆，试车，车辆制动正常，故障排除。

第10章 空调系统故障

10.1 汽车空调不制热

（1）车辆信息

车型：比亚迪唐混合动力汽车。行驶里程：79536km。

（2）故障现象

空调出风口没有热风。

（3）故障诊断与排除

使用新能源汽车诊断仪扫描车辆模块，没有系统更新。

读取车辆数据流，启动预热10min，读取水温数据流达到98℃，室外温度0℃。开启空调手动模式，暖风温度32℃，鼓风机挡位3挡，读取数据流，主驾通道温度28℃，风口出风为自然风。

检查暖风水箱是否有故障，将温度挡位调至HI最热，读取数据流，主驾通道温度达到58℃。暖风水箱无故障，故障可能出现在冷暖电机与空调控制策略上。

拆下副驾扶手箱，将空调温度挡位从HI到LO之间调整，观察冷暖调节电机可以随温度调节动作，出风口温度也会随之变化。此时怀疑故障应是HEV模式下车辆空调温度控制策略。

尝试更换空调控制器，试车，故障排除。

10.2 汽车空调不制冷

10.2.1 空调有时不制冷

扫一扫

视频精讲

（1）车辆信息

车型：比亚迪唐混合动力汽车。

（2）故障现象

空调有时不制冷。

（3）故障诊断与排除

故障原因：

❶ 电动压缩机故障；

❷ 空调压力故障；

❸ 空调控制器故障；

❹ 低压线束故障；

❺ 散热扇故障。

故障检查：使用诊断仪读取故障码。

B2AF：ACC 空调压缩机控制器报空调管路压力故障。

B2AB4：内部电流过大。

将故障码删除，使用压力表检查空调系统静态压力和运行时的压力，压力均在正常范围内，测试空调系统 2h 后，空调均可正常工作。

与客户沟通后，客户同意先使用车辆并观察。

两周后客户将车辆开回维修店，到了店里空调又可以正常工作。与客户试车，多次模拟客户用车情况，得知车辆在正常驾驶时空调可以制冷，只有在等红灯时空调不凉，由此可见空调不制冷的原因在于散热不好，用诊断仪驱动风扇，工作良好。与客户路试一会后空调出现故障。停下车后观察散热风扇不工作，检查散热风扇线路，发现电源线无电压。测试 F1/22-2 散热风扇保险，有电。由此可见前舱配电盒供电正常，拆开配电盒发现 B1B 插头端口有点变形，与保险接插件虚接（图 10-2-1）。

图 10-2-1 保险接插件虚接

处理插头后风扇可以正常工作，故障排除。

10.2.2 交流充电机故障

（1）车辆信息

车型：吉利帝豪 EV450 纯电动车辆。

（2）故障现象

空调不制冷。

（3）故障诊断与排除

确定故障现象，车辆上电 Ready 后，鼓风机风速调至 3 挡，模式风向吹面部，打开空调 A/C 开关，AUTO 模式，出风口未感觉有冷风。

此时空调系统现象：

❶ 仪表无任何系统故障灯点亮，车辆在空调开启前后整车耗电功率不变；

❷ 机舱散热风扇高速旋转，AC 关闭后立刻停止，开启后迅速高速旋转；

❸ 高低压管无明显温差；

❹ 没有听到压缩机运转声音，并没有感觉到电动压缩机转子运转时壳体明显震动。

根据以上现象分析：❶、❸、❹ 都判定压缩机没有开机；❷ 的机舱冷凝风扇高速旋转，可判定制冷剂压力在中压以上。

连接空调压力表，A/C 开启前后高低压压力均为 600kPa 左右。

使用诊断仪读取空调系统故障码：U016B87，内容为 ACCM（空调压缩机模块）通信丢失，状态为当前故障。根据专检引导，压缩机无法通信，压缩机和空调热管理系统模块通信是 LIN 线通信（图 10-2-2）。

车辆加热和制冷共用一根 LIN 线。开启 PTC 加热模式，一切工作正常。判定 LIN 线及空调热管理模块电源均工作正常。

用万用表测试空调低压控制插头 BV08 的 1/BV08 电源正极、3/BV08 接地，电压为 12.9V，正常，且功率试灯点亮。诊断仪能进入空调控制模块间接证明模块电源正常。

用万用表测试 A/C 开启时，2/BV08 LIN 线电压为 9.35V，在正常 8 ～ 13V 范围内。用示波器测试 A/C 开启时 LIN 线波形，测量 LIN 线波形均匀且有波动，电压为 1 ～ 12.5V，平均为 10.8V，波形通信正常。

空调压缩机 BV08 插头 6/BV08、7/BV08 为高压互锁线路，控制策略推理互锁不会有问题。假如有问题，车辆不会上电，车辆将无法行驶。

检查线束，正常，无破损，插头针脚无腐蚀退针现象。

以上检测均正常，所以故障点锁定在压缩机控制模块内部。

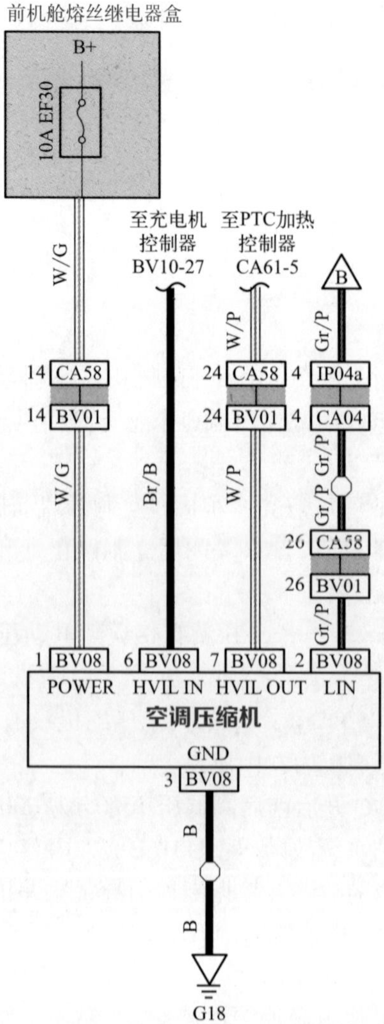

图 10-2-2　空调压缩机电路

压缩机和压缩机控制模块集成一体，需更换压缩机总成。更换压缩机总成后，压缩机依然没有启动，空调依旧不工作。

故障位置可能出现在并联支路端，即输出端、压缩机高压插头和中间橙色高压导线。高压安全下电后，进行高压线路测试。

断高压电测试线路通断。维修压缩机通信故障时，高压能上电，制热 PTC 也能正常工作（制热 PTC 高压和制冷 ACCM 压缩机高压电路是并联电路），证明动力电池到高压配电盒输入线路正常。

检测压缩机插头、针脚及高压分配盒至压缩机高压线束，均正常，于是故障位置锁定在高压配电箱内部。

高压配电箱制热 PTC 和制冷 ACCM 压缩机高压线路内均没有设计高压继电器，于是在不拆解情况下测试直流母线正极，与 PTC+ 导通，但与 ACCM+ 不导通；直流母线负极与 PTC- 和 ACCM- 均导通。可见在高压分配箱内部输入正极至 ACCM+ 出现断路现象，内部的 40A 高压熔丝烧毁。因为高压配电箱和交流充电机集成在一起，于是故障位置锁定在交流充电机内部。

更换高压配电箱和交流充电机总成后，空调制冷系统恢复正常，故障排除。

10.2.3 冷凝器压力和温度传感器故障

（1）车辆信息

车型：2022 年款奔驰 EQS450+ 纯电动汽车。

（2）故障现象

打开空调制冷开关后，空调不制冷。

（3）故障诊断与排除

使用诊断仪检查，未出现故障码。

使用诊断仪读取数据流：检查前部信号采集及促动控制模组（SAM）控制单元 N10/6 的 “气候控制系统”实际值，其中“功率［A9/6（制冷剂压缩机）］”的实际值为“0”，说明压缩机没有运转。

查看“关闭制冷剂压缩机的原因”实际为“制冷剂压力传感器存在故障”。

检查 3 个压力和温度传感器的实际值，其中温度实际值都在 30℃左右，正常。3 个压力实际值分别是：B161/1（热交换器压力和温度传感器）压力为 7.5bar，在制冷剂压缩机不运转的情况下，该压力值正常；B161/3（冷凝器前压力和温度传感器）压力为 0，不正常；B161/4（吸入管路压力和温度传感器）压力为 7.4bar，在制冷剂压缩机不运转的情况下，该压力值正常（图 10-2-3）。

初步怀疑 B161/3（冷凝器前压力和温度传感器）存在故障，导致该车故障的可能原因是：前部信号采集及促动控制模组（SAM）控制单元软件问题；压力传感器 B161/3 故障；管路机械故障（图 10-2-4）。

对前部信号采集及促动控制模组（SAM）控制单元 N10/6 的软件进行升级，升级成功后故障依旧。

执行断电处理和控制单元复位，故障依旧。

测量冷凝器前压力和温度传感器 B161/3 的插头，电源（PIN4）与搭铁（PIN1）之间电压为 12.3V，正常。

LIN2（PIN2）的电压为 9.5V。由于相同节点的制冷剂压缩机 A9/6 以及 PTC 加热器 N33/14 都没有设置故障码，因此，判断 LIN2 通信不存在故障。

将 B161/4 吸入管路压力和温度传感器以及 B161/3 冷凝器前压力和温度传

感器对换位置，使用诊断仪进行学习，再次读取 B161/3 和 B161/4 的数据流，B161/3 压力实际值恢复正常，但 B161/4 的压力实际值变成 0，故障现象出现了转移，说明冷凝器前压力和温度传感器 B161/3 内部存在电气故障。

更换冷凝器前压力和温度传感器 B161/3 后试车，故障排除。

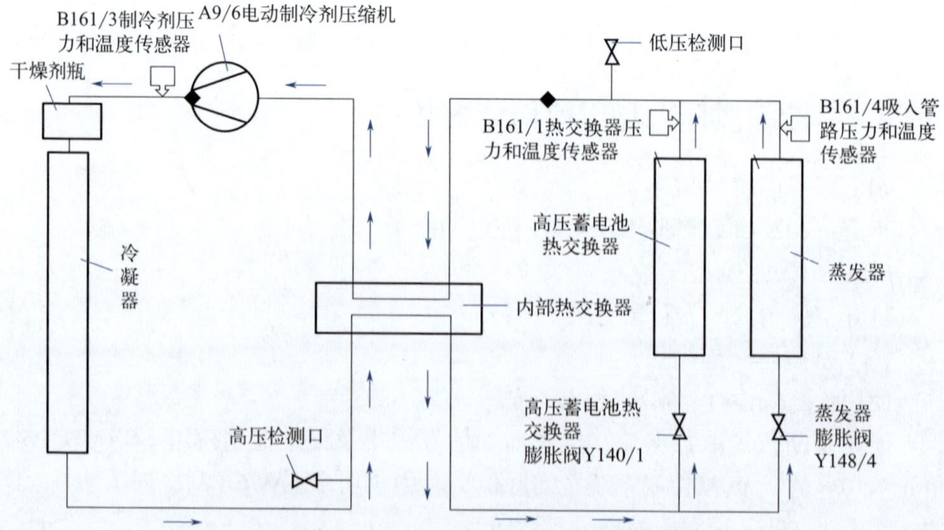

图 **10-2-3** 奔驰 **EQS** 空调系统制冷回路示意

10.2.4 电子膨胀阀熔丝退针插脚接触不良

（1）车辆信息

车型：比亚迪元 PLUS 纯电动汽车。

（2）故障现象

车辆偶发性空调不制冷。

（3）故障诊断与排除

使用诊断仪读取故障码，右车身域控制器有故障码。

U02B187：与 LIN 电子膨胀阀失去通信。

B134887：与 LIN 节流阀失去通信。

检查各阀体插接件，无异常。

检查热泵模块线束大插头，无异常。

测量 LIN 电子膨胀阀插接器：地线 B85-1 接地良好；电源 B85-2 供电电压正常（用试灯测试能点亮）；LIN 线 B85-3 至右域 G86（G）-2 导通正常，无短路、搭铁现象（图 10-2-5）。

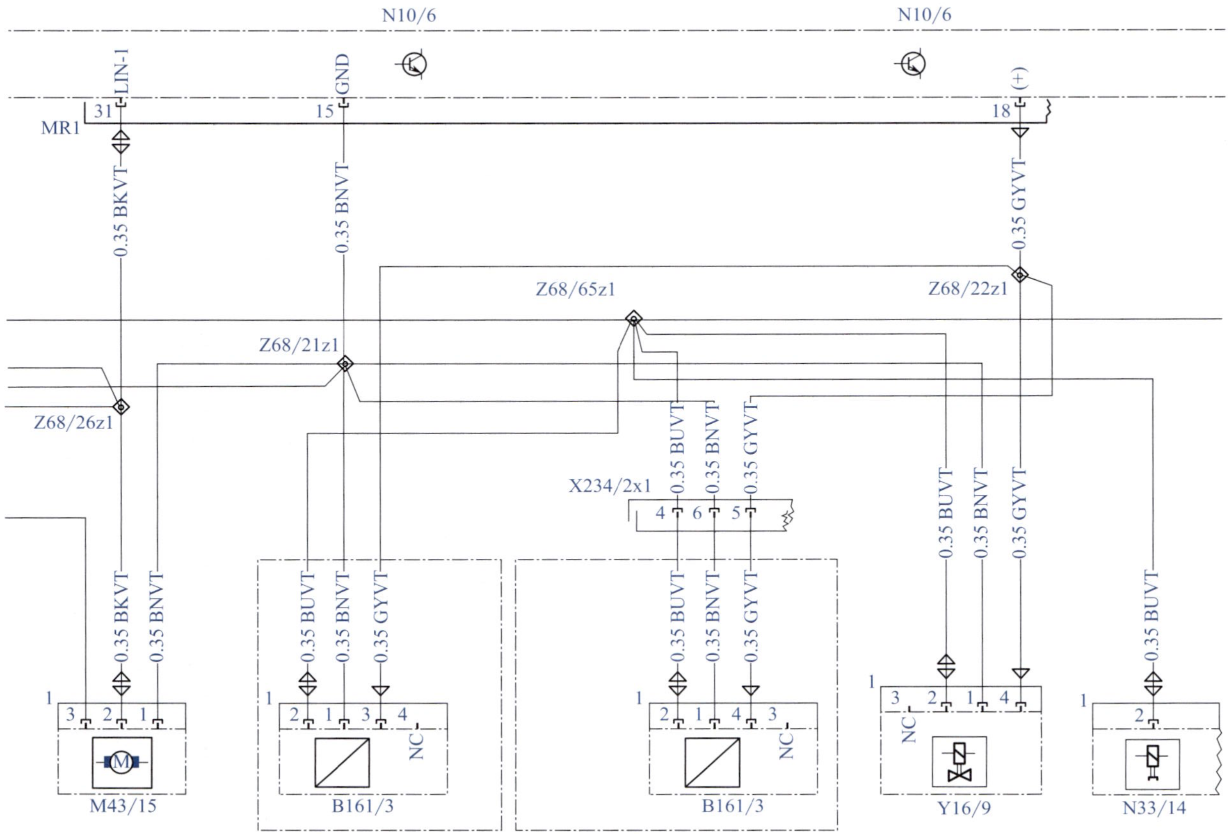

图 10-2-4　冷凝器前压力和温度传感器电路

B161/3—冷凝器压力和温度传感器；M43/15—低温回路冷却液泵 2；N10/6—前部信号采集及促动控制模组控制单元；N33/14—低温回路正温度系数（PTC）暖气增强系统（PTC 加热器）；Y16/9—加热回路切断阀

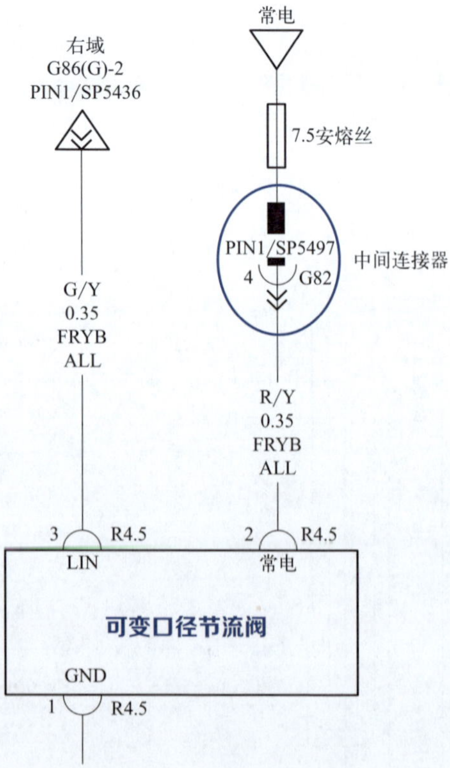

图 10-2-5　电子膨胀阀电路

根据故障出现的频率为偶尔，怀疑存在接触不良。经检查，电子膨胀阀插接器并无接触不良的情况。根据电路图，首先检查电子膨胀阀 2 号端子的线路，从熔丝到电子膨胀阀中间有一个插接器，检查熔丝是否因为熔断产生接触不良或者插脚松动、退针等，找到仪表板配电盒 IF03 熔丝，检查熔丝正常。检查熔丝连接插脚时发现插脚退针，从而导致接触不良，处理该针脚后，试车，车辆正常。待客户回去使用车辆两周后回访，故障没有再出现，至此故障彻底排除。

10.2.5　空调制冷剂压力和温度传感器故障

（1）车辆信息

车型：奔驰 EQC3504MATIC 纯电动汽车。

（2）故障现象

车辆在行驶过程中突然空调不制冷，散热器风扇高速运转。

（3）故障诊断

进行功能测试发现，启动车辆后，车辆可以正常行驶；仪表无任何故障提示，空调鼓风机可以正常运转和调节转速，但是空调不制冷，只有自然风从出风口出来；此外散热器风扇一直在高速运转，不正常。

连接诊断仪进行快速测试，空调（KLA）控制单元N22/1报故障码B1E7249：冷凝器前的制冷剂压力和温度传感器存在功能故障。存在一个内部电气故障。

检查空调（KLA）控制单元N22/1的数据流，关闭制冷剂压缩机的原因为：

❶ 部件B12（制冷剂压力传感器）、A9/6（电动制冷剂压缩机）状态为关闭；

❷ 部件A9/6（电动制冷剂压缩机）的耗电量为0；

❸ 部件A9/6（电动制冷剂压缩机）的实际转速为0；

❹ 部件Y19/1（高压蓄电池冷却系统关闭阀）状态为已关闭；

❺ 制冷剂压力传感器B12的压力实际值为0，上述实际值均不正常。

根据故障码分析可能故障原因有：

❶ 空调（KLA）控制单元N22/1软件故障；

❷ 空调（KLA）控制单元N22/1电气故障；

❸ 制冷剂泄漏；

❹ 制冷剂压力传感器B161/2电气故障；

❺ 制冷剂压力传感器B161/2线路故障。

对空调（KLA）控制单元N22/1软件进行升级，结果无新软件；进行N22/1控制单元的复位和设码，故障依旧。

回收空调系统制冷剂，回收到650g，正常。

检查冷凝器前的制冷剂压力和温度传感器B161/2的插头，插头无腐蚀或插针松旷的异常情况；测量4号线电源为蓄电池电压，正常；1号线搭铁，与车身间的阻值正常；测量2号线LIN4的信号电压为9V左右，正常；断开B161/2的插头，查看实际X161/2的压力实际值为0，说明0是B161/2的故障替代值。

更换制冷剂压力和温度传感器B161/2，故障排除。

10.2.6 LIN线故障

（1）车辆信息

车型：大众新帕萨特PHEV混动车型。

（2）故障现象

空调不制冷。

（3）故障诊断与排除

使用诊断仪连接车辆，读取故障码，报“通信控制单元数据总线1，有故障”。

根据故障码分析，造成故障的原因可能有：

❶ 空调控制单元损坏或供电接地不正常；

❷ 空调控制单元编码有误；

❸ 空调压缩机采用高压电提供动力，空调压缩机有问题；

❹ 空调控制系统电路有问题。

检查空调控制单元 EX21 编码，正确，可以排除空调控制单元的问题。

使用诊断仪检测高压电系统，高压电系统中没有故障码存在。

分析空调控制系统电路，空调控制单元 EX21 通过 LIN 线实现和空调压缩机 V470 通信，空调控制单元 EX21 通过 LIN 线还和新鲜空气鼓风机 V2 实现通信。

新鲜空气鼓风机 V2 能吹自然风，说明空调控制单元 EX21 有 LIN 信号输出。

空调压缩机 V470 不工作，可能没有收到 LIN 信号。

本着先易后难的原则，分析空调控制电路。

既然空调控制系统报“通信控制单元数据总线 1，有故障”，空调控制系统由 LIN 线控制，接下来分析空调 LIN 线电路，LIN 线电路走向如下。

❶ 空调控制单元 EX21 通过 T24c/16 针脚 LIN 线，过节点 B549 到 T17C/14，再到 D233 节点（图 10-2-6）。

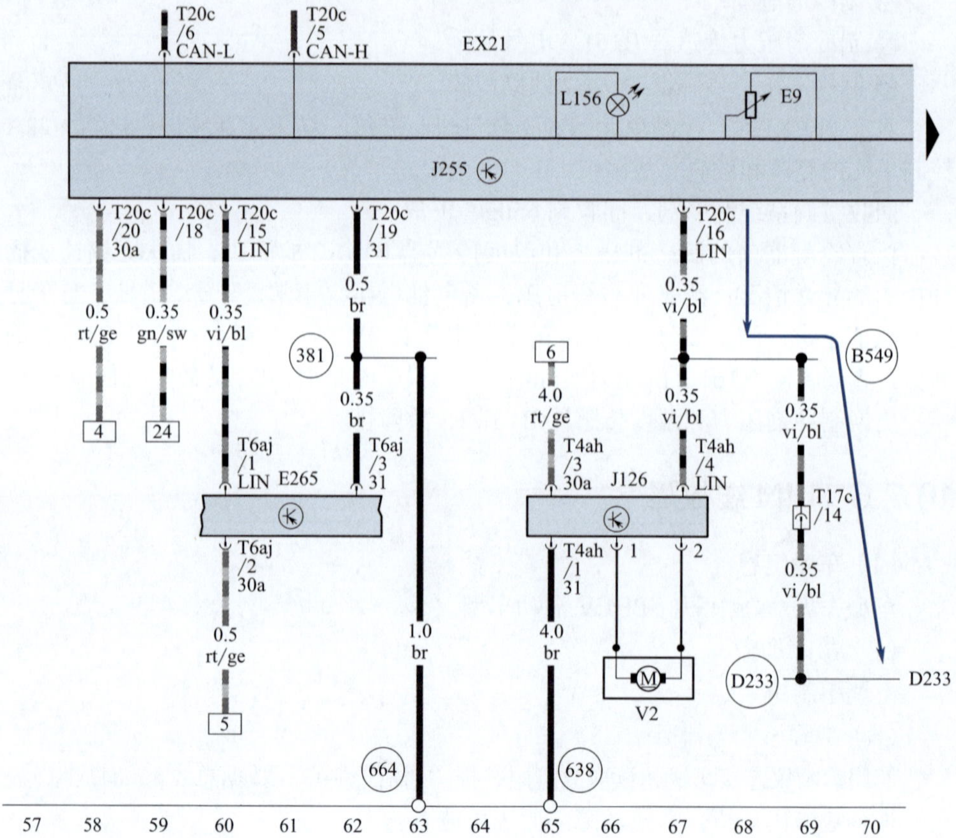

图 10-2-6 大众新帕萨特 PHEV 空调控制电路（一）

❷ D233 从 72 位置点连接 T14g/12 插头，通过 36 标识引导（图 10-2-7）。

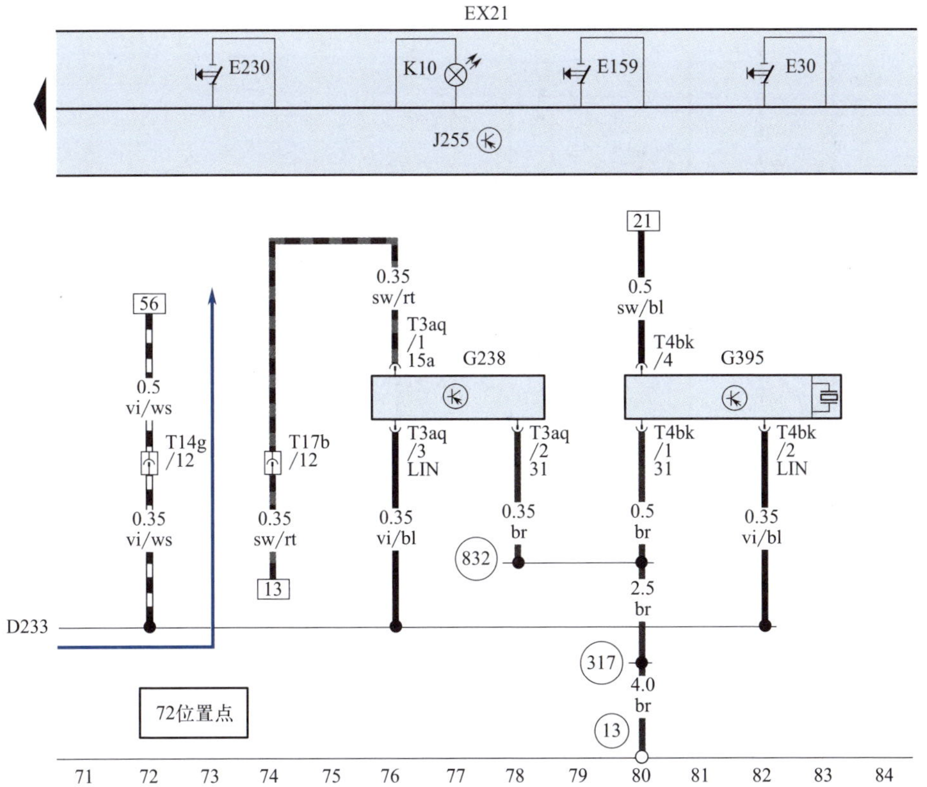

图 10-2-7　大众新帕萨特 PHEV 空调控制电路（二）

❸ LIN 线通过 36 位置点的 72 标识引导至接线点 D46（图 10-2-8）。

❹ D46 连接线到空调压缩机 V470 的 T8aa/2 号针脚（图 10-2-9）。

❺ 上述 4 步连接起来，即为 LIN 线走向。

通过分析空调电路得出以下结论。

❶ 由空调控制系统控制电路可知，LIN 线是整个空调系统的数据通信线，LIN 线有问题，会导致数据通信错误。

❷ LIN 线从空调控制单元 EX21 到空调压缩机 V470 有 2 个连接点和 2 个插接件，用万用表欧姆挡测量 T20c/16 针脚和 T8aa/2 针脚之间的电阻为无穷大，说明 LIN 线断路。

❸ 分段检测 LIN 线发现 T20c/16 针脚到 T14g/12 之间断路。

❹ 进一步检测发现 T17c/14 针脚后面的线脱落。

LIN 线断路是造成空调压缩机 V2 不工作的原因，修复插头针脚后，空调制冷正常，故障排除。

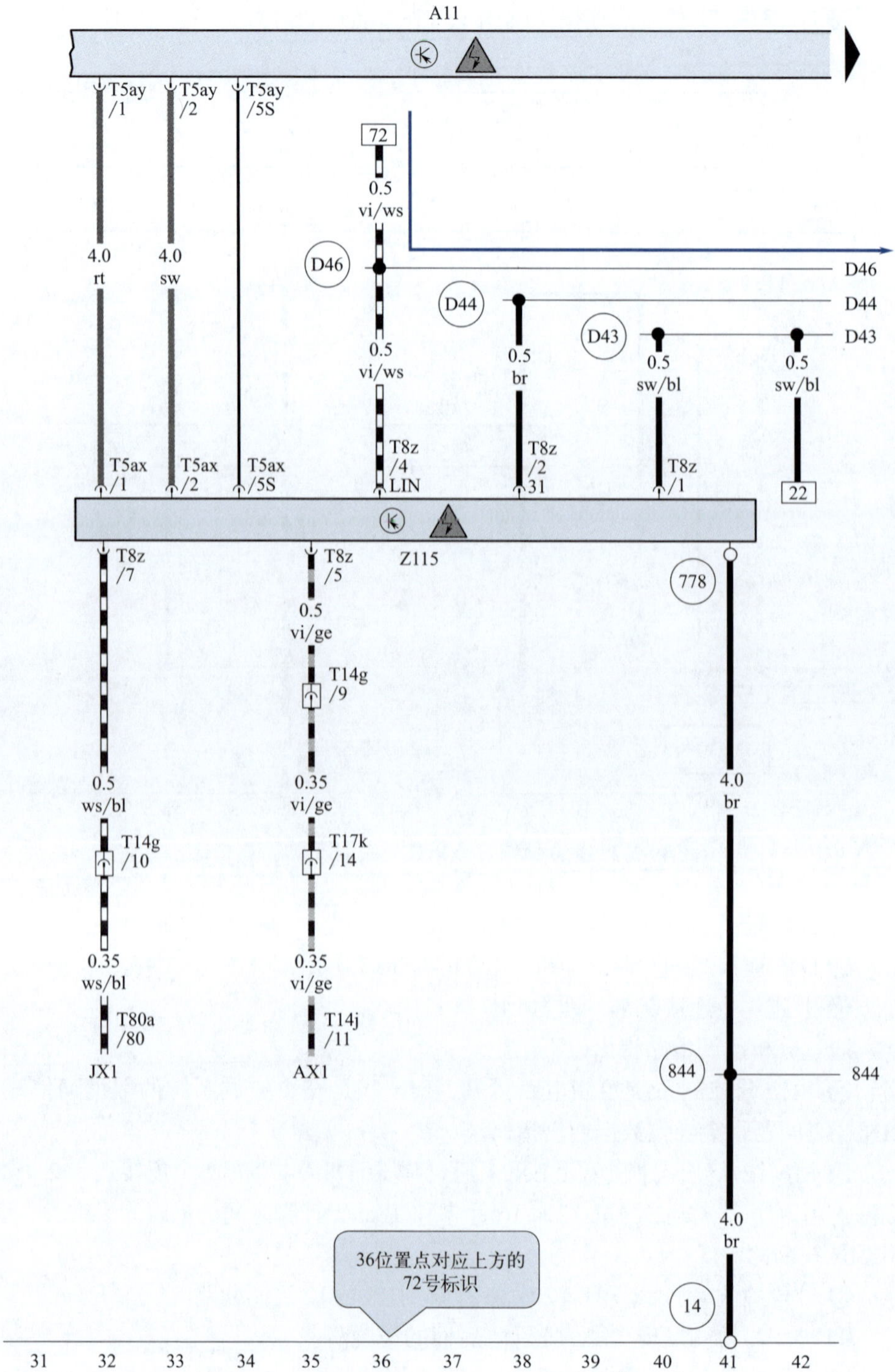

图 10-2-8　大众新帕萨特 PHEV 空调控制电路（三）

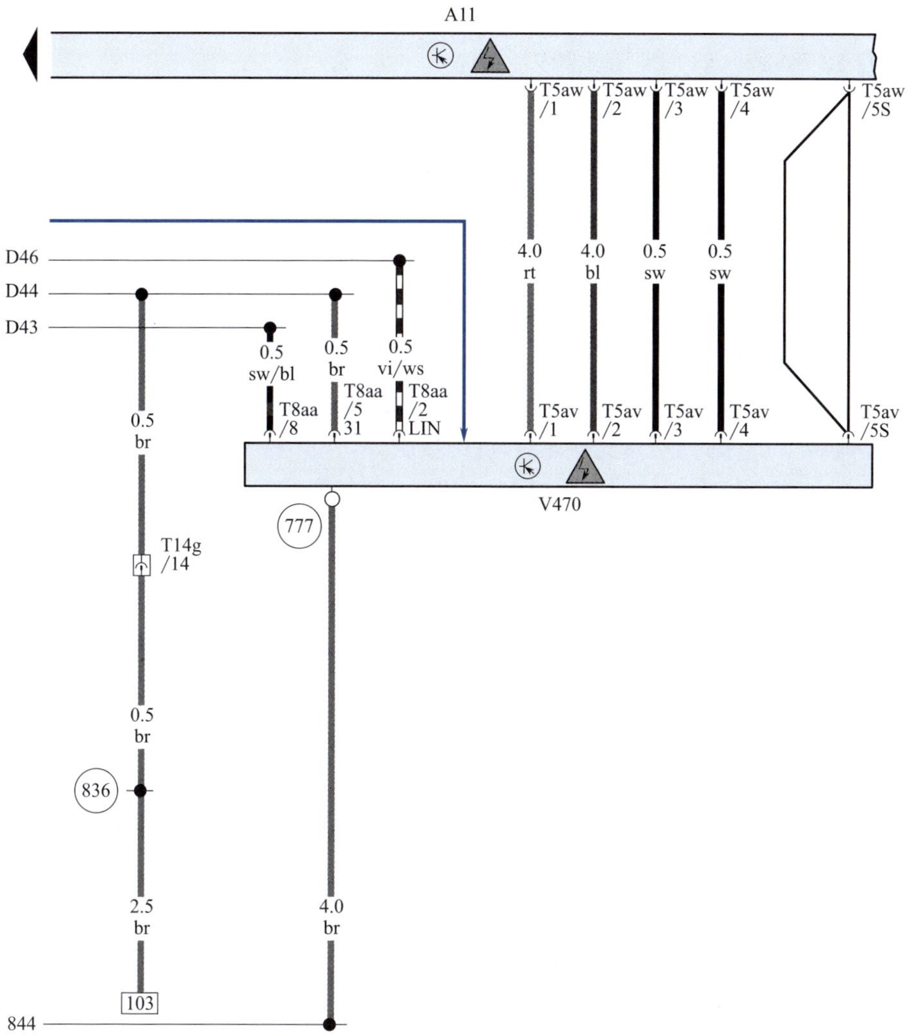

图 10-2-9　大众新帕萨特 PHEV 空调控制电路（四）

10.2.7　主动进气格栅插接器故障

（1）车辆信息

车型：2022 年款比亚迪唐 EV。

（2）故障现象

车辆打开制冷，无冷风。

（3）故障诊断

使用诊断仪检查，未发现程序更新。

读取右域故障码：

❶ B134887，与 LIN 节流阀失去通信；

❷ B2C0987，与后四通阀（LIN）失去通信；

❸ U02B187，与 LIN 电子膨胀阀失去通信；

❹ U02E487，右域与香氛总成通信故障。

根据故障码分析，导致故障的原因有：

❶ LIN 线路故障；

❷ LIN 模块故障；

❸ 右域故障。

根据故障码查阅资料，上述模块通信 LIN3 来自右域，LIN3 包括主动进气格栅、节流阀、膨胀阀、香氛、右前右后门氛围灯。

因主动进气格栅插接器在前杠内，首先检查各个插接器，无松动、无退针现象。测量节流阀、四通阀、香氛系统的 LIN 线电压，为 13V，异常，正常应为 12V。由于各个零部件共用 LIN 线，所以要先排除主动进气格栅的故障，再继续检查其他。

拆卸前杠，断开主动进气格栅插接器，发现主动进气格栅插接器进水腐蚀（图 10-2-10），怀疑是这里故障引起的。断开主动进气格栅插接器，车辆上高压电，启动空调，开启制冷，车辆恢复制冷，更换模块和线束，故障排除。

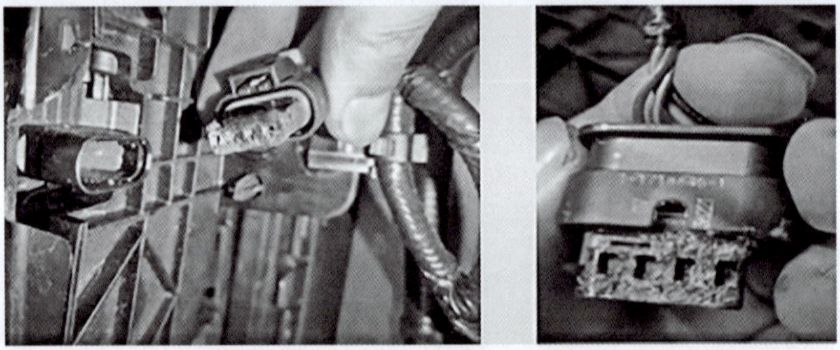

图 10-2-10　主动进气格栅插接器进水腐蚀

10.2.8　线束接触不良

（1）车辆信息

车型：奇瑞星途追风 ET-i 插电式混合动力汽车。

（2）故障现象

车辆行驶过程中偶尔出现空调不制冷。

(3) 故障诊断与排除

使用诊断仪读取故障码，CLM 系统存在故障码 B1427-11 和 B1427-15，故障在线时为当前故障，反之为历史故障，故障码可清除（表 10-2-1）。

表 10-2-1　故障码分析

B1427-11	PT 传感器电路对地短路或 PT 压力传感器开路	PT 压力传感器电压低于 0.1V 达 2400ms 或 PT 温度传感器电压低于 0.1V 达 2400ms	温度压力传感器损坏或线束短路	（1）检查温度压力传感器线路是否对地短路或开路 （2）更换温度压力传感器
B1427-15	PT 传感器电源电路短路，或 PT 温度传感器开路	PT 压力传感器电压高于 4.9V 达 2400ms 或 PT 温度传感器电压高于 4.9V 达 2400ms	温度压力传感器损坏或线束短路	（1）检查温度压力传感器线路是否对电源短路或开路 （2）更换温度压力传感器

通过维修手册及电路图分析（图 10-2-11）对温度压力传感器与自动空调控制模块之间的线束进行检查（断开插接器电阻检查）。

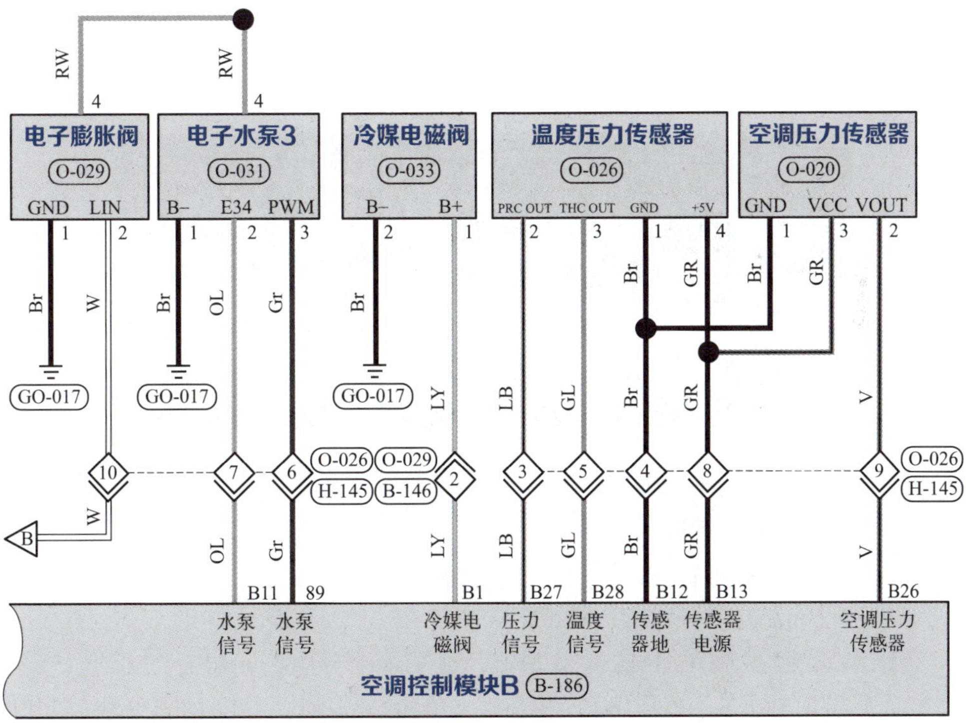

图 10-2-11　电路图

检查温度压力传感器 Q-028 连接器 1 号针脚到空调控制模块 B-186 连接器 12 号针脚之间的传感器地线电阻，远大于 1Ω，且摇动线束时电阻值不断变化。其余线路电阻测量均小于 1Ω，正常。

检查线束，发现温度压力传感器与空调压力传感器棕色接地线结节处确实连接不良（拨开热缩管后线路结点已断开）。

重新连接线束，试车，故障排除。

10.3 空调压缩机故障

10.3.1 空调压缩机漏电

（1）车辆信息

车型：比亚迪秦混合动力汽车。

（2）故障现象

车辆上 OK 电，仪表 OK 灯亮，自动切换到 HEV，发动机启动，无法使用 EV 模式。

仪表上动力系统故障灯亮，仪表提示请检查动力系统（图 10-3-1）。

检查剩余电量为 83%。

图 10-3-1　仪表报故障

（3）故障诊断与排除

使用诊断仪读取高压 BMS 管理器，报漏电故障。

清除车辆故障码，重新上 ON 电。

用诊断仪读取高压 BMS 中数据流，显示 4 个分压接触器吸合（动力电池漏电或异常时断开）；读取 BMS 系统，无漏电故障码，排除动力电池包漏电（图 10-3-2）。

高压电池管理器：

充电/放电允许：不允许/不允许 3/4

充电信号：　　无

充电状态：　　正常

预充状态：　　未预充

主接触器：　　断开

预充接触器：　断开

充电接触器：　断开

负极接触器：　断开

分压接触器 1：　吸合

分压接触器 2：　吸合

分压接触器 3：　吸合

分压接触器 4：　吸合

图 10-3-2　高压电池管理器数据流

注意：车辆在 ON 挡，4 个分压接触器吸合，说明动力电池不漏电（如果 4 个分压接触器断开，且 BMS 报漏电故障，说明动力电池漏电）。

踩制动踏板上 OK 电，仪表提示请检查动力系统。

高压 BMS 报以下故障码。

P1A0000：严重漏电故障。

P1A0100：一般漏电故障（清除故障码，重新上 OK 电，故障码再现）。

确认因漏电故障导致无法使用 EV 模式；OK 电报漏电故障，判断动力电池包以外的高压模块存在漏电风险。

注意：上 OK 电报漏电故障时，高压电池管理器中数据流显示 4 个分压接触器断开，正常应该吸合（图 10-3-3）。

车辆在 OFF 挡，断开低压电池负极。穿戴防护设备，断开紧急维修开关，逐个断开各高压模块（除动力电池包外），每次断开一个高压模块后装回紧急维修开关，上 OK 电测试是否存在漏电故障（图 10-3-4）。

方法如下。

高压电池管理器:

充电/放电允许:不允许/不允许 3/4

充电信号:	无
充电状态:	正常
预充状态:	未预充
主接触器:	断开
预充接触器:	断开
充电接触器:	断开
负极接触器:	断开
分压接触器 1:	断开
分压接触器 2:	断开
分压接触器 3:	断开
分压接触器 4:	断开

图 10-3-3 高压电池管理器数据流

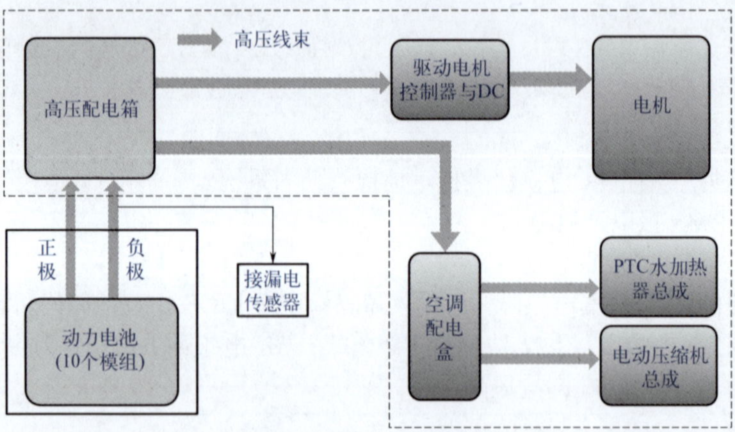

图 10-3-4 模块连接

❶ 车辆在 OFF 挡，断开紧急维修开关，再断开电动压缩机高压线束插头；装上紧急维修开关，上 OK 电，用诊断仪读取系统故障。

如果不漏电，判断电动压缩机漏电。

如果漏电，判断电动压缩机正常；继续断开其他高压模块。

❷ 车辆在 OFF 挡，断开紧急维修开关，再断开 PTC 高压线束插头；装上紧急维修开关，上 OK 电，用诊断仪读取系统故障。

如果不漏电，判断 PTC 漏电。

如果漏电，判断 PTC 正常；继续断开其他高压模块。

❸ 车辆在 OFF 挡，断开紧急维修开关，再断开空调配电盒输入端高压线束插头；装上紧急维修开关，上 OK 电，诊断仪读取系统故障。

如果不漏电，判断空调配电盒及线束漏电。

如果漏电，判断 PTC 及线束正常；继续断开其他高压模块。

按照以上方法，依次断开剩余高压模块，逐个判断哪个模块漏电或哪条高压线束漏电。

判定一个高压模块或高压线束漏电时，尽量再将高压模块或线束插头插上去确认故障是否再现，避免零部件误判。

当拔掉电动压缩机高压线束输入插头后，上 OK 电不再报漏电故障，EV 和 HEV 模式可以相互转换（再装回电动压缩机插头，BMS 报漏电故障，无法使用 EV 模式）。

检查发现压缩机橙色高压线损破（图 10-3-5）。

更换电动压缩机总成后，故障排除。

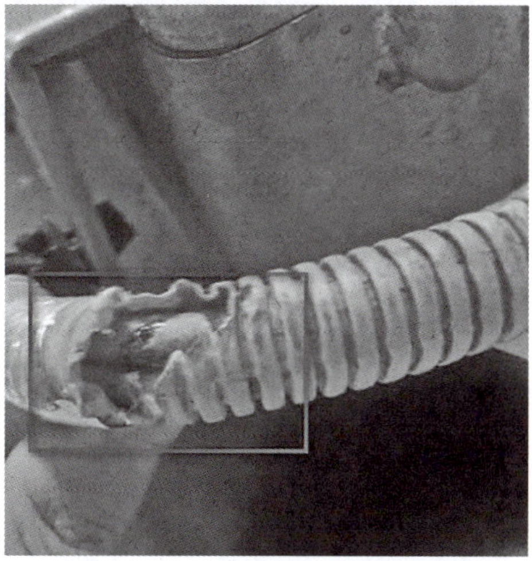

图 10-3-5　压缩机橙色高压线损破

10.3.2　EV 模式下空调不工作

（1）车辆信息

车型：比亚迪秦混合动力汽车。

（2）故障现象

车辆上 OK 电后，在 EV 模式下，空调不工作。

（3）故障诊断与排除

因打开空调后，机械压缩机可以正常工作，可以排除空调管路系统、空调面板按键、温度传感器及压力传感器等故障，分析主要与电动压缩机高压部分及控制部分有关，原因如下。

❶ 高压配电箱故障；

❷ 空调控制器故障；

❸ 空调配电盒故障；

❹ 电动压缩机及其线路故障。

车辆上 OK 电后，使用诊断仪读取电动压缩机及 PTC 加热器模块高压输入，为 500V，说明高压配电箱及空调配电盒正常。

断开电动压缩机 A56 接插件，测量 A56 接插件 1 脚电压，为 13V，正常；测量 A56 接插件的 2 脚，搭铁正常。

测量电动压缩机 A56 接插件的 4 脚、5 脚 CAN 线电压，都为 2.5V，正常。

断开 PTC 加热器 B57 接插件，测量 B57 接插件 1 脚电压，为 13V，正常；测量 B57 接插件的 6 脚，搭铁正常。

测量 PTC 加热器接插件的 4 脚、5 脚 CAN 线电压，都为 2.5V，正常。

因电动压缩机及 PTC 加热器接插件线路高压及低压都正常，怀疑电动压缩机或 PTC 加热器故障（图 10-3-6）。先更换 PTC 加热器，故障依旧；更换电动压缩机后，故障排除。

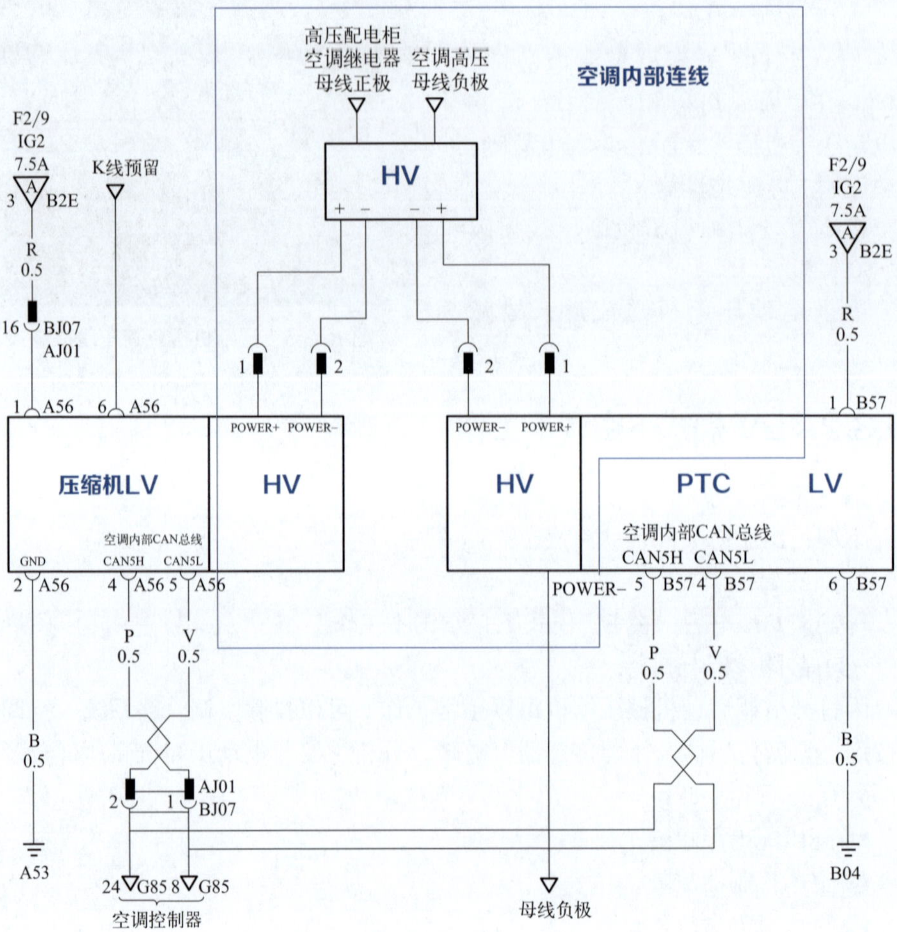

图 10-3-6 空调压缩机和 PTC 加热器电路

10.3.3 高压绝缘故障灯点亮

（1）车辆信息

车型：奇瑞星途追风 ET-i 插电式混合动力汽车。

（2）故障现象

动力系统故障灯点亮。

（3）故障诊断与排除

使用诊断仪读取 BMS 模块系统故障码：POAA81E，内容为绝缘电路电阻超过范围。

按正常步骤下高压电。

根据高压电路逐一进行排查，用绝缘表测量各零部件的绝缘值，应大于 20MΩ，如小于 20MΩ 证明此处有问题（压缩机＜ 3MΩ）（图 10-3-7）。

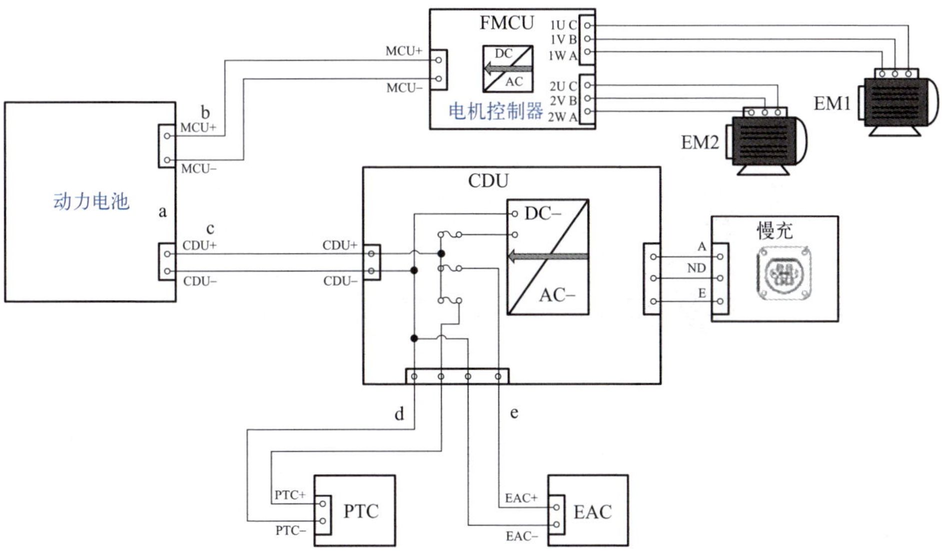

图 10-3-7　整车高压电路

❶ 动力电池总成插头 MCU+ 对地、MCU− 对地、CDU+ 对地、CDU− 对地，绝缘阻值大于 20MΩ。

❷ 动力电池 MCU 插头线束端正对地、负对地绝缘阻值大于 20MΩ。

❸ 动力电池 CDU 插头线束端正对地、负对地绝缘阻值实际测量只有 0.37MΩ。

❹ 断开 CDU 处 PTC 加热器插件，测量加热器总成对地、负对地绝缘阻值，大于 20MΩ。

❺ 断开压缩机高压插件，测量压缩机总成绝缘电阻，为 0.25 MΩ，小于

3MΩ，证明此处有问题，更换压缩机后测量电阻大于 20MΩ。

恢复车辆，车辆上高压，绝缘故障排除。

10.4 空调暖风系统故障

10.4.1 空调没有热风

（1）车辆信息

车型：大众 ID4 车辆。

（2）故障现象

仪表提示“电驱动装置工作不正确。请去维修站”（图 10-4-1），空调没有热风。

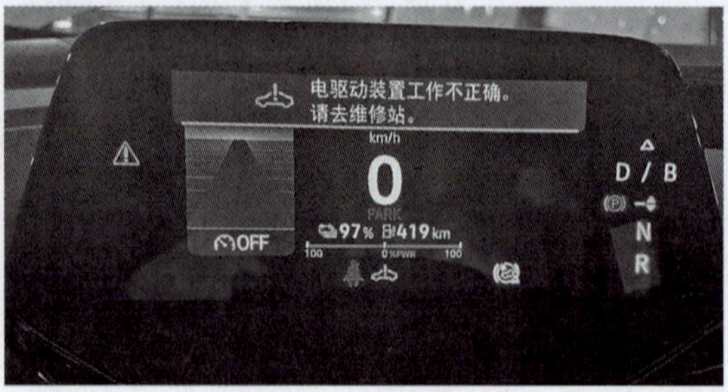

图 10-4-1　仪表提示

（3）故障诊断与排除

产生故障的原因：

❶ PTC 加热器故障；

❷ 控制线束或供电故障；

❸ 高压电池内部故障。

使用诊断仪读取故障码，如图 10-4-2 所示。

相关系统能诊断，低压部分电源接地控制可以排除。使用诊断仪读取 08 空调系统数据流数据，查找高压空气加热器状态，通过读取数据流判断 PTC 加热高压为 0。

> 注意：正常车型 PTC 加热高压为 388V。

查找电路图，如图 10-4-3 所示。

系统简称: J979

故障存储器记录 (数据源: 车辆):

故障存储器记录

编号:	B1581F4: 高电压加热器控制单元 高电压太低
故障类型 2:	主动/静态
症状:	1244945
状态:	00101111

标准环境条件:

日期:	21-11-15
时间:	9:59:08
里程 (DTC):	21
优先等级:	3
频率计数器:	1
递减计数器/驾驶周期:	40

图 10-4-2 大众 ID4 高电压加热器控制单元故障码

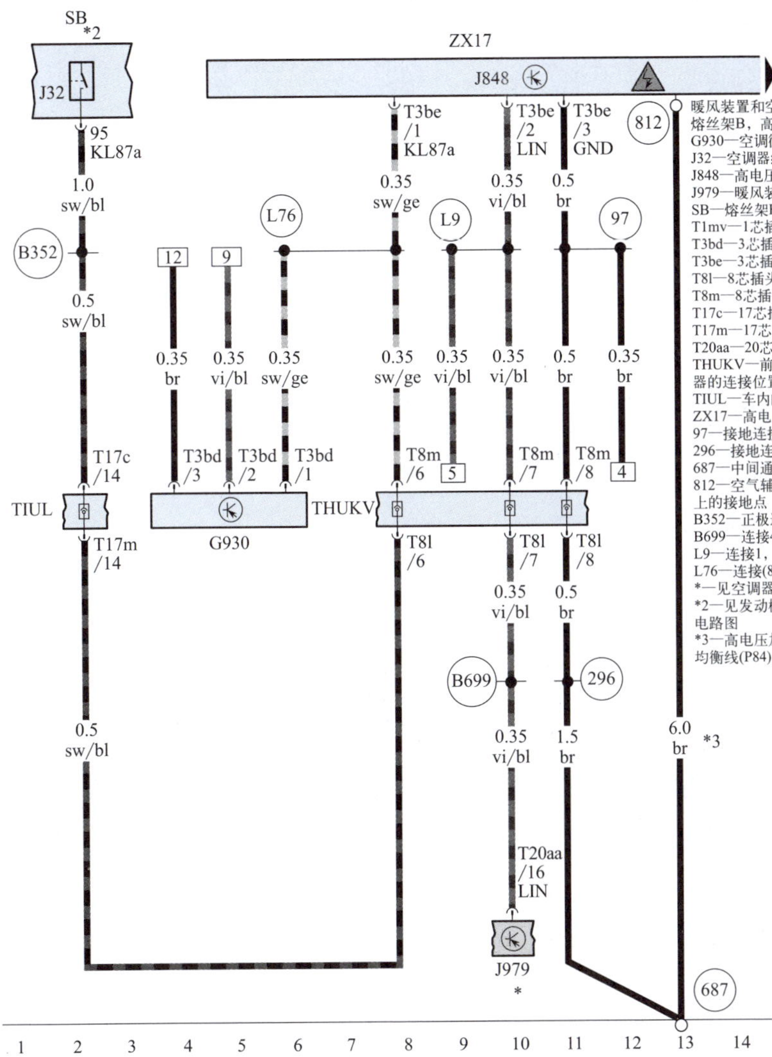

暖风装置和空调器的控制单元，熔丝架B，高电压加热装置(PTC)
G930—空调微细粉尘含量传感器
J32—空调器继电器
J848—高电压加热装置(PTC)的控制单元
J979—暖风装置和空调器的控制单元
SB—熔丝架B
T1mv—1芯插头连接，黑色
T3bd—3芯插头连接
T3be—3芯插头连接，黑色
T8l—8芯插头连接，黑色
T8m—8芯插头连接，黑色
T17c—17芯插头连接，红色
T17m—17芯插头连接，红色
T20aa—20芯插头连接，黑色
THUKV—前部暖风装置和空调器的连接位置
TIUL—车内的下部左侧连接位置
ZX17—高电压加热装置(PTC)
97—接地连接1，在空调器导线束中
296—接地连接11，在车内导线束中
687—中间通道上的接地点1
812—空气辅助加热装置加热元件上的接地点
B352—正极连接3(87a)，在主导线束中
B699—连接4(LIN总线)，在主导线束中
L9—连接1，在空调器导线束中
L76—连接(87)，在空调器导线束中
*—见空调器所适用的电路图
*2—见发动机舱内熔丝所适用的电路图
*3—高电压加热装置(PTC)电位均衡线(P84)

ws=白色
sw=黑色
ro=红色
rt=红色
br=褐色
gn=绿色
bl=蓝色
gr=灰色
li=淡紫色
vi=淡紫色
ge=黄色
or=橘黄色
rs=粉红色
tk=绿松石
blk=未绝缘

图 10-4-3

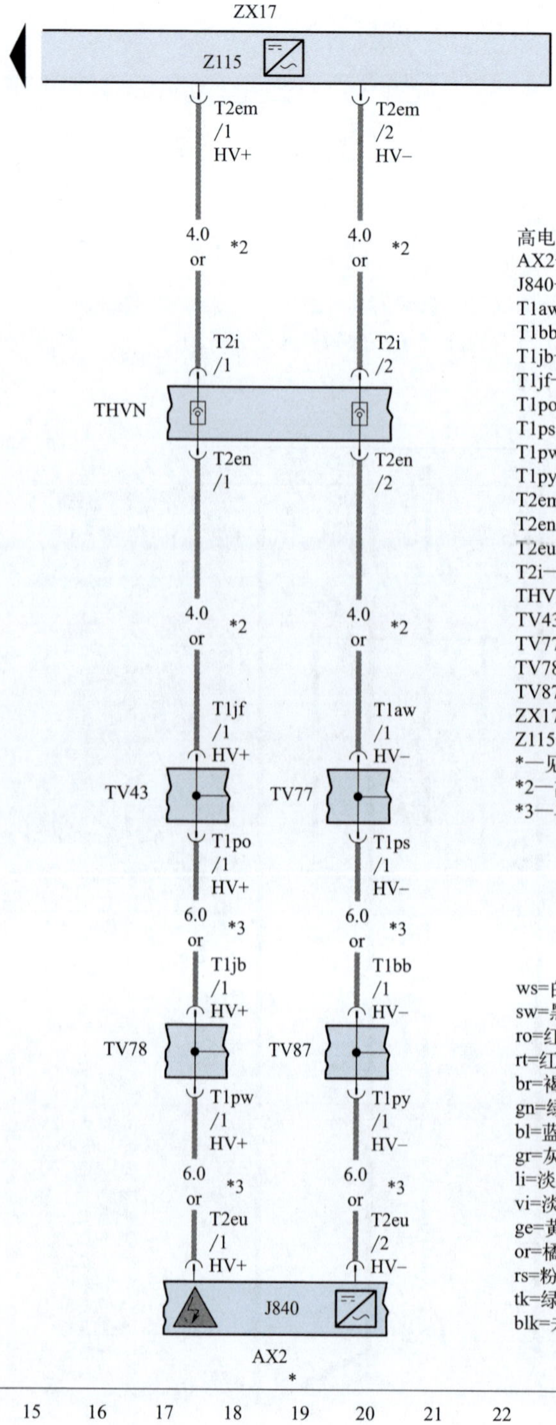

高电压蓄电池1，高电压加热装置(PTC)
AX2—高电压蓄电池1，用电器高电压接口
J840—蓄电池调节控制单元
T1aw—1芯插头连接，橙色
T1bb—1芯插头连接，橙色
T1jb—1芯插头连接，橙色
T1jf—1芯插头连接，橙色
T1po—1芯插头连接，橙色
T1ps—1芯插头连接，橙色
T1pw—1芯插头连接，橙色
T1py—1芯插头连接，橙色
T2em—2芯插头连接，橙色
T2en—2芯插头连接，橙色
T2eu—2芯插头连接，用电器高电压接口
T2i—2芯插头连接，橙色
THVN—高电压电网的连接位置
TV43—高电压电网导线分线器
TV77—高电压电网导线分线器2
TV78—高电压电网导线分线器3
TV87—高电压电网导线分线器4
ZX17—高电压加热装置(PTC)
Z115—高电压加热装置(PTC)
*—见高电压电池所适用的电路图
*2—高电压加热装置(PTC)的高电压线(P11)
*3—导线分线器/高电压蓄电池的高电压线(P8)

ws=白色
sw=黑色
ro=红色
rt=红色
br=褐色
gn=绿色
bl=蓝色
gr=灰色
li=淡紫色
vi=淡紫色
ge=黄色
or=橘黄色
rs=粉红色
tk=绿松石
blk=未绝缘

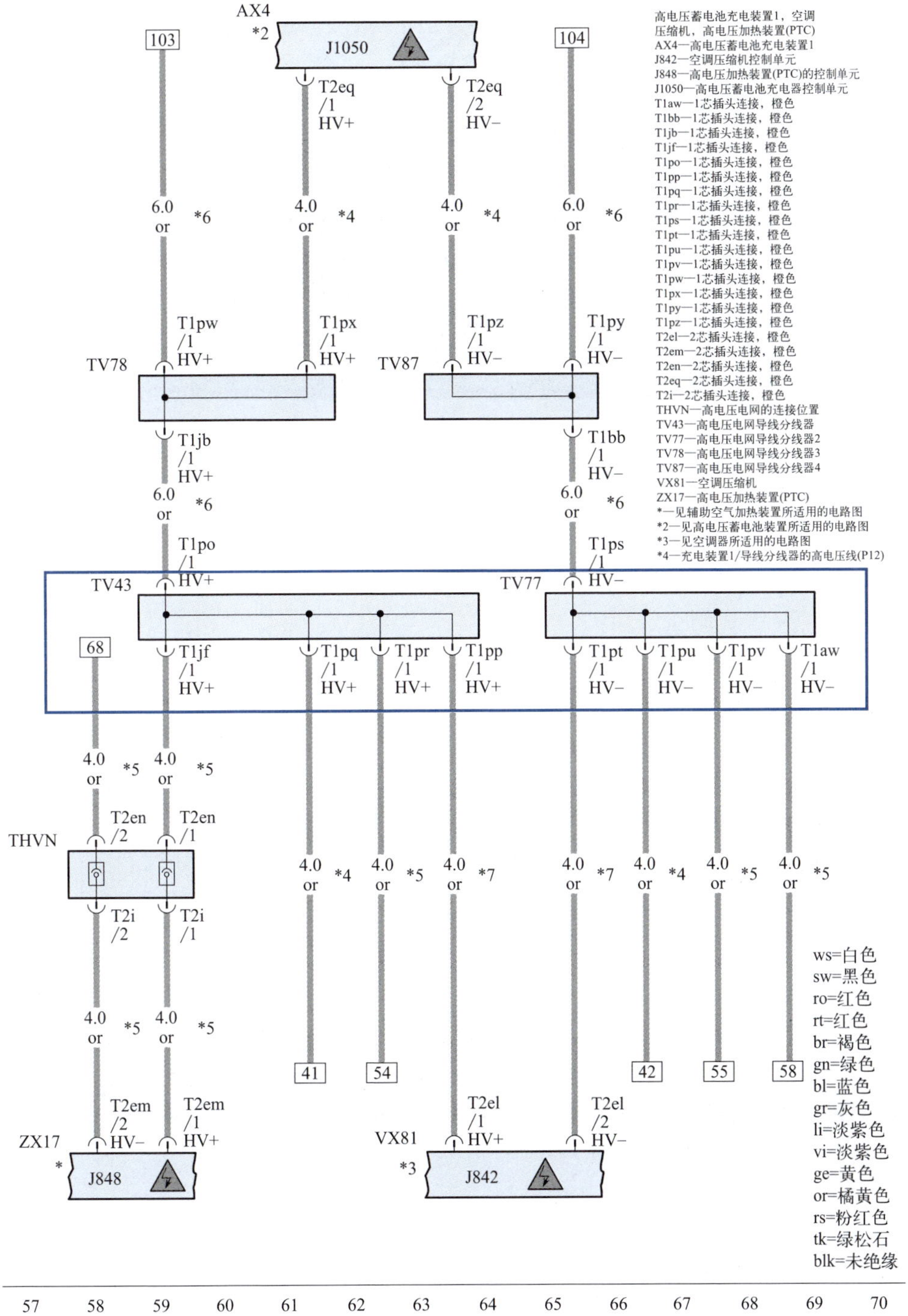

103
AX4
*2
J1050
104
T2eq /1 HV+
T2eq /2 HV−
6.0 or *6
4.0 or *4
4.0 or *4
6.0 or *6
T1pw /1 HV+
T1px /1 HV+
T1pz /1 HV−
T1py /1 HV−
TV78
TV87
T1jb /1 HV+
T1bb /1 HV−
6.0 or *6
6.0 or *6
T1po /1 HV+
T1ps /1 HV−
TV43
TV77
68
T1jf /1 HV+
T1pq /1 HV+
T1pr /1 HV+
T1pp /1 HV+
T1pt /1 HV−
T1pu /1 HV−
T1pv /1 HV−
T1aw /1 HV−
4.0 or *5
4.0 or *5
THVN
T2en /2
T2en /1
T2i /2
T2i /1
4.0 or *4
4.0 or *5
4.0 or *7
4.0 or *7
4.0 or *4
4.0 or *5
4.0 or *5
4.0 or *5
4.0 or *5
41
54
42
55
58
ZX17
*
J848
T2em /2 HV−
T2em /1 HV+
VX81
*3
J842
T2el /1 HV+
T2el /2 HV−
高电压蓄电池充电装置1，空调压缩机，高电压加热装置(PTC)
AX4—高电压蓄电池充电装置1
J842—空调压缩机控制单元
J848—高电压加热装置(PTC)的控制单元
J1050—高电压蓄电池充电器控制单元
T1aw—1芯插头连接，橙色
T1bb—1芯插头连接，橙色
T1jb—1芯插头连接，橙色
T1jf—1芯插头连接，橙色
T1po—1芯插头连接，橙色
T1pp—1芯插头连接，橙色
T1pq—1芯插头连接，橙色
T1pr—1芯插头连接，橙色
T1ps—1芯插头连接，橙色
T1pt—1芯插头连接，橙色
T1pu—1芯插头连接，橙色
T1pv—1芯插头连接，橙色
T1pw—1芯插头连接，橙色
T1px—1芯插头连接，橙色
T1py—1芯插头连接，橙色
T1pz—1芯插头连接，橙色
T2el—2芯插头连接，橙色
T2em—2芯插头连接，橙色
T2en—2芯插头连接，橙色
T2eq—2芯插头连接，橙色
T2i—2芯插头连接，橙色
THVN—高电压电网的连接位置
TV43—高电压电网导线分线器
TV77—高电压电网导线分线器2
TV78—高电压电网导线分线器3
TV87—高电压电网导线分线器4
VX81—空调压缩机
ZX17—高电压加热装置(PTC)
*—见辅助空气加热装置所适用的电路图
*2—见高电压蓄电池装置所适用的电路图
*3—见空调器所适用的电路图
*4—充电装置1/导线分线器的高电压线(P12)
ws=白色
sw=黑色
ro=红色
rt=红色
br=褐色
gn=绿色
bl=蓝色
gr=灰色
li=淡紫色
vi=淡紫色
ge=黄色
or=橘黄色
rs=粉红色
tk=绿松石
blk=未绝缘
57 58 59 60 61 62 63 64 65 66 67 68 69 70

图 10-4-3

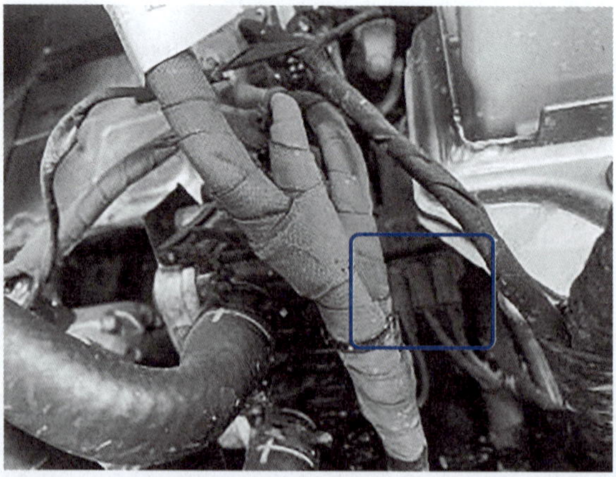

图 10-4-3　电路图

AX2 高压电池输出一路高压电，分别连接 ZX17 高电压加热装置（PTC）、VX81 空调压缩机、A19 变压器、Z132 蓄电池加热（PTC）、AX4 充电器，为分段确认故障。读取压缩机高压电压为 382V（图 10-4-4），由此判断高压电池到 TV43 和 TV77 之间正常。

空调压缩机系统监控器 EKK4 [$0800]	0008
空调压缩机，功能状态	空调压缩机切断
空调压缩机故障指示器	未激活
高电压启用	传送
空调压缩机释放状态	传送
空调压缩机，目标速度	0 rpm
空调压缩机，实际速度	0 rpm
空调压缩机功率油耗，实际值	0 W
压缩机电机电流	0.00 A
高压电源电压	382 V
空调压缩机，逆变器温度	7.00 ℃

图 10-4-4　压缩机高压电压

故障基本锁定 PTC 加热器本身及 TV43 和 TV77 到 PTC 线束。PTC 在驾驶室内，不太好拆卸。由简到难，先排除线束，目测高压线束，未发现明显异常。连接诊断仪读取 PTC 空气加热电压，戴上绝缘手套用手摇晃线束，在刹车油壶旁 THVN 连接插头时电压变为 300 多伏。拔开插头检查，插头内部卡子损坏导致插头接触不良（图 10-4-5）。

更换整条高压线束后，故障排除。

10.4.2　PTC 故障

（1）车辆信息

车型：北京现代菲斯塔纯电动车。行驶里程：55212km。

图 10-4-5　插头接触不良

（2）故障现象

仪表出现“检查高压系统”的提示。

（3）故障诊断与排除

使用故障诊断仪检查故障码为 P0AA6（绝缘系统故障，为历史故障码）。

根据故障码以及故障现象，分析故障可能是暖风系统的电加热器（PTC）或者相关线路存在问题所导致。暖风系统的电加热器（PTC）设置在高压系统线路上，所以会影响到高压系统的绝缘性。

将故障诊断仪连接到车辆上后反复路试，结果在一次故障出现后发现，PTC 的绝缘性突然降到 300kΩ，之后便恢复到正常数据 1000kΩ，这就确认了 PTC 开启后会产生同样的故障。

检查 PTC 相关线路，未发现异常，怀疑是 PTC 内部损坏。更换 PTC 后试车，故障排除。

10.4.3　开空调暖风模式时熄火

（1）车辆信息

车型：长城欧拉 R1 纯电动汽车。行驶里程：22109km。

（2）故障现象

车辆空调开启暖风，制热 20s 后，高压系统下电。

（3）故障诊断与排除

使用诊断仪读取 VCU 故障码，未发现有当前故障。

读取 BMS 有故障码 P106101：电池系统绝缘故障，1 级。

在不开暖风的情况下，高压系统不会下电，可以确定是暖风 PTC 系统有异常。

断开 PTC 与高压配电盒插头，测量 PTC 的正极和负极两端对车身的绝缘阻值。测量正极端为 0.88MΩ，测量负极端为 0.01MΩ，两端都有问题，绝缘电阻应大于 500MΩ。

确定 PTC 高压部件故障，更换后试车正常。

10.4.4 空调暖风失效

（1）车辆信息

车型：别克微蓝混合动力汽车。行驶里程：27789km。

（2）故障现象

空调无暖风。

（3）故障诊断与排除

使用诊断仪读取车辆故障码，全车无故障码。

读取数据流：

❶ 室外温度 5℃，符合实际温度；

❷ 两个风管温度为 10℃，正常；

❸ 辅助冷却液泵未运转，异常；

❹ 加热器（高压加热模块）温度 13℃，正常。

辅助冷却液泵存在异常情况，首先查阅电路图（图 10-4-6）。

正常开启暖风后，测量 G36 辅助加热器冷却液泵的插头 1 号脚，试灯点亮，冷却液泵的电机启用信号正常。因无示波器，无法测量 2 号和 3 号脚的占空比信号。

尝试更换辅助加热器冷却液泵，多次试车，故障排除。

10.4.5 空调无暖风

（1）车辆信息

车型：东风启辰 D60EV 纯电动汽车。行驶里程：77162km。

（2）故障现象

车辆无暖风。

（3）故障诊断与排除

使用诊断仪读取 VAC，空调系统，存储有故障码。

B24A9：阳光传感器开路。

B27713：A-PTC 过压。

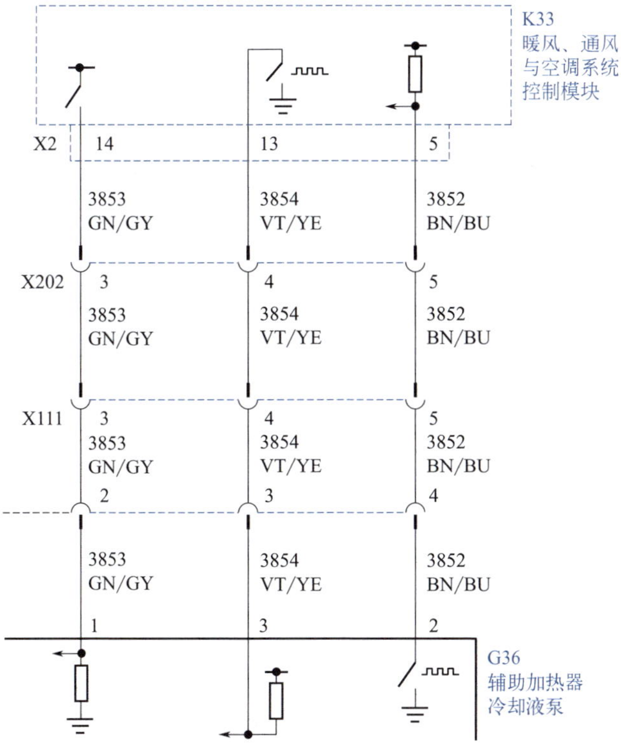

图 10-4-6　辅助冷却液泵电路

对于故障码 B24A9，不会影响暖风系统。

对于故障码 B277B，是由于高压系统输入电压超出限定范围。

根据维修手册，出现故障码的原因有：

❶ PTC 故障；

❷ 动力电池工作异常；

❸ PDM（电源输送模块）故障；

❹ 高压线束或接头异常。

由于故障车空调系统的其他功能正常（空调压缩机和 PTC 加热都是高压供电），且相关联模块都没有存储故障码，同时数据流显示 A-PTC 请求信号已经打开，欠压、过温等显示正常，确定车辆 A-PTC 加热器损坏。更换 A-PTC 加热器（图 10-4-7）后试车，该车故障被彻底排除。

10.4.6　暖风进水管堵塞

（1）车辆信息

车型：2022 年款长安深蓝 SL03 纯电动汽车。

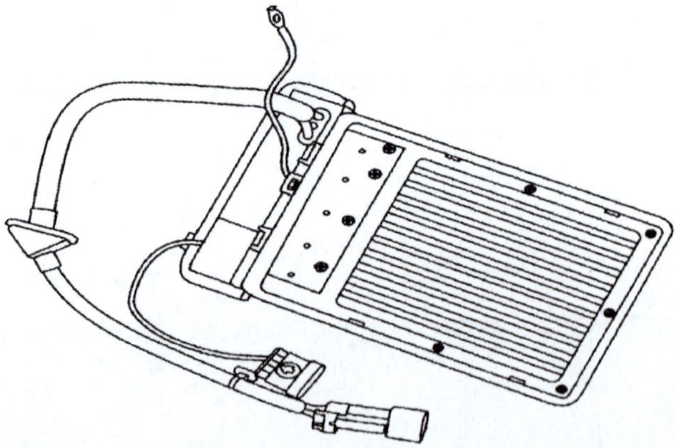

图 10-4-7 A-PTC 加热器

(2) 故障现象

空调无暖风，制冷正常。

(3) 故障诊断与排除

检查冷却液，液位正常。

选择制热模式，温度调至最高。

检测暖风水泵是否工作，手触碰感受有无震动。

几分钟后，检查 PTC 是否正常工作，手触碰感受温度变化。

顺着连接管路，用手触碰，确认管路外侧温度，确认热水流动位置。

用诊断仪读取三通控制阀开度是否正常。

确认不热的管路是否通畅，通过断开管路，检查管路内是否有水流出。

如果水流出速度小，或者无水流出，判定管路不通或有堵塞。

最后检查发现暖风进水管内有异物堵塞。

清除暖风进水管内的异物，打开空调暖风，车辆暖风正常，故障排除。

10.4.7 HEV 模式下暖风系统故障

(1) 车辆信息

车型：奇瑞星途追风 ET-i 插电式混合动力汽车。

(2) 故障现象

在 EV 模式下有暖风，HEV 模式下无暖风。

(3) 故障诊断与排除

使用诊断仪读取故障码：B1420-01，内容为 HVH（高压加热器）故障。

EV 模式有暖风，HEV 模式无暖风，可证明 EV 循环各零部件都正常，HVH 高压加热属于 EV 循环共用零部件（图 10-4-8）。

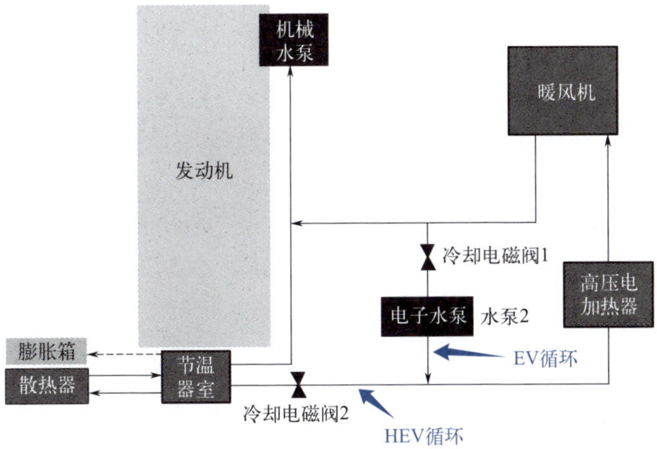

图 10-4-8　热循环示意

HEV 循环包含在 EV 冷却液循环中，增加了节温器、电磁阀 2、机械水泵及管路。

发动机的散热正常，可以排除节温器和机械水泵故障。

冷却电磁阀 2 是一个常闭电磁阀，在 HEV 模式下开暖风电磁阀 2 会打开，但是故障车电磁阀 2 不会打开；使用万用表电压挡检查电磁阀 2 电源接地和 LIN 线，都正常，可判断为电磁阀机械卡置故障（图 10-4-9）。

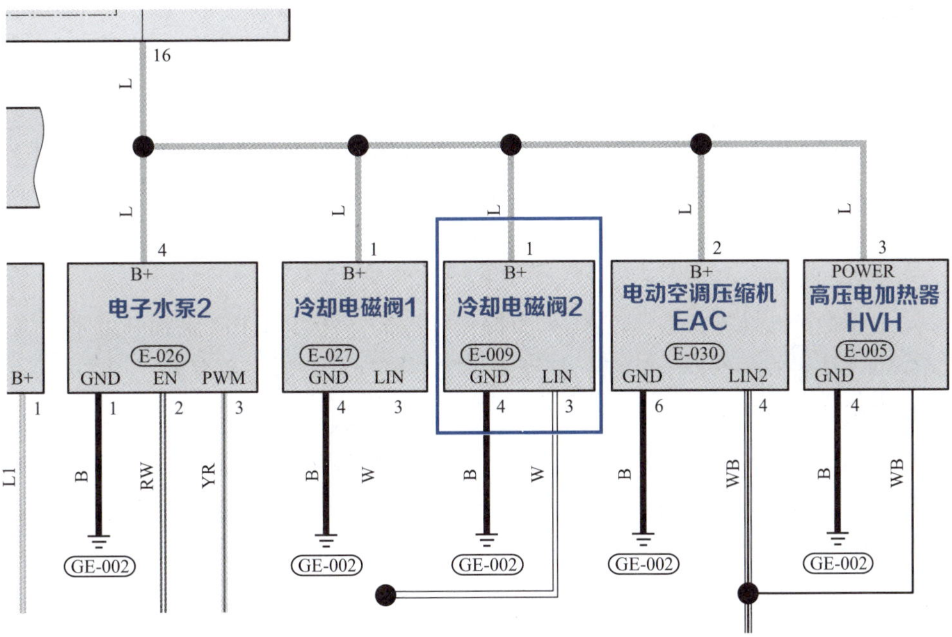

图 10-4-9　奇瑞星途追风 ET-i 热循环系统电路

更换冷却电磁阀 2 后，试车，故障排除。

10.5 汽车空调制冷效果差

（1）车辆信息

车型：比亚迪 E5 纯电动汽车。

（2）故障现象

车辆因冷凝器泄漏导致空调不制冷，更换新的冷凝器后空调制冷效果差，并且空调压缩机有很大的噪声。

（3）故障诊断与排除

产生故障的原因：

❶ 制冷剂不足；

❷ 压缩机内部故障；

❸ PT 传感器故障；

❹ 电子膨胀阀实际开度不符；

❺ 高压压力开关故障。

使用诊断仪检测，没有发现故障码。读取空调控制器和电动压缩机的数据流，不正常车辆比正常车辆的蒸发箱温度偏高 5 ～ 13℃。调节鼓风机的风量越大，蒸发器温度越高，高压压力偏低 2.0MPa 左右，而正常车为 2.69MPa，低压压力正常（正常高压工作压力为 2.0 ～ 3.0MPa，低压压力为 0.5 ～ 1.0MPa）。压缩机占空比保持在 75%，压缩机转速在 4000r/min 左右，噪声大是因为压缩机一直保持 4000r/min 高速度运行导致的。

检查制冷剂，正常。

根据故障现象分析，是高压压力偏低导致的，怀疑电子膨胀阀开度不正常。测量电子膨胀阀的线路，正常，怀疑电子膨胀阀实际开度过大导致。更换电子膨胀阀测试，故障依旧。

空调压缩机的占空比一直是 75%，同时导致压缩机工作转速一直是 4000r/min 左右，怀疑电池冷却系统一直给电池散热。用手摸电池冷却电子膨胀阀后部，很凉，异常，因为电池冷却，未工作，正常不应该是凉的。确认为电池冷却系统的电子膨胀阀故障，更换后测试，故障排除。

10.6 汽车空调热管理故障

10.6.1 高压蓄电池加热故障

（1）车辆信息

车型：大众 ID4 纯电动汽车。

（2）故障现象

ID4 车辆启动时仪表显示“电驱动装置工作不正确。请去维修站”（图 10-6-1），仪表三角警示灯亮起（黄色），仪表高压故障灯亮起（黄色）。其他显示无异常，车辆可正常进入 Ready 状态，可正常挂入行驶挡位行驶，车外警示音未响起。

图 10-6-1　仪表报警

（3）故障诊断与排除

造成高压故障原因过多，车上所有高压部件的异常都会造成仪表显示高压故障。首先使用诊断仪进行相关检测，其中 01 发动机电控系统及 8C 混合蓄电池管理系统存在以下故障码。

P1BEF00：高电压蓄电池加热器控制单元，不能识别高电压断路。

B158131：高电压加热器控制单元，无信号。

造成故障原因有如下几点。

❶ 高电压蓄电池 PTC 加热器本身故障；

❷ 高电压蓄电池 PTC 加热器供电或搭铁故障；

❸ 高电压蓄电池 PTC 加热器通信故障。

使用诊断仪诊断后诊断仪生成检测计划，要求删除故障码，但故障码无法删除，不能有效进行相关检测计划，检测计划无参考价值。查阅相关电路图，如图 10-6-2 所示。

从电路图中能看出，高电压蓄电池 PTC 加热器主控单元为 J840，读取 8C 数据，与正常车辆对比数据（图 10-6-3），异常部分如下。

数据中显示 J840 已完全读取不到 PTC 的任何有效信息。

观察电路图，此部件电路较为简单，两根高压电缆，两根搭铁线，一根供电，一根 LIN 线。

打开机盖，从上边拆除遮挡部件，断开高压电，检查相关线路，供电及搭铁未见异常，检查 LIN 线发现针脚拖出。LIN 线与 J840 相连，此处 LIN 线针脚脱出导致 J840 无法识别 PTC（图 10-6-4），无法读取相关信息，导致报警。修复相关针脚后，重新对高压系统进行上电，故障排除。

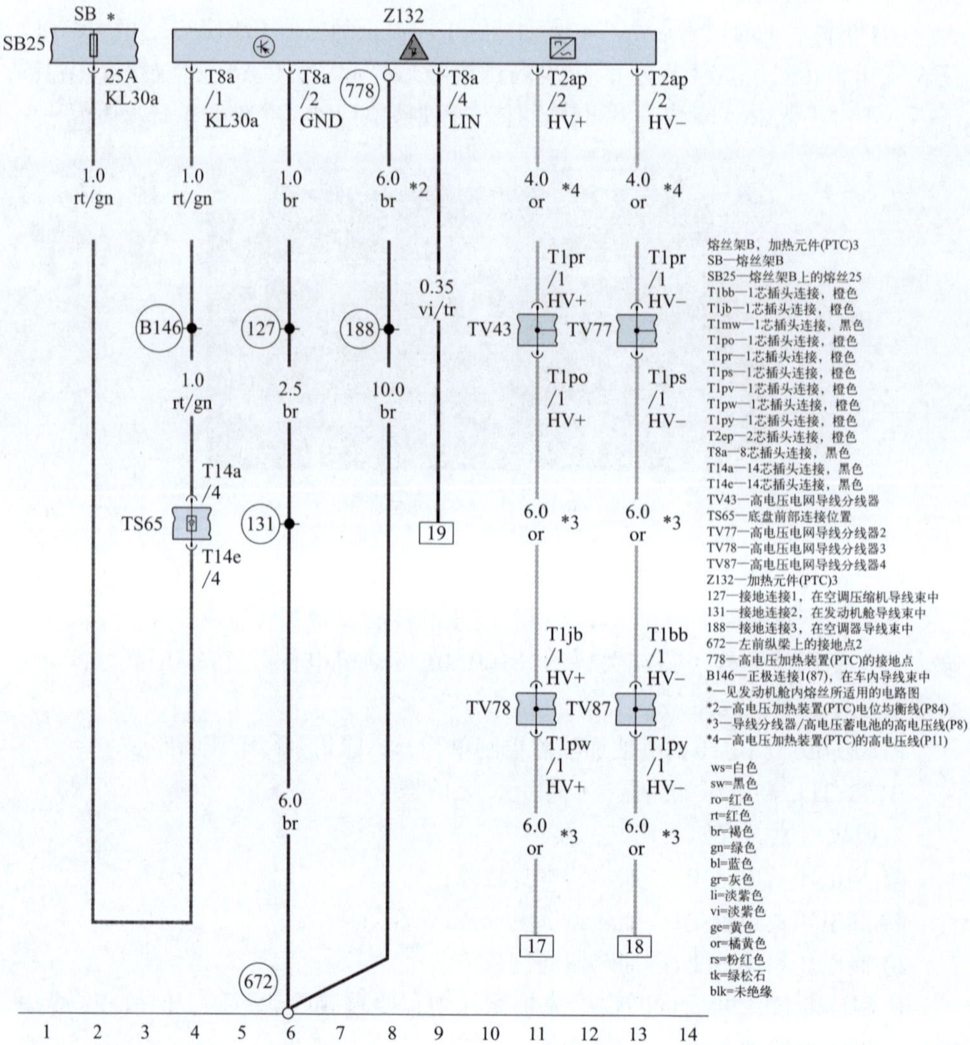

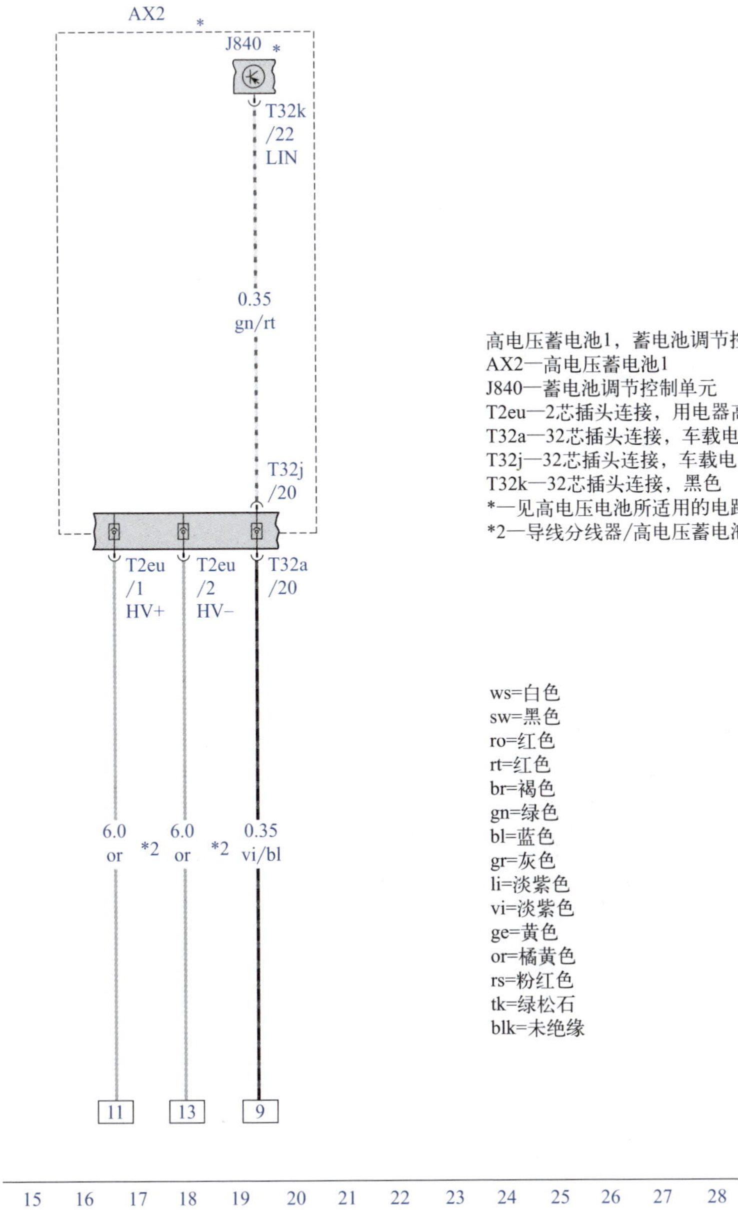

高电压蓄电池1，蓄电池调节控制单元
AX2—高电压蓄电池1
J840—蓄电池调节控制单元
T2eu—2芯插头连接，用电器高电压接口
T32a—32芯插头连接，车载电网接口
T32j—32芯插头连接，车载电网接口
T32k—32芯插头连接，黑色
*—见高电压电池所适用的电路图
*2—导线分线器/高电压蓄电池的高电压线(P8)

ws=白色
sw=黑色
ro=红色
rt=红色
br=褐色
gn=绿色
bl=蓝色
gr=灰色
li=淡紫色
vi=淡紫色
ge=黄色
or=橘黄色
rs=粉红色
tk=绿松石
blk=未绝缘

图 10-6-2　高电压蓄电池 PTC 加热器电路图

10.6.2　冷却液循环泵故障

（1）车辆信息

车型：大众 ID6 纯电动汽车。

高电压蓄电池PTC加热器电流
---
ptc_hv_i_ist, Case 1
--- 初始化
供电电压
---
ptc_ubatt, Case 1
--- 初始化
控制单元温度
---
ptc_temp_pcb, Case 1
--- 初始化
温度1
---
ptc_hv_heizmedium_sensor_1, Case 1
--- 初始化
温度2
---
ptc_hv_heizmedium_sensor_2, Case 1
--- 初始化

(a) 故障车数据

高电压蓄电池PTC加热器电流
---
ptc_hv_i_ist, Case 0
--- 0.0 A
供电电压
---
ptc_ubatt, Case 0
--- 14.5 V
控制单元温度
---
ptc_temp_pcb, Case 0
--- 15 ℃
温度1
---
ptc_hv_heizmedium_sensor_1, Case 0
--- 14 ℃
温度2
---
ptc_hv_heizmedium_sensor_2, Case 0
--- 14 ℃

(b) 正常车数据

图 10-6-3 读取 8C 数据

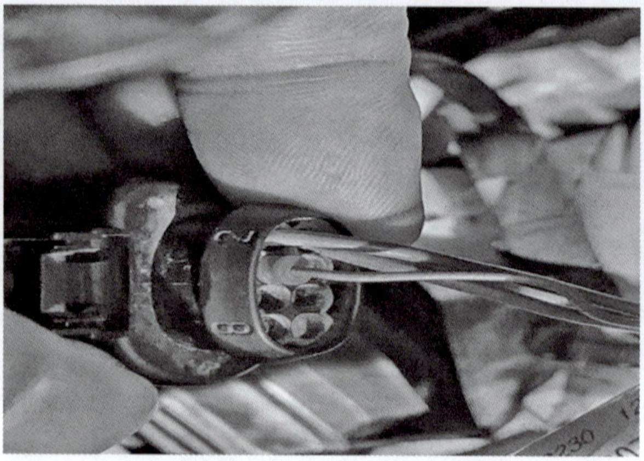

图 10-6-4 故障位置 LIN 线脱出

（2）故障现象

车辆水温报警。

（3）故障诊断与排除

使用诊断仪读取发动机 J623，报故障码 P0A0600：电驱动装置控制单元冷却液泵 1 对地短路，主动 / 静态。

根据 ID 的车辆热管理系统，车辆有两个冷却液泵，分别是低温回路冷却液泵 V468，以及高压电池冷却液泵 V590（图 10-6-5）。

控制电路低温回路冷却液泵 V468 由发动机控制单元 J623 控制，而高压电池冷却液泵 V590 由高压电池内的 J840 控制。根据控制原理及故障码 P0A0600，可以确认为冷却液泵 V468 的故障（图 10-6-6）。

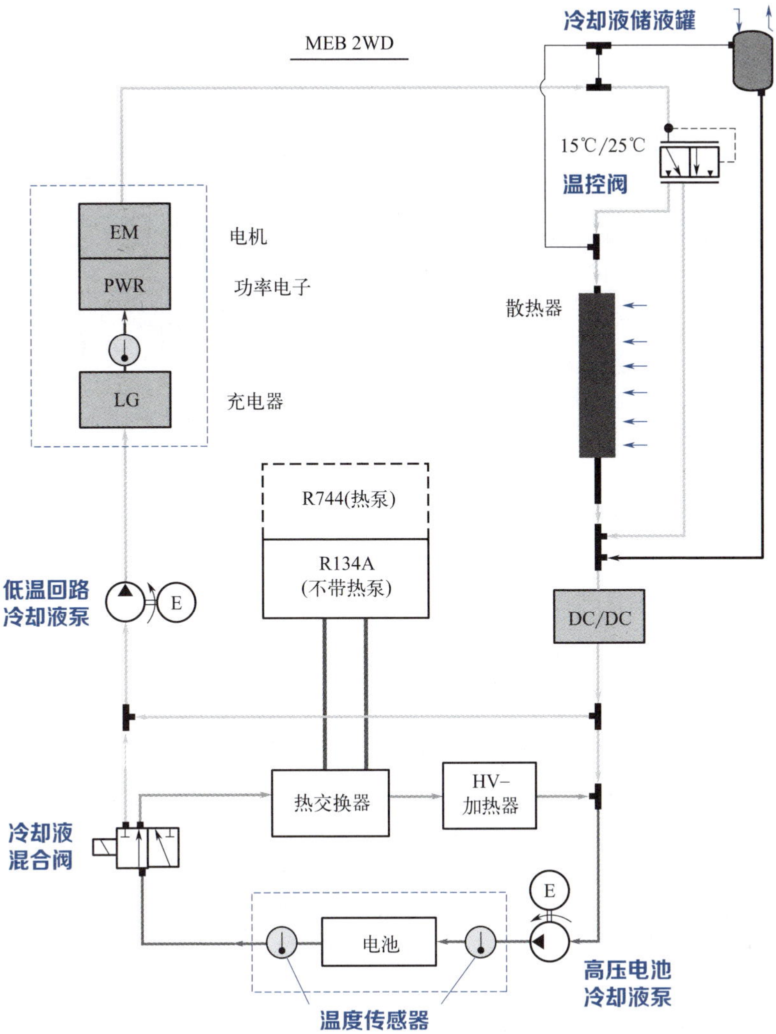

图 10-6-5　车辆热管理系统

故障位置可能是 J623 本身故障，V468 内部故障，控制线路对地短路或断路。

在车辆左侧找到 V468，断开 V468 插头，测量水泵的电源线，电压为 13V，正常；接地电阻为 1.3Ω，正常；断开 J623 插头，测量控制线，没有短路及断路，排除控制线故障。

当拔下水泵 V468 插头后故障码变为 P0A0500［电驱动装置控制单元冷却液泵 1 电气故障（断路，主动静态）］，而原来的 POA0600（电驱动装置控制单元冷却液泵 1 对地短路）变成了被动 / 偶发，插回 V468 插头，故障码变成

P0A0600（电驱动装置控制单元冷却液泵 1 对地短路，主动 / 静态）。排除 J623 本身故障。

可确认故障为低温回路冷却液泵 V468，内部对地短路。

更换低温回路冷却液泵 V468 后，在发动机内执行冷却液排空气，故障排除。

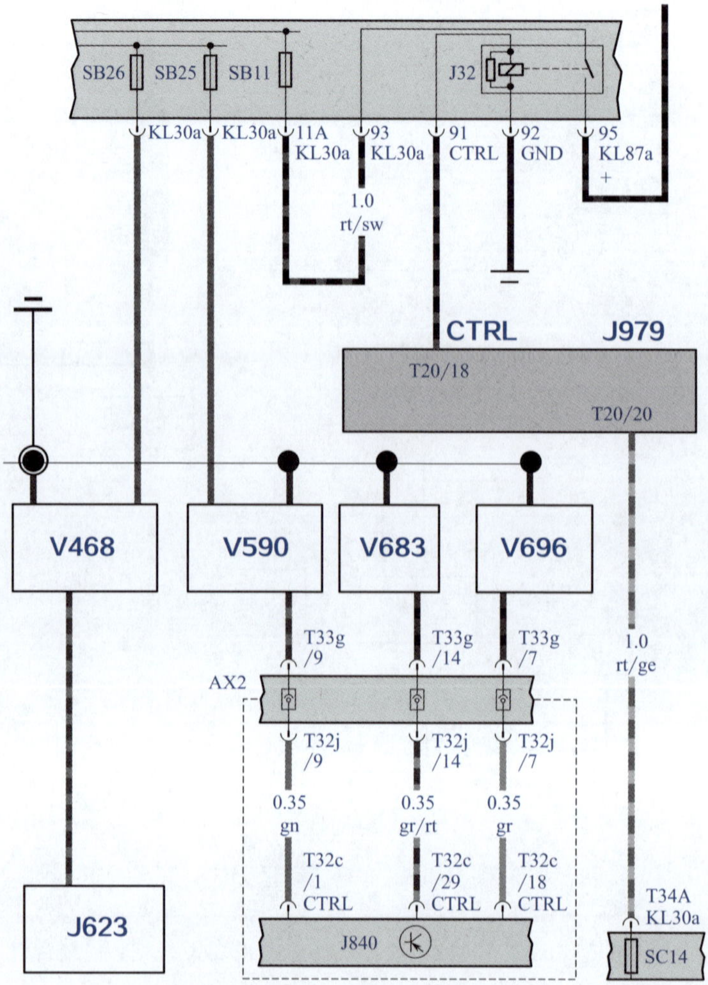

图 10-6-6　大众 ID6 冷却液泵内部电路

10.7 车辆空调系统漏电

（1）车辆信息

车型：比亚迪汉纯电动汽车。

（2）故障现象

车辆内饰上的电镀条和空调出风口有漏电，用手触碰到会电到发麻，有明显的触电感。

（3）故障诊断与排除

导致故障的原因有：

❶ 高压系统漏电；

❷ 低压用电设备漏电；

❸ 车辆静电过大。

使用诊断仪扫描车辆，无程序更新，高压系统无漏电故障。

使用万用表测量风口对车身电压，发现有 15 ～ 19V 的电压变化，确认为虚电或静电。

测试发现故障在开启空调后会出现，逐步断开与空调用电相关的电器插头（如 PTC、电动压缩机、鼓风机、PM2.5 模块等），发现故障依旧，再次测试空调系统电压，对比风量、温度等模式变化发现，当关掉负离子功能时故障消失，需拆下仪表检查。

在前 2 天曾使用清洗剂清洗车辆空调，清洗剂会造成负离子发生器的潮湿现象，导致系统产生漏电。

将车辆原地开启暖风半小时，进行干燥处理，然后再测试，故障排除。

10.8 空调面板控制失效

（1）车辆信息

车型：雷克萨斯 ES300h 混合动力汽车。行驶里程：158900km。

（2）故障现象

车辆空调面板上的按键信号反应迟钝，空调制冷、暖风正常。

（3）故障诊断与排除

使用诊断仪检查空调系统故障码。

B1447：空气混合风挡控制伺服马达电路故障。

B1497：通信故障。

B14B2：与前面板 LIN 失去通信。

B14B3：与后面板 LIN 失去通信。

断开导航系统的导线连接器，根据电路图，测量导航系统的供电及搭铁线路，均正常；测量导航系统与空调放大器间的 LIN 线，导通正常且无短路故障（图 10-8-1）。

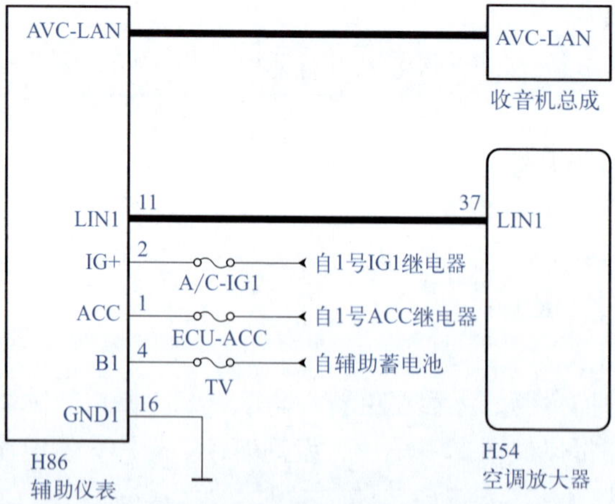

图 10-8-1 空调系统通信电路

导航系统与空调放大器间的 LIN 线正常，由于导航系统是后期加装的，有可能会影响空调系统，尝试将导航系统拆下，还原车辆，删除故障码，将车辆断电 15min，试车，故障排除。

10.9 车辆无法上电

(1) 车辆信息

车型：北京现代悦动纯电动汽车。

(2) 故障现象

车辆无法上电，仪表显示“请检查电动系统”。

(3) 故障诊断与排除

使用诊断仪读取故障码，动力电池管理系统（BMS）内故障码为 P1B77：逆变器电容器预充电故障。

通过读取数据流，蓄电池电压为 362V，电压正常，说明蓄电池系统正常，能够输出正常电压。逆变器电容电压为 230V，电压过低，说明逆变器通过预充电路接受动力电池的电压不足。

读取 BMS 系统动态数据流，将启动开关置于 OFF- 启动（Ready）状态，蓄电池电压为 362V，逆变器电容电压瞬间到 270V，之后迅速降到 0。说明蓄电池输出电压正常，但逆变器电容电压不正常。

进入 BMS 系统，进行预充电路执行器驱动测试。操作主继电器（-）和预先充电继电器同时 ON 时，进行执行器驱动测试，同时读取动态数据。在进行驱动测试时，蓄电池电压为 363V，蓄电池电流达到 3.9A，逆变器电容电压只能达到 258V。

在正常情况下，当预充继电器工作时，蓄电池的电流不可能达到 3.9A，说明在主继电器（-）和预先充电继电器同时 ON 时，高压系统中高压用电部件工作异常，导致电流过大。

逐个断开高压系统部件，同时观察蓄电池电流的变化。在断开高压接线盒端空调 PTC 加热器模块的端子后，进行预充电电路执行器驱动测试，同时读取动态数据流，发现预充电流为 0，预充电流在规定范围内，同时逆变器电容电压为 362V，预充电流和逆变器电容电压都恢复正常。

更换空调 PTC 加热器模块后，试车，故障排除。

10.10 车辆亏电导致不能上高压电

（1）车辆信息

车型：新特 -DEV1 纯电动汽车。

（2）故障现象

车辆停放一晚后，第二天全车无电。

（3）故障诊断与排除

使用万用表检查 12V 蓄电池的电压，为 3.5V，异常。

初步怀疑车辆用电器漏电导致 12V 蓄电池亏电。

将万用表调至电流挡，红表笔放在电流插孔，串联在 12V 蓄电池的回路中，遥控锁闭车辆，等待 3min，观察放电电流，电流由锁车前的 2.10A 降至 0.45A（450mA），新能源车辆放电电流和传统燃油车相同，放电电流应不大于 30mA（理论值），现在明显高于正常值，确定存在漏电情况。

按照零件故障率嫌疑由高到低的顺序进行排查，断开加装用电器，断开保险，缩小排查范围。

首先是车外机舱保险，每个熔丝轮番断开，遥控锁闭车辆，等待 3min，观察放电电流，放电电流依旧，排除车外机舱保险及零件异常。

接着是车内保险，每个熔丝轮番断开，遥控锁闭车辆，等待 3min，观察放电电流，最后在拔掉空调管路电磁阀保险时，电流波动明显，静止 3min 左右，电流变为 0.01A（10mA）。到车外找到空调管路电磁阀，将插头拔掉，重新上锁，静止 3 min，电流正常至 10mA，车辆故障范围找到。

根据电路图所示（图 10-10-1），此保险只给空调管路电磁阀供电，由空调控制器控制，基本可以锁定是空调控制器内部存在故障，找到空调控制器，断开插头，重新上锁，静止 3min 左右，电流回到正常值 10mA。

更换空调控制器，将 12V 蓄电池充电至 13V，车辆停放一晚后，第二天可以正常上高压电，故障排除。

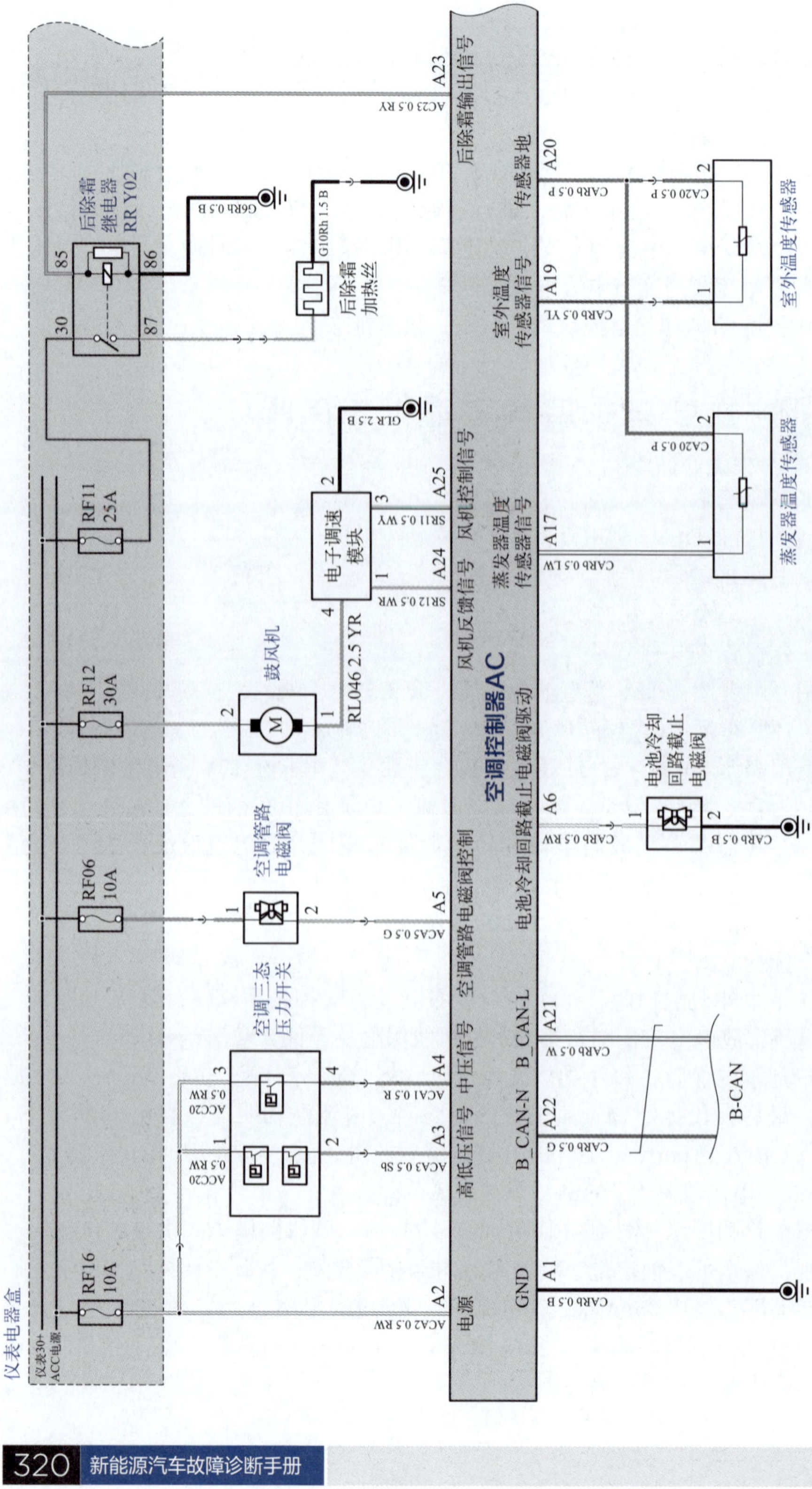

图 10-10-1 空调控制器电路

第 11 章 控制器故障

11.1 驱动电机控制器故障

扫一扫

视频精讲

11.1.1 驱动电机控制器温度过高

（1）车辆信息

车型：比亚迪秦混合动力汽车。

（2）故障现象

车辆上 OK 挡后，行驶一段时间，无论是 EV 或 HEV 模式，散热器风扇一直高速运转。

（3）故障诊断与排除

使用诊断仪读取故障码为 P1B0300（IGBT 过温告警）。

在驱动电机控制器及 DC 总成内部，有三组单元在工作时会产生热量，分别为 IPM（控制器内部智能功率控制模块）、IGBT（电机驱动模块）、电感，因此，在驱动电机控制器及 DC 总成内部有相应的水道对这三个部分进行冷却，参见图 3-1-1。

> 注意：电机电动水泵安装在右前部总成外侧保险杠骨架安装板附近。

当这几个部分工作温度超过一定范围时，驱动电机控制器及 DC 总成就会检测到，同时经过 CAN 网络传递给发动机 EMS，EMS 驱动冷却风扇继电器后，冷却风扇工作，以快速冷却防冻液，降低温度。以下为冷却风扇工作条件。

❶ 电机水温：47 ～ 64℃低速请求；＞ 64℃高速请求。

❷ IPM：53 ～ 64℃低速请求；＞ 64℃高速请求；＞ 85℃报警。

❸ IGBT：55 ～ 75℃低速请求；＞ 75℃高速请求；＞ 90℃限制功率输出；＞ 100℃报警。

❹ 电机温度：90 ～ 110℃低速请求；＞ 110℃高速请求。

满足 3 个低速请求，电子风扇低速转；满足 1 个高速请求，电子风扇高速转。

根据以上原理，可以分析出导致 IGBT 高温报警的原因有：

❶ 电机冷却系统防冻液不足或有空气；

❷ 电机电动水泵不工作；

❸ 电机散热器堵塞；

❹ 驱动电机控制及 DC 总成本身故障。

检查冷却系统，确认防冻液充足。

上 OK 挡后用手捏电机水管，确认有一定水压，触摸电动水泵，确认工作良好。

使用诊断仪读取驱动电机及 DC 总成内部数据流信息，如表 11-1-1 所示。

表 11-1-1　驱动电机及 DC 总成内部数据流

数据项	数据值	单位	最小值
电机扭矩	0	N·m	+500
电机功率	0.0	kW	-100
油门深度	0	%	0
冷却液温度	24	℃	-40
IPM 散热器温度	35	℃	-40
电机温度	60	℃	-40
IGBT 温度	99	℃	-40
A 相电流	3	A	0
B 相电流	1	A	0
C 相电流	0	A	0
过载系数	100	%	0
电动行驶里程	12	km	0
总里程	53	km	0
驱动电机系统配置	高配		

从数据流可以看出，冷却液温度为24℃，IPM温度为35℃，但IGBT温度已经高达99℃，满足了风扇高速运转的条件，因此，分析为IGBT本身故障导致温度异常。

更换驱动电机控制器及DC总成后，故障排除。

11.1.2 预充无法完成

（1）车辆信息

车型：比亚迪秦混合动力汽车。

（2）故障现象

车辆无EV模式，SOC为62%，仪表主屏上提示“请检查动力系统”。

（3）故障诊断与排除

使用诊断仪进入高压电池管理器，读取故障码为P1A3400（预充失败故障）。

车辆预充完成的主要控制流程如下。

当高压BMS接收到启动信号（按下启动按钮）以后，通过CAN线与电池信息采集器通信，检测电池包内单节电池电压、温度及容量等参数是否正常，并通过漏电传感器检测是否存在漏电情况。如果以上参数正常，则控制电池包内4个分压接触器吸合。与此同时，高压BMS开始控制高压配电箱上预充接触器与负极接触器吸合，当驱动电机控制器检测预充电压已经达到电池包总电压的2/3以上时，通过CAN线通信告知高压BMS预充完成，高压BMS即断开预充接触器，吸合正极接触器，整车高压上电。如果高压BMS在10s之内仍未检测到预充完成信号，则断开预充回路（包括预充接触器、负极接触器及电池包内部4个分压接触器）（图11-1-1）。

根据以上原理分析，造成预充失败的主要原因有：

❶ 电池包故障；

❷ 驱动电机控制器故障；

❸ 高压BMS故障；

❹ 高压配电箱故障；

❺ 高压系统漏电故障；

❻ 高压互锁故障。

车辆退电后重新上ON挡电，进入高压电池管理器，读取故障码为P1A3400（预充失败故障）。检查电池电量（SOC为62%），当前总电压为506V，单体最高电池电液及温度正常；电池包4个分压接触器吸合，电池包正常（图11-1-2）。

进入去驱动电机控制器，踩下制动踏板，按下启动按钮，上OK电。观察驱动电机控制器母线电压变化，发现驱动电机控制器母线电压一直在13V左右。

同样的方法进入DC/DC，发现DC高压侧有瞬间491V电压。因DC/DC与驱动电机控制器用的是同一路高压电，因此可以确认，高压输入端有高压输入，但驱动电机控制器未检测到，怀疑驱动电机控制器内部故障（图11-1-3）。

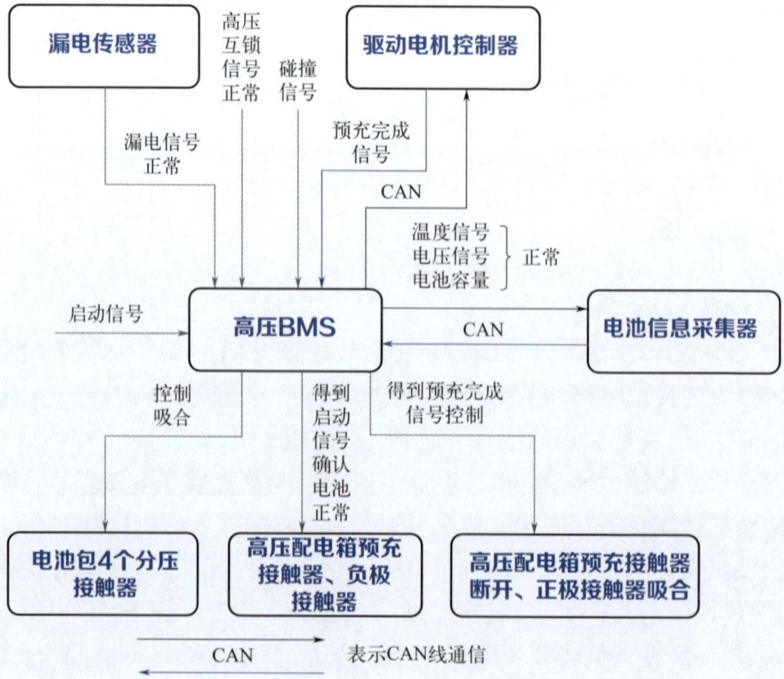

图11-1-1　控制流程

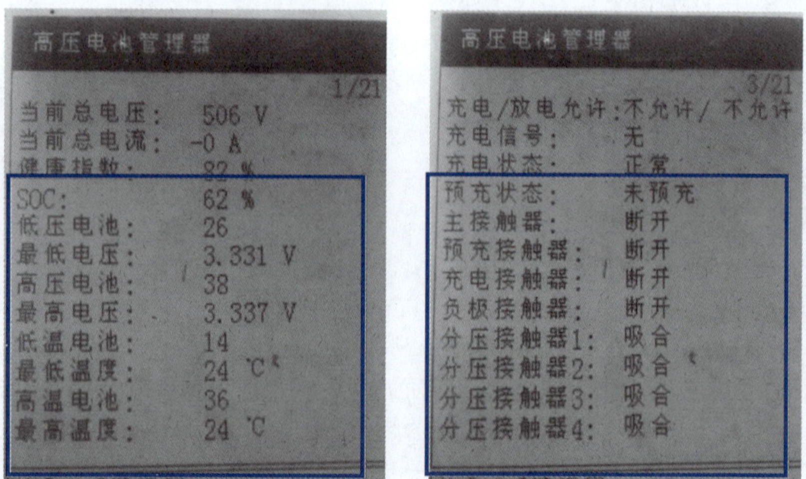

图11-1-2　检查动力电池数据流

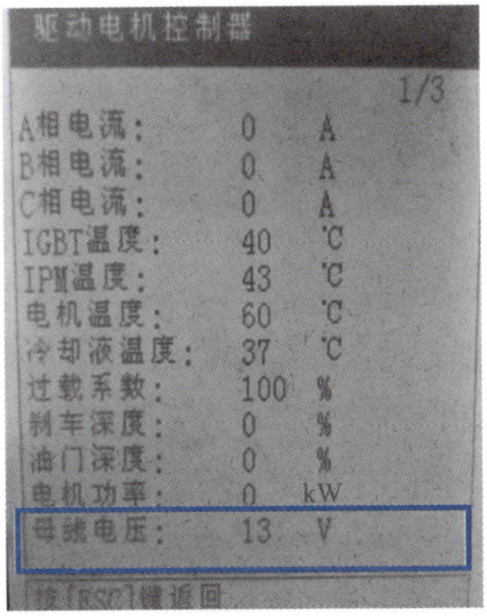

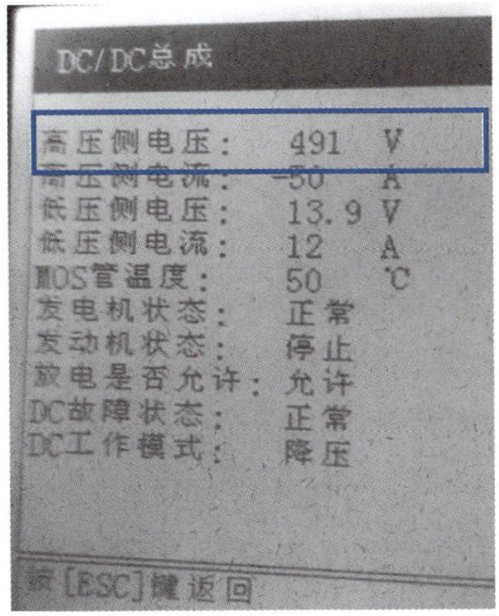

图 11-1-3　驱动电机控制器电压和 DC/DC 总成电压

更换驱动电机控制器后试车，故障排除。

11.2 电池管理器故障

11.2.1 模组控制器故障

（1）车辆信息

车型：大众 ID6 纯电动汽车。

（2）故障现象

仪表提示“高压蓄电池：火灾危险！确保交通安全的情况下立即停车撤离。向专业救援人员求助！”（图 11-2-1）。

车辆不能进入准备阶段，无法行驶，仪表提示电量为 0。

图 11-2-1　仪表报故障

(3) 故障诊断与排除

使用诊断仪进入 008C 检查故障码（图 11-2-2）。

PODAC00：混合动力 / 高电压蓄电池的蓄电池单格电池控制器 1 电气故障。

U04A100：蓄电池单个模块控制单元 1 信号不可信。

地址: 008C 系统名: 008C - 混合蓄电池管理 协议改版: UDS/ISOTP (Ereignisse: 9)

[+] 识别:

[-] 故障存储器记录 (数据源: 车辆):

故障存储器记录

编号:	P0DAC00: 混合动力/高电压蓄电池的蓄电池单格电池控制器1 电气故障
故障类型 2:	被动/偶发
症状:	42039
状态:	00101110

[+] 标准环境条件:

[+] 高级环境条件:

故障存储器记录

编号:	U04A100: 蓄电池单格模块控制单元 1 信号不可信
故障类型 2:	被动/偶发
症状:	42304
状态:	00101110

[+] 标准环境条件:

[+] 高级环境条件:

图 11-2-2　故障码

高压蓄电池内部有三个 CMC 控制单元，分别是 CMC1/5/9。高压蓄电池共有 12 个电池模组，每个电池模组内有 8 个单元，共计 96 个单元，分别受控于三个 CMC：CMC1 监控管理 1 ～ 4 组蓄电池模块；CMC5 监控管理 5 ～ 8 组电池模块；CMC9 监控管理 9 ～ 12 组蓄电池模块。

当 CMC1 控制单元发生故障时会报蓄电池控制器 1 的故障码，另外本车又报蓄电池单个模块控制单元 1 信号不可信。

根据本车故障码初步分析：

❶ CMC1 控制单元故障；

❷ 1 号组蓄电池模块故障；

❸ 连接 1 号电池模块和 CMC 控制单元 1 的线束。

随后读取 008C 的测量值，从读取的测量值中看到蓄电池单元 1 至蓄电池单元 32 里没有电压，蓄电池单元 33 至蓄电池单元 96 中均有 4V 左右的电压。在正常车的测量值中蓄电池单元 1 至蓄电池单元 96 中均有 4V 左右的电压（图 11-2-3）。

根据诊断数据看到蓄电池单元 1 至蓄电池单元 32 均没有电压，故障码报的是单个蓄电池单元信号不可信。单个蓄电池模块损坏或者线束故障，CMC 监控不到 4 个模组的蓄电池无电压，所以可以缩小范围为 CMC 本身故障可能性较高，更换后故障排除。

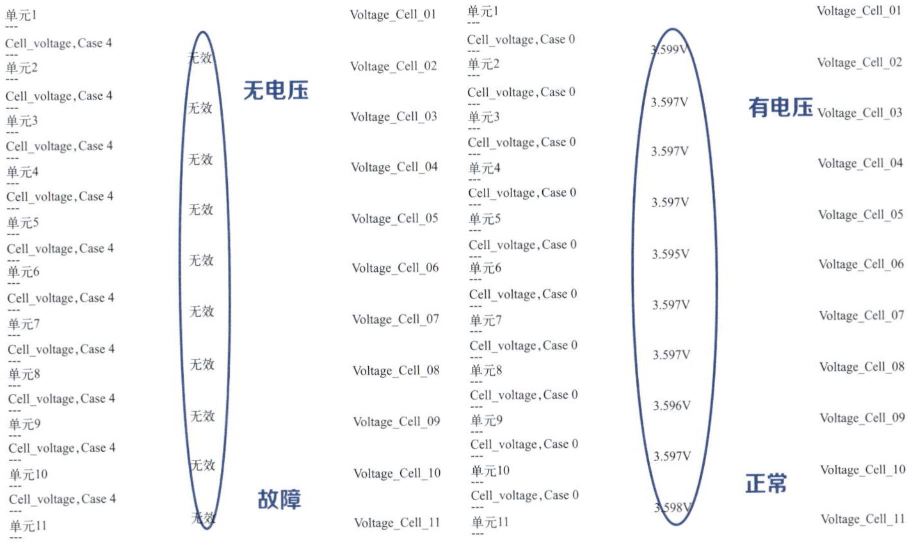

(a) 故障车　　(b) 正常车

图 11-2-3　蓄电池单元的电压

注意：

① CMC 内部故障监控不到蓄电池模块电压，导致不能进入准备阶段，无法启动；

② 更换 CMC 后需要确定更换的 CMC 匹配值是否正确。

11.2.2　车辆无法上高压电

（1）车辆信息

车型：大众 ID6 纯电动汽车。

（2）故障现象

仪表提示高压系统故障，无法挂挡行驶。

（3）故障诊断与排除

使用诊断仪读取故障码，故障码无法删除。

故障码如下（图 11-2-4）。

P0B6600：混合动力 / 高电压蓄电池电压，传感器导线 9，对正极短路。

P0B6500：混合动力 / 高电压蓄电池电压，传感器导线 9，对地短路。

P0DCC00：混合动力 / 高电压蓄电池的蓄电池单格电池控制器 9，电气故障。

导致故障的可能原因：

❶ 车辆软件故障；

❷ 高压电池控制单元故障；

❸ 高压电池或模组故障。

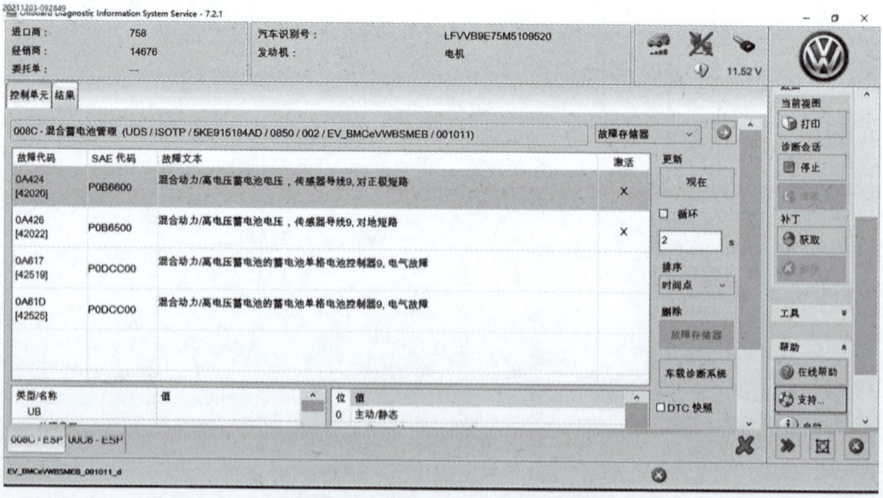

图 11-2-4　大众 ID6 高压系统故障码

读取该车 008C 数据流，没有发现异常，第九模组电芯电压正常，温度传感器也正常显示温度。

使用 ODIS-E 删除故障码，进入 008C 基本设定，选择故障存储器条目的删除许可，输入登录代码 20103，删除故障码，锁车休眠后车辆可以正常上电，故障排除。

11.2.3　无法预估剩余电量

（1）车辆信息

车型：奔驰 EQC4004MATIC 纯电动汽车。

（2）故障现象

车辆在行驶中续航里程一直在变化，有时仪表还显示红色高压蓄电池的符号，无法预估剩余的电量多少，不能判断续航里程。

（3）故障诊断与排除

原地打开车辆点火开关，可以正常启动，行驶准备就绪的绿色 Ready 图标也正常出现，仪表显示的续航行驶里程一直在跳动，从 26 ～ 308km 之间快速跳动，行驶时也是这样来回跳动；在续航里程低时高压蓄电池图标变为黄色，仪表中央的多功能显示器出现“低至储量，为高压蓄电池充电”的白色文字提示。

连接诊断仪进行检测，蓄电池管理系统网关控制单元 N82/2 设置了 3 个当前状态的故障码。

❶ P0B2397：高压蓄电池模块 A 电压异常。

❷ P0BBE00：混合动力 / 高压蓄电池模块内部各单格电池电压不一致。

❸ P0B2797：高压蓄电池模块 B 电压异常。

查看蓄电池管理系统网关控制单元 N82/2 的数据流，蓄电池单元 1 ～ 50 的电压和蓄电池单元 51 ～ 96 的电压，发现有几个小组（cell）的电池电压在 4.162 ～ 4.195V 之间快速地变化，而其他绝大多数小组（cell）的电池电压则保持不变。

根据故障码及蓄电池管理系统工作原理分析，可能的故障原因有：

❶ BMS 软件问题；

❷ 高压蓄电池内部的某几个电芯故障；

❸ 电池电压的监测电路（精密电阻分压或集成芯片采样等）存在电气故障，比如接触不良。

根据故障码 P0BBE00 进行引导测试，对高压蓄电池管理控制单元 N82/3 进行复位，之后锁车使车辆进入休眠状态，重新试车，发现故障依旧；进行所有高压部件控制单元软件升级，结果故障现象仍然存在。

根据相关资料，按以下步骤处理。

❶ 通过行驶，将车辆快速放电，使高压蓄电池 SOC（电池中剩余电荷的可用状态）降到 30%以下；删除故障码，执行 BMS 控制单元重置。

❷ 将点火开关关闭，将诊断仪与车辆断开，将车钥匙放置在远离车辆的位置，之后关闭所有车门，等待 10min 后断开 12V 蓄电池；等待 10min 后重新连接 12V 蓄电池。

❸ 不要移动车辆，不要开点火开关，直接用直流充电桩将高压蓄电池充到 SOC 为 100%，充满电。

试车，故障排除。

11.3 PTC 加热器控制单元故障

（1）车辆信息

车型：大众 ID4 纯电动汽车。

（2）故障现象

打开车辆点火开关后仪表上故障灯点亮，MIB 车机屏幕上车辆状态内显示“故障：电驱动装置。请去维修站”（图 11-3-1）。车辆可以进入“Ready”模式。

图 11-3-1　仪表报故障

（3）故障诊断与排除

使用诊断仪读取车辆系统，有静态故障码。

在 0001 发动机控制单元内：P1BEF00，内容为高电压蓄电池加热器控制单元，不能识别高电压断路，静态（图 11-3-2）。

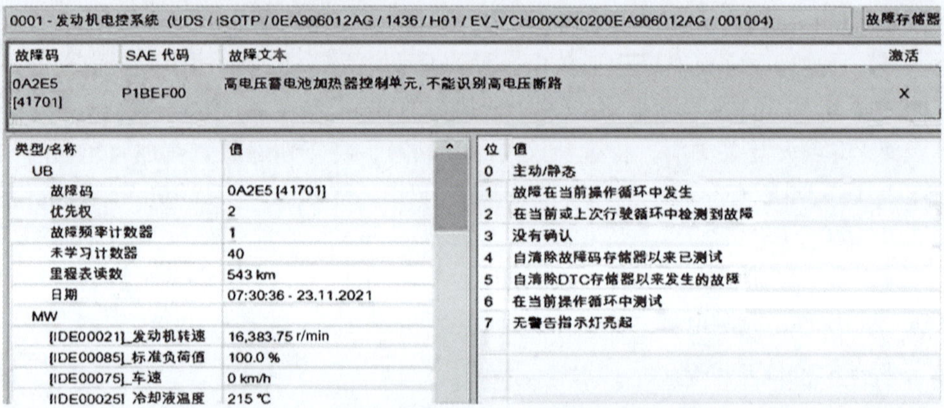

0001 - 发动机电控系统 (UDS / ISOTP / 0EA906012AG / 1436 / H01 / EV_VCU00XXX0200EA906012AG / 001004)　故障存储器

故障码	SAE 代码	故障文本	激活
0A2E5 [41701]	P1BEF00	高电压蓄电池加热器控制单元，不能识别高电压断路	X

类型/名称	值
UB	
故障码	0A2E5 [41701]
优先权	2
故障频率计数器	1
未学习计数器	40
里程表读数	543 km
日期	07:30:36 - 23.11.2021
MW	
[IDE00021]_发动机转速	16,383.75 r/min
[IDE00085]_标准负荷值	100.0 %
[IDE00075]_车速	0 km/h
[IDE00025] 冷却液温度	215 ℃

位	值
0	主动/静态
1	故障在当前操作循环中发生
2	在当前或上次行驶循环中检测到故障
3	没有确认
4	自清除故障码存储器以来已测试
5	自清除DTC存储器以来发生的故障
6	在当前操作循环中测试
7	无警告指示灯亮起

图 11-3-2　在 0001 发动机控制单元内的故障码

在 008C 混合蓄电池管理内：B158131，内容为高电压加热器控制单元，无信号，静态（图 11-3-3）。

通过故障码分析，该车故障方向应该在高压蓄电池 PTC 加热器 Z132 控制单元通信系统上（图 11-3-4）。

高压电池 PTC 加热器 Z132 安装在前机舱内，主要负责对高压蓄电池的冷却液进行加热，通过 LIN 总线和高压蓄电池管理单元 J840 相连，当温度较低时由 J840 利用 PWM 信号对 PTC 加热器进行无级调节来控制加热冷却液，从而为高压蓄电池进行加热，使其保持在理想的工作温度范围内（8 ～ 35℃），减少电能损耗。

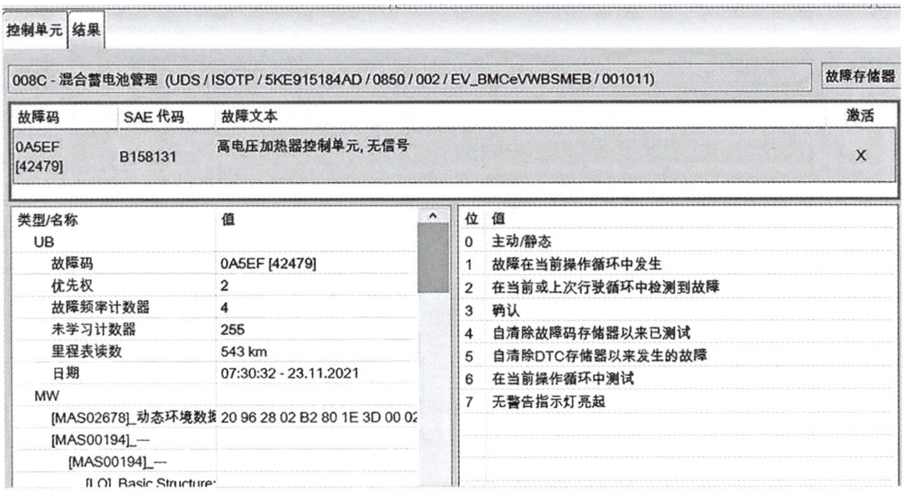

图 11-3-3　在 008C 混合蓄电池管理故障码

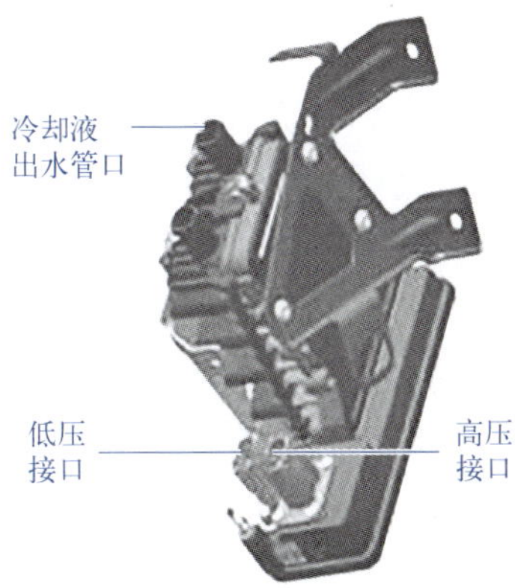

图 11-3-4　高压蓄电池 PTC 加热器

电路连接分高压和低压部分，低压接口负责加热器 Z132 模块的通信和控制，高压接口负责 PTC 加热元件的负载工作。

根据对其结构和工作原理了解分析，导致故障的原因有：

❶ PTC 加热器 Z132 有故障；

❷ PTC 加热器 Z132 低压电路有故障；

❸ PTC 加热器 Z132 和 J840 通信存在故障。

查找对应的电路图（图 11-3-5）。

ID4 CROZZ

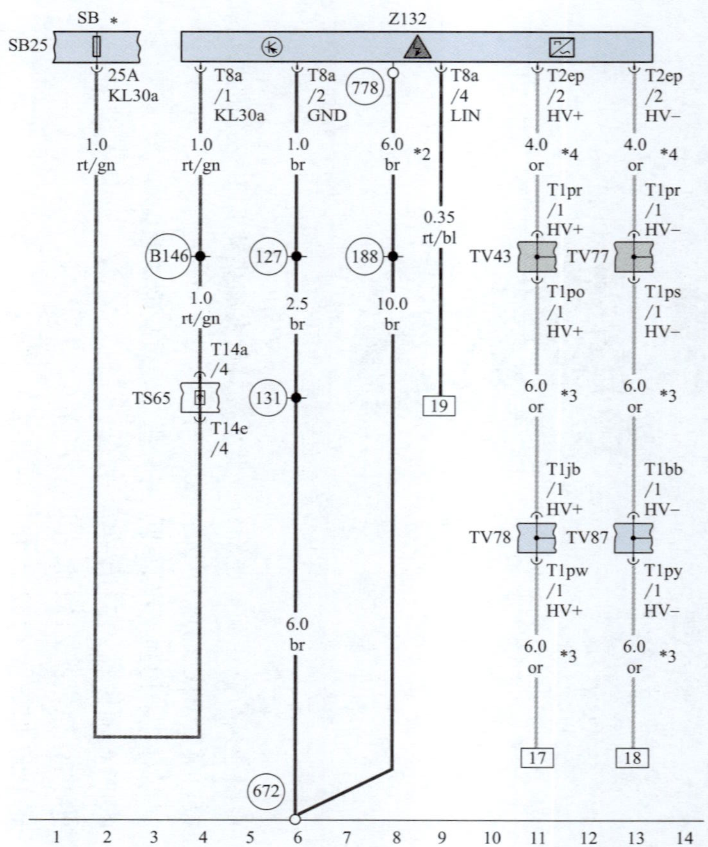

ws=白色
sw=黑色
ro=红色
rt=红色
br=褐色
gn=绿色
bl=蓝色
gr=灰色
li=淡紫色
vi=淡紫色
ge=黄色
or=橘黄色
rs=粉红色
tk=绿松石
blk=未绝缘

熔丝架B，加热元件(PTC)3
SB—熔丝架B
SB25—熔丝架B上的熔丝25
T1bb—1芯插头连接，橙色
T1jb—1芯插头连接，橙色
T1mw—1芯插头连接，黑色
T1po—1芯插头连接，橙色
T1pr—1芯插头连接，橙色
T1ps—1芯插头连接，橙色
T1pv—1芯插头连接，橙色
T1pw—1芯插头连接，橙色
T1py—1芯插头连接，橙色
T2ep—2芯插头连接，橙色
T8a—8芯插头连接，黑色
T14a—14芯插头连接，黑色
T14e—14芯插头连接，黑色
TV43—高电压电网导线分线器
TS65—底盘前部连接位置
TV77—高电压电网导线分线器2
TV78—高电压电网导线分线器3
TV87—高电压电网导线分线器4
Z132—加热元件(PTC)3
127—接地连接1，在空调压缩机导线束中
131—接地连接2，在发动机舱导线束中
188—接地连接3，在空调器导线束中
672—左前纵梁上的接地点2
778—高电压加热装置(PTC)的接地点
B146—正极连接1(87)，在车内导线束中
*—见发动机舱内熔丝所适用的电路图
*2—高电压加热装置(PTC)电位均衡线(P84)
*3—导线分线器/高电压蓄电池的高电压线(P8)
*4—高电压加热装置(PTC)的高电压线(P11)

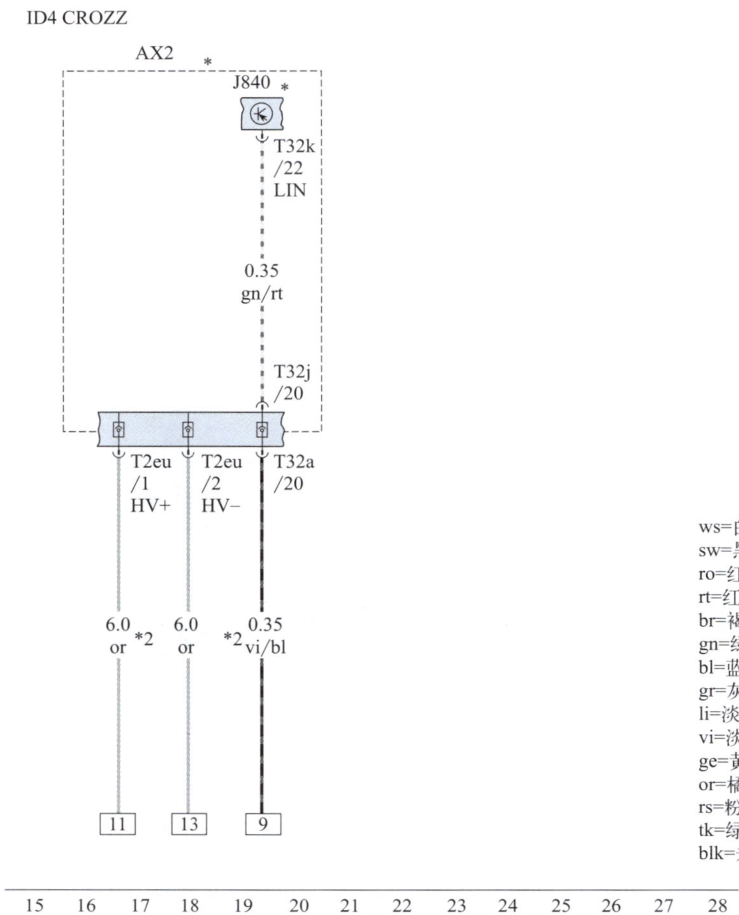

高电压蓄电池1，蓄电池调节控制单元
AX2—高电压蓄电池1
J840—蓄电池调节控制单元
T2eu—2芯插头连接，用电器高电压接口
T32a—32芯插头连接，车载电网接口
T32j—32芯插头连接，车载电网接口
T32k—32芯插头连接，黑色
*—见高电压电池所适用的电路图
*2—导线分线器/高电压蓄电池的高电压线(P8)

ws=白色
sw=黑色
ro=红色
rt=红色
br=褐色
gn=绿色
bl=蓝色
gr=灰色
li=淡紫色
vi=淡紫色
ge=黄色
or=橘黄色
rs=粉红色
tk=绿松石
blk=未绝缘

图 11-3-5　PTC 加热器电路

根据电路图分析 PTC 加热器 Z132 低压电路系统可能存在问题是：低压端供电或接地异常、与高压蓄电池控制调节单元 J840 之间的 LIN 总线异常。

使用诊断仪进入 008C- 混合蓄电池管理控制单元，读取 PTC 加热器数据发现供电电压不正常（图 11-3-6）。

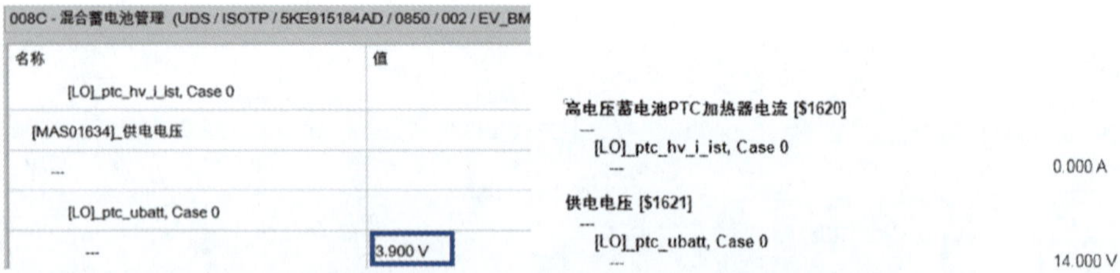

(a) 正常车　　(b) 故障车

图 11-3-6　PTC 加热器供电电压

通过读取数据流发现PTC的供电电压不正确，检查SB25号保险未发现异常。测量 PTC 加热器低压插头 T8a/1 的供电电压，是 3.07V（图 11-3-7），不正常。测量 SB25 号保险侧的电压，是 14V，正常。

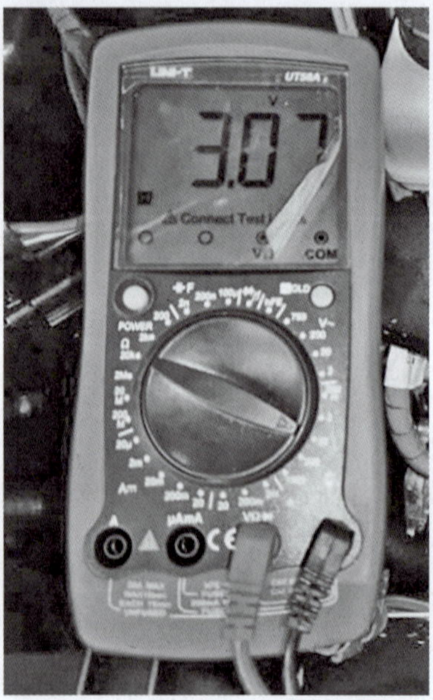

图 11-3-7　插头 T8a/1 的供电电压

检查 SB25 号保险到 PTC 加热器的插头之间的供电线：拔掉 SB25 号保险后发现保险座针脚位置下沉，拆卸 SB 熔断器后检查发现 PTC 加热器的 SB25 号的输出侧供电线未安装到位，导致虚接（图 11-3-8）。

(a) 保险座针脚位置下沉

(b) 针脚退位

图 11-3-8　故障位置

重新安装 SB25 号保险针脚后查看数据流，PTC 供电电压正常，删除故障码后，故障排除。

11.4 旋变传感器故障

（1）车辆信息

车型：北汽 EX360 纯电动汽车。

（2）故障现象

当踩下制动踏板，按下电源开关时，无法进入 Ready 模式，同时中央仪表显示“驱动电机系统故障”。

（3）故障诊断与排除

使用诊断仪连接 OBD 接口，读取故障码为 P0A3F0［MCU（电机控制器）位置传感器信号检测回路故障]。使用诊断仪将故障码删除后，仪表上警示信息消失。重新踩下制动踏板，按下电源开关，Ready 指示灯点亮。转动换挡旋钮到 D 挡，D 挡指示灯闪烁。

仪表再次出现“驱动电机系统故障”的提示信息，且 Ready 指示灯消失。使用诊断仪再次读取故障码，为原来出现的故障码。

查阅北汽 EX360 维修手册，故障码 P0A3F0 产生的原因如下。

❶ 旋变线束损坏；

❷ 旋变解码硬件电路损坏。

手册维修建议：

❶ 优先检查外部旋变线束，电机侧低压接插件，MCU 低压接插件；

❷ 若线束和接插件均正常，则可能存在 MCU 硬件故障或软件版本问题。

断开辅助蓄电池电极连接，断开 MCU 低压接插件。检查插头端子无弯折、变形和损坏。检查低压接插件插座，发现插孔有明显扩大变形，造成插座与插头上针脚接触不良。

查阅维修手册，插孔扩大的针脚为旋变传感器的针脚。

将插孔重新缩小夹紧，重新安装 MCU 接插件和辅助蓄电池电极，踩下制动踏板，按下电源开关，可以正常进入 Ready 模式，转动挡位旋钮到 D 挡位，可以正常行驶，故障排除。

11.5 PEU 内部 MCU 故障

（1）车辆信息

车型：北汽 EX360 纯电动汽车。

（2）故障现象

车辆在正常行驶过程中会偶发出现仪表盘上的整车故障灯点亮，同时仪表盘上方显示驱动电机系统故障，故障出现时车辆会限速行驶。

（3）故障诊断

使用诊断仪对车辆的驱动电机系统 MCU 进行故障检测，有两个历史故障码。

P0A2F98：电机过温故障。

P0A001C：电机温度检测回路故障。

故障灯点亮时踩加速踏板，无法正常提速，大约数十秒后又会自动恢复正常。

通过上述两个故障码，初步判断可能原因：

❶ 驱动电机故障；

❷ 驱动电机控制器 MCU 故障；

❸ 其他部件或相关连接线路故障。

故障出现时驱动电机温度瞬时高达 152℃，而且在短时间内温度在 40 ～ 150℃之间频繁波动变化，明显存在异常，因此判断故障出现是由于驱动电机温度检测异常导致的。

查阅相关电路图（图 11-5-1），对驱动电机的温度检测回路及温度传感器等相关部件进行测量。

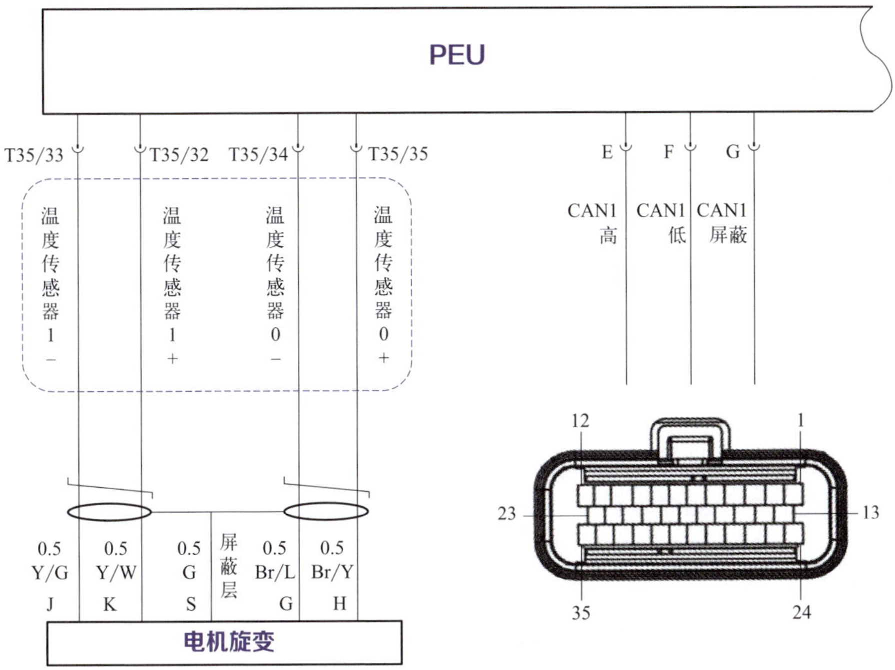

图 11-5-1　驱动电机的温度检测回路及温度传感器等电路

根据电路图，检查电机温度检测回路的连接插头，断开电力电子集成模块 PEU 的低压连接插头，检查各端子，没有腐蚀、退针、虚接等异常现象。

使用万用表从 PEU 的 T35 插头处分别测量两个温度传感器的电阻值，经测量温度传感器 0 和温度传感器 1 的阻值均为 1.108kΩ，为正常。

断开驱动电机上的低压连接插头，检查各端子，没有腐蚀、退针、虚接等异常现象。

驱动电机温度传感器和 PEU 至温度传感器之间的连接线路正常，因此 PEU 内的微控制单元 MCU 存在检测异常，于是拆开 PEU，更换内部的微控制单元 MCU。更换后，故障排除。

11.6 蓄电池智能单元故障

（1）车辆信息

车型：丰田卡罗拉混合动力汽车。行驶里程：44123km。

（2）故障现象

车辆突然无法向前或向后行驶，车上 HV 仪表盘内的“R”灯报警。

（3）故障诊断与排除

使用诊断仪读取故障码为 U029A。

查阅维修手册，其故障原因为与混合动力电池组传感器失去通信。

据初步判断造成上述故障的可能原因与以下几点有关。

❶ 线束或连接器断了；

❷ 混合动力车辆控制 ECU 出现问题；

❸ 蓄电池智能单元不响应。

按照以上分析可能原因逐个检查排除，首先将蓄电池断电 15min，拆卸线束保护壳。

断开蓄电池智能单元连接器，打开点火开关，测量蓄电池电压，无异常；检测线束电阻，经检测，所有线束和连接器均正常，排除线束或连接器断路。

因为线束端测量时有电流流过，所以确认混合动力车辆控制单元无问题。怀疑是蓄电池智能单元内部不良引发了故障。

更换蓄电池智能单元后，试车，故障排除。

11.7 VCU 控制器故障

（1）车辆信息

车型：长城欧拉 R1 纯电动汽车。

（2）故障现象

车辆能上电，挂挡不走车，仪表显示 N 挡闪烁。

（3）故障诊断与排除

使用诊断读取 VCU 控制单元故障码。

P103121：挡位 1 电压过低。

P103963：挡位故障且挡位状态全部为 0。

导致故障的部位有：

❶ 换挡旋钮；
❷ 相关线路；
❸ 控制器。

查阅维修手册，得知以下内容。

故障码 P103963 定义：挡位故障。

故障报码条件：挡位开关不在 R/N/D 状态。

故障可能原因：挡位传感器损坏或安装错误；整车控制器损坏。

故障码消除条件：挡位开关在 R/N/D 状态。

维修手册指导方法见表 11-7-1。

表 11-7-1 维修手册指导方法（一）

步骤	操作	是	否
1	用诊断仪读取整车控制器是否有其他故障码	排除其他故障码	转下一步
2	检查挡位传感器是否损坏或安装错误	更换，正确安装挡位传感器	转下一步
3	清除故障码，重启车辆并做检测，查看故障是否消除	故障排除	更换整车控制器

故障码 P103121 定义：挡位 1 电压过低。

故障报码条件：挡位 1 电压值低于 1.5V。

故障可能原因：挡位 1 传感器接插件有松动；挡位 1 传感器对地短路或断路；挡位 1 传感器损坏或安装错误；整车控制器损坏。

故障码消除条件：挡位 1 电压值高于 1.5V。

维修手册指导方法见表 11-7-2。

表 11-7-2 维修手册指导方法（二）

步骤	操作	是	否
1	用诊断仪读取整车控制器是否有其他故障码	排除其他故障码	转下一步
2	检查挡位 1 传感器接插件是否正常	牢固插接接插件	转下一步
3	检查挡位 1 传感器是否短路、断路、损坏或安装错误	排除故障码	转下一步
4	清除故障码，重启车辆并做检测，查看故障是否消除	故障排除	更换整车控制器

检查挡位 1 在不同挡位时电压输出。

测量挡位输出时，需要把换挡旋钮插头插上去，在后部测量。根据电路图分析，测量输出 2/3/4 挡信号线电压为 4.9V 左右，测量输出信号 1 号的 11 号脚电压为 0.3V，说明此线路确实存在异常（图 11-7-1）。可能是线路与车身接地或者整车控制器（VCU）内部接地。

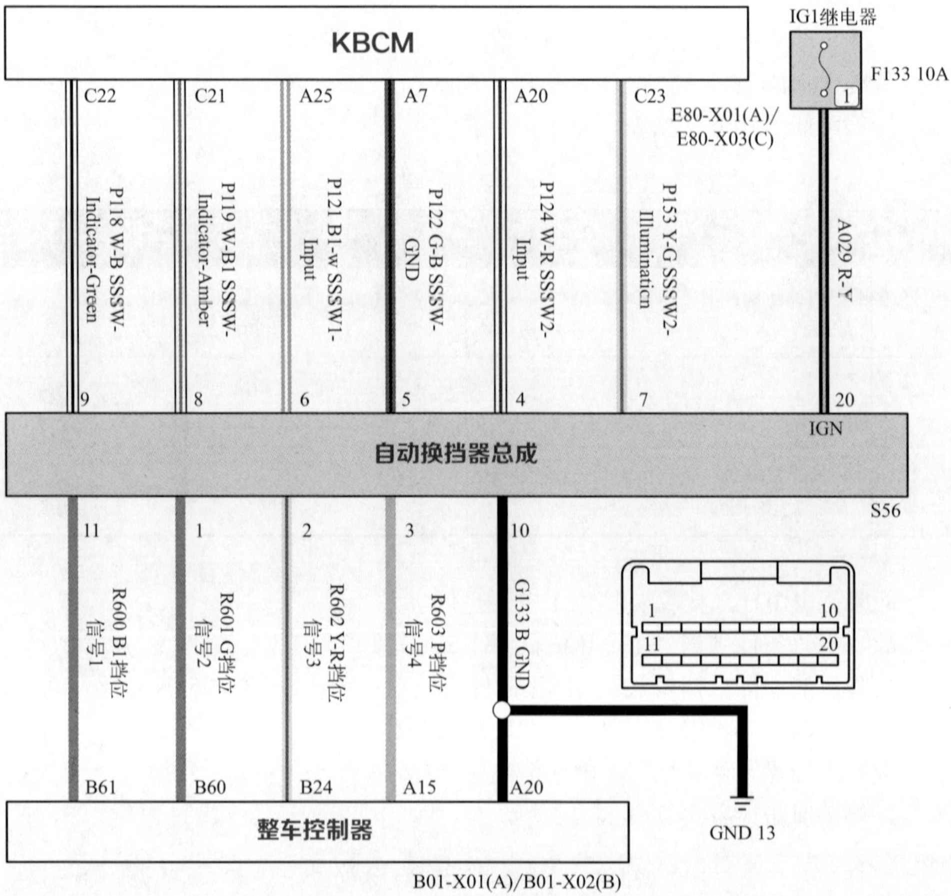

图 11-7-1　整车控制器电路

1—挡位信号输出 2；2—挡位信号输出 3；3—挡位信号输出 4；4— 一键启动开关信号 2；5— 一键启动开关接地；6— 一键启动开关信号 1；7— 一键启动背光灯电源；8— 一键启动指示 LED（琥珀色）；9— 一键启动指示 LED（绿色）；10—接地；11—挡位信号输出 1

在不断开 VCU 接头的情况下，将测量针插入 11 号脚，测量 11 号脚对地电阻为 1.9Ω，其他信号输出线电阻为 2.7kΩ；断开 VCU 插头，再次测量 11 号脚电阻为∞，说明是 VCU 内部故障。

更换 VCU 控制器，并对车辆编程，试车，故障排除。

11.8 CDD 控制单元故障

(1) 车辆信息

车型：2022 年款极氪 001 纯电动汽车。

(2) 故障现象

车辆上电后仪表显示充电故障，在行驶一段路程后仪表同时提示充电故障、动力系统故障，随后全车无电，车辆失去动力。

(3) 故障诊断与排除

❶ 检查蓄电池电压。使用万用表电压挡测量 12V 蓄电池电压为 4.5V，严重亏电。随后对 12V 蓄电池充电 6h，测量蓄电池电压为 14.5V。车辆上电后，测量蓄电池电压，发现电压迅速下降至 11.75V，异常。此时，组合仪表提示“蓄电池电压过低，请安全停车，请联系极氪官方售后”。

❷ 读取故障码及数据流。使用诊断仪对全车进行故障扫描，发现 CDD（充电器和 DC/DC 模块）控制单元存储多个故障码（图 11-8-1）。

a. POE9900：DC/DC 转换器电压传感器“C”电路电压高。

b. U144801：充电器和 DC/DC 转换模块（CDD）一般电动故障。

c. B164B00：内部通信故障。

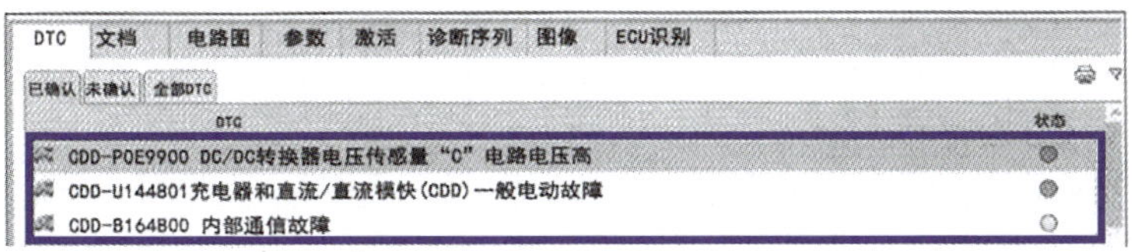

图 11-8-1　CDD（充电器和 DC/DC 模块）控制单元故障码

读取 CDD 控制单元数据流，发现 DC/DC 激活请求已启动，没有降功率，输入电压为 14.4V。但是实际测量蓄电池电压仅为 11.85V，说明 CDD 控制单元的输出电压不正常，由此判定 CDD 控制单元没有正常工作（表 11-8-1）。

表 11-8-1　CDD 控制单元数据流

参数	数值	单位
5V 实际电压 -CDD	5.1	V
CEM 电源电压（参考电压）-CDD	11.75	V
DC/DC 激活请求 -CDD	启动	

续表

参数	数值	单位
DC/DC 降级原因 -CDD	DC/DC not derating	
DC/DC 输入电压设置 -CDD	14.2	V
DC/DC 温度 -CDD	15	℃

对 CDD 模块软件进行同步刷写，对 CDD 控制单元进行重载，故障依旧。

❸ 检查 CDD 控制单元线束。拔下 CDD 控制单元低压插头 A，检查公母端，均未发现退针等异常情况。使用专用工具检查公母端的针脚，未发现有扩孔等异常情况。

根据故障车型 CDD 控制单元电路图（图 11-8-2），测量 A1 端子 KL30 对地电压，为 12.71V，正常；测量 A2 端子 GND 对地电阻，为 0.3Ω，正常。

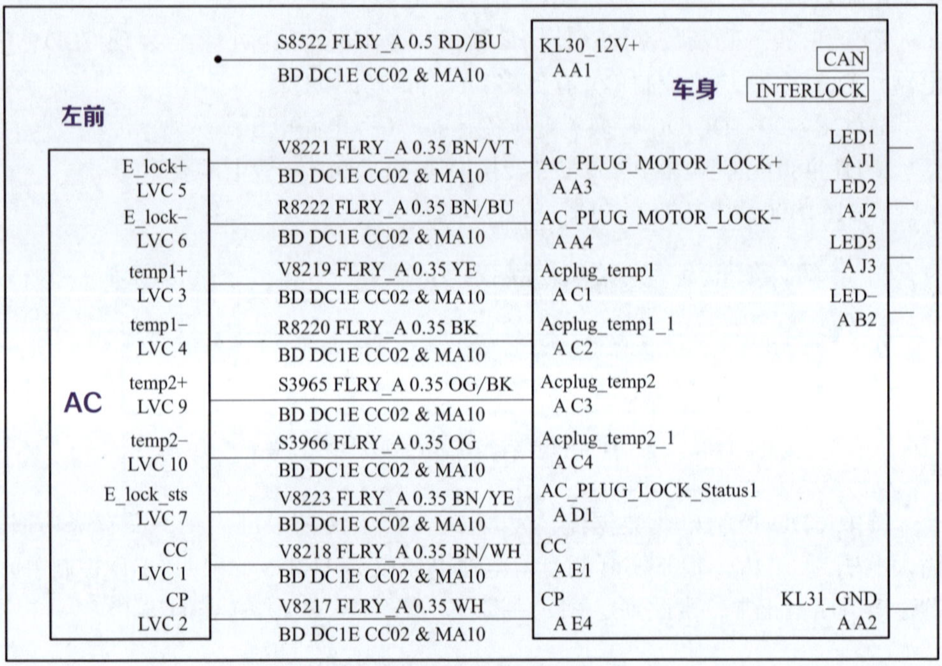

图 11-8-2　CDD 控制单元原理

检查交流充电口端子，未发现任何异常。测量 E1（CC）、E4（CP）端子对地电阻，为 0 或无穷大，正常；测量 E1、E4 端子之间电阻，为 0 或无穷大，正常。测量交流口 CC-CDD E1、交流口 CP-CDD E4 端对端电阻，为 0.2Ω，正常。说明 CDD 控制单元供电搭铁正常，交流充电回路正常。

检查 CDD 控制单元到蓄电池的充电线束，无损伤、挤压等现象。

检查 CDD 控制单元给蓄电池充电的大电流供电 MF05 MEGA 350A 熔丝至 CDD G1 端电阻，为 0.3Ω，正常（图 11-8-3）。

检查 MF05 紧固情况，未发现异常。

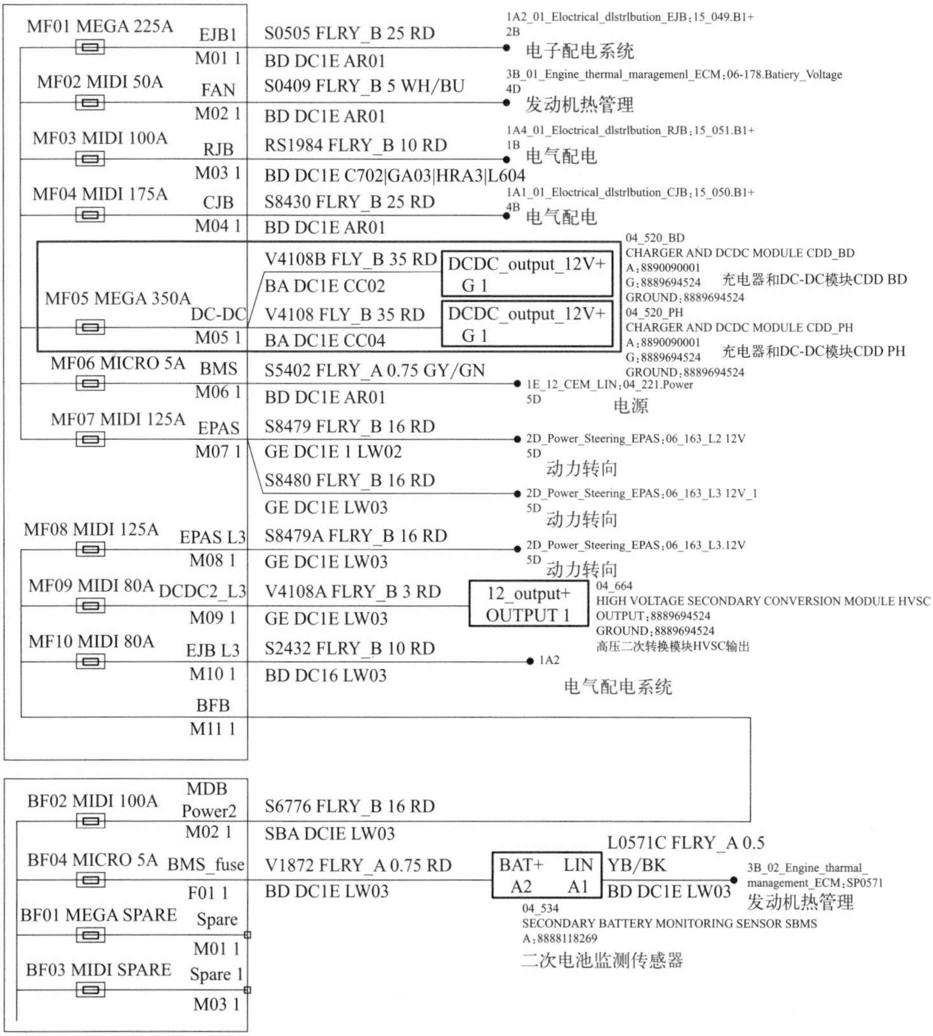

图 11-8-3　CDD 控制单元电路

检查到这一步，怀疑是 CDD 内部组件存在故障，由于厂家不允许拆修 CDD 控制单元，因此更换 CDD 控制单元总成，重新对 CDD 控制单元软件同步刷写，CDD 控制单元输出至蓄电池电压正常，试车，车辆恢复正常，故障排除。

案例总结

故障的主要原因是：由于 CDD 控制单元内部组件故障，导致 DC/DC 转换器无法正常工作，使得动力电池无法给 12V 蓄电池充电，从而引发 12V 蓄电池亏电，造成低压部件模块无法正常工作。

11.9 充配电总成故障

11.9.1 仪表报低压供电系统故障

（1）车辆信息

车型：比亚迪汉 EV。

（2）故障现象

仪表报“低压供电系统故障”。

扫一扫

视频精讲

（3）故障诊断

使用诊断仪读取故障码，电池管理器报：

❶ U029800（与 DC 通信故障）；

❷ U029787（与车载充电器通信故障）。

整车控制器报：

❶ U029887（与 DC 通信故障）；

❷ U029F87（与 OBC 通信故障）。

根据故障码分析原因：

❶ 程序问题；

❷ DC 故障；

❸ 线路故障；

❹ 低压电池故障。

检查 12V 蓄电池电压为 12.5V，正常。

使用诊断仪检查程序，无须更新。

根据故障码检查，DC、OBC 都集成在充配电总成里面，根据电路图测量充配电的 IG3 和两个常电电源，测量值为 11.6V，正常（图 11-9-1）。

测量搭铁对地阻，测量值小于 1Ω，正常。

测量 CAN 线电压，CAN-H 为 2.79V，正常；CAN-L 为 2.22V，正常。

测量终端电阻，测量值为 64.5Ω，正常。

与正常车辆对调充配电总成，恢复车辆，试车，故障排除。

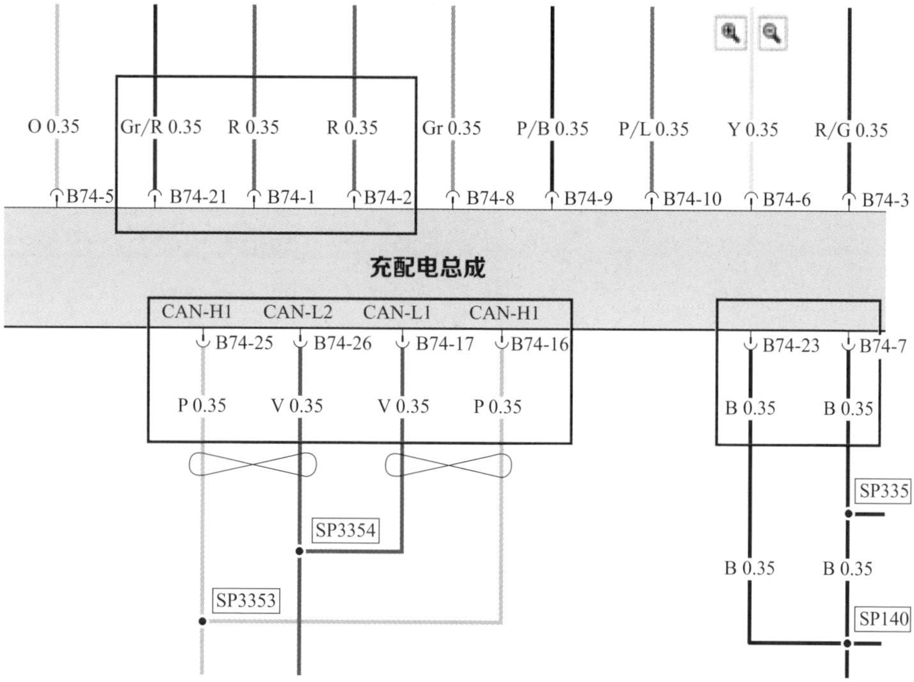

图 11-9-1　充配电总成电路

11.9.2　车辆在行驶时突然下高压电

（1）车辆信息

车型：比亚迪汉 EV。

（2）故障现象

仪表显示低压供电系统故障，然后整车瞬间没电无法启动。

（3）故障诊断与排除

使用 12V 蓄电池搭电上 OK 挡，仪表无故障，测量 DC 输出端电压 13.6V。

使用诊断仪读取故障码，前驱动电机控制器报：低压供电电压过低。电驱充电模块报：低压供电电压过低，历史故障。电池管理器报：因低压供电异常结束高压流程，历史故障。

发现低压电池管理器扫描不到，测量 BK50 接插件 1 号针脚电压为 2.63V，3 号针脚电压为 2.38V，均正常。考虑到 DC 输出电压也正常，CAN 通信电压也正常，对调12V蓄电池后一切正常（图11-9-2）。

导致故障原因分析：

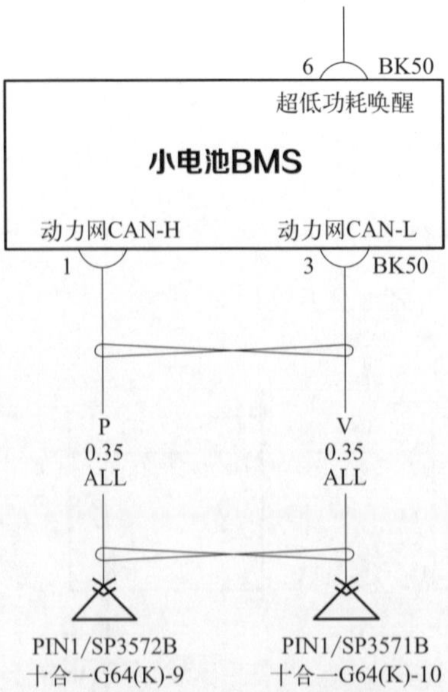

图11-9-2　12V蓄电池电路

❶ 软件程序问题；

❷ 充配电总成；

❸ 线路故障；

❹ 低压铁电池。

车辆SOC显示剩余电量5%，使用交流慢充充电至56%，整个过程均正常。然后将车辆开出去使用直流快充，插上枪出现两次跳枪情况，路试时仪表报低压供电系统故障，不到1min全车无电，按左前门微动开关可以唤醒，测量DC输出端电压只有12.8V。检查保险，无异常，搭铁线无松动。OFF挡测量12V蓄电池电压，为12.6V。重新上电，几分钟后又全车无电，这次仪表没有报低压供电系统故障，而是直接没电，可以重新唤醒车辆，唤醒后使用交流慢充无法充电。

使用诊断仪进入12V蓄电池电池管理器查看数据流，充放电状态：充电状态与放电状态来回跳动，显示充电状态时慢充就可以充电，显示放电状态时则不能充电，初步怀疑是充配电总成内部存在故障。

与正常车辆对调充配电总成，更换后车辆恢复正常，故障排除。

11.10 整车控制器故障

（1）车辆信息

车型：比亚迪汉DM-i混合动力汽车。

（2）故障现象

仪表P挡灯闪烁，显示检查动力系统，驻车系统故障，车辆无法启动。

（3）故障诊断

使用诊断仪扫描不到整个电控子网，挡位控制器报VCU通信超时，电池管理器报与VCU通信故障，电液制动报ECM通信超时，数据被破坏等多个故障。

导致故障原因分析：

❶ 高压部件；

❷ 线束故障；

❸ 整车控制器。

检查电控子网 CAN 电压，CAN-H 和 CAN-L 都只有 1.7V 左右（异常），阻值为 63Ω（正常）。

拔掉双电控再次检查 CAN 电压数值，依旧异常。

当拔掉整车控制器两个插头或其中一个插头时，再次检查电控子网 CAN，CAN-H 和 CAN-L 电压为 2.47V 和 2.58V，正常。

检查整车控制器常电和 IG3 电熔丝，正常。怀疑是整车控制器故障，与正常车辆对调整车控制器测试，故障排除。

11.11 充电机故障

（1）车辆信息

车型：2019 年款大众新帕萨特 PHEV 混合动力汽车。

（2）故障现象

高压电偶尔断电，车辆无法启动。

（3）故障诊断

使用诊断仪读取 008C 混合蓄电池管理故障码，内容为未翻译过来的英文故障码（表 11-11-1）。

表 11-11-1　008C 混合蓄电池管理故障码

008C：混合蓄电池管理		
故障码	SAE 代码	故障文本
09944[39236]	P000000	[LN]_not Available
09ABCD[39629]	P000000	[LN]_not Available

读取 00C6 高电压蓄电池充电装置故障码，内容为“充电盖 A 盖锁止识别，电器故障”（表 11-11-2）。

表 11-11-2　充电装置故障码

00C6：高电压蓄电池充电装置		
故障码	SAE 代码	故障文本
102E01[1060353]	P31CF00	充电盖 A 盖锁止识别，电器故障

根据故障码分析故障原因：

❶ 高压电锁止按钮自身故障；

❷ 充电按钮至充电机线路故障；

❸ 高压充电机故障。

根据故障码分析，遵循由简到繁的诊断思路，检查高压充电口锁止按钮至充电装置之间线路是否存在虚接。查阅电路图（图 11-11-1），检查充电口锁止按钮至高压电充电装置之间的 4 根导线及 T14i 插接器，未出现异常。

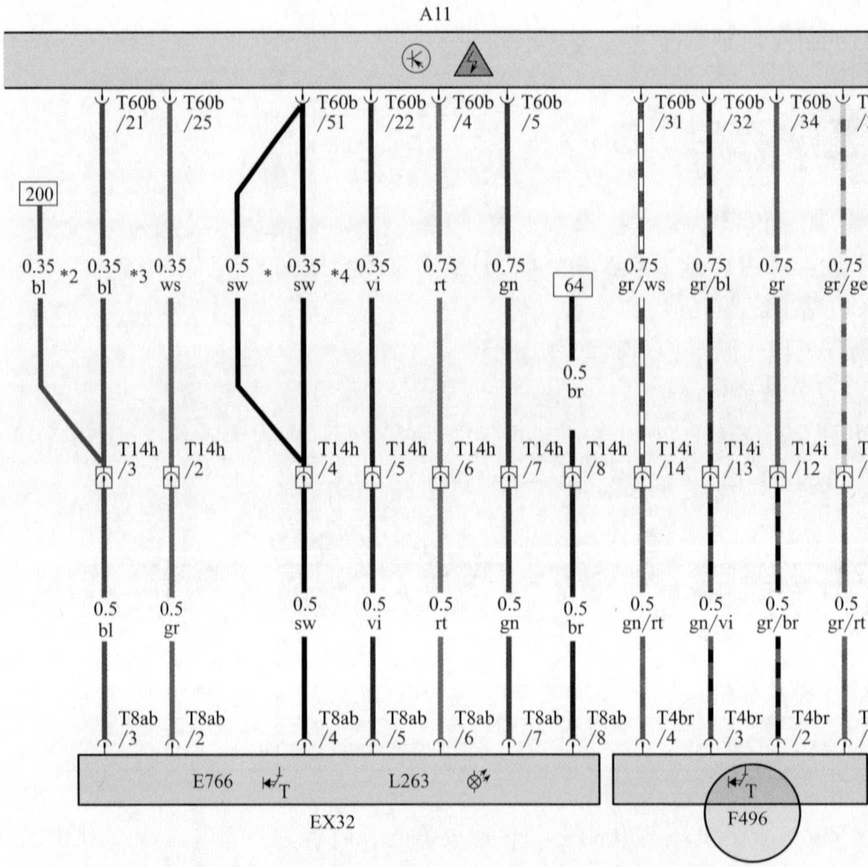

图 11-11-1　大众新帕萨特 PHEV 高压电系统电路

因为是偶发故障，车辆正常状态下未发现故障，因此进行路试，行驶 5km 后故障出现。更换另一台诊断仪对车辆进行故障诊断，此时诊断仪读取到 008C 混合蓄电池管理的故障码，内容为高电压系统的先导线，断路，主动 / 静态；混合动力 / 高电压蓄电池系统预充电时间过长（表 11-11-3）。

表 11-11-3　008C 混合蓄电池管理的故障码

008C：混合蓄电池管理		
故障码	SAE 代码	故障文本
09944[39236]	P0A0A00	高电压系统的先导线路，断路
09ABCD[39629]	P0C7800	混合动力 / 高压蓄电池系统，预充电时间过长

读取 00C6 故障码，内容为“充电盖 A 锁止促动电器故障，主动 / 静态”。

查阅相关维修资料，先导线的正常工作是保证高电压系统上电的必然条件，所以如果先导线断路，高电压系统必然会使车辆产生无高压电的故障现象，于是将故障点锁定在先导线上。

先导线在高电压系统中串联所有高电压组件，蓄电池模块监控控制单元通过先导线监控各高电压组件的工作情况来保证高电压系统的正常工作，如果有高电压组件故障或者先导线线路故障，都会切断高电压系统，就会出现该车的故障现象（图 11-11-2）。

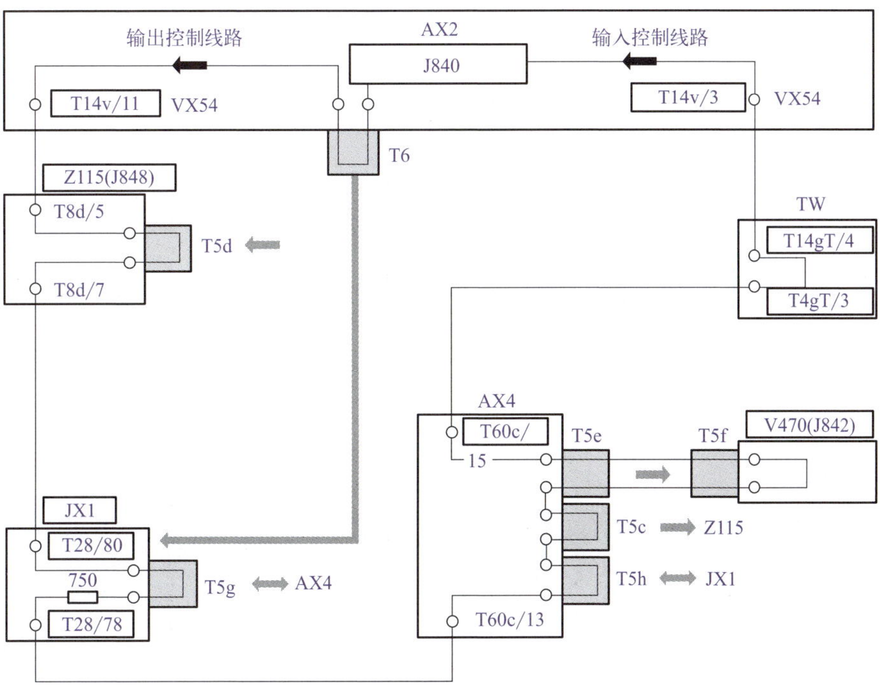

图 11-11-2　先导线路的连接方式

AX2—高压蓄电池 1；Z115—高压加热器（PTC）；VX54—三相电流驱动装置；JX1—电力电子装置；AX4—高压蓄电池充电装置 1；V470—电动空调压缩机；TW—高压系统连接器

根据故障码分析：

❶ 先导线断路；

❷ 各高压组件自身故障（AX2、Z115、VX54、JX1、AX4、V470、TW）；

❸ 各高压组件上先导线输入或输出针脚虚接；

❹ 高电压蓄电池监控控制单元 J840 故障；

❺ 高压电系统维修插头的供电或熔丝 SC30 故障。

首先检查先导线与各高电压组件的结点针脚，包括低压线束中先导线以及各高电压组件连接与高压线上先导线串联的 U 形针或高电压线路中的先导线，未发现异常。

根据诊断仪读取的 008C 混合蓄电池管理的故障码和 00C6 故障码分析，这两个控制单元同时报故障，两者唯一能有接触的就是高电压充电装置。

查阅充电机电路图（图 11-11-3），先导线在充电机内部走向较多，怀疑是由于高电压充电机内部先导线偶发断路引起的故障。

与正常车辆对调充电机，试车 5km 未出现故障，交车让客户回去使用，2 周后再次跟踪客户，未出现故障，故障彻底排除。

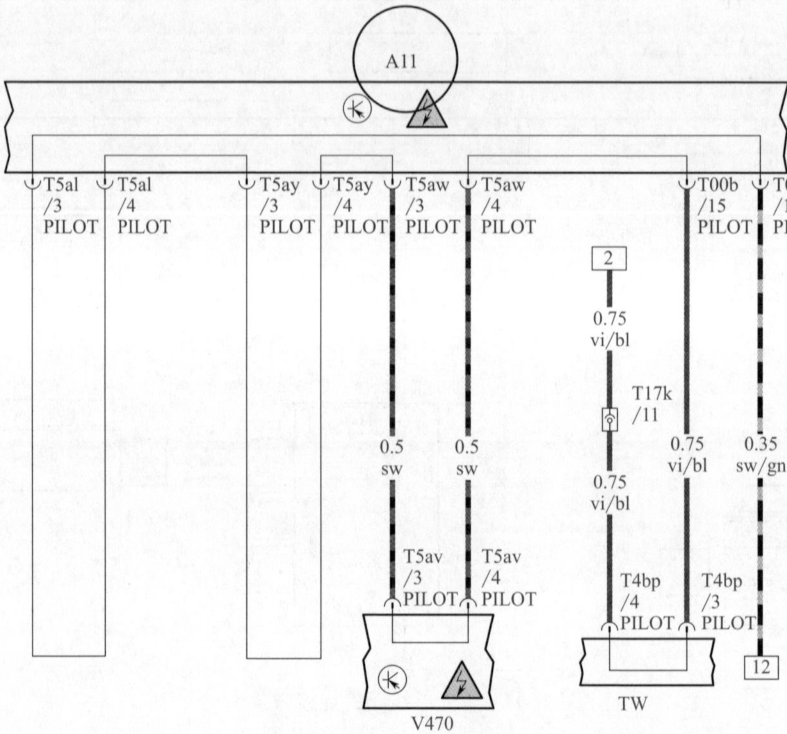

图 11-11-3　充电机电路

11.12 电控温度报警

（1）车辆信息

车型：2023 年款比亚迪秦 DM-i 混合动力汽车。

（2）故障现象

车辆上 OK 挡后行驶一段时间后，电控温度报警。

（3）故障诊断

使用诊断仪读取故障码，内容为电控温度报警。

读取冷却液温度，为 110℃，对电控冷却水泵使用动作测试，电控冷却水泵不能正常工作。说明电控冷却水泵或线路存在故障。

通过动作测试可知电控冷却水泵正常。

查阅电路图，电控冷却水泵 1 号端子为接地端子，2 号端子为冷却水泵 PWM 信号反馈，3 号端子为冷却水泵 PWM 控制，4 号端子为电源线，如图 11-12-1 所示。

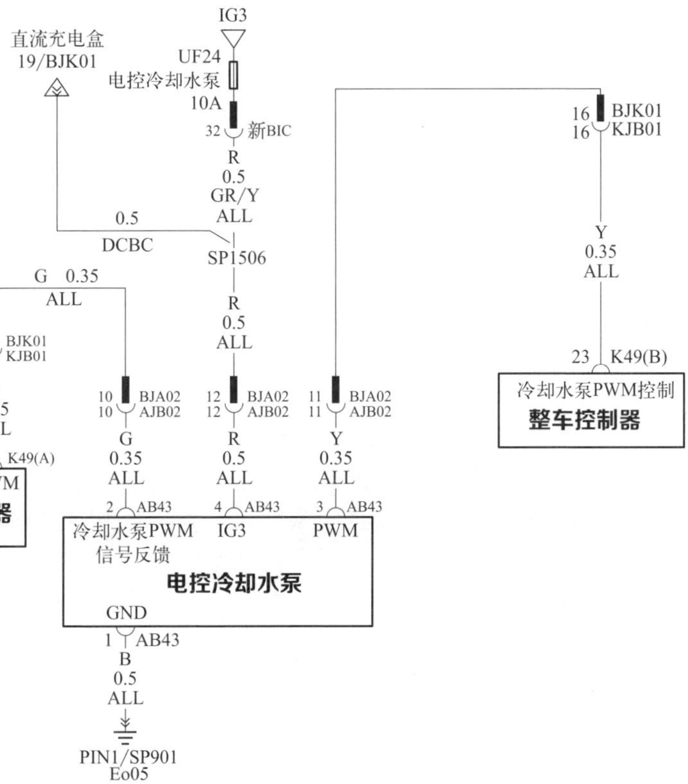

图 11-12-1　电控冷却水泵电路

检查电控冷却水泵连接器，确认无松动、无损坏，连接牢靠。

拔下电控冷却水泵连接器。

检查整车控制器连接器，确认无松动、无损坏，连接牢靠。

拔下整车控制器连接器。

找到机舱熔断器，IG3 继电器集成在机舱熔断器内，无法拆卸检查，找到 UF24（10A）电控冷却水泵熔丝。使用万用表电压挡检查 UF24（10A）电控冷却水泵熔丝输入端的电压，启动车辆，测量值为 12.5V，正常，IG3 继电器正常。

取下 UF24（10A）熔丝，使用万用表蜂鸣挡测量，结果为导通，正常。经检查 UF24（10A）熔丝正常，如图 11-12-2 所示。

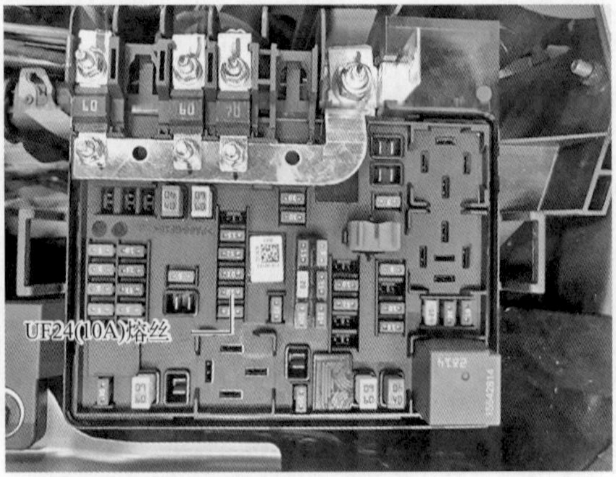

(a) UF24(10A)熔丝位置

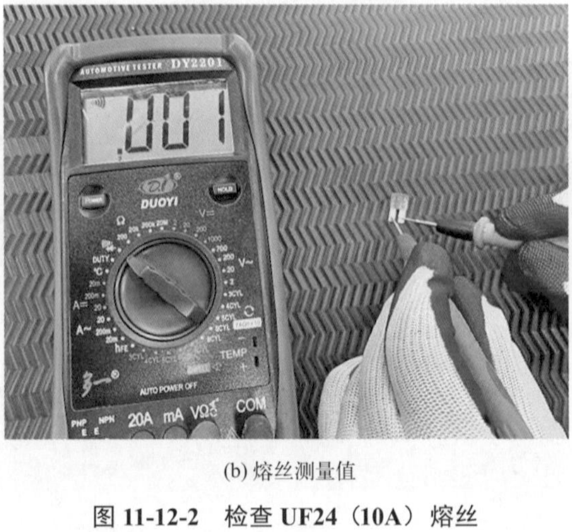

(b) 熔丝测量值

图 11-12-2　检查 UF24（10A）熔丝

使用万用表 200Ω 电阻挡测量电控冷却水泵连接器 1 号端子至车身搭铁线路导通状态，测量值为 0.3Ω，正常，如图 11-12-3 所示。

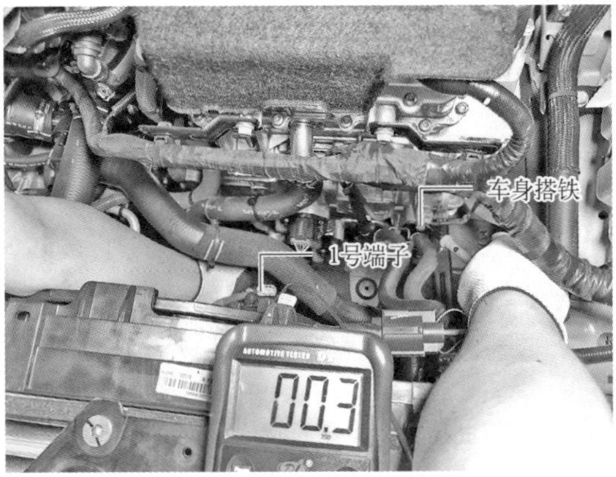

图 11-12-3　测量电控冷却水泵连接器 1 号端子至车身搭铁线路

使用万用表 200Ω 电阻挡测量电控冷却水泵连接器 2 号端子至整车控制器 K49（A）58 号端子线路导通状态，测量值为 0.9Ω，正常，如图 11-12-4 所示。

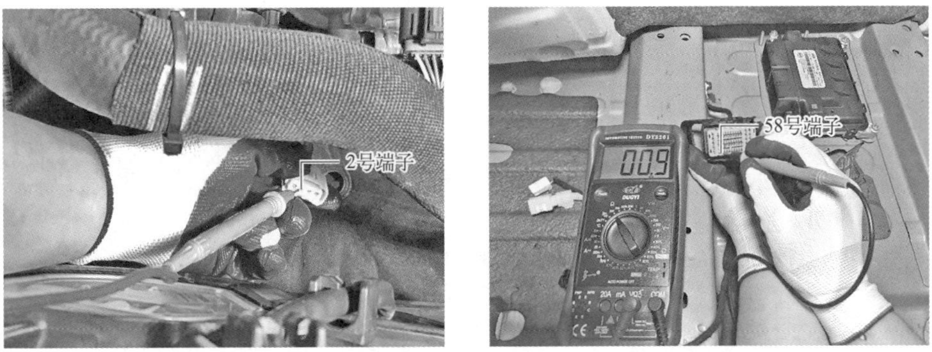

(a) 冷却水泵连接器2号端子　　(b) 整车控制器K49(A)58号端子

图 11-12-4　测量电控冷却水泵连接器 3 号端子至整车控制器 K49（A）58 端子号

使用万用表 200Ω 电阻挡测量电控冷却水泵连接器 3 号端子至整车控制器 K49（A）23 号端子线路导通状态，测量值为无限大，异常，该线路存在断路，如图 11-12-5 所示。

使用万用表 200Ω 电阻挡测量电控冷却水泵连接器 4 号端子至 UF24（10A）熔丝端子线路导通状态，测量值为 0.2Ω，正常，如图 11-12-6 所示。

找到并修复电控冷却水泵连接器 3 号端子至整车控制器 K49（A）23 号端子线路，测量值为 0.2Ω，正常，如图 11-12-7 所示。

复原车辆，试车，车辆行驶 5km，一切正常，故障排除。

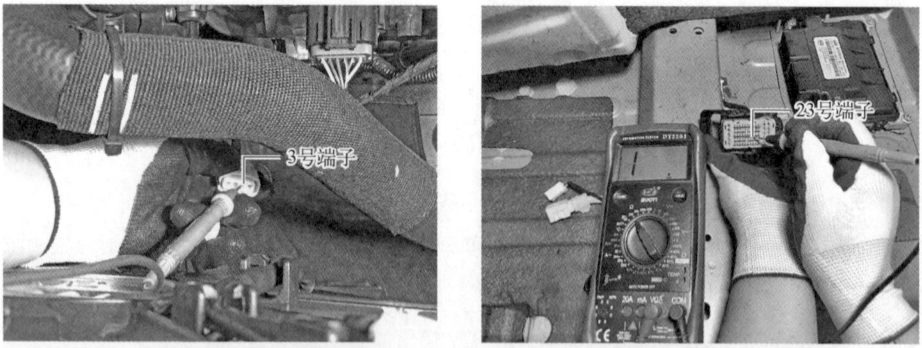

(a) 冷却水泵连接器3号端子　　(b) 整车控制器K49(A)23号端子

图 **11-12-5**　测量电控冷却水泵连接器 **3** 号端子至整车控制器 **K49**（**A**）**23** 号端子

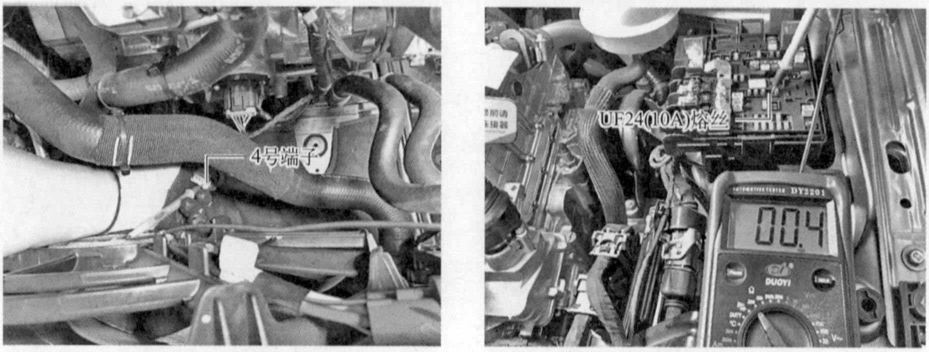

(a) 冷却水泵连接器4号端子　　(b) UF24(10A)熔丝端子

图 **11-12-6**　测量电控冷却水泵连接器 **2** 号端子至 **UF24**（**10A**）熔丝

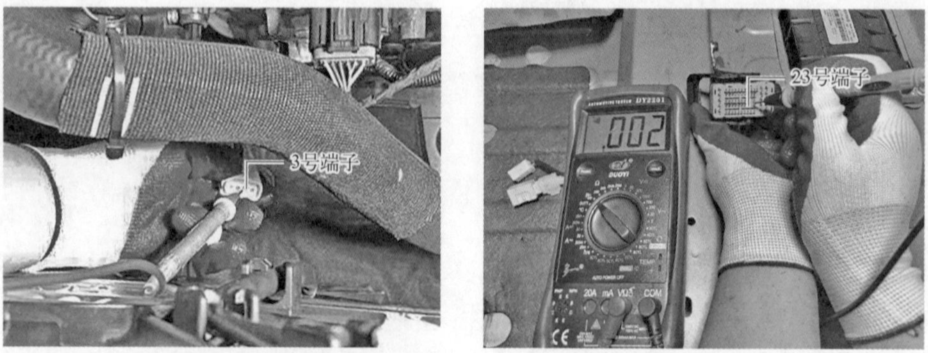

(a) 冷却水泵连接器3号端子　　(b) 整车控制器K49(A)23号端子

图 **11-12-7**　测量电控冷却水泵连接器 **3** 号端子至整车控制器 **K49**（**A**）**23** 号端子

11.13 动力电池控制器故障

（1）车辆信息

车型：2022 年款比亚迪秦 EV 纯电动汽车。

（2）故障现象

Ready 指示灯没有点亮，车辆无法行驶，蓄电池充电警告灯点亮，动力电池故障指示灯点亮，如图 11-13-1 所示。

图 11-13-1　仪表故障灯

（3）故障诊断与排除

使用故障诊断仪对比亚迪秦 EV 汽车进行故障码和数据流的读取，读取后发现故障诊断仪不能进入动力电池管理系统，BMS 系统无法进入，更换 VCU 系统后读取故障码和数据流。同时发现其他控制模块能正常通信。

故障码为 U014087，内容为与 BCM 通信故障。

根据故障码和数据流，查阅比亚迪秦 EV 纯电动汽车动力电池管理系统（BMS）及总线通信系统电路图，通过仪表显示的信息和故障诊断仪所读取的信息，初步判断为 BMS 通信可能出现故障，故障部位可能是动力电池管理系统的电源线、搭铁线、CAN 线或电池管理控制器，按照由简易难的故障诊断思路，可以先对动力电池的供电进行检查，如图 11-13-2 所示。

断开蓄电池负极，等待 5min，对动力电池低压连接器外观及连接情况进行检查，检查插接器外观及连接是否正常，如图 11-13-3 所示。

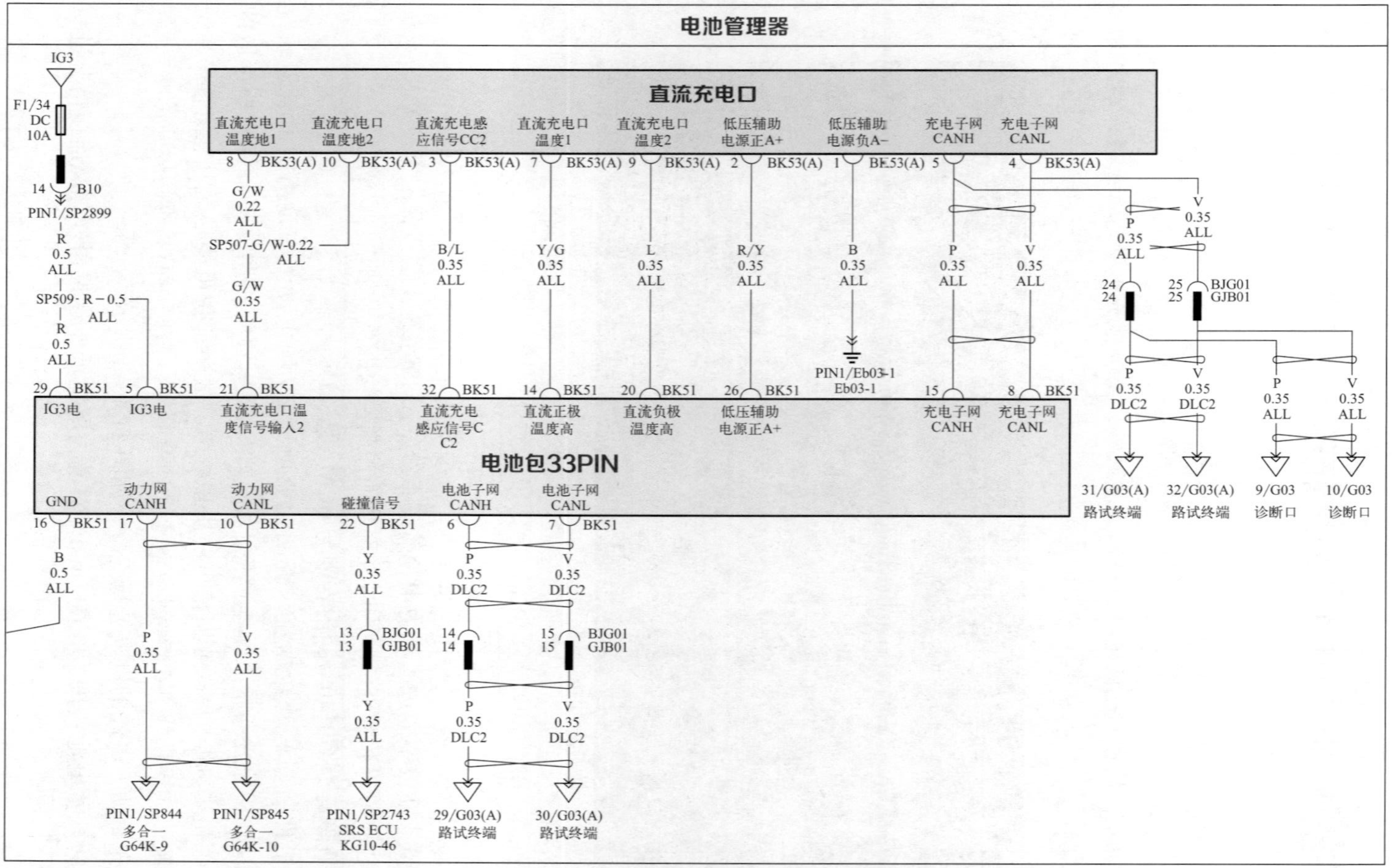

图 11-13-2　比亚迪秦 **EV** 纯电动汽车动力电池管理系统电路

图 11-13-3　检查动力电池低压连接器

检查 IG3 继电器，目测继电器正常，没有烧蚀，没有损坏；使用万用表 200Ω 电阻挡测量继电器线圈（1 号与 2 号脚位），电阻为 138Ω，正常，如图 11-13-4 所示。

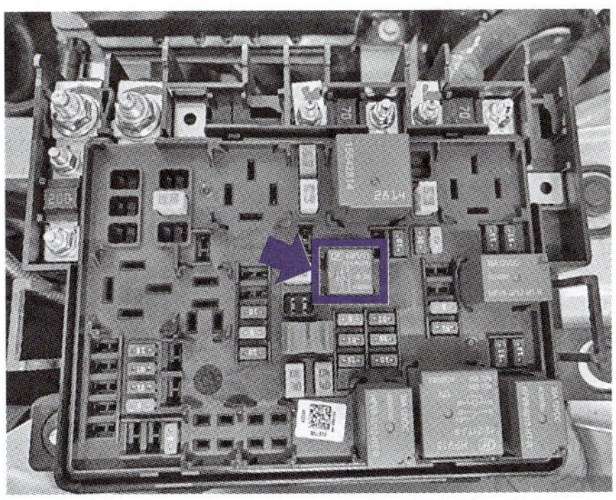

(a) IG3继电器位置(前舱)

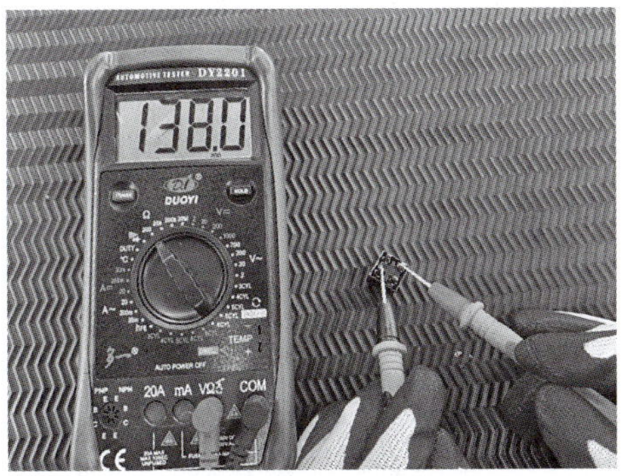

(b) 检查IG3继电器线圈端

图 11-13-4　检查 IG3 继电器线圈端

使用 12V 蓄电池给继电器线圈两端通电（1 号与 2 号脚位），再使用万用表 200Ω 电阻挡测量继电器常开开关（3 号与 5 号脚位）是否有闭合，测量值为 0.4Ω，正常，如图 11-13-5 所示。

检查 F1/34 的 10A 熔丝，目测熔丝正常，没有熔断，使用万用表蜂鸣挡测量结果为导通，正常，如图 11-13-6 所示。

检查电池管理控制器电源线导通：拔下动力电池低压连接器，使用万用表蜂鸣挡测量 F1/34 熔丝针脚至电池管理控制器 BK51-5 号端子，测量结果为导通，正常，如图 11-13-7 和图 11-13-8 所示。

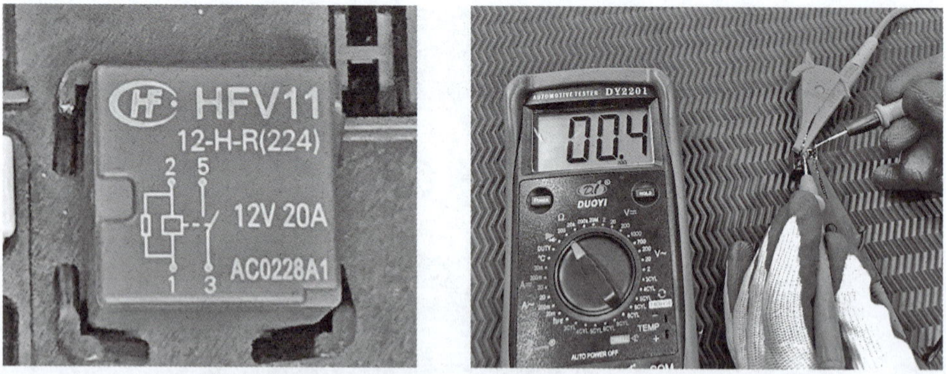

(a) IG3继电器控制　　(b) 检查IG3继电器开关

图 11-13-5　检查继电器开关闭合

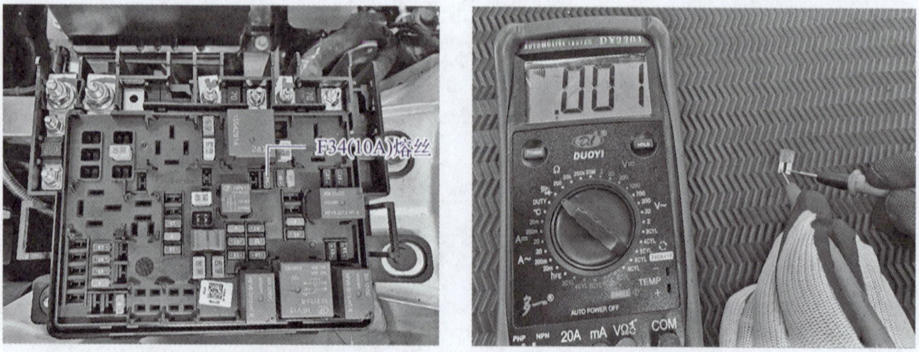

(a) F1/34熔丝位置　　(b) 检查F1/34熔丝

图 11-13-6　检查 F1/34 熔丝导通

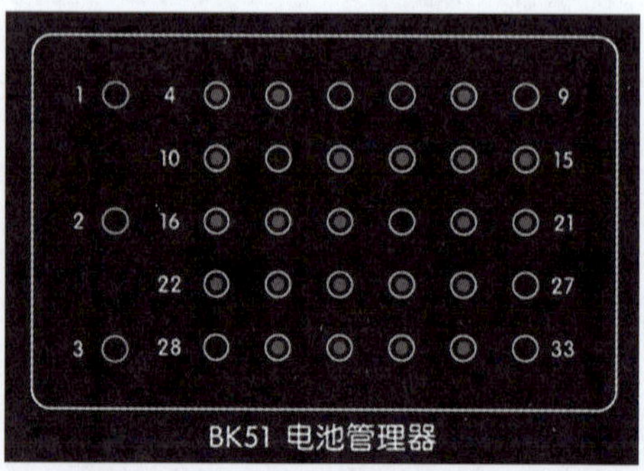

图 11-13-7　电池管理控制器端子

接着测量F1/34熔丝针脚至电池管理控制器BK51-29端子，测量结果为导通，正常，如图 11-13-9 所示。

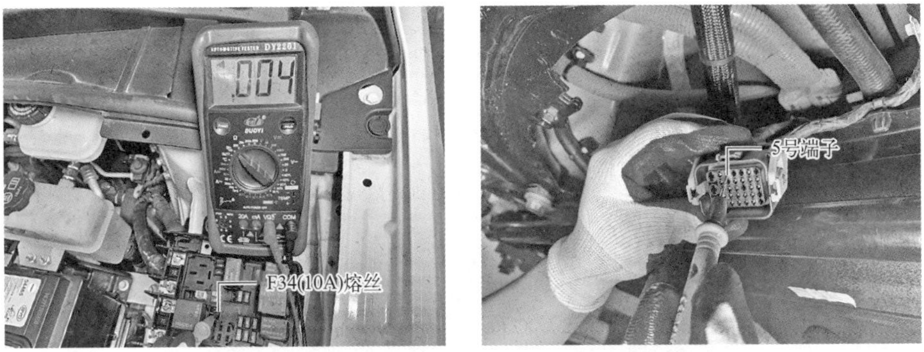

图 11-13-8　检查 **BK51-5** 号端子至 **F1/34** 熔丝线路

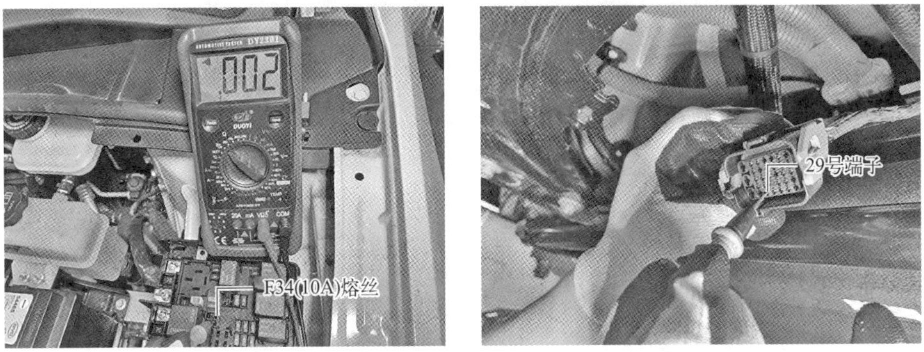

图 11-13-9　检查电池管理控制器电源线导通

检查电池管理控制器接线导通：使用万用表 200Ω 电阻挡测量电池管理控制器 BK51-16 端子至车身搭铁，电阻为无限大，异常，正常应值在 1Ω 以内，如图 11-13-10 所示。

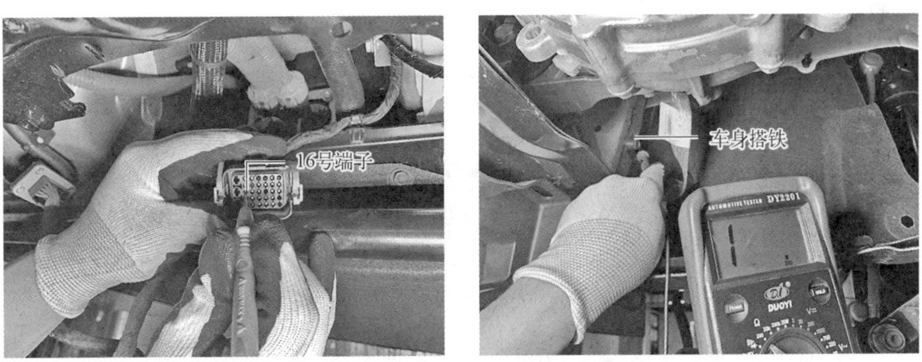

图 11-13-10　检查电池管理控制器 **BK51-16** 端子至车身搭铁

检查动力电池低压 33 脚连接器 BK51-16 端子至车身搭铁的线束，发现有断路，修复断路的位置。

安装动力电池低压连接器，安装熔丝，安装继电器。

连接 12V 蓄电池负极线，再次读取 BMS 控制器，BMS 能正常通信，未发现故障码。

车辆能正常上电、仪表故障指灯熄灭（图 11-13-11），故障排除。

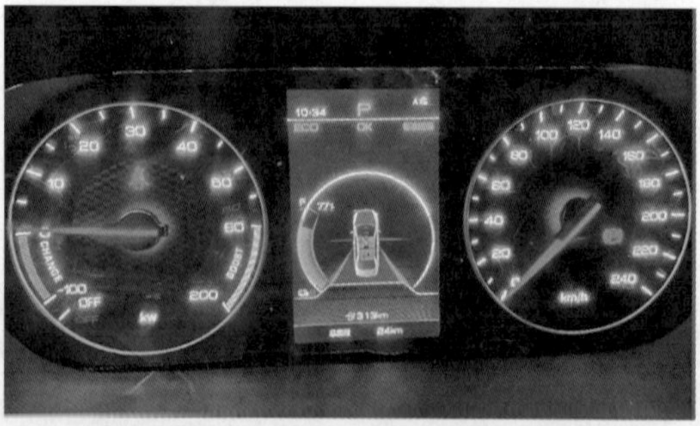

图 11-13-11　车辆正常上电仪表显示

11.14 电机控制系统无法通信

（1）车辆信息

车型：吉利帝豪 EV450 纯电动汽车。

（2）故障现象

启动车辆后，车辆无法行驶，发现 Ready 指示灯没有点亮，蓄电池充电警告灯点亮，系统故障警告灯点亮，故障提醒警告灯点亮，EPB 故障警告灯点亮，ESC 系统故障警告灯点亮（图 11-14-1）。

图 11-14-1　仪表故障灯

(3) 故障诊断与排除

使用诊断仪进行故障码和数据流的读取，读取后发现故障诊断仪不能进入电机控制系统。电机控制系统无法进入，更换 VCU 系统进行读取故障码和数据流，读取故障码为 UO11087（与电机控制器通信丢失）。数据流读取：剩余电量为 0，动力电池总电压为 0。通过仪表显示的信息和故障诊断仪所读取的信息，初步判断为电机控制系统可能出现故障，故障部位可能是电机控制系统的供电和通信，按照由简易难的故障诊断思路，可以先对电机控制系统供电进行检查。

电机控制系统无法通信故障主要原因如图 11-14-2 所示。

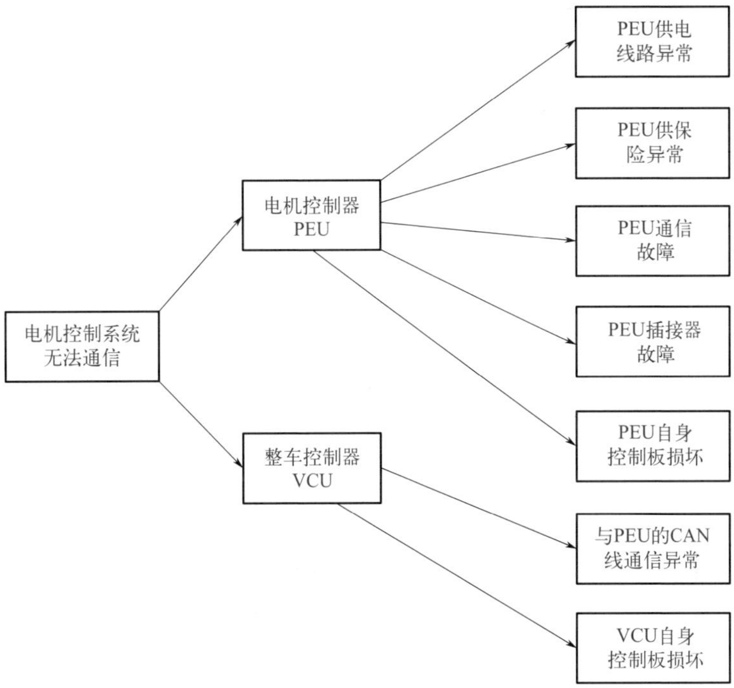

图 11-14-2　电机控制系统无法通信故障主要原因

电机控制系统电源出现故障，电机控制系统无法正常工作，电机控制系统本身负责车辆的任务也无法进行，这样就使得车辆无法上高压电以及正常行驶。电机控制系统的电源由蓄电池提供，经过 EF32 保险、CA58 插接器、BV01 插接器、BV11 插接器最终到达电机控制系统。电机控制器 PCAN 总线出现故障，电机控制器可以正常工作，但是电机控制系统向外传递的所有信号都无法给到整车控制系统。这时整车控制系统就会认为电机控制系统出现故障，不允许全车上高压电，同时整车控制系统还要向 BCM 系统发送电机控制系统故障，BCM 会将故障显示在仪表上。

电机控制系统无法通信故障诊断流程应该从电机控制器电源、PCAN 总线、搭铁、PEU 本身等方面进行故障分析（图 11-14-3）。

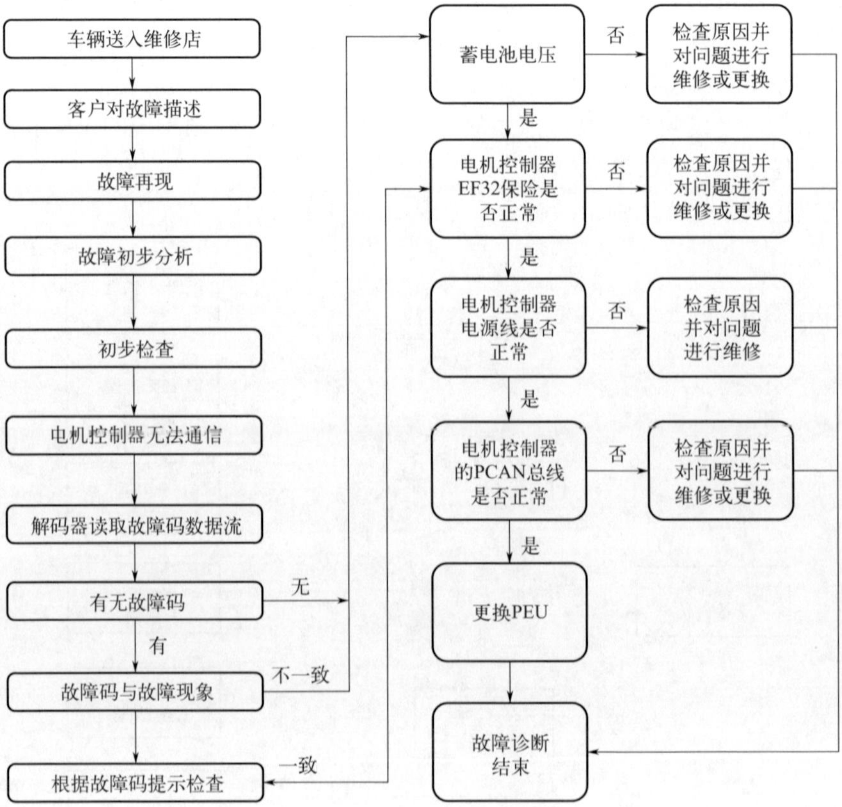

图 11-14-3　故障诊断流程

查阅吉利帝豪 EV450 纯电动汽车电机控制系统（PEU）电路图（图 11-14-4），确定故障范围在电机控制系统（PEU）自身及其相关线路、保险、继电器、插接器等，根据故障范围找到 PEU 模块供电保险为 EF32，供电线路为 B+ 至 BV11/26 针脚。

断开蓄电池负极，等待 5min，进行 BV11 插接器外观及连接情况检查（图 11-14-5），正常。

检查 EF32 保险，目测保险熔断，再用万用表检查，发现保险两侧针脚电阻为无限大，确定 EF32 保险熔断。

更换 7.5A 的 EF32 保险，测量 BV11/26 针脚电压为当前蓄电池电压。

连接 BV11 插接器，连接蓄电池负极。

车辆上电，使用诊断仪进行故障码的读取，电机控制系统显示无故障码，确认故障已排除。

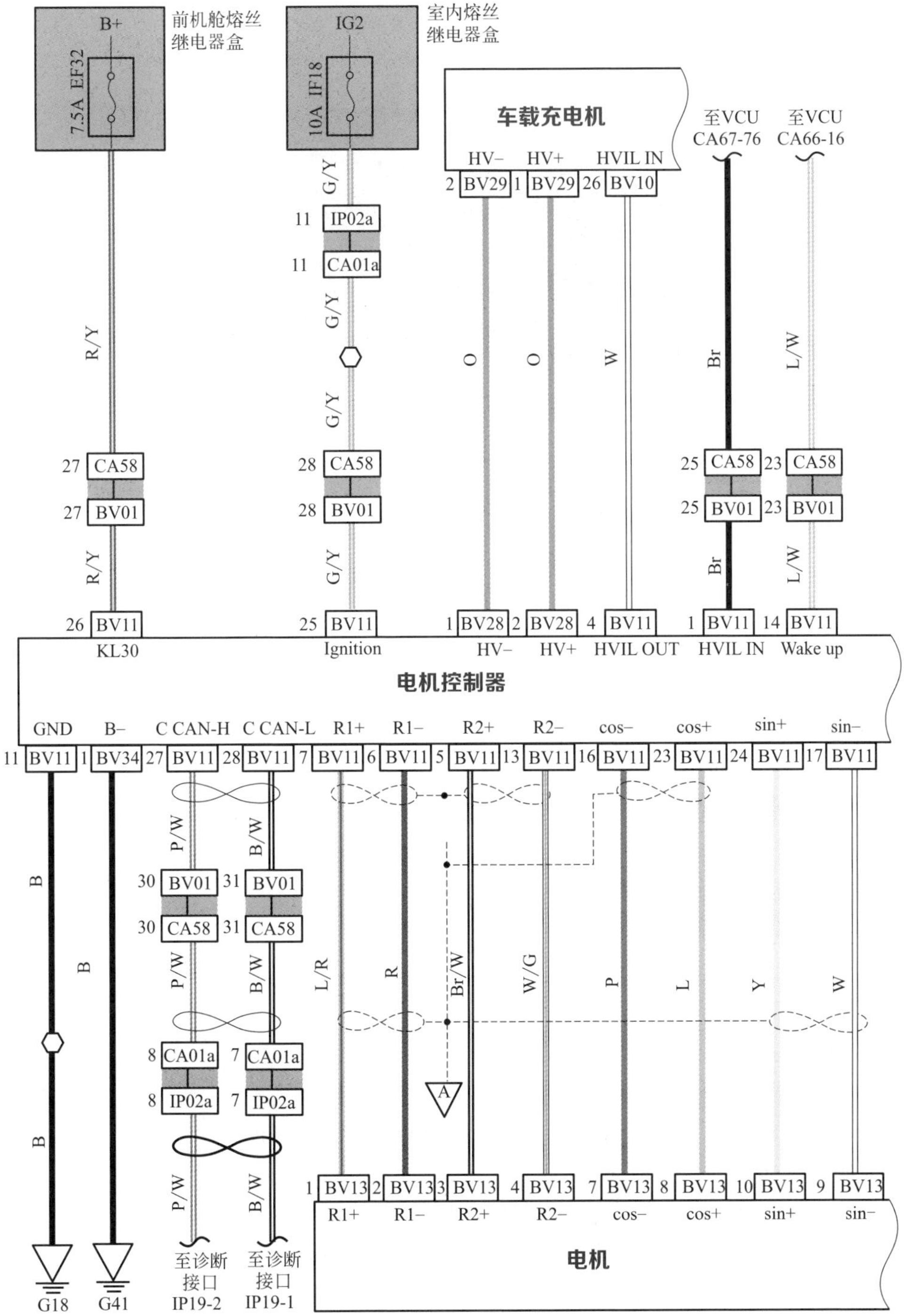
前机舱熔丝继电器盒
B+
7.5A EF32
室内熔丝继电器盒
IG2
10A IF18
车载充电机
HV−
HV+
HVIL IN
至VCU CA67-76
至VCU CA66-16
R/Y
G/Y
IP02a
CA01a
O
W
Br
L/W
CA58
BV01
BV11
BV28
BV29
BV10
KL30
Ignition
HV−
HV+
HVIL OUT
HVIL IN
Wake up
电机控制器
GND
B−
C CAN-H
C CAN-L
R1+
R1−
R2+
R2−
cos−
cos+
sin+
sin−
BV34
B
P/W
B/W
L/R
R
Br/W
W/G
P
L
Y
W
A
BV13
电机
G18
G41
至诊断接口 IP19-2
至诊断接口 IP19-1

图 11-14-4 电路图

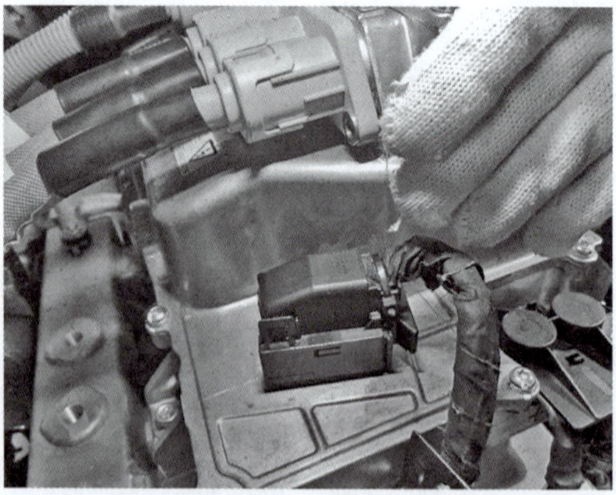

图 11-14-5 BV11 插接器

11.15 车身网通信线短路

（1）车辆信息

车型：比亚迪元 PLUS 纯电动汽车。

（2）故障现象

车辆停放一晚，第二天无法启动。

（3）故障诊断与排除

检查 12V 蓄电池电压，为 9V；测量蓄电池的结果，显示为建议更换。

使用诊断仪读取故障码，未发现故障码。

导致故障的原因分析：

❶ 蓄电池故障；

❷ 高压模块故障；

❸ 模块不休眠导致故障；

❹ 低压线束故障；

❺ 程序问题导致故障。

整车扫描，系统有一个程序更新，将系统程序更新为最新版本。

启动车辆，测量 DC 的发电量为 13.7V。

测量静态耗电量，发现该车辆不能进入休眠，在 0.5 ～ 2.4A 跳变（异常）。

检查发现高压多合一在给蓄电池充电，导致测量数据不准，更换新的 12V 蓄电池，再次测量检查，静态耗电量依旧异常。

当拔下左域 G 口插接器时静态耗电量恢复正常，插上 G 口，依次断开相应的连接负载，均无法恢复正常（图 11-15-1）。

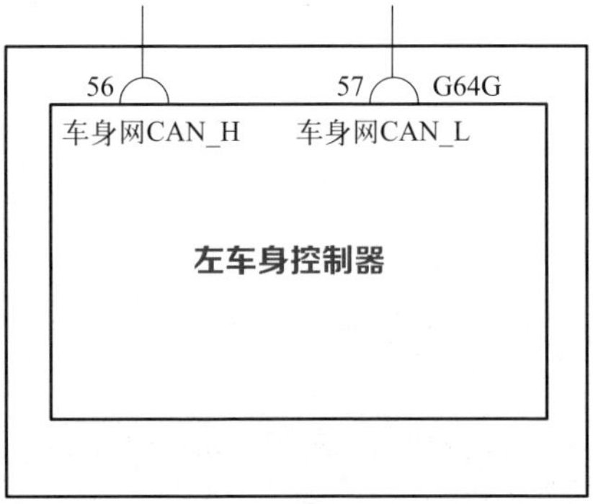

图 11-15-1　故障位置电路

拔下左域插接器，检查针脚，发现 G 口的 56 号针脚歪斜，和 57 号针脚挨在一起。查看电路图，此两根线是车身网的通信线，导致一直在唤醒，修复针脚，试车，故障排除。

第12章 自动变速器故障

12.1 自动变速器控制单元（TCU）故障

（1）车辆信息

车型：比亚迪秦混合动力汽车。

（2）故障现象

车辆无法上OK挡，仪表主屏上OK灯不亮，P挡指示灯闪烁，并提示请检查动力系统。

（3）故障诊断与排除

OK灯即车辆可行驶信号灯，正常情况下，OK灯点亮即表示车辆已经满足可以行驶的必要条件，其控制流程如下。

将挡位置于P挡，踩下制动踏板，按下启动按钮，当驱动电机控制器接收制动、挡位及启动信号后，分别与发动机ECU、TCU及BCM等模块进行通信，在各模块之间通信正常的情况下，即通过CAN线向仪表发出OK灯点亮命令，驱动OK点亮（图12-1-1）。

根据以上控制逻辑分析，造成故障的原因可能有：

❶ 制动信号故障；

❷ 挡位信号故障；

❸ 驱动电机控制器故障；

❹ ECU故障；

❺ TCU故障；

❻ BCM故障；

❼ CAN 网络通信故障。

使用诊断仪分别进入驱动电机控制器、ECU、TCU、BCM 系统，确认各个模块通信是否正常；经确认，发现 TCU 无法进入。

拔掉 TCU 插头，测量 14 号、15 号针脚 CAN 线电压为 2.5V 左右，阻值为 67Ω 左右，TCU8 号针脚（B）对地导通，9 号针脚（G/R）有 12V 电源，可以确认 TCU 的 CAN 线线路正常，电源、搭铁正常（图 12-1-2），怀疑是 TCU 内部故障。

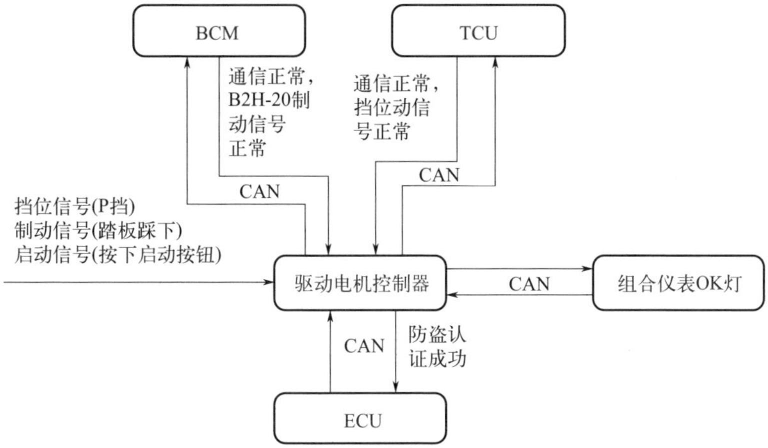

图 12-1-1　OK 灯点亮流程

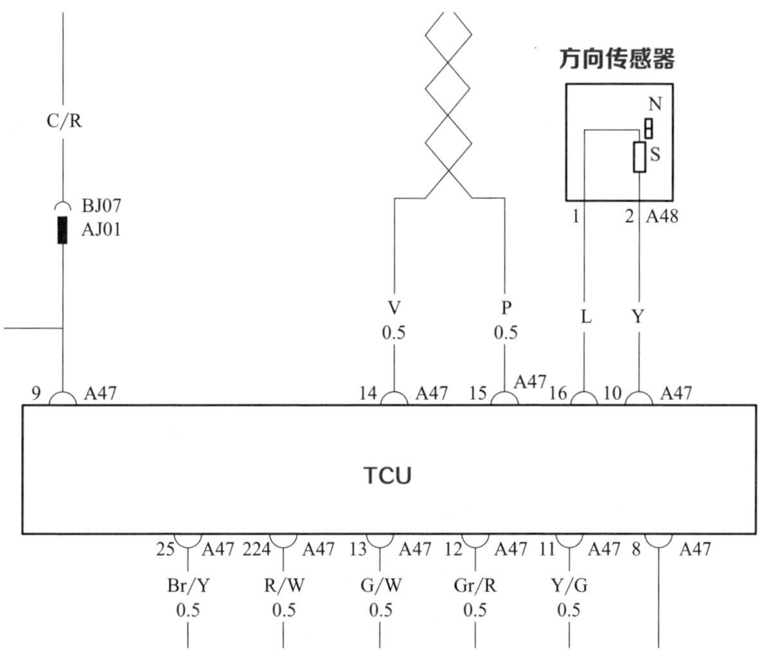

图 12-1-2　TCU 电路

更换电液控制模块后，故障排除。

12.2 P挡电机控制器故障

（1）车辆信息

车型：比亚迪秦混合动力汽车。

（2）故障现象

车辆上OK挡电，仪表提示："请检查动力系统"，挂到D挡（仪表显示D挡），车辆无法行驶。

（3）故障诊断与排除

以下部件存在故障仪表将提示"请检查动力系统"：高压电池管理器、驱动电机控制器、DC/DC、P挡电机控制器、挡位控制器。

操作上电，读取高压电池管理器、驱动电机控制器、挡位控制器以及P挡电机控制器、DC/DC的数据流及故障码，发现P挡电机控制器内有故障码：P1C30（驱动管或电机故障）。将车辆挂入N挡，松开EPB，无法推动车辆，判断P挡没有解锁。

导致故障的原因：

❶ P挡电机故障；

❷ P挡控制器内部故障或者线束故障。

读取P挡控制器数据流，发现数据异常：驱动电压、霍尔脉冲数量为零。

检查P挡电机控制器电源及搭铁（图12-2-1）。

❶ P挡电机控制器2个电源：1、17针脚，将车辆上ON挡电，测量这2个针脚，电压在12V以上，正常。

❷ P挡电机控制器两个搭铁：24、25针脚，测量其和车身的导通性，正常。

❸ 将车辆挂至D挡，车辆正常应解除P挡，此时检查车辆P挡电机控制器5号针脚为拉低，确认P挡电机继电器已经吸合，测量P挡电机2号针脚，有12V以上电源（图12-2-2）。

❹ 根据以上检查，P挡电机控制器电源、搭铁正常，但电机没有动作，原因：P挡电机控制器内部故障或者电机本身故障。

更换P挡电机控制器后，故障排除。

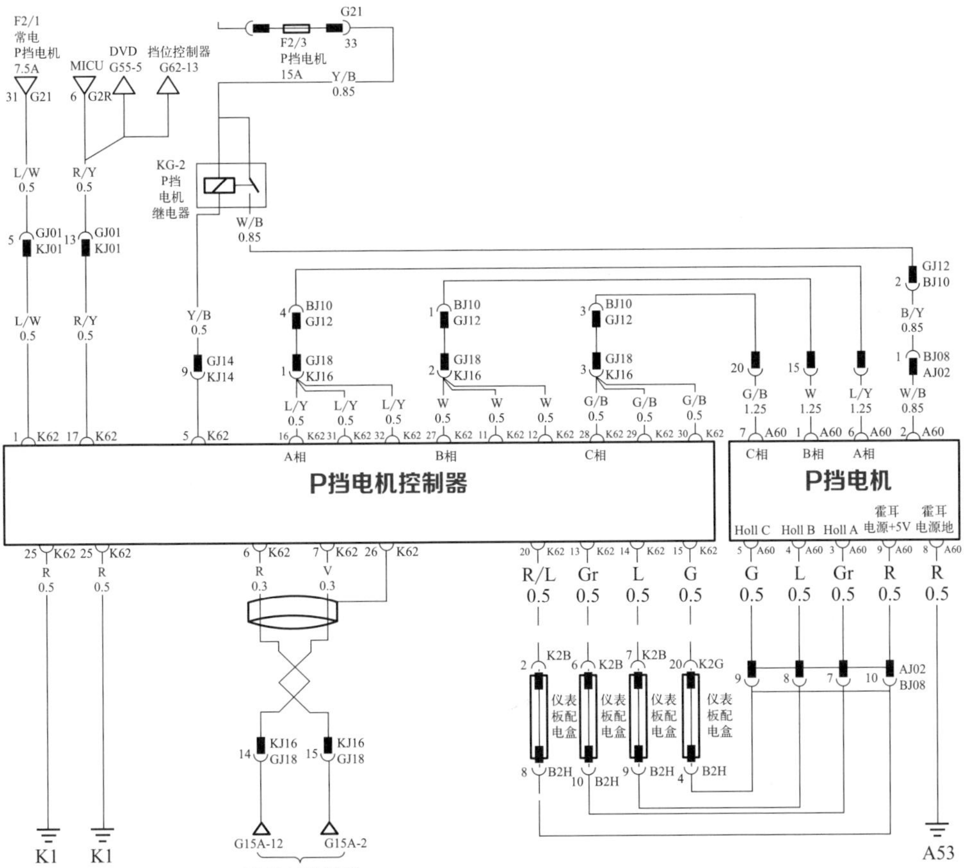

图 12-2-1　P 挡控制器电路

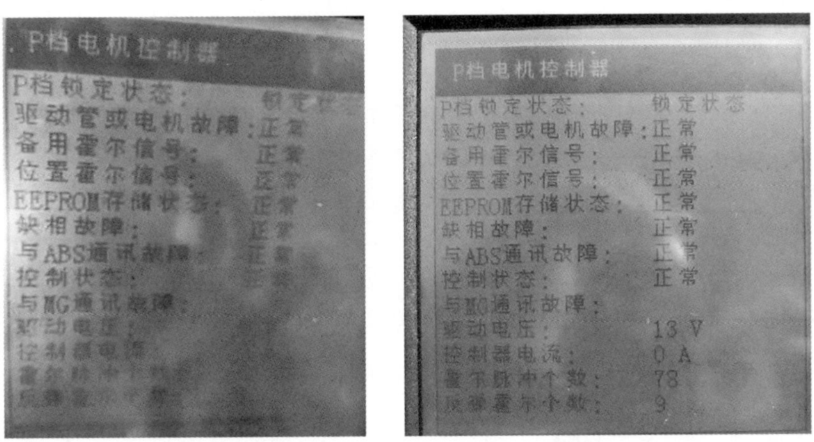

(a) 故障车　　(b) 正常车

图 12-2-2　P 挡电机控制器数据流

12.3 减速器齿轮轴断裂

（1）车辆信息

车型：比亚迪秦混合动力汽车，搭载 1.5T 476ZQA 发动机和集成 TYC110A 驱动电机的 6HDT35，6 速自动变速器。

（2）故障现象

电动模式（EV）无法行驶。

（3）故障诊断与排除

断开自动变速器上的驱动电机旋转变压器导线连接器，混合动力系统故障灯点亮，此时发动机启动，且车辆能够行驶。路试时，发现该车倒挡、前进挡（1～6 挡）均正常。装好断开的驱动电机旋转变压器导线连接器并清除故障码，再分别将挡位置于前进挡和倒挡，发现车辆均无法行驶。

使用诊断仪读取故障码为 P1A03（电机控制器异常反拖请求）。

由于断开驱动电机旋转变压器导线连接器后高压系统因故障关闭，此时车辆的动力是通过发动机和自动变速器来提供的，在该模式下车辆能正常行驶，说明自动变速器正常。

导致故障的原因有：

❶ 驱动电机（旋转变压器安装在其内部）故障；

❷ 驱动电机控制器故障；

❸ 减速器（其输入端减速齿轮与驱动电机连接，输出端减速齿轮与自动变速器的倒挡轴连接）故障。

测量驱动电机旋转变压器端子间的电阻，均正常（表 12-3-1）。

表 12-3-1 驱动电机旋转变压器端子间电阻数据

端子	测量电阻 /Ω	标准电阻 /Ω
6（正弦 +）	15.3	16±1
2（正弦 -）		
7（励磁 +）	8.5	8±1
3（励磁 -）		
5（余弦 +）	15.6	16±1
1（余弦 -）		

安装驱动电机旋转变压器线束连接器并清除故障码，读取驱动电机控制器数据流，发现在 D 挡时，踩下加速踏板，驱动电机转矩和转速均有显示：

❶ 电机扭矩为 10.7N・m；

❷ 电机转速为 9299r/min。

打开机舱盖，能听到驱动电机工作的声音，且组合仪表上的功率表显示正常。驱动电机工作正常，将故障锁定在减速器。

拆下减速器尾盖，检查发现与自动变速器倒挡轴连接的花键轴断裂，造成驱动电机的动力无法传递到自动变速器。

更换减速器输出端减速齿轮后试车，车辆行驶正常，故障排除。

12.4 电驱动装置线路故障

（1）车辆信息

车型：2021 款年大众 ID4 纯电动汽车。

（2）故障现象

车辆启动挂挡后无法行驶，加油门没有反应。

（3）故障诊断与排除

进入车内确定故障现象，发现车辆可以正常进入 Reday 模式。

对车辆进行换挡，发现所有挡位均可正常挂入，且在倒挡时后视摄像头界面能正常切换出来，加油门没有反应。

使用诊断仪读取车辆故障存储器，发现电驱动装置及发动机控制单元均存储有故障记录。

❶ 发动机电控系统故障码为 U04040000（接收到无效的数据）和 U303400（验证系统通信监控，密钥 / 证书缺失或无效）；

❷ 电驱动装置故障码为 U300100（控制单元，继续运行有故障）。

根据故障现象，可以进入 Reday 模式，能够正常挂挡，且根据电驱动装置及发动机控制单元存储的故障码，初步判断为电驱动装置自身损坏或其低压线路故障导致。

读取电驱动装置数据流，对比正常车辆发现接线端 15 电压不正常（图 12-4-1）。

(a) 故障车　　(b) 正常车

图 12-4-1　电驱动装置数据流

查询电路图（图 12-4-2），找到电驱动装置的 15 电的供电线。

根据电路图发现 JX1 的 15 电由熔丝 SC61 提供。首先检查熔丝，正常；然后测量该导线，发现没有电压；检查插头 TS66，正常，无虚接；测量 SC61 熔丝处，电压正常。

初步判断该故障为 SC61 熔丝至 JX1 低压插头间线路故障。断开 JX1 低压插头，检查线路，无短路断路。由于 SC61 熔丝处有电压，拔下 SC61 熔丝，发现针脚处有退针现象。

修复退针的插脚，删除故障存储器中的故障码后试车，故障排除。

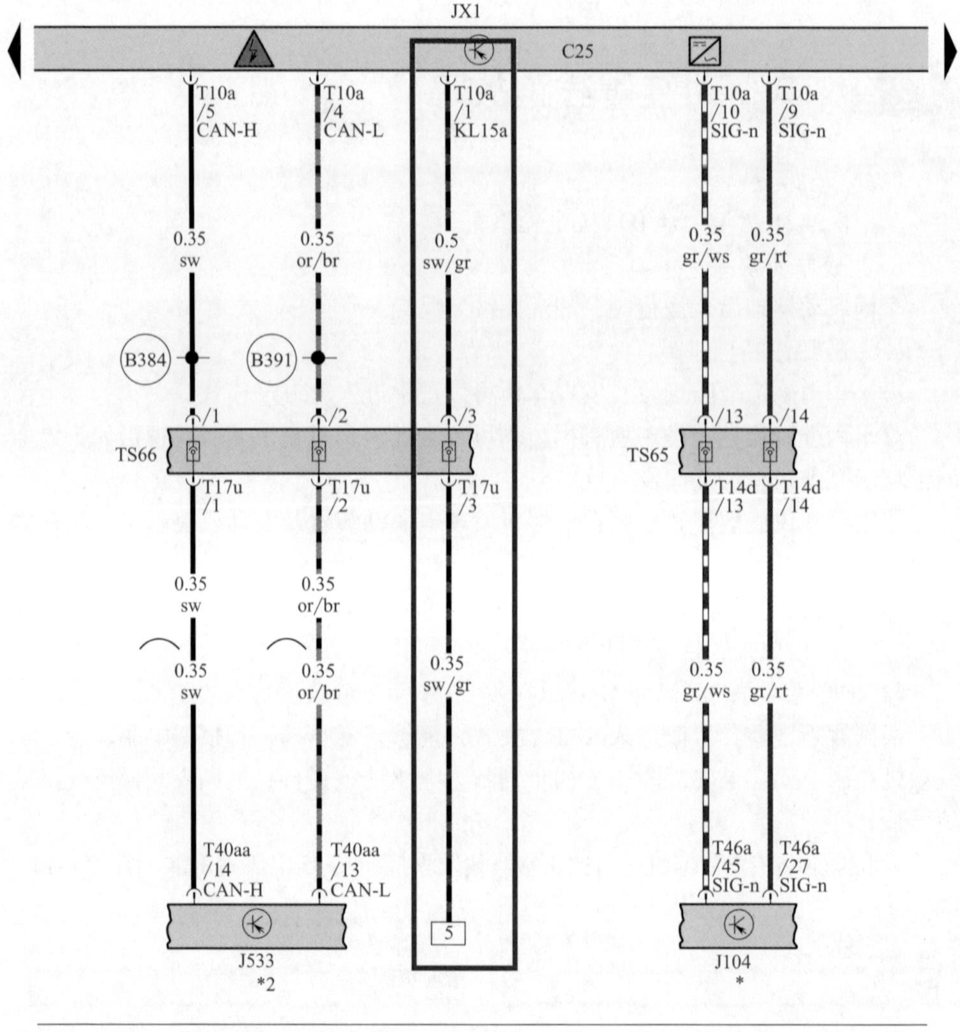

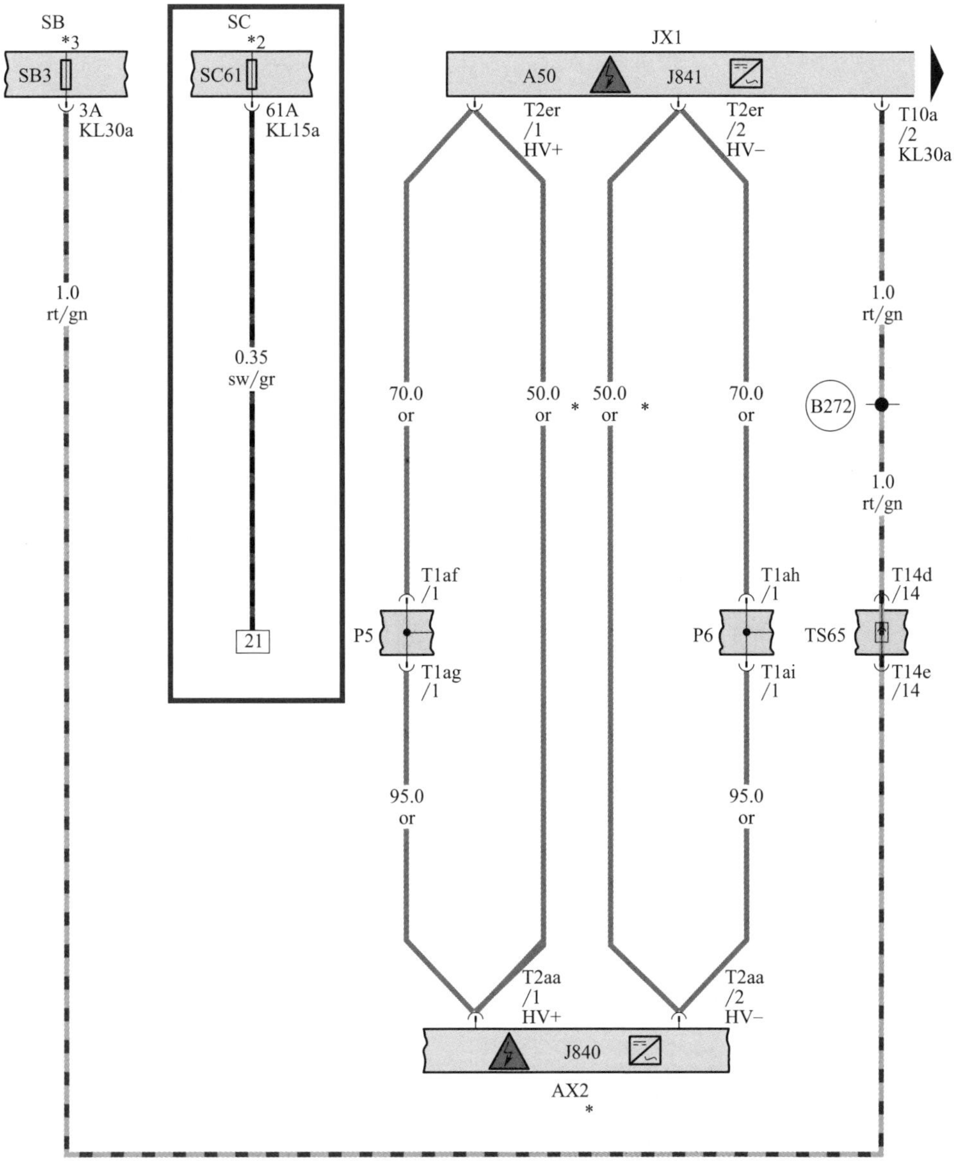

图 12-4-2　电驱动装置的 15 电的供电线电路

12.5 驱动桥损坏

（1）车辆信息

车型：丰田卡罗拉混合动力汽车。

（2）故障现象

启动后挂入 L 挡，踩加速踏板，无任何反应，挂入 R 挡也无法移动。仪表板上“R”灯一直报警。

（3）故障诊断与排除

连接诊断仪读取故障码为 U029A（与混合动力电池组传感器失去通信）。

导致故障的可能原因：

❶ 线束或连接器断路；

❷ 混合动力控制单元出现故障；

❸ 动力电池智能单元不响应。

按照以上分析的可能原因逐个检查排除，拆卸维修开关，将动力电池断电 15min。

断开动力电池智能单元插接器，打开点火开关，测量蓄电池电压，无异常。检测线束电阻，经检测所有线束和插接器均正常。因为线束端测量时有电流经过，所以混合动力控制单元正常。利用示波器检查动力电池智能单元的波形，波形正常。

启动混合动力检查模式，发现发动机根本没有运转，但是可以听到电流的声音，读取 MG1、MG2 以及发动机转速，几乎无转速差，所以判断问题应该出现在驱动桥。

拆下驱动桥，发现驱动桥中有大量金属屑且没有润滑油，内部行星齿轮结构已卡死。

更换驱动桥，加注润滑油后重新启动车辆，故障排除。

12.6 电动机解析器端子被氧化腐蚀

（1）车辆信息

车型：2016 年款丰田卡罗拉混合动力汽车。

（2）故障现象

偶尔出现无法行驶的故障，同时组合仪表上的主警告灯、发动机故障灯等多个故障指示灯点亮，且多功能显示屏提示“混合动力系统故障，换至 P 挡”。

（3）故障诊断与排除

使用诊断仪读取故障码。

P0A3F21：电动机 A 位置传感器信号振幅最小。

P1CAD49：电动机 A 位置传感器内部电子故障。

经查阅维修手册，得知 2 个故障码的设置条件及故障可能部位（表 12-6-1）。

这 2 个故障码均与电机解析器有关。查阅维修资料得知，卡罗拉混合动力车的混合动力车驱动桥内安装了 2 个解析器，分别监测 MG1 和 MG2 的转子磁极位置、速度和旋转方向。

表 12-6-1 故障码 P0A3F21 和故障码 P1CAD49 的设置条件及故障部位

故障码	检测条件	故障部位
P0A3F21	电动机解析器电路断路或正弦和余弦相位特征存在偏差；电动机解析器信号超出标准范围（单程检测逻辑）	带转换器的逆变器总成；混合动力汽车传动桥总成线束或导线连接器
P1CAD49	电动机解析器角度故障；控制解析器角度和估算解析器角度之间的差值超出允许极限（单程检测逻辑）	带转换器的逆变器总成；混合动力汽车传动桥总成线束或导线连接器

当 MG2 解析器输出信号错误时，MG ECU 无法识别 MG2 的具体位置和转速，使得 MG2 无法转动，车辆出现无法行驶的故障。

导致故障的原因：

❶ MG2 电机解析器；

❷ MG2 电机解析器线路。

查阅电路图（图 12-6-1），断开蓄电池负极电缆，拆下维修开关，等待 15min；断开 MG ECU 线束插接器 B27，用万用表测量端子 5 与端子 6 之间的电阻（即 MG2 解析器励磁线圈的电阻），为 13.0Ω。测量端子 1 与端子 2（检测线圈 S）之间的电阻，为 20.5Ω。测量端子 4 与端子 3（检测线圈 C）之间的电阻，为 20.5Ω，与维修手册的标准值基本相符。

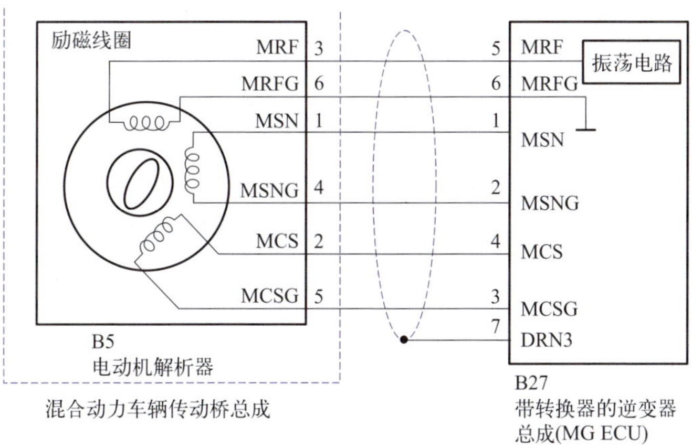

图 12-6-1 MG2 解析器电路

依次测量 MG ECU 线束插接器 B27 端子 1 ～端子 6 与车身搭铁之间的电阻，

均大于 10kΩ，正常。

此时观察到 MG2 解析器线束插接器防水密封套已缺失，同时发现 MG2 解析器端子已经出现轻微的氧化腐蚀。

雨水顺着线束慢慢渗入 MG2 解析器的插接器内部，使得解析器信号线出现短路故障，导致车辆无法行驶。仔细检查 MG2 解析器端子，发现端子已经出现轻微的氧化腐蚀。

使用除锈剂清理 MG2 解析器端子上的氧化物，并更换 MG2 解析器插接器。

将插接器 B27 复位，安装维修开关，连接蓄电池负极电缆，按下电源开关，组合仪表上的多个故障指示灯熄灭，车辆又能够正常行驶，故障排除。

12.7 换挡杆位置传感器螺母挡块调整不当

（1）车辆信息

车型：丰田雷克萨斯 ES300h 混合动力汽车。

（2）故障现象

组合仪表上的 Ready 指示灯正常点亮，无故障指示灯点亮；挂 D 挡，组合仪表无挡位显示，车辆无法行驶；挂 P 挡、N 挡、R 挡，组合仪表均能正常显示挡位。

（3）故障诊断

使用诊断仪检测混合动力系统，无故障。

导致故障的原因有：

❶ 换挡杆位置传感器及其线路故障；

❷ 混合动力控制 ECU 故障。

使用诊断仪检查挡位数据流，当换挡杆处于 D 挡时，FD 信号（Shift Sensor SW-FD）和 D 挡信号（Shift SensorSW-D）均为 ON，正常：MJ 信号（Shift Sensor SW-MJ）为 OFF，异常；换挡杆位置（Shift Sensor Shift Pos）为 N，也异常。将换挡杆依次置于 P 挡、N 挡、R 挡，发现 MJ 信号均为 ON，正常。分析测试结果，可以判定混合动力控制 ECU 端子 16 与换挡杆位置传感器端子 5 间的线路正常，怀疑换挡杆位置传感器内部触点有故障（图 12-7-1 和图 12-7-2）。

按维修手册要求，换挡杆位置传感器螺母挡块凸出部分应与空挡基线对齐（图 12-7-3）。

检查车辆换挡杆位置传感器的安装位置，发现其螺母挡块凸出部分与空挡基线未对齐。

按维修手册要求，将螺母挡块凸出部分调整至与空挡基线对齐。

试车，故障排除。

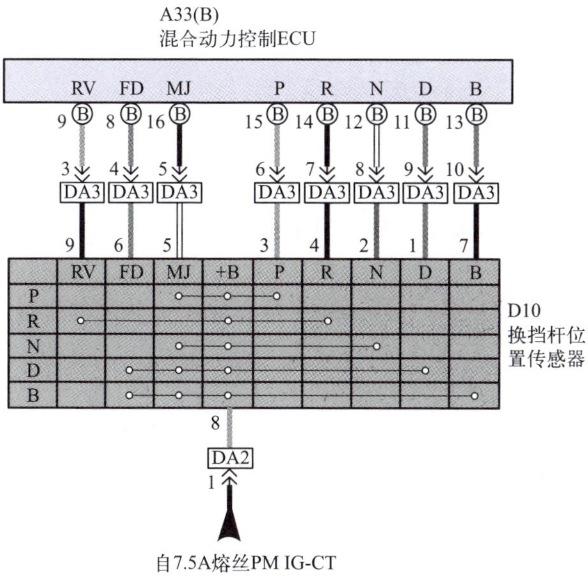

图 12-7-1　换挡杆位置传感器电路

参数	值
Shift Sensor SW-P	OFF
Shift Sensor SW-MJ	OFF
Shift Sensor SW-RV	OFF
Shift Sensor SW-FD	ON
Shift Sensor SW-D	ON
Shift Sensor SW-N	OFF
Shift Sensor SW-R	OFF
Shift Sensor Shift Pos	N

图 12-7-2　换挡杆处于 D 挡时的挡位数据

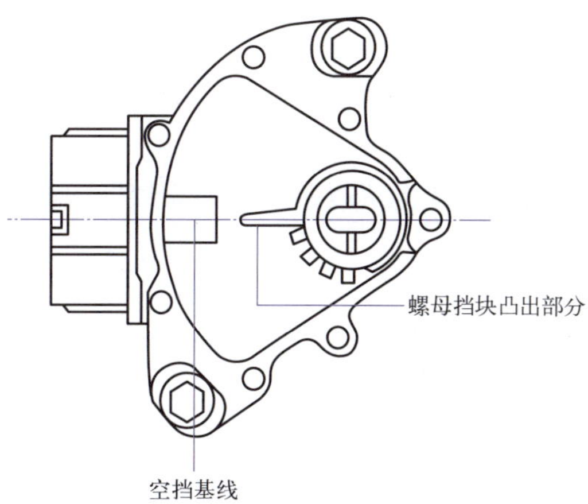

图 12-7-3　换挡杆位置传感器的安装位置

扫一扫

视频精讲

12.8 座椅压力传感器不灵敏

（1）车辆信息

车型：2022 年款长安深蓝 SL03 纯电动汽车。

（2）故障现象

在未系安全带的情况下，挂 D 和 R 挡行驶 1m 左右自动跳到 P 挡，安全带未系提示灯闪烁。

（3）故障诊断与排除

检查软件版本号，与正常车辆对比一致，并且是最新状态，不存在异常。

读取 SVDC 座椅位置数据流，观察数据变化，发现当驾驶位有人的情况，主驾座位数据显示 “主驾无人”。

通过检查发现，65kg 的人坐上去就会自动切换 P 挡，而 90kg 的人坐上去就不会出现自动切换 P 挡，并且出现故障时安全带未系提示灯会无规律闪烁，屏幕会来回转动。

怀疑是座椅压力传感器不灵敏，当驾驶员体重过轻时座椅无法检测有人存在。此时在没有系安全带的情况下车速≤ 5km/h 就会自动进入 P 挡（系统逻辑在开门，未系安全带，座椅没人，这三个条件中任意满足两个就会进入 P 挡）。

查阅相关维修资料，可将接触压力传感器的泡棉位置用毛毡垫厚。

试车，车辆恢复正常，故障排除。

12.9 离合器阀短路

（1）车辆信息

车型：2022 年款比亚迪驱逐舰 05DM-i 混合动力汽车。

（2）故障现象

车辆启动后仪表偶尔出现报“请检查动力系统”，熄火重启仪表，故障灯消失。

（3）故障诊断

使用诊断仪读取整车控制器故障码：P2B6212，内容为离合器阀短路到电源（历史故障）。

根据故障码分析：

❶ 离合器阀故障；

❷ 相关线束故障；

❸ 整车控制器故障。

根据电路图（图 12-9-1），检查离合器阀的电阻：断开 AJB02 与 BJA02 插接件，从 AJB02-5 与 AJB02-2 之间测量离合器阀的阻值，为 4.3Ω［正常阻值（3.9±2.0）Ω］，正常。

检查离合器阀回路电压：测量整车控制器 K49（B）-16 对地电压，为 6.4V，正常。

由于车辆处于正常的状态下，没有检查出异常。

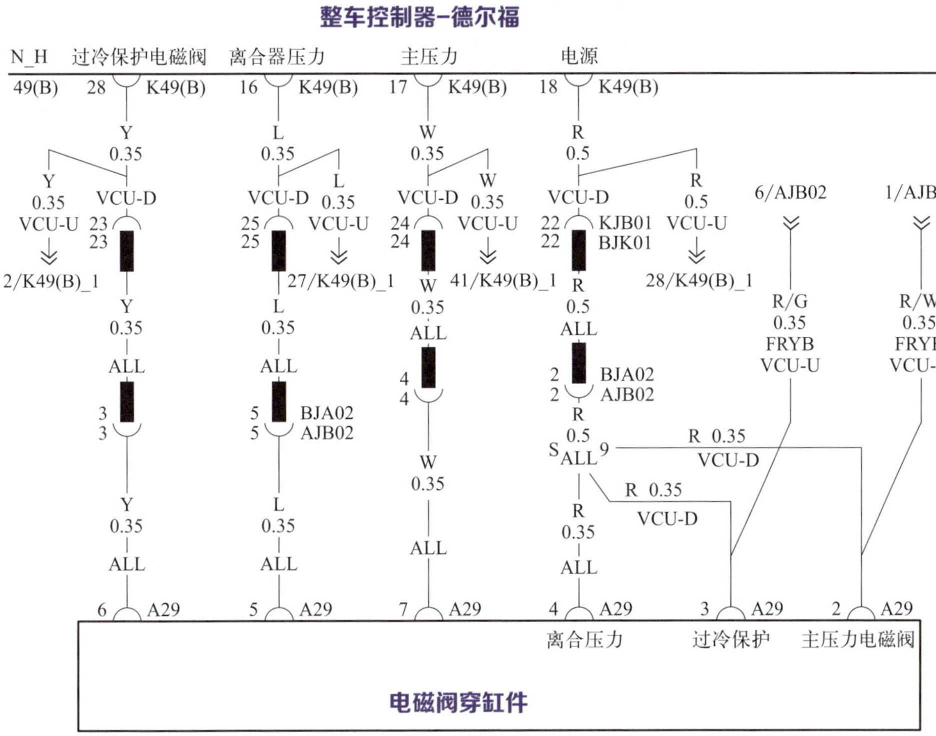

图 12-9-1　电磁阀穿缸件电路

车辆放置到第二天启动时，仪表再次提示请检查动力系统。

出现故障时，测量整车控制 K49（B）-16 对地电压为 13.36V，异常（正常时 6V 左右），然后把穿缸线 A29 断开，这时 K49（B）-16 对地电压为 6V，恢复正常电压。

从整车控制器处测量离合器阀的电阻：把整车控制器的插接件断开，从穿缸线 A29 插接器上测量 K49（B）-16 与 K49（B）-18 之间的电阻为 1Ω，异常［正常阻值为（3.9±2.0）Ω］，说明故障出现时离合器阀电阻过小，短路。

更换 EHS（电混系统）总成（图 12-9-2）后，故障排除。

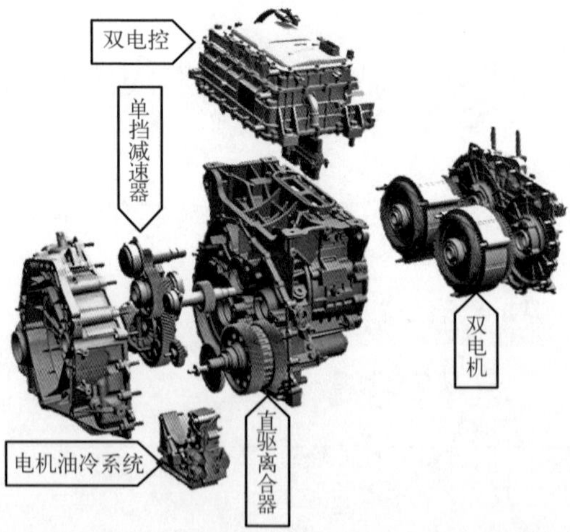

图 12-9-2　EHS 总成

12.10 无法挂挡

（1）车辆信息

车型：小鹏 P7 纯电动汽车。

（2）故障现象

车辆临时停车，未锁车，再次上车不能重新挂挡行驶。

（3）故障诊断与排除

Polling 解锁，客户在车内或车辆附近手动删掉了 App，离车重新上车时 BLE 可能未连接到车辆，导致无法启动。

App 未开启 Polling 功能，驾车超过 20min BLE 会自动断开，驾驶员临时下车未锁车，再次上车会再次触发系统检测钥匙，由于此时 BLE 断开，车辆会无法启动。

查阅相关的维修资料，按指引操作尝试：

❶ 先松开刹车踏板；

❷ 打开 App，车控界面蓝牙图标连接后，再踩踏板挂挡。

注意事项：

❶ Polling 解锁车辆，下车再上车启动需要重新检查钥匙，手动点击 App 蓝牙 / 远程启动则不需要重新检查；

❷ IOS 激活是靠 RSSI 由远到近变化趋势，如果客户在车内或车辆附近手动删掉了 APP，则后台可能无法激活。

按指引操作后，车辆可以重新挂挡，故障排除。

第 13 章 电气系统故障

13.1 低压蓄电池故障

（1）车辆信息

车型：比亚迪秦混合动力汽车。

（2）故障现象

使用遥控钥匙无法打开车门，开门后仪表灯全部不亮，按左前门微动开关，无法唤醒低压蓄电池。

（3）故障诊断与排除

使用机械钥匙打开车门，拉开后备厢，测量启动低压蓄电池，启动极柱电压为 10.1V，亏电严重。

低压 BMS 工作电压在 6V 以上，工作电源直接由低压启动低压蓄电池提供，人为将该车低压 BMS 4 号针脚进行搭铁，若启动低压蓄电池正常，则应被唤醒。此时测量正极极柱，仍没有电压输出，判定低压启动蓄电池内部损坏（图 13-1-1）。

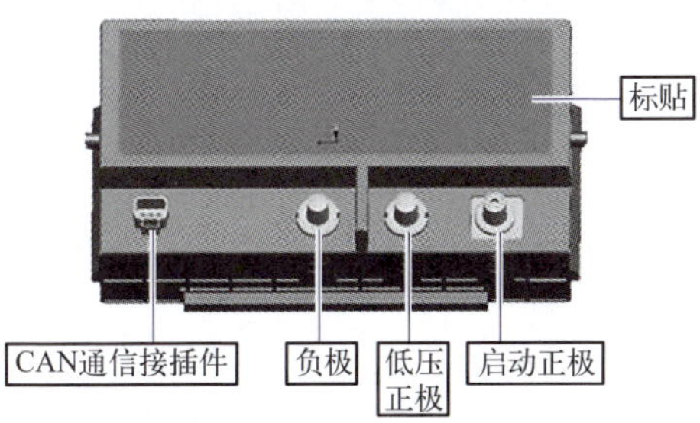

图 13-1-1　低压蓄电池

更换启动低压蓄电池后，故障排除。

13.2 起动机故障

（1）车辆信息

车型：比亚迪秦混合动力汽车。

（2）故障现象

当车辆工作模式切换至 HEV SPORT，变速器挡位置于 P 挡时发动机无法启动，行驶中发动机可以启动，纯电模式可正常行驶。

（3）故障诊断与排除

根据车辆控制原理可知，发动机启动根据工况不同，可分为两种模式：

❶ 车辆原地不动，当达到发动机启动条件时，BCM 控制启动继电器吸合，起动机工作带动发动机启动；

❷ 车辆在 HEV ECO 模式，当车速大于 40km/h 时，由变速器反拖发动机启动。

根据故障现象结合原理分析原因如下。

❶ 驱动电机控制器故障；

❷ BCM 故障；

❸ 启动控制线路故障；

❹ 起动机故障；

❺ 发动机燃油系统故障。

将车辆工作模式切换至 HEV SPORT，变速器挡位置于 P 挡，起动机不工作（正常情况发动机应启动）。检查启动继电器，启动继电器吸合，说明驱动电机控制器及 BCM 工作正常。

测量起动机吸拉线圈的接线端子与车身之间的电压，该电压为 12.3V（正常），说明控制线路正常，怀疑起动机内部故障。

更换起动机后，故障排除。

13.3 左侧大灯故障

（1）车辆信息

车型：2021 年款大众 ID4 纯电动汽车。

（2）故障现象

接通点火开关 PARK，左侧日间行车灯、格栅灯和车标灯不亮，仪表灯泡故障报警，提示“请检查左侧日间行车灯 / 驻车示宽灯”。

（3）故障诊断与排除

使用诊断仪读取 00D6 左侧车灯控制 2 故障码，内容为日间行车灯和驻车示宽灯灯泡短路（图 13-3-1）。

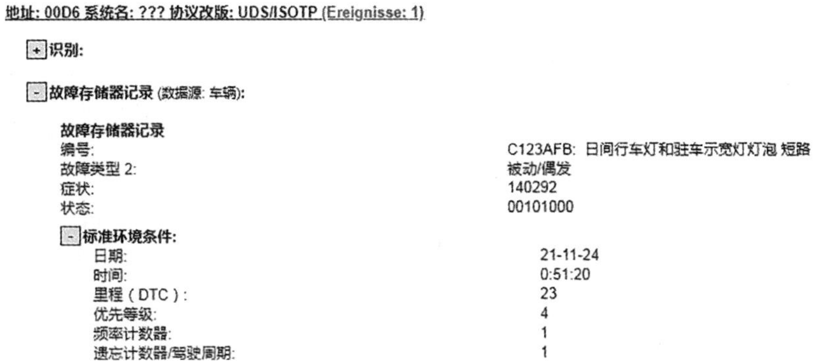
地址: 00D6 系统名: ??? 协议改版: UDS/ISOTP (Ereignisse: 1)

[+] 识别:

[-] 故障存储器记录 (数据源: 车辆):

故障存储器记录

编号:	C123AFB: 日间行车灯和驻车示宽灯灯泡 短路
故障类型 2:	被动/偶发
症状:	140292
状态:	00101000

[-] 标准环境条件:

日期:	21-11-24
时间:	0:51:20
里程（DTC）:	23
优先等级:	4
频率计数器:	1
遗忘计数器/驾驶周期:	1

图 **13-3-1**　大众 **ID4** 车灯控制系统故障码

对故障现象和故障码进行分析。日间行车灯集成在大灯总成内，不方便做检测，而格栅灯和车标灯分别是单独的元件（图 13-3-2）。

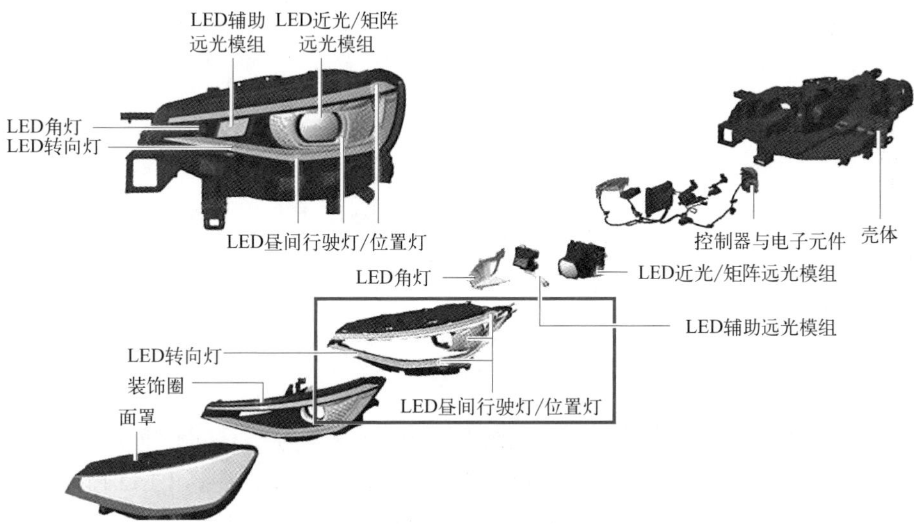

图 **13-3-2**　左侧大灯总成

分别拔掉格栅灯和车标灯插头后，观察故障码没有变化。试验正常车辆，在拔掉格栅灯或车标灯插头后，故障码都为“驻车示宽灯灯泡电气故障”。由此可见，故障码提示的驻车示宽灯包括格栅灯和车标灯。

查询电路图（图 13-3-3），左侧格栅 B 灯 L363 由大灯 T14aa/10 供电，车标灯 MX16 和大灯由左侧 T14aa/9 供电，而搭铁线在搭铁线束中与大灯一起搭铁，检查格栅灯、车标灯与大灯之间的线路，正常。测量大灯 T14aa/9、T14aa/10 电压，为 0，而正常电压应为 14.5V。

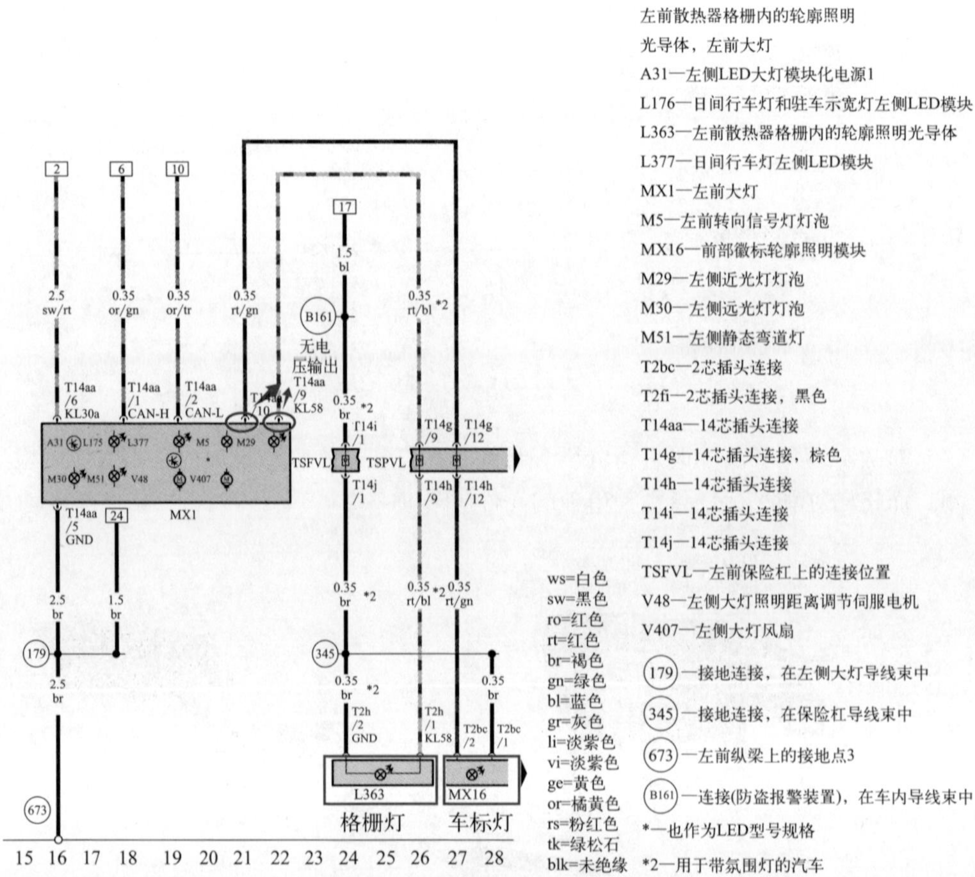

图 13-3-3　大众 ID4 车灯控制系统电路

用诊断仪读取左侧大灯控制系统故障码，内容为“日间行车灯和驻车示宽灯灯泡短路”。而日间行车灯和格栅灯、车标灯都由左侧 LED 模块 L176 控制，L176 集成在大灯模块 A31 里，日间行车灯和格栅灯、车标灯同时出现故障的概率极低，排除格栅灯、车标灯故障后确认为大灯模块 A31 故障（图 13-3-4）。

考虑是大灯模块检测到格栅灯或车标灯短路故障，而停止电压输出，于是倒换了试驾车的格栅灯和车标灯，但故障依旧。由此可以判断为大灯内部故障，更换左侧大灯后，故障排除。

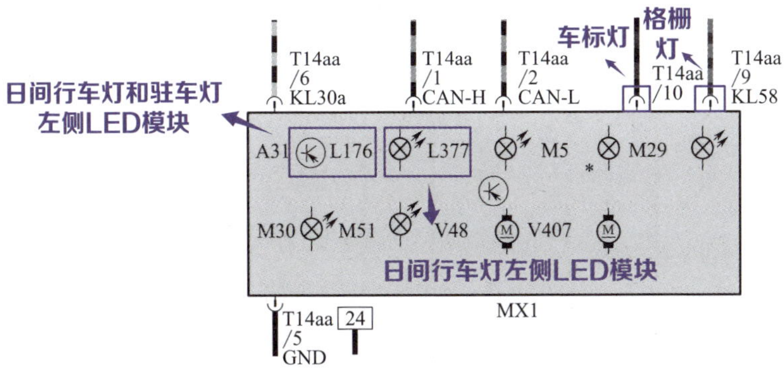

图 13-3-4 灯光组成

13.4 灯光报警

（1）车辆信息

车型：2021 年款大众 ID4 纯电动汽车。

（2）故障现象

车辆在行驶过程中仪表提醒日间行车灯 / 驻车示宽灯故障，但停车后检查所有灯光都正常，再次打开点火开关后仪表提醒也消失（图 13-4-1）。

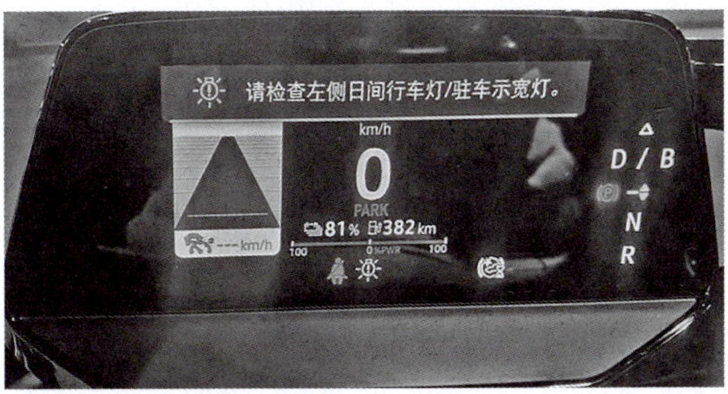

图 13-4-1 仪表报故障

（3）故障诊断与排除

用检测仪检测左前大灯控制单元，报故障码 C123B01：驻车示宽灯灯泡电气故障，被动 / 偶发。根据此故障码分析可能为：

❶ 左前轮廓灯损坏；

❷ 左前轮廓灯至左前大灯连接线路故障；

❸ 左前大灯输出电压故障。

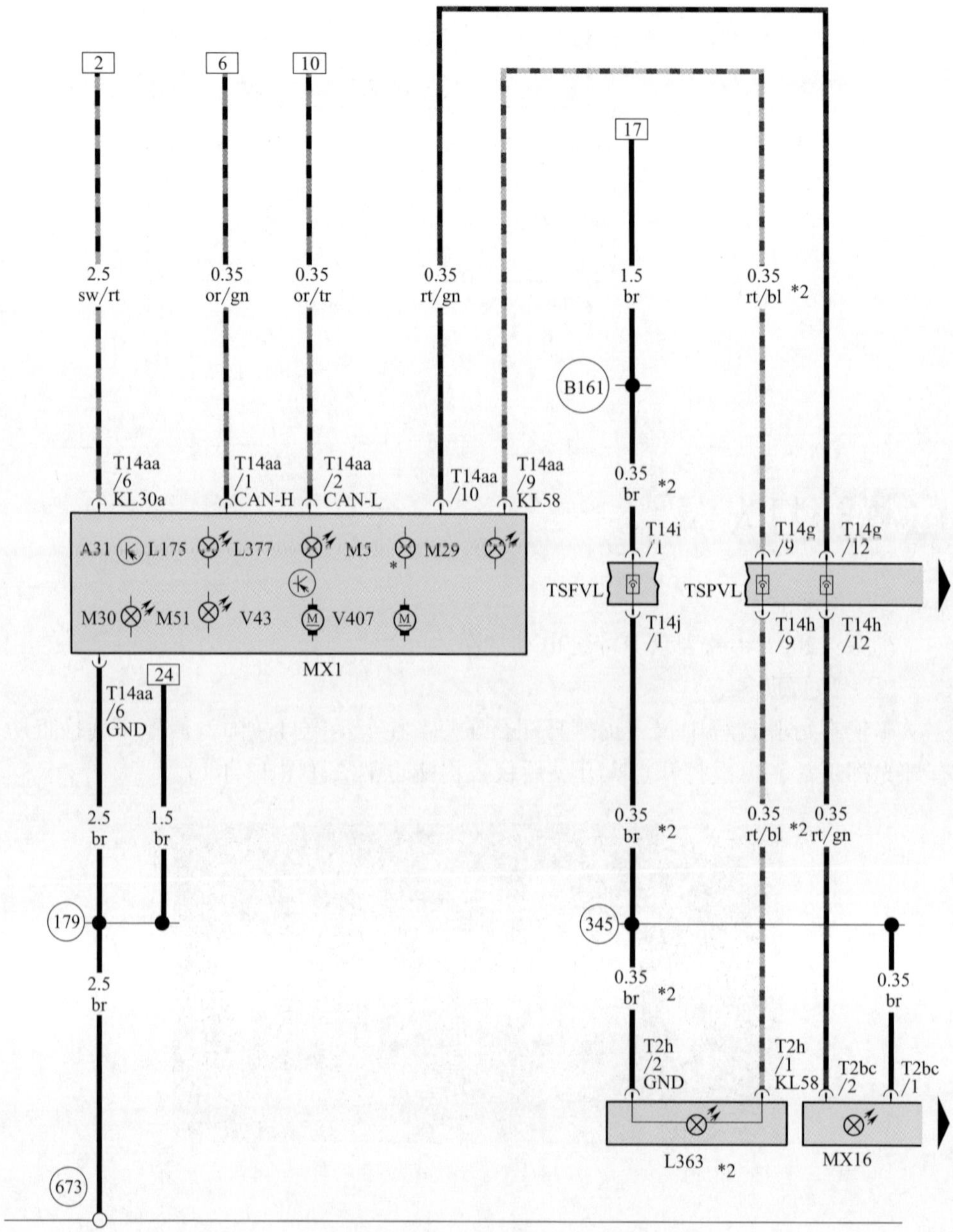

图 **13-4-2** 大众 **ID4** 左前大灯电路

首先测量左前大灯输出电压，为 14.5V 正常。按电路图（图 13-4-2）检查左前大灯至左前轮廓灯相关连接线路，未发现有虚接的情况，至此已基本判断为左前轮廓灯损坏导致偶发报故障，更换轮廓灯后未试出故障现象，车辆离店。

地址: 00D6 系统名: 左侧车灯控制2 协议改版: UDS/ISOTP (Ereignisse: 1)

[+] 识别:

[-] 故障存储器记录 (数据源: 车辆):

故障存储器记录

编号:	C123B01: 驻车示宽灯灯泡 电气故障
故障类型 2:	被动/偶发
症状:	140561
状态:	10101100

[-] 标准环境条件:

日期:	21-12-5
时间:	13:14:42
里程（DTC）:	3174
优先等级:	4
频率计数器:	2
遗忘计数器/驾驶周期:	0

图 13-4-3　大众 ID4 车灯控制系统故障码

几日后车辆故障再次出现，到店后经检测故障码（图 13-4-3）与原来一致，且现场无故障现象。经过仔细分析电路图发现，左前轮廓灯与徽标灯均为前大灯供电，能造成此故障的只有左前大灯，线路、格栅灯，首先格栅灯可以先排除掉、倒换后故障现象与故障码均一样，再次检查连接线路，确定没有故障。

更换左前大灯，在更换过程中发现左前大灯受到震动时其插头的 T14aa/9 输出电压会明显变化（降低至 3V 左右），这种现象明显不正常。摇动左前大灯插头，故障再次出现，至此已明确故障位置为左前大灯内部虚接导致车辆受到震动后输出电压过低报故障。

更换左前大灯后，故障排除。

案例总结

左前轮廓灯的供电为左前大灯提供，同样会受到左前大灯的监控。此车辆的故障原因为左前大灯内部本身虚接导致在受到震动时不能提供足够的电压，左前大灯误以为轮廓灯损坏或者线路故障。

13.5 点火开关故障

（1）车辆信息

车型：2021 年款大众 ID4 纯电动汽车。

（2）故障现象

停车无法断电，拆掉蓄电池负极也无法断电，拔掉高压系统的熔丝断电成功。接着出现无法打开点火开关和无法启动的现象。

（3）故障诊断

如图 13-5-1 所示为启动车辆工作过程。

钥匙放在车内，踩刹车踏板或者按压一键启动按钮，点火开关都打不开。

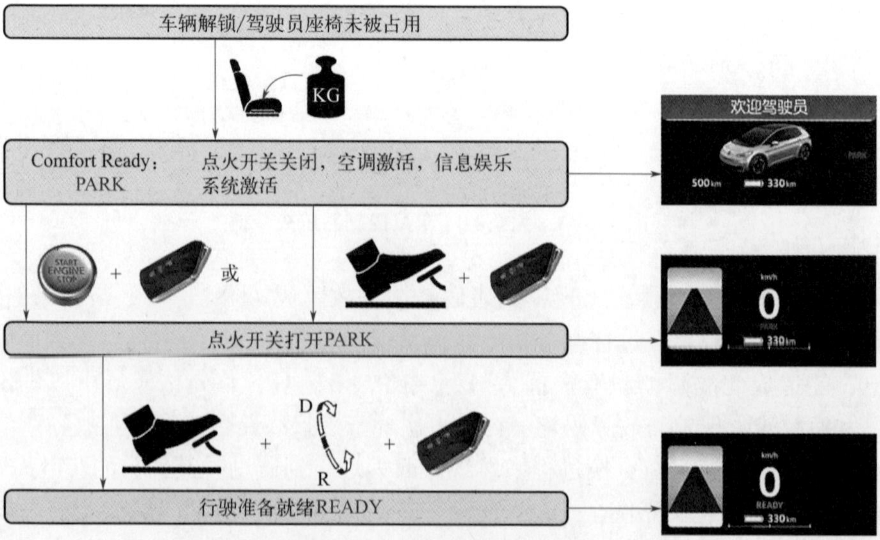

图 13-5-1　启动车辆工作过程

连接诊断仪，底盘号无法自动识别，手动输入底盘号，进入系统后网关数据总线故障码如下。

❶ U001800：静态舒适系统数据总线，单线运行模式，静态。

❷ U001000：舒适系统数据总线，有故障，偶发。

检查车辆，发现后备厢打不开，左后门无法上锁。其他车门可以上锁。

断开左后车门连接插头后，车辆钥匙可以打开。

拆下左后车门饰板，使用万用表检测左后门车控制单元 T20af/19 供电，为 11.87V，正常；T16m/3 接地，正常（图 13-5-2）。

使用万用表检测左后门控制单元 J388 到 J533 控制单元的 CAN 线，CAN 高为 3.2V，CAN 低为 2.7V。插上 J388 控制单元插头测量，CAN 高为 0.6V，CAN 低为 0.3V，不正常。

拆开左后门控制单元外壳，发现电路板烧蚀。

确认为左后车门控制单元内部故障，导致舒适系统故障，因此车辆无法启动。

更换左后门控制单元后，故障排除。

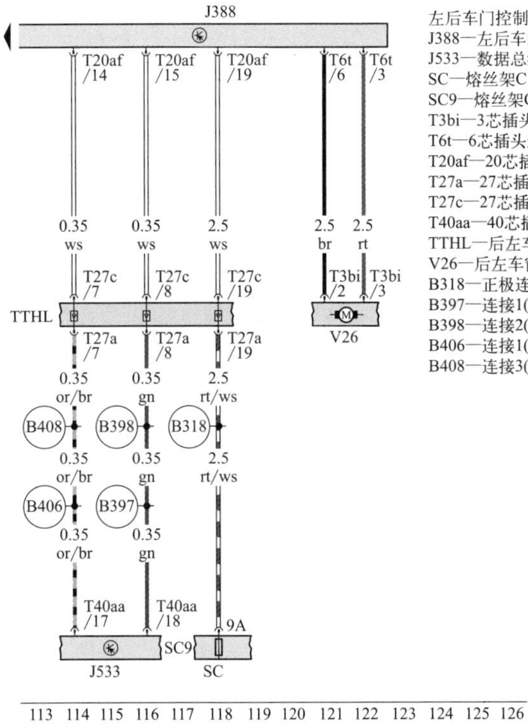

左后车门控制单元，熔丝架C

J388—左后车门控制单元

J533—数据总线诊断接口

SC—熔丝架C

SC9—熔丝架C上的熔丝9

T3bi—3芯插头连接

T6t—6芯插头连接

T20af—20芯插头连接

T27a—27芯插头连接

T27c—27芯插头连接

T40aa—40芯插头连接

TTHL—后左车门连接位置

V26—后左车窗升降器电机

B318—正极连接4(30a)，在主导线束中

B397—连接1(舒适CAN总线，High)，在主导线束中

B398—连接2(舒适CAN总线，High)，在主导线束中

B406—连接1(舒适CAN总线，Low)，在主导线束中

B408—连接3(舒适CAN总线，Low)，在主导线束中

ws=白色
sw=黑色
ro=红色
rt=红色
br=褐色
gn=绿色
bl=蓝色
gr=灰色
li=淡紫色
vi=淡紫色
ge=黄色
or=橘黄色
rs=粉红色
tk=绿松石
blk=未绝缘

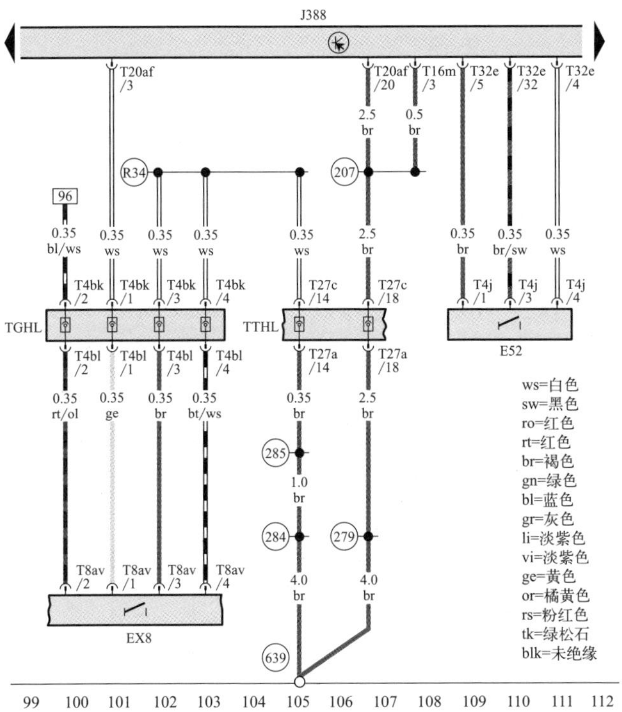

ws=白色
sw=黑色
ro=红色
rt=红色
br=褐色
gn=绿色
bl=蓝色
gr=灰色
li=淡紫色
vi=淡紫色
ge=黄色
or=橘黄色
rs=粉红色
tk=绿松石
blk=未绝缘

左后车门外把手，左后车门内的车窗升降器开关，左后车门控制单元

EX8—左后车门外把手

E52—左后车门内的车窗升降器开关

J388—左后车门控制单元

L131—驾驶员侧外后视镜警告灯泡

T4bk—4芯插头连接

T4bl—4芯插头连接

T4j—4芯插头连接

T8av—8芯插头连接

T16m—16芯插头连接

T20af—20芯插头连接

T27a—27芯插头连接

T27c—27芯插头连接

T32e—32芯插头连接

TGHL—左后车门外把手上的连接位置

TTHL—后左车门连接位置

W52—车外后视镜内的登车照明灯，驾驶员侧

207—接地连接，在左后车门电缆导线束中

279—接地连接5，在车内导线束中

284—接地连接6，在车内导线束中

285—接地连接7，在车内导线束中

639—左A柱上的接地点

R84—连接1(中央门锁)，在左后车门电缆导线束中

图 13-5-2　电路图

13.6 雨刮无高速挡

（1）车辆信息

车型：比亚迪 e2 纯电动汽车。

（2）故障现象

雨刮没有高速挡；同时打到前雨刮高速挡时雨刮会停止，且不会回位。

（3）故障诊断与排除

车辆进店检查，使用诊断仪检测，无故障码。操作组合开关，组合仪表上会显示相应的雨刮挡位信息。

查找比亚迪 e2 车型电路图（图 13-6-1），分析雨刮器控制原理：组合开关发送雨刮挡位信号给集成车身控制单元，集成车身控制单元接收到开关信号，输出打开前雨刮和改变雨刮器速度的信号，组合仪表通过 CAN 线获取集成车身控制单元内接收到的雨刮开关信号并显示在仪表上。根据原理分析，既然组合仪表上有雨刮挡位信号，那么可以排除组合开关和集成车身控制单元之间的相关线路问题，重点排查集成车身控制单元输出控制雨刮电机的线路问题。

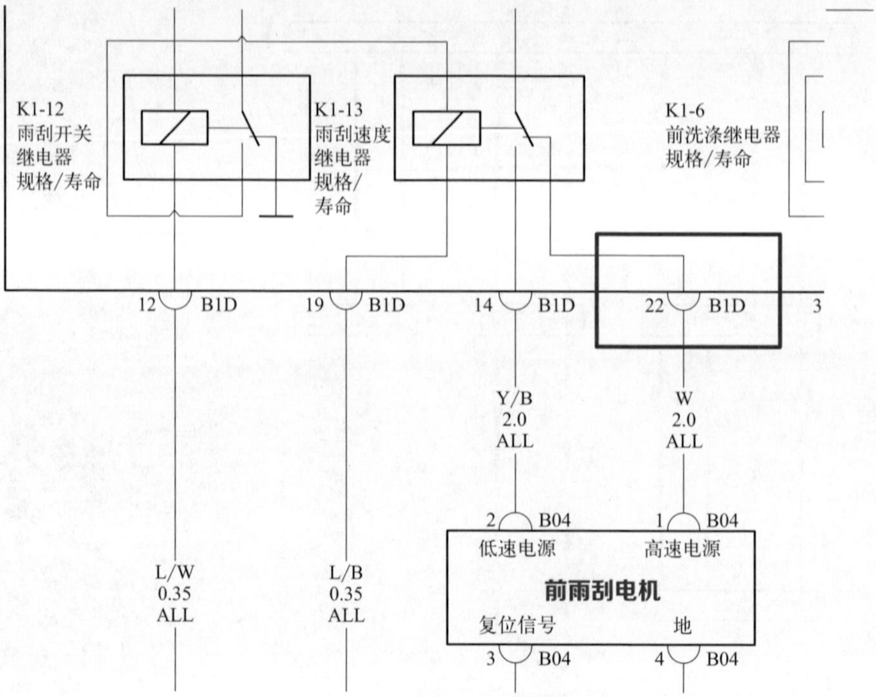

图 13-6-1 比亚迪 e2 雨刮电路

从电路中可以看出，前雨刮电机由4部分组成，分别是B04/1高速电源，B04/2低速电源，B04/3复位信号，B04/4接地。从故障现象分析，车辆前雨刮低速挡和间歇挡正常，那么说明雨刮低速电源、接地和复位信号均正常，重点检查高速电源。

测量雨刮高速挡时B04/1的电压，为0，标准为12V左右，异常。检查B04/1针脚和插接器，无变形和虚接现象。接下来检查B1D/22针脚，该针脚位于前机舱配电盒下方，拆解检查，发现B1D/22针脚退针，导致线路断路。更换前舱配电盒后，故障排除。

13.7 锁车后外后视镜不自动折叠

（1）车辆信息

车型：比亚迪唐DM-i混合动力汽车。

（2）故障现象

锁车后外后视镜不自动折叠。

（3）故障诊断与排除

锁车后两侧外后视镜不折叠，按动开关可以折叠，排除外后视镜故障。

使用诊断仪给整车模块升级到最新版本，断开低压电池负极，故障依旧。

反复测试发现故障车辆锁车时转向灯没有闪烁，正常车辆锁车后转向灯闪烁一次，怀疑故障车辆未进入防盗，所以外后视镜不折叠。

查看左域控制器故障码为B1C1200（左后门门锁故障）。查看数据流，左后门锁状态为解锁。拆开左后门锁查看接插件，没有退针等异常，重新连接该接插件后故障依旧。

更换左后门锁体后，故障排除。

13.8 后背门开启异常

（1）车辆信息

车型：比亚迪汉EV纯电动汽车。

（2）故障现象

车辆后背门打不开，用遥控器、左前门上的后背门开启开关、后背门开启按钮均无法打开。

（3）故障诊断与排除

车辆后背门在开启的同时有开锁动作（开锁声音咔哒），但锁体没有打开。

用 VDS 扫描电动后背门 ECU，能扫描到电动后背门，但读取系统无故障码，电动后背门程序为 1.00.09，无程序更新。重新拔插电动后背门 ECU 插头后再次尝试开启后背门，故障依旧，初步排除故障由电动后背门 ECU 及程序导致。

放下后排中央扶手，手动拉开后背门，测试电动后背门关闭功能，关闭功能正常。重新学习后背门高度，记忆位置正确，关闭功能正常，证明电动撑杆工作正常，排除故障由电动撑杆导致。

再次检查电动背门开启时的状态，发现解锁声音发出后，后背门有左低右高的现象，持续约 3s。怀疑是打开时锁体未解锁或者解锁不到位，检查后背门锁体及锁扣。

使用螺丝刀将后背门假锁，按后背门锁体可以正常解锁，说明锁体本身没有问题，多次尝试均正常，考虑到锁扣调整太低，导致后背门解锁后解锁不到位，于是重新调整锁扣位置，故障消失。

13.9 锁车无法一键升窗

(1) 车辆信息

车型：比亚迪秦 PLUS EV 纯电动汽车。

(2) 故障现象

锁车时玻璃一键升窗功能失效，后视镜不折叠，停车一段时间后车辆防盗报警。

(3) 故障诊断与排除

所有车门关闭后，坐在主驾驶，按左前门上的闭锁开关，发现开关上的指示灯时亮时不亮。偶尔指示灯点亮时，按遥控锁车一切正常，指示灯不亮时锁车，玻璃无法一键升窗及后视镜无法折叠。怀疑为程序异常导致，刷新左右域程序至最新后故障依旧。

倒换左车身控制模块和左前门玻璃升降开关组总成，检查相关接插件后试车，故障依旧。

故障出现时车辆静止停放，但是偶尔防盗会报警，而防盗报警的条件是锁车后将某车门锁打开才会触发防盗系统报警。使用诊断仪读取到的故障码中有一个左后门门锁故障，将左后门锁体插头拔了再进行锁车，结果故障未现；将左后门锁体插头再插回，故障再现，确定故障为左后门锁体内部异常导致。

更换左后门锁体后，故障排除。

13.10 NFC 刷不开车门

（1）车辆信息

车型：比亚迪汉 EV 纯电动汽车。

（2）故障现象

NFC 刷不开车门。

（3）故障诊断与排除

检查客户手机设置，NFC 功能打开，手机钱包也登入了，联系手机客服，确定本手机型号支持比亚迪 NFC。

使用诊断仪读取故障码，无故障码，所有模块均是最新版本。

为了排除 NFC 模块故障，重新匹配了一张 NFC 卡片，发现卡片能够正常使用，怀疑还是手机上面的问题，找了几部带 NFC 的手机测试，发现故障同样存在。

使用诊断仪读取 NFC 数据流，发现刷手机数据流卡片状态显示非本车卡片，排除手机问题后，怀疑还是 NFC 模块本身信号比较弱，无法准确识别手机。更换 NFC 模块后，故障排除。

13.11 尾门不好开启

（1）车辆信息

车型：大众 ID4 纯电动汽车。行驶里程：22187km。

（2）故障现象

尾门不好开启，开启时稍微用力抬一下可以正常自动开启。使用遥控和前门开关开启均不能自动打开。

（3）故障诊断与排除

使用诊断仪对电尾控制单元进行检测，没有任何故障码，排除线束故障导致的可能性。

导致故障的原因有：

❶ 电动尾门的线束故障；

❷ 电尾电机故障；

❸ 尾门锁块故障；

❹ 后备厢盖与车身间隙。

检查是否是因为后备厢闭锁单元故障导致。查看维修手册，发现车辆后备厢盖的闭锁单元 VX25 内部有 V53 后备厢盖中央门锁电机、F5 后备厢照明开关、F111 后备厢盖接触开关。在按压开关时能明显地听到尾门锁块的开启声音，证明 V53 后备厢中央门锁是可以正常开启的。需检查是否是 F111 后备厢盖接触开关故障导致无法开启，发现当按压后备厢开启开关后，组合仪表显示后备厢已开启，后备厢灯也已打开。证明后备厢盖闭锁单元中的 F5 和 F111 开关均可以正常工作。排除后备厢闭锁单元的故障（图 13-11-1）。

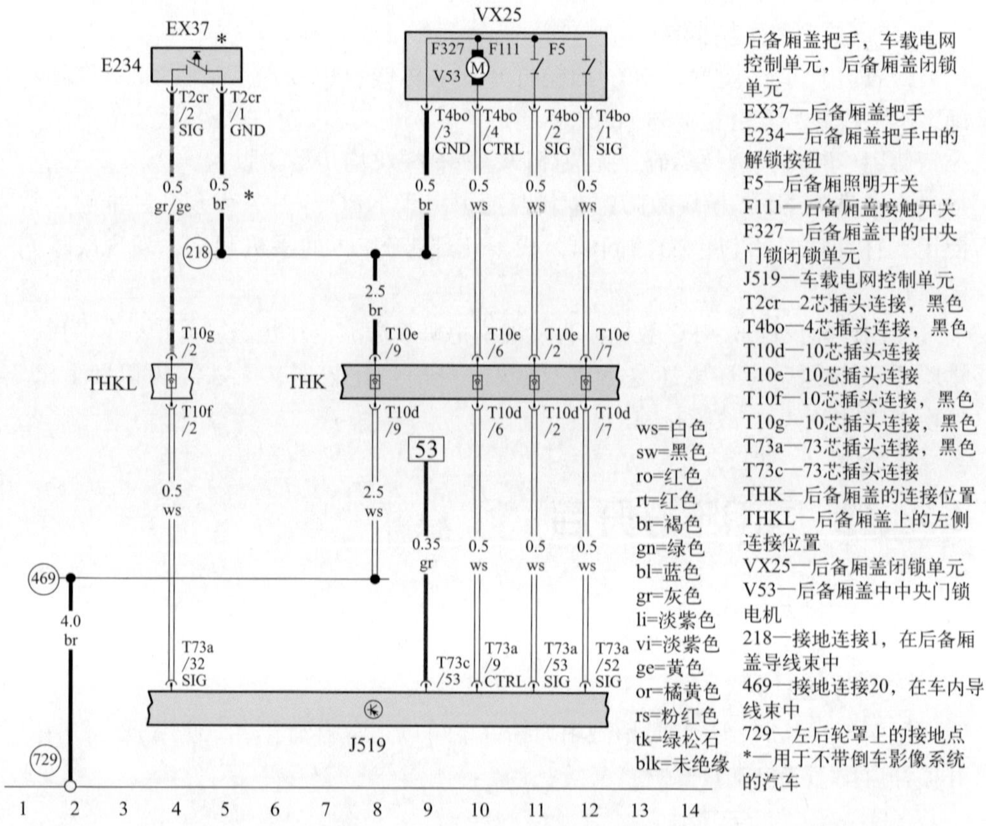

图 13-11-1　大众 ID4 后备厢电路

检查是否是由于机械故障导致的后备厢盖无法打开。调试后备厢锁柱与锁块的间隙，发现将后备厢锁柱向下调整后，后备厢盖可以自动打开，证明故障出现在此处。但是发现向下调整锁柱后后备厢开启时会发出“呼”的受力声音，正常车辆没有该声音。且发现后备厢盖和车身结合位置的平整度较差，后备厢盖比车身的位置要低。运用调节规测量后备厢盖与车身的间隙，发现故障车辆与正常车辆比较相差 0.5mm。

查看维修手册，调整后备厢盖与车身间隙后，故障消除（图 13-11-2）。

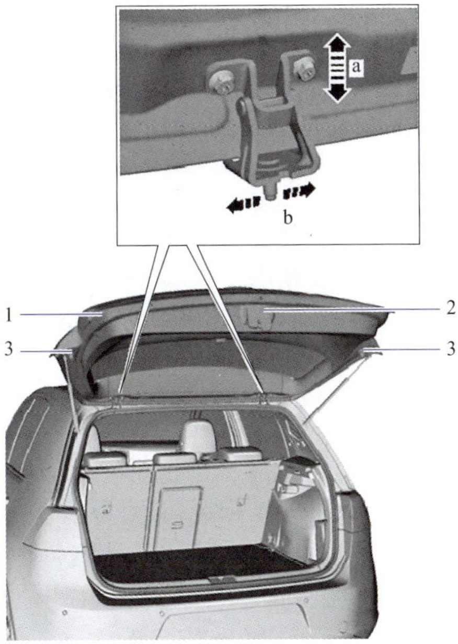

图 13-11-2　调整后备厢盖与车身间隙

调整方法如下。

❶ 调整后备厢盖时，车辆必须停在平地上。

❷ 将舱盖锁 2 直接拧在后备厢盖 1 上。无法调整舱盖锁。

❸ 左右两侧的缓冲调整块 3 并不用于调整，它们只是起到稳定后备厢盖或缓冲作用。

❹ 如果后备厢盖在关闭状态时各处的间隙尺寸都是均匀的，则说明已经调整到位，不会过于靠内或靠外，并且轮廓齐平。

❺ 后备厢盖必须无须费力即可卡入锁止楔中。

调整后备厢盖与车身的间隙后，故障排除。

13.12 无钥匙进入功能偶尔失效

（1）车辆信息

车型：大众 ID4 纯电动汽车。行驶里程：11291km。

（2）故障现象

左前门无钥匙进入功能不灵敏。

导致故障的原因有：

❶ 门把手接触传感器故障；

❷ 左侧天线故障；

❸ 控制器故障；

❹ 线路故障。

（3）故障诊断与排除

使用诊断仪读取车辆系统，未见故障码储存。测试无钥匙进入功能，左前门偶尔可以打开，右前门无钥匙进入功能正常。

拆下左前门外拉手检查，插头未见松脱和虚接现象。

初步判定为外拉手故障。

❶ 检查车门把手接触传感器。使用 ODIS，在 00B7 测量值里，读取车门把手的接触传感器信号，结果显示主驾驶车门把手发出信号正常，但是车辆 Kessy 没有解锁；当在副驾驶侧操作时，车门把手发出信号正常，车辆 Kessy 正常解锁（图 13-12-1）。

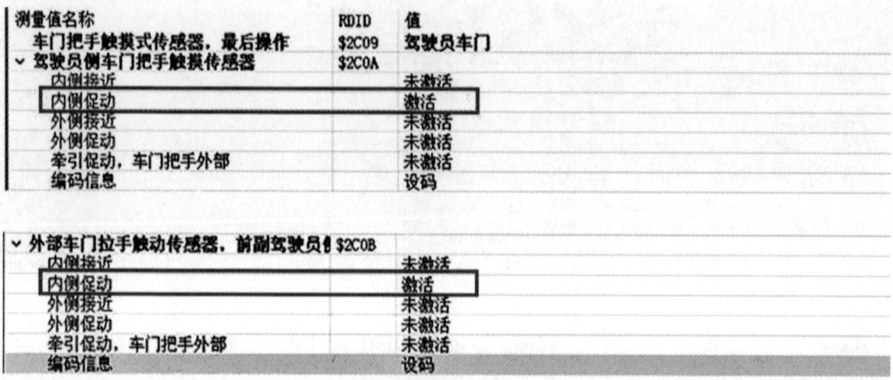

测量值名称	RDID	值
车门把手触摸式传感器，最后操作	$2C09	驾驶员车门
˅ 驾驶员侧车门把手触摸传感器	$2C0A	
内侧接近		未激活
内侧促动		激活
外侧接近		未激活
外侧促动		未激活
牵引促动，车门把手外部		未激活
编码信息		设码
˅ 外部车门拉手触动传感器，前副驾驶员侧	$2C0B	
内侧接近		未激活
内侧促动		激活
外侧接近		未激活
外侧促动		未激活
牵引促动，车门把手外部		未激活
编码信息		设码

图 **13-12-1**　主驾驶车门和副驾驶车门把手发出信号正常

将主驾驶侧车门把手拆下来，检查车门把手的线速插头及车门控制单元的插头，均正常，未见插头虚接；更换上试驾车的门把手，故障依旧，排除门把手故障。

❷ 检查主驾驶侧 Kessy 天线。由于故障只发生在主驾驶侧，所以怀疑和主驾驶侧 Kessy 天线有关。进行和试驾车主驾驶 Kessy 天线对换测试，发现故障依旧存在，排除主驾驶侧天线问题（图 13-12-2）。

❸ 检查 Kessy 控制器。车钥匙 LED 闪烁指示灯从一定程度上可以体现出钥匙和车辆通信的状态。观察故障车，在主驾驶侧钥匙闪烁频率较低（间隔 1 ～ 2s

会密集闪烁几下），而正常状态车 LED 闪烁频率为规律频闪（大约每 200ms 闪烁一次）。

当故障车钥匙 LED 闪烁时，Kessy 功能可用；当 LED 间歇停止闪烁时，Kessy 功能不可用。说明 Kessy 偶发不可用的原因是由于车辆 Kessy 控制器和车钥匙的通信故障。

发生故障时，将故障车钥匙放在主驾驶侧车门附近，钥匙通信频率降低；将钥匙放在前翼子板旁 Kessy 天线附近，车钥匙通信频率恢复正常，所以推断可能的原因为 Kessy 控制器主驾驶侧天线电路异常导致信号衰减。

更换 Kessy 控制器后，Kessy 功能恢复正常，故障排除。

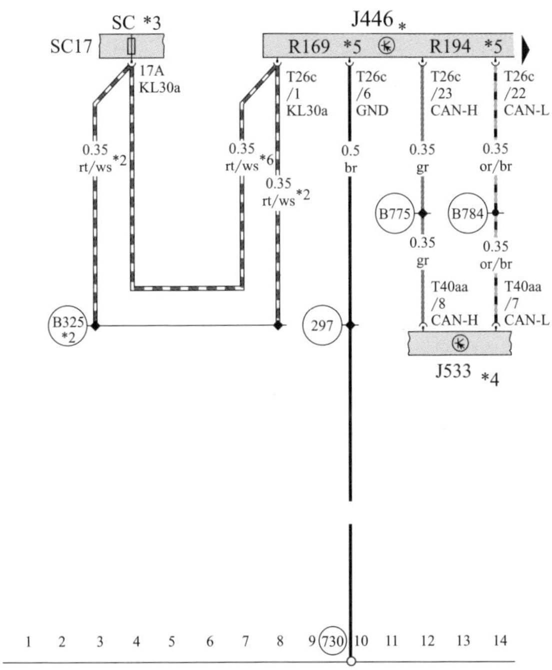

ws=白色
sw=黑色
ro=红色
rt=红色
br=褐色
gn=绿色
bl=蓝色
gr=灰色
li=淡紫色
vi=淡紫色
ge=黄色
or=橘黄色
rs=粉红色
tk=绿松石
blk=未绝缘

泊车雷达系统控制单元，数据总线诊断接口，熔丝架C
J446—泊车雷达系统控制单元
J533—数据总线诊断接口
R169—泊车雷达系统扬声器
R194—后部泊车雷达系统扬声器
SC—熔丝架C
SC17—熔丝架C上的熔丝17
T26c—26芯插头连接，黑色
T40aa—40芯插头连接
297—接地连接12，在车内导线束中
730—右后轮罩上的接地点1
B325—正极连接11(30a)，在主导线束中
B775—连接4(底盘传感器CAN总线，High)，在主导线束中
B784—连接3(底盘传感器CAN总线，Low)，在主导线束中
*—见适用于多媒体系统的电路图
*2—用于带变道辅助系统控制单元的车辆
*3—见车内熔丝所适用的电路图
*4—见驾驶辅助系统CAN总线数据总线联网的适用电路图
*5—由信息娱乐系统发出警告音
*6—用于不带变道辅助系统控制单元的车辆

图 13-12-2　大众 ID4 车门电路

13.13 车门锁故障

（1）车辆信息

车型：大众 ID4 纯电动汽车。行驶里程：33125km。

（2）故障现象

右后车门有时无法通过电动和机械开门，多次操作车门拉手可打开。

（3）故障诊断与排除

导致故障的原因有：

❶ 右后车门线束故障；

❷ 右后车门外把手故障；

❸ 右后车门锁单元故障；

❹ 右后车门控制单元故障。

发现偶发内外都无法打开右后车门。

使用诊断仪检测，右后车门有故障存储为 B122D29（中央门锁上锁单元信号不可信，主动 / 静态）（图 13-13-1）。

故障存储器记录（数据源：车辆）:

故障存储器记录	
编号:	B122D29：中央门锁上锁单元 信号不可信
故障类型 2:	主动/静态
症状:	196665
状态:	00001001
标准环境条件:	
日期:	21-10-31
时间:	5:45:59
里程（DTC）:	2291
优先等级:	5
频率计数器:	41
遗忘计数器/驾驶周期:	71

图 **13-13-1** 故障码

读取右后车门测量值，发现在车门无法打开时，操作车门内外门把手，控制单元都能接收到门把手信号（图 13-13-2）。

车门外把手开关	已操作
内部车门把手开关	已操作

图 **13-13-2** 门把手信号

根据数据分析，右后门控制单元能正常接收到车门把手开闭信号，说明右后门控制单元的供电、接地及车门把手应处于正常状态。故障点应出在右后门控制单元至锁块之间。

查询电路图（图 13-13-3），检查右后门线束通断正常，插头、针脚完好，操作门把手时使用万用表测量控制单元。

输出信号与正常车辆对比一致，排除控制单元出故障的可能。

更换右后车门锁块后，故障排除。

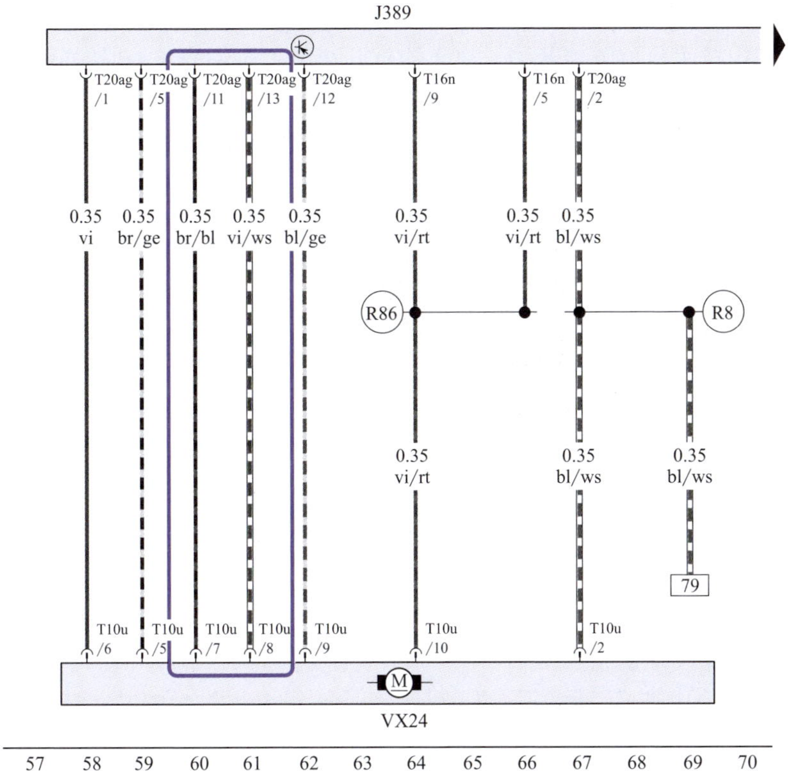

右后车门控制单元，右后车门闭锁单元
J389—右后车门控制单元
T10u—10芯插头连接
T16n—16芯插头连接
T20ag—20芯插头连接
VX24—右后车门闭锁单元
R8—连接(车门触点开关)，在后部车门触点开关导线束中
R86—连接1(中央门锁)，在右后车门电缆导线束中

ws=白色
sw=黑色
ro=红色
rt=红色
br=褐色
gn=绿色
bl=蓝色
gr=灰色
li=淡紫色
vi=淡紫色
ge=黄色
or=橘黄色
rs=粉红色
tk=绿松石
blk=未绝缘

图 13-13-3　大众 ID4 右后车门电路

13.14 左前门无法打开

（1）车辆信息

车型：大众 ID4 纯电动汽车。行驶里程：22123km。

（2）故障现象

左前门无法打开（其他车门可正常开启），电控解锁和机械操作外拉手与内拉手都无法打开左前门。

（3）故障诊断与排除

导致故障的原因有：

❶ 门锁损坏；

❷ 线路故障；

❸ 驾驶员侧车门控制单元 J386 故障。

使用诊断仪读取驾驶员车门电子装置有故障码 B122D29，内容为中央门锁上锁单元，信号不可信（被动 / 偶发）。

从外拉手按压解锁开关无法打开左前门，但能听见左前门锁内部有动作声音。操作外拉手和内拉手机械解锁开关，也无法打开车门。车辆静止一段时间才能打开。

观察左前门锁，在发生故障的状态下，在操作解锁的同时锁舌只会移动一下，但未完全打开（图 13-14-1）。确定为左前门锁内部故障。

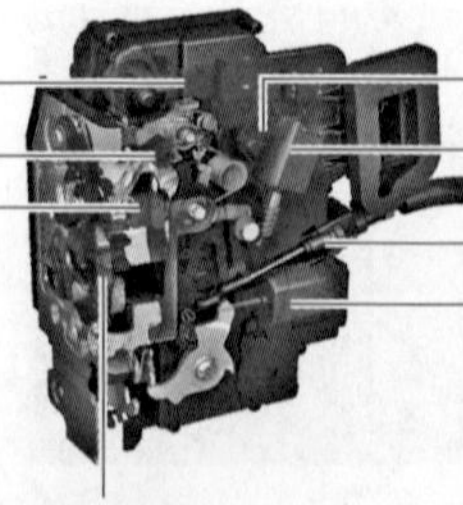

图 13-14-1　门锁结构

更换左前门锁后，试车，故障排除。

13.15 组合仪表无显示

（1）车辆信息

车型：比亚迪宋 PRODM-i 混合动力汽车。

（2）故障现象

车辆组合仪表黑屏，无显示。

（3）故障诊断与排除

车辆能正常启动，能挂挡能行驶，使用诊断仪读取车辆模块版本，所有模块均是最新版本。

车身网络的模块都未扫描到，说明部分网络瘫痪。

拆下组合仪表，测量组合仪表 G01（C）常电，搭铁正常；测量 CAN-H 和 CAN -L 网络电压，均在 13V，电压明显异常。

测量车辆诊断口车身网络 3 号端子和 11 号端子，也是 13V（异常）；测量底盘网、能量网、智能进入网、ECM 网，都是正常的，确认故障在车身网络上。

车身网络包含无线充电模块、组合开关、诊断口、PM2.5、时钟弹簧、PAD 旋转电机、多功能显示屏。尝试点击 PAD，旋转无效，无线充电也不起作用，于是逐个断开该组网络模块检查（图 13-15-1）。

当拆卸旋转电机接插件时，发现车辆线束被挤压破损，线束间绝缘层阻值变小，常电与 CAN 网络造成短路现象，导致车身网络故障。

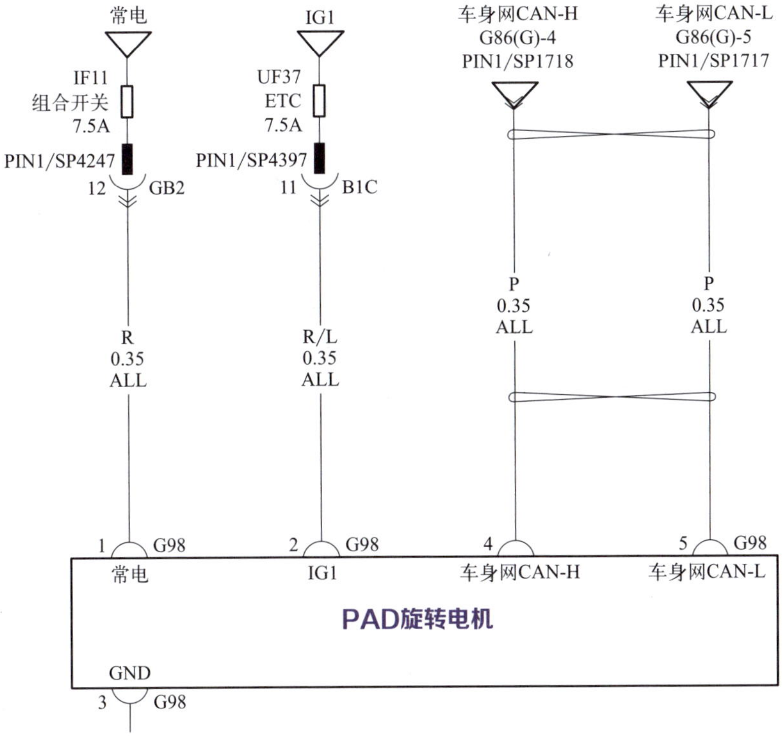

图 13-15-1　比亚迪宋 PRODM-i 车身网络电路

剥开线束绝缘胶布，分开线束，测试各个功能，恢复正常。修复线束后，故障排除。

13.16 锁门键钮故障

（1）车辆信息

车型：吉利 EV300 纯电动汽车。

（2）故障现象

按下锁门键钮无法使车辆上锁。

（3）故障诊断与排除

使用诊断仪对车辆进行诊断，未发现故障码。

导致故障的原因有：

❶ 锁门键钮故障；

❷ PEPS 到锁门键钮之间线路开路。

无钥匙进入系统的控制方式为：信号传输是钥匙发送密码给 PEPS 控制单元进行验证；验证通过后，PEPS 控制单元通过 CAN 网络传输到 BCM，BCM 控制车门上锁或解锁。如果钥匙不合法，PEPS 控制单元将发送信号给 BCM，BCM 将启动防盗指示灯和防盗喇叭。

车辆钥匙按钮使车门进行上锁或解锁，由此可以判断汽车中 PEPS 控制单元到 BCM 间线路没有故障，且 PEPS 控制单元没有损坏，外部天线正常，钥匙为合法钥匙且钥匙电量足。车门能上锁说明 BCM 能够控制车门电机上锁和解锁，使用门把手传感器能使车门解锁证明门把手传感器正常，所以故障位于锁门键钮。

查阅电路图（图 13-16-1），锁门键钮直接传递信息至 PEPS 控制单元，且锁门键钮只传递锁门信息，前门把手总成由蓄电池直接供电。由于前门把手天线能正常使用，因此前门把手总成到蓄电池之间无开路。使用探针从插接口相应线束后方插入，另一端搭铁测量 DR02 插接件 4 号端子电压，电压数值为 11V，证明 PEPS 到锁门键钮之间无断路。

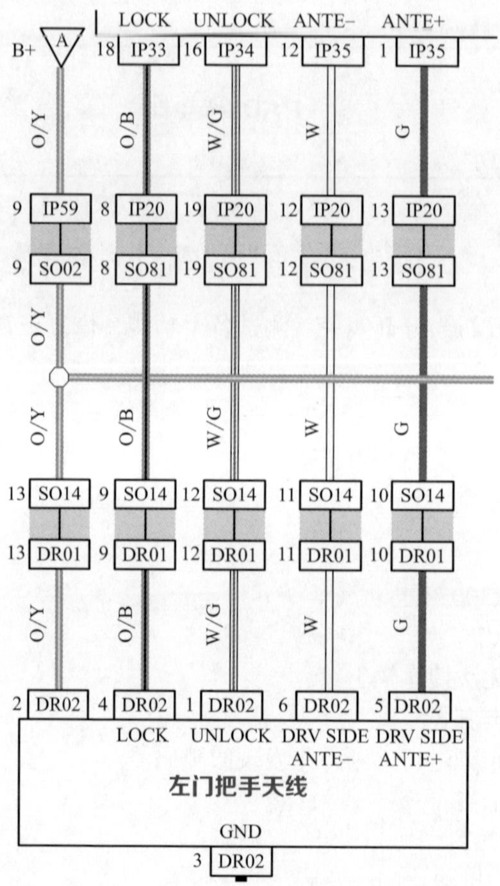

图 13-16-1 吉利 EV300 锁门键电路

在正常情况下，按压锁门键钮，电压会发生变化。而此时按压锁门键钮电压没有变化，车辆能够使用钥匙按钮上锁。检查插接件之间的连接，无脱落，确定是锁门键钮发生故障。更换锁门键钮后，多次试车，故障未再出现，故障排除。

13.17 Ready 灯不亮

扫一扫

视频精讲

（1）车辆信息

车型：吉利帝豪 EV450 纯电动汽车。

（2）故障现象

Ready 灯不亮，不能上电。

（3）故障诊断与排除

使用诊断仪检查故障码，诊断仪无法与整车控制器（VCU）建立通信；在仪表控制单元和电池管理系统（BMS）均存有当前故障码 U111487，内容为与整车控制器丢失通信。

对 VCU 的供电故障进行检查。查阅电路图（图 13-17-1），VCU 具有多路供电电源。VCU 常电出现故障，诊断仪将不能进入 VCU 模块；而 VCU 的 IG 电出现故障，诊断仪则可以进入 VCU 模块。因此结合故障现象，直接检查 VCU 的常电电源。

用万用表测量 VCU 插接器 CA66 的 12 号端子，对搭铁电压为 11.96V（标准值为 11.00 ～ 14.00V），正常。

检测插接器 CA66 搭铁端子的导通性，1 号、2 号、26 号和 54 号端子为搭铁端子。

关闭启动开关，断开 CA66，用万用表分别测量 1 号、2 号、26 号和 54 号端子与车身搭铁之间的电阻值，测量结果如下。

1 号端子测量值为 0.68Ω，标准值 <1Ω，正常。

2 号端子测量值为 0.72Ω，标准值 <1Ω，正常。

26 号端子测量值为 0.69Ω，标准值 <1Ω，正常。

54 号端子测量值为 0.54Ω，标准值 <1Ω，正常。

P-CAN 在电机控制器（MCU）和 BMS 上分别串联了一个 120Ω 的终端电阻（图 13-17-2）。

关闭启动开关，断开蓄电池负极，拔下插接器 CA66，分别测量 7 号端子和 8 号端子对搭铁电阻，均为无穷大，正常；测量 7 号端子和 8 号端之间电阻，也为无穷大，明显不正常（正常为 60.00Ω）。由此怀疑插接器 CA66 的 7 号端子或者 8 号端子相连线束有故障。

关闭启动开关，断开插接器 CA58，测量 CA66 的 7 号端子与 CA58 的 21 号端子间的电阻，为 0.90Ω，导通；测量 CA66 的 8 号端子与 CA58 的 20 号端子间的电阻，为无穷大，存在断路。

修复 CA66 的 8 号端子与 CA58 的 20 号端子的线路，试车，故障排除。

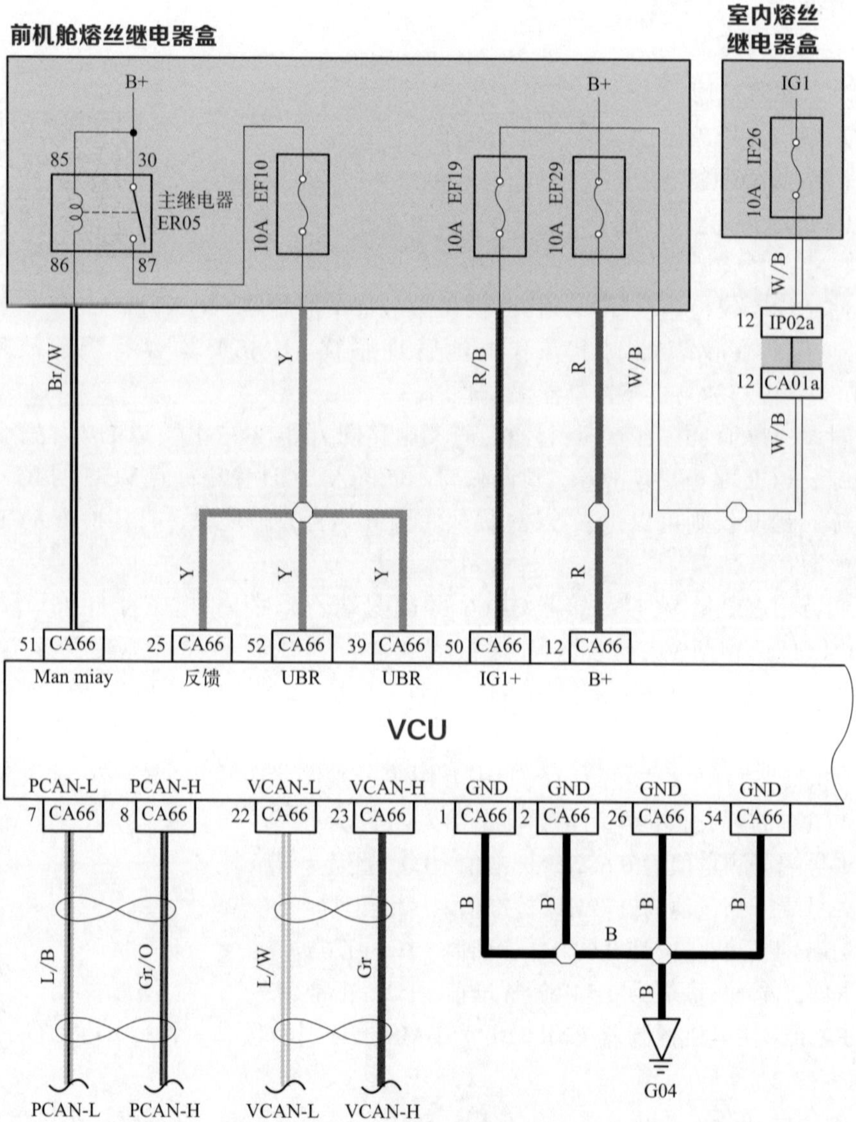

图 13-17-1　整车控制器 VCU 电路

VCU—整车控制器；Br/W—棕 / 白；Y—黄色；R/B—红 / 黑；R—红色；W/B—白 / 黑；L/B—蓝 / 黑；Gr/O—灰 / 橙；L/W—蓝 / 白；Gr—灰色；B—黑色

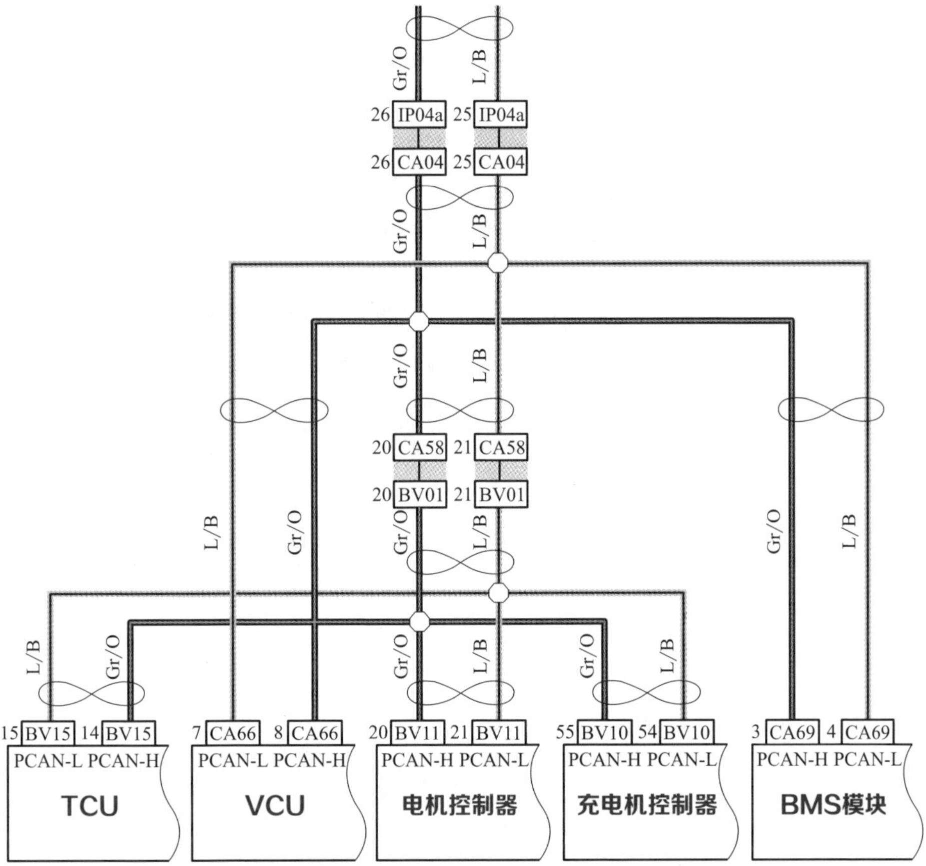

图 13-17-2　动力 CAN（P-CAN）与 PEU 和 BMS 连接电路

13.18 前门玻璃升降器异常

（1）车辆信息

车型：大众 ID4 纯电动汽车。行驶里程：66512km。

（2）故障现象

驾驶室车门升降器与副驾驶车门升降器有时不能工作。

（3）故障诊断与排除

使用诊断仪读取故障码，两侧车门控制单元同时报相同的故障码：B1AB513，内容为前车门光控制单元输出 4 针脚 D16，短路。车辆故障无法删除。

左右两侧的车门控制单元报相同的故障码，怀疑车辆贴膜时车门控制单元进水，导致故障出现。

导致故障的原因有：

❶ 贴膜过程未做好防护，导致门内饰板进水，车门控制单元针脚进水报故障；

❷ 控制单元自身故障（新车两侧车门控制单元损坏的可能性非常低）；

❸ 车门控制单元连接线束存在故障；

❹ 车辆加装其他用电设备导致损坏（替换原车线束的改装）；

❺ 两前门控制单元的结点或者供电、接地异常。

拆解左前门内饰板，检查左前门控制单元插脚内有水，清除插头内的水，重新安装后，用诊断仪进行检测，故障可以清除。确定由于贴膜导致控制单元接头位置进水，系统报故障。

吹干控制单元插头里的水，清除故障码后，试车，故障排除。

13.19 车门电动解锁失效

（1）车辆信息

车型：大众 ID6 纯电动汽车。行驶里程：66182km。

（2）故障现象

按压拉手内侧按钮，锁块无法电动解锁弹开。遥控钥匙解锁后，大力拉起把手应急解锁开启。同时左前门无钥匙进入，失效，其他三个车门正常。

（3）故障诊断与排除

使用诊断仪读取故障码。

进入及启动系统接口故障码：B116B29，内容为驾驶员侧车门把手触摸传感器，信号不可信。

驾驶员车门电子装置故障码：

B122D29，内容为中央门锁上锁单元，信号不可信；

B1AB513，内容为前车门光控制单元输出 4 针脚 D16，断路；

B132E29，内容为内部车门把手开关，信号不可信；

B132F29，内容为外部车门把手开关，信号不可信；

B1AB113，内容为前车门光控制单元输出 2 针脚 D3 断路。

导致故障的原因有：

❶ 线束故障；

❷ 左前门锁块故障；

❸ 车门外拉手故障；

❹ 左前门控制单元 J386 故障。

读取 42 和 52 系统读取拉手数据流，如图 13-19-1 所示。

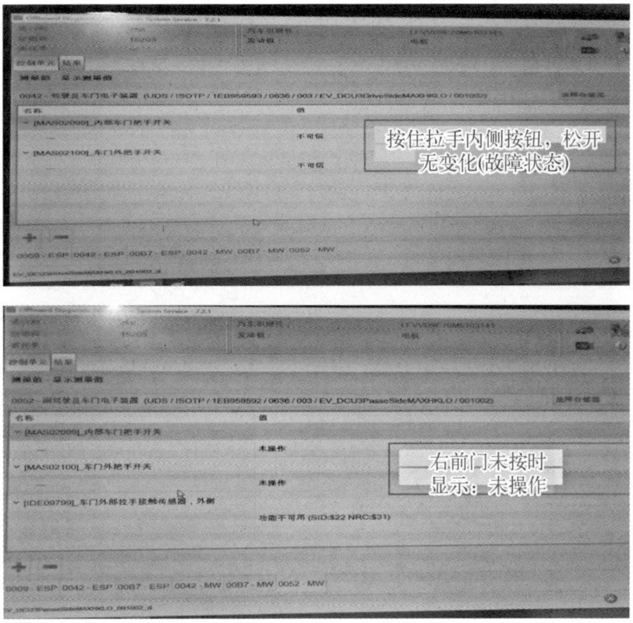

图 **13-19-1**　大众 **ID6** 故障车数据流

读取 B7 无钥匙进入系统数据流，如图 13-19-2 所示。

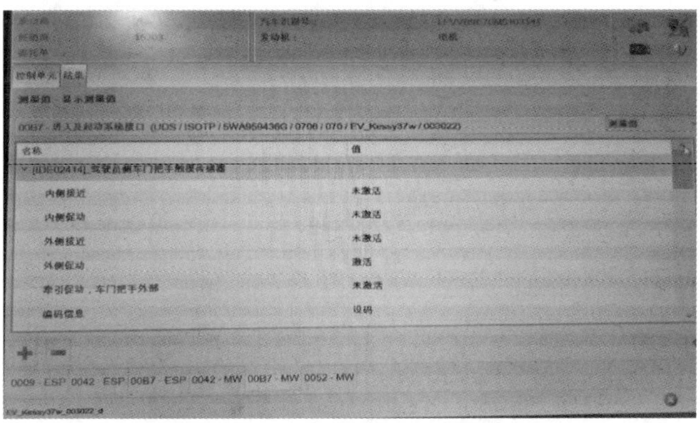

图 **13-19-2**　大众 **ID6** 正常车数据流

读取正常车辆数据。
触摸拉手内侧时显示：激活。
未触摸拉手内侧时显示：未激活。
触摸拉手外侧时显示：激活。
未触摸拉手外侧时显示：未激活。
该车进行以上操作无变化。

据电路图（图 13-19-3）分析和测量值，拉手触摸传感器 + 解锁按钮由 3 根导线传输信号，分别给到 J965 和 J386，解锁按钮 + 无钥匙进入感应拉手同时失效，排除共同接地，判断为拉手故障。其中：

❶ T8/4 号脚为接地；

❷ T8/2 是无钥匙进入系统解锁，锁止的信号线连接到 J965；

❸ T8/5 是拉手内侧解锁按钮的信号线，连接到 J386 和 T20/2。

用万用表电压挡测量 T8/4-T8/2，触摸拉手外侧和内侧时电压都为 7.5V，无变化（异常）。用万用表电压挡进量 T8/4-T8/5，未按解锁按钮时电压 3.8V，按住瞬间降低到 0.8V（异常）。

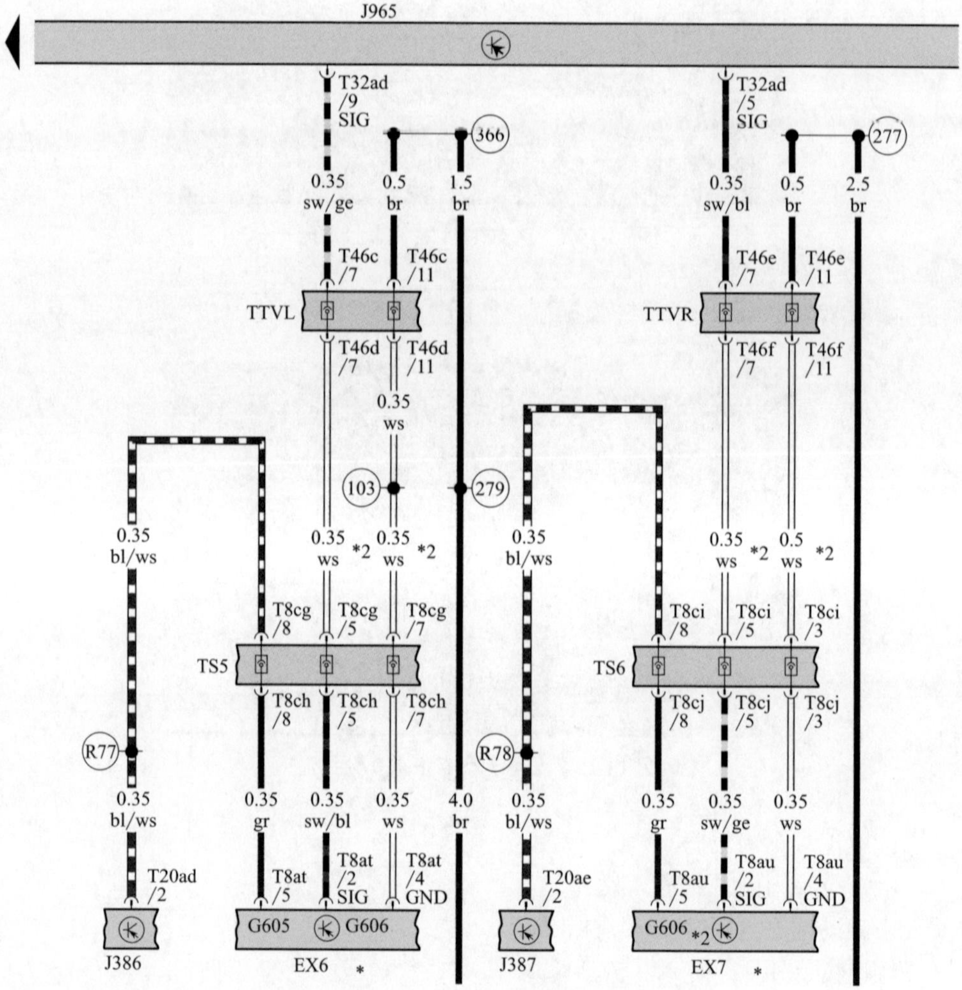

图 13-19-3　大众 ID6 拉手电路

使用万用表200欧姆挡测量T8/4-T8/5，未按时电阻无穷大，按住瞬间电阻为150Ω左右。

更换新拉手后进行测量。

❶ 用万用表电压挡测量T8/4-T8/2，触摸外侧时电压由7.5V下降到7.1V，触摸内侧时电压由7.5V下降到7.25V（正常值）。

❷ 用万用表电压挡测量T8/4-T8/5，未按解锁按钮时电压为1.75V，按住瞬间降低到0.65V（正常值）。

分别依次断开拉手T8/4、T8/2和T8/5的插针，进行开关车门，解锁，上锁，刷新系统，42左前车门控制单元和B7无钥匙进入系统均不报故障码。

更换左前车门外拉手后，故障排除。

13.20 车门从外侧有时打不开

（1）车辆信息

车型：大众ID4纯电动汽车。

（2）故障现象

车辆解锁后左后门有时从外侧打不开，其他三门正常。

（3）故障诊断与排除

导致故障的原因有：

锁块故障；

车门控制单元故障；

门把手故障；

线束连接故障。

❶ 无法从外面打开左后车门，排除TCR紧急开锁模式。

a.熄火，驾驶人开门下车，关门；5～10min后（整车睡眠），操作后备厢盖，打开后闭合。

b.在车机中设置上锁模式为单侧或者仅驾驶员门，然后操作遥控钥匙上锁、解锁，这时会存在未解锁的车门。

❷ 操作未上锁电动门外把手无效，可以通过机械方式（较大力）打开车门。

❸ 从外面打不开车门时，通过车门内把手可以正常打开车门，排除车门锁故障。

❹ 连接诊断仪，进入左后车门系统，读取故障码，无故障。

❺ 当故障再现时读取操作左后车门外把手的数据流：显示未操作（图13-20-1）。

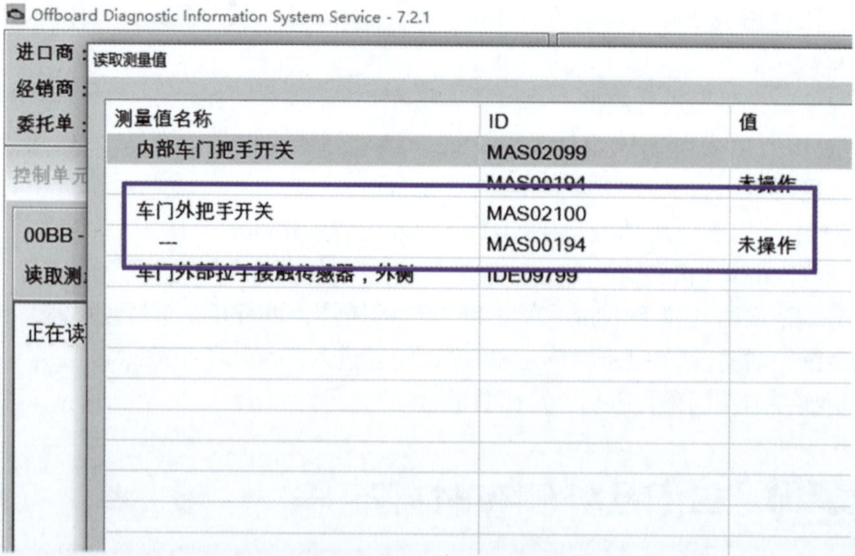

图 13-20-1　操作车门外把手的数据流

❻ 当车辆正常时读取操作左后车门外把手的数据流：显示已操作（图 13-20-2）。

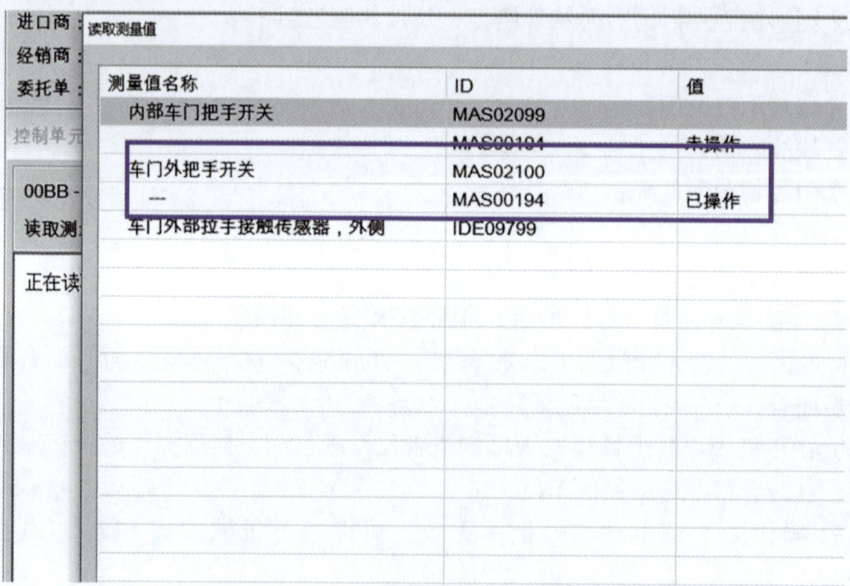

图 13-20-2　操作车门外把手的数据流

❼ 检查车门外把手线束连接和插头，正常（图 13-20-3）。

❽ 更换左后门外把手后，试车，故障排除。

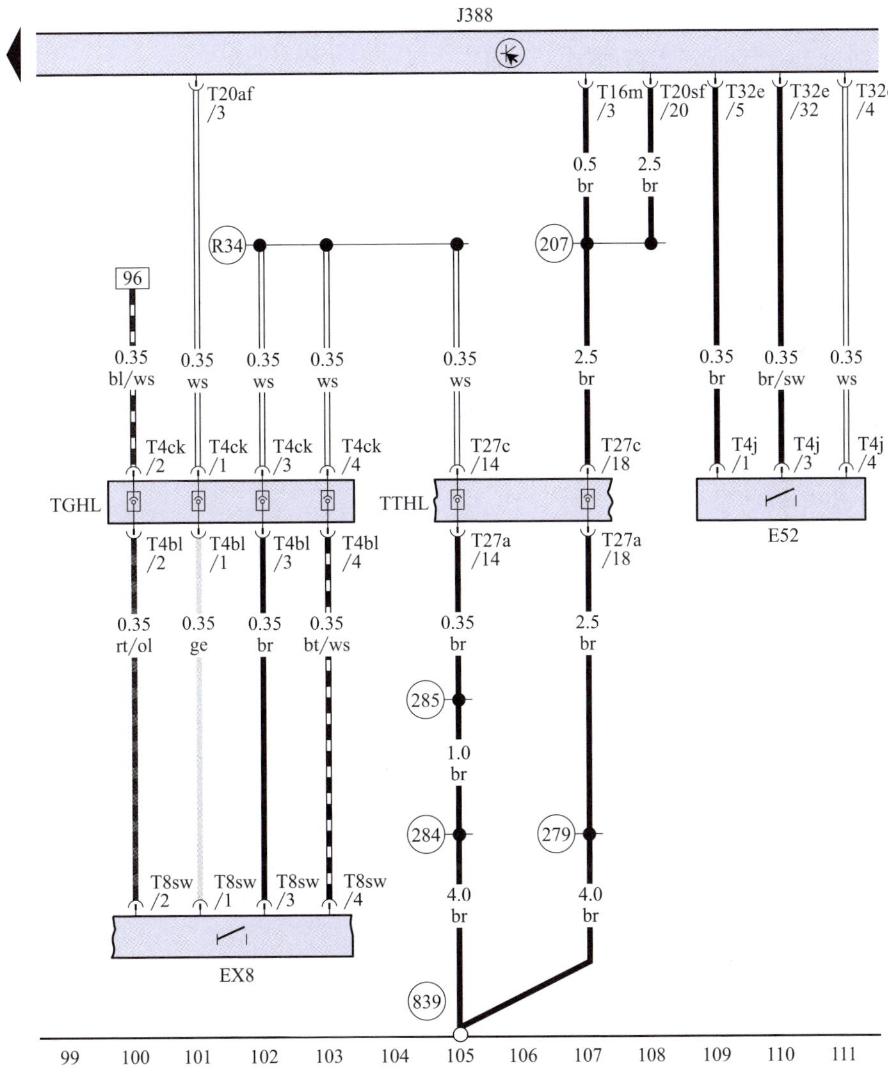

图 13-20-3　车门外把手电路

13.21 NFC 卡片反应慢

（1）车辆信息

车型：2022 年款长安深蓝 SL03。

（2）故障现象

车辆解锁的 NFC 卡片，使用过程中出现解锁慢或者多次解锁不成功现象。

（3）故障诊断与排除

通过手机 App 或者智能钥匙，确认车辆可以正常解锁。

交叉验证：取一张正常使用的 NFC 卡片，通过诊断仪的蓝牙模块和车辆进行匹配，然后测试匹配后的新卡片能正常使用。

测试 NFC 卡片信号强弱：打开手机 NFC 功能，将卡片放在手机后面，手机对 NFC 卡片感应反应慢。如果感应不到或者反应慢，则考虑卡片信号减弱。

由此得知该车为 NFC 卡片信号减弱，需更换新的 NFC 卡片。

用诊断仪匹配新的 NFC 卡片后，故障排除。

13.22 天窗遮阳帘功能失效

（1）车辆信息

车型：2021 年款唐 DM-i 混合动力汽车。

（2）故障现象

天窗遮阳帘一键开关功能失效，天窗玻璃可以正常一键开关，“小迪”控制不了天窗系统，手动控制开关一切正常。

（3）故障诊断与排除

导致故障的原因：

❶ 初始化丢失故障；

❷ 遮阳帘电机故障；

❸ 右车身域控制器故障；

❹ 线束及其他故障。

按照天窗初始化学习方法学习后测试，遮阳帘只能实现 1 次一键开功能，无法一键关和再次开。

使用诊断仪查询，右车身域报以下故障码。

B222401：遮阳帘电机霍尔信号异常（当前）。

B225600：遮阳帘丢初始化（历史）。

检查车辆遮阳帘电机的插接器，无松动、无退针的现象。

将故障车的遮阳帘电机与正常车的遮阳帘电机对调测试，学习后的故障车天窗遮阳帘故障依旧，正常车的遮阳帘可以正常工作，由此可以说明，遮阳帘电机没有故障。

检查车辆右域控制器的插接器，无松动、无退针的现象。因天窗系统由右域控制，与正常车辆对调右域测试，发现故障依旧。

根据电路图（图 13-22-1），检查右域 PG86C-12 号端子至天窗总成 P05-9 号端子的导通状态，为导通，正常。检查右域 PG86C-30 号端子至天窗总成 P05-8

号端子的导通状态，为不导通，异常，正常应为导通。检查右域 PG86C-11 号端子至天窗总成 P05-3 号端子的导通状态，为导通，正常。检查右域 PG86C-9 号端子至天窗总成 P05-4 号端子的导通状态，为导通，正常。

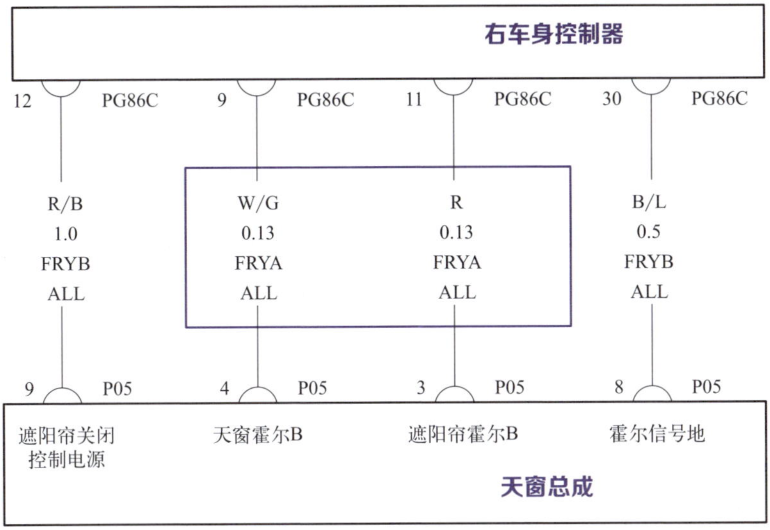

图 13-22-1　天窗总成电路

根据检查结果，右域 PG86C-30 号端子至天窗总成 P05-8 号端子的线路可能存在断路或短路。排查天窗线束：拆掉顶棚，发现右 B 柱上方，天窗线束被骨架与车身固定点挤压，打开发现遮阳帘关闭控制电源与霍尔信号地断路，处理线束后，故障排除（图 13-22-2）。

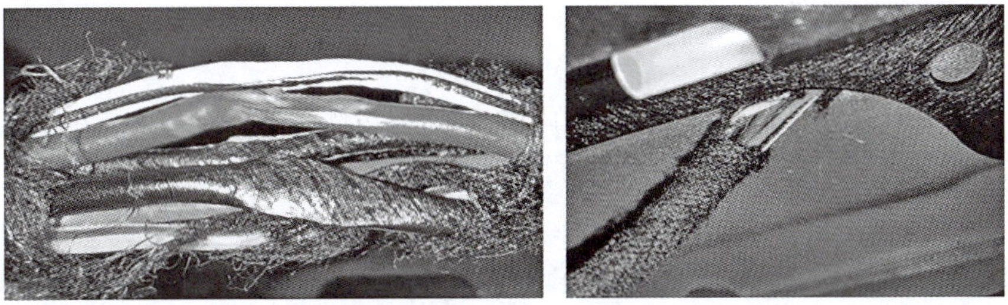

图 13-22-2　挤压的线束

13.23　安全气囊故障灯偶尔点亮

（1）车辆信息

车型：比亚迪汉 EV。

(2) 故障现象

安全气囊故障灯偶尔点亮。

(3) 故障诊断与排除

使用诊断仪读取故障码为 B16201B（驾驶员侧面安全气囊未连接，为历史故障）。

根据故障码分析原因：

❶ 安全气囊电脑故障；

❷ 相关线路故障；

❸ 安全气囊故障。

初步怀疑是线路上接触不良，摇动驾驶员座椅下面的安全气囊接插件，并移动座椅，故障未出现，测量驾驶员座椅下面安全气囊的接插件到安全气囊电脑的接插件，是导通的，同时线束的电阻也是正常的，没有退针及针孔过大的现象。

维修人员从驾驶员座椅上准备下车时，仪表提示安全气囊故障，估计是动了一下导致座椅内部安全气囊接插件接触不良。拆下座椅检查线束，线束没有磨损断裂的现象。检查安全气囊插接件时发现针孔过大，怀疑此处接触不良。调整安全气囊插接件的针孔，恢复车辆，试车，无故障出现。客户使用车辆两周后回访，故障未再出现，至此故障彻底排除。

13.24 后背门无法开启

(1) 车辆信息

车型：比亚迪汉 EV。

(2) 故障现象

按开锁按钮后背门无法打开，用钥匙也无法开启，开启时后背门撑杆会有往上撑一下的动作，后背门只能手动开启。

(3) 故障诊断与排除

使用诊断仪检查电动尾门系统无程序升级，查看数据流，没有发现异常，将车辆 12V 蓄电池断电后故障依旧。

重新调整后背门锁环位置，把锁环螺栓松开，手动关闭后背门，发现后背门也无法开启，怀疑门锁不解锁导致不能开启。于是打开后背门，把门锁手动扣上后再开启，能解锁，确定该门锁是正常的。在多次关闭再开启后背门时，发现后背门在关上时执行器不会吸合，对比正常车是关上瞬间会自动吸合。

按先简后繁的思路，先检查门锁的线束，拔下门锁的插接器发现线束有磨损破皮（图 13-24-1），这个位置故障导致在装回锁体时有搭铁现象，重新处理破损线束后，故障排除。

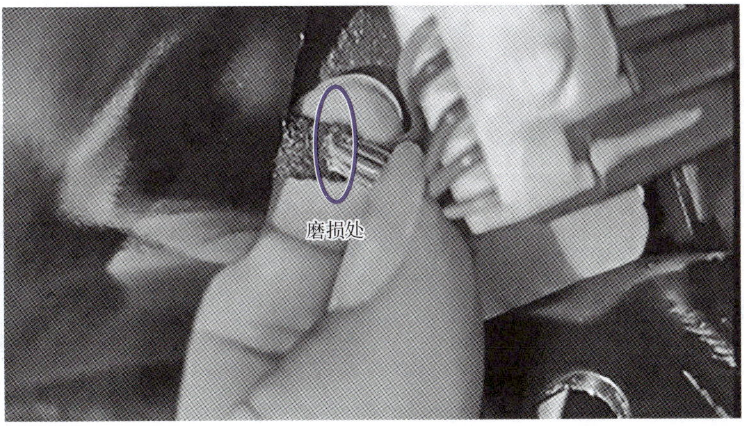

图 13-24-1　故障位置

13.25 12V 蓄电池故障

（1）车辆信息

车型：奇瑞 QQ 冰淇淋纯电动汽车。

（2）故障现象

车辆停放一夜后无法上电。

（3）故障诊断与排除

检查时发现整车无电，使用万用表检查 12V 蓄电池电压，电压为 4V，处于亏电状态。

检查车辆是否存在漏电：静止一段时间后，放电电流在 10mA 左右，属于正常范围。

新能源车辆启动时需要 12V 启动蓄电池给动力电池的主正、主负继电器以及相关控制器供电，控制器做相应自检，没有问题会点亮 Ready 灯。启动后会通过 DC/DC 等设备给 12V 启动蓄电池充电。在快慢充电过程中也会给动力电池充电，同时给 12V 启动蓄电池充电。有些车型有智能 DC 功能，在车辆锁车后系统开始计时，在设定时间段会启动动力电池给 12V 启动蓄电池充电。

更换 12V 蓄电池，车辆恢复正常，停一晚后第二天车辆可以正常上高压电，故障排除。

第 14 章 线控底盘悬架故障

14.1 制动无助力

（1）车辆信息

车型：大众 ID4 纯电动汽车。

（2）故障现象

仪表多个故障灯报警，刹车无助力，踩刹车，刹车踏板弹脚，刹车踏板行程大。

（3）故障诊断与排除

车辆软件为 4.5.2.C 版本。读取故障码，多个控制单元报通信类故障（图 14-1-1），03 有故障码无法删除，断电后故障仍然存在。根据检测计划，需在 J539（EBKV）上处理。

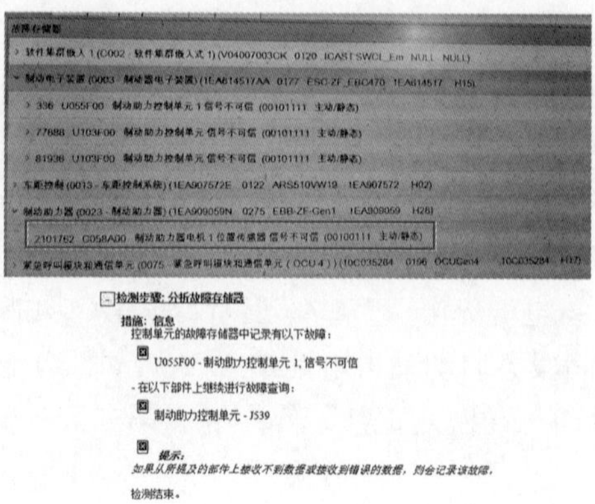

图 14-1-1 大众 ID4 制动助力单元故障码

读取诊断报告，助力器电机 1 位置传感器 信号不可靠，发生时间最早（图 14-1-2）。

地址: 0023 系统名: 0023 - 制动助力器 协议改版: UDS/ISOTP (Ereignisse: 10)

[+] 识别:

[-] 故障存储器记录 (数据源: 车辆):

故障存储器记录

编号:	C058A00: 制动助力器电机 1 位置传感器 信号不可信
故障类型 2:	被动/偶发
症状:	2101762
状态:	00100000

[-] 标准环境条件:

日期:	21-9-13
时间:	3:01:43
里程（DTC）:	7925
优先等级:	2
频率计数器:	1
遗忘计数器/驾驶周期:	39

[-] 高级环境条件:

未知环境数据	12 V 27 10 27 10 00 0F 45 7D 09 27 B0 00 B5 00 B5 6F 0B 27 10 27 07 00 0A 00 50 F6 76 02 D4 00 00 03 20 20

地址: 0003 系统名: 0003 - 制动器电子装置 协议改版: UDS/ISOTP (Ereignisse: 15)

[+] 识别:

[-] 故障存储器记录 (数据源: 车辆):

故障存储器记录

编号:	U055F00: 制动助力控制单元 1 信号不可信
故障类型 2:	主动/静态
症状:	336
状态:	00101111

[-] 标准环境条件:

日期:	21-9-13
时间:	6:18:08
里程（DTC）:	7925
优先等级:	2
频率计数器:	2
遗忘计数器/驾驶周期:	40

[+] 高级环境条件:

故障存储器记录

编号:	C123E00: 液压制动助力
故障类型 2:	主动/静态
症状:	352
状态:	01101101

[-] 标准环境条件:

日期:	21-9-13
时间:	6:22:46
里程（DTC）:	7925
优先等级:	2
频率计数器:	1
遗忘计数器/驾驶周期:	40

图 14-1-2 诊断报告

电路图（图 14-1-3）上已取消第一代 BEKV 的 G100 外部车线，第二代 BEKV 制动器的操作动作由制动踏板位置传感器 G100 监测，并传输到制动器控制单元 J539，由此分析，BEKV 插头 T26a 无异常。

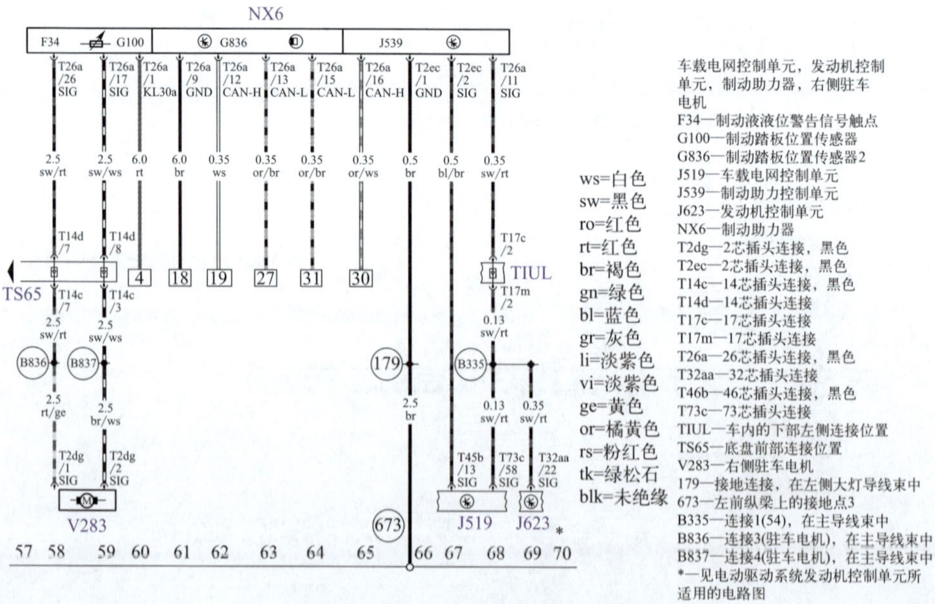

图 14-1-3　大众 ID4 线控底盘电路

检查 EBKV，无拆卸痕迹，插头无松动。

读取数据流（表 14-1-1），正常车和故障车 BEKV 数据流对比可看出，G100 信号已不可信，基本设置状态还未进行；此车应该是在客户采集数据过程中，导致 BEKV 丢失 G100 的位置，导致 J539 无法计算需要增加的制动力。

表 14-1-1　大众 ID4 数据流

项目	正常车	故障车
执行器位置	0.8828125mm	0.796875mm
执行器扭矩	0.08984375N・m	0.03125N・m
基本设置的状态		
	基本设置结束	还未开始
电动机械式制动助力器传感器信号		
端子 30 供电电压	14.0 V	14.0V
踏板行程传感器电源电压	0.0V	0.0V
接线端 15 状态	端子 15 接通	端子 15 接通
控制单元温度	66.0℃	66.0 ℃
加强体位置	0.88671875mm	0.796875mm

续表

项目	正常车	故障车
发动机扭矩	0.087N·m	0.0296N·m
入口杆行程		
Input_rod_travel		
入口杆行程	-0.9mm	-0.82mm
制动助力器杆行程		
Output_rod_travel		
制动助力器杆行程	-0.890625mm	-0.796875mm

尝试打开 BEKV 的引导性功能，里面有距离传感器的基本设置（图 14-1-4）。

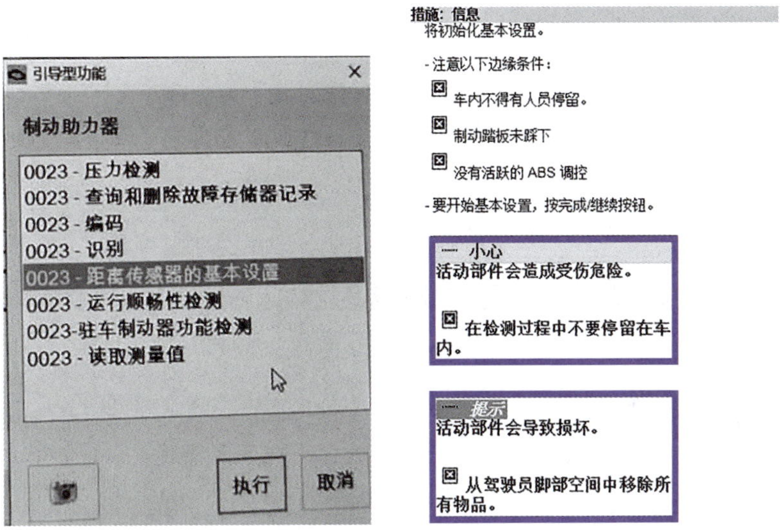

图 14-1-4　基本设置

BEKV 位置传感器数据流错误导致无制动。

做完基本设置后，故障消失。

14.2 ABS 控制单元故障

（1）车辆信息

车型：大众 ID6 纯电动汽车。

（2）故障现象

打开钥匙车辆发出警报音（软件升级后，问题依旧），无法上电，手制动无法释放，仪表及 MIB 提示：请勿在斜坡上停车；故障，驱动系统，请去维修站；无法计算车速，请去维修站；助力转向器工作不正确；车前测距监控不可用；半自动驾驶辅助系统、车道保持系统、交通识别等不可用。

（3）故障诊断与排除

使用诊断仪检查出多个控制单元内有“ABS 制动器控制单元：无通信”（图 14-2-1）。

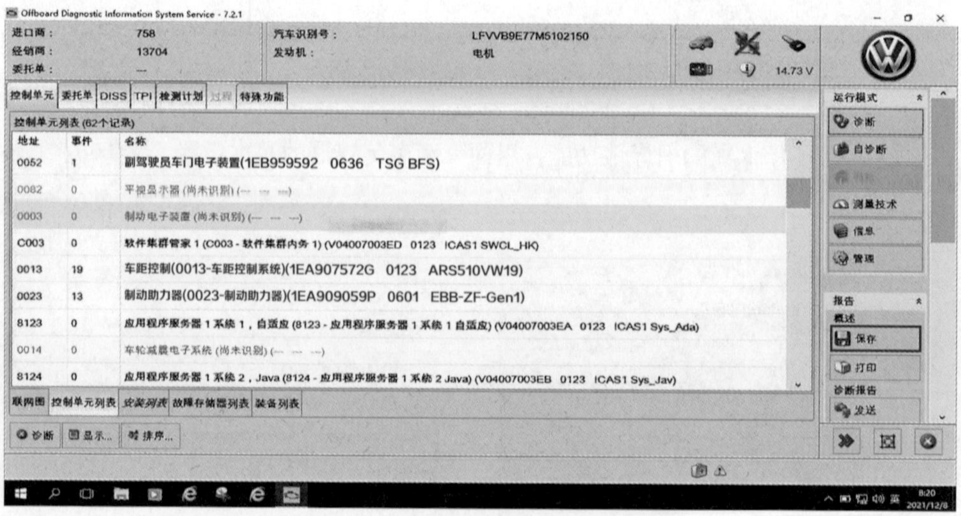

图 14-2-1　**ABS** 制动器控制单元：无通信

故障码如下。

U012200：电子稳定程序无通信。

U112100：数据总线，丢失信息。

U112300：数据总线接收到的故障值等故障码且 ABS 控制单元无法到达。

车辆整车断电休眠，故障依旧。

检查网关编码，正常。

测量 ABS 控制单元供电接地（图 14-2-2），正常。

测量总线线路，正常。

由于 ABS 控制单元自身故障，导致车辆无法上电，手制动无法释放；同时车辆多个系统无法正常使用，因为 ABS 控制单元集成电子手制动控制单元，损坏后电子手制动失效，车辆存在安全隐患，开启点火开关后车辆发出警报音。

更换 ABS 控制单元后，故障排除。

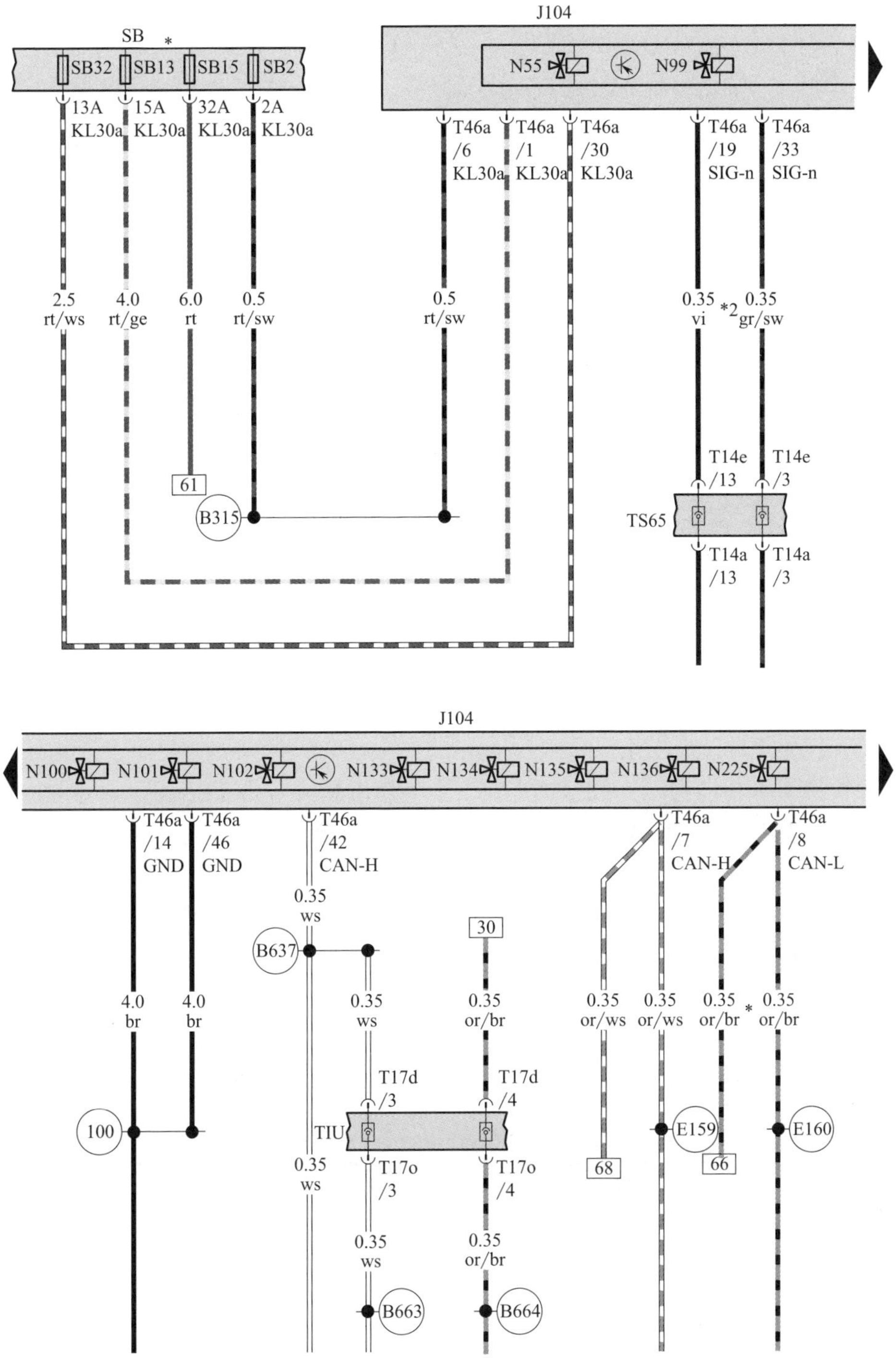

图 14-2-2 大众 ID6ABS 电路

14.3 安全气囊报故障

（1）车辆信息

车型：大众 ID4 纯电动汽车。

（2）故障现象

车辆断开低压蓄电池后，安全气囊灯报多重碰撞制动器无功能。

（3）故障诊断与排除

车辆在维修过程断开低压蓄电池连接后，仪表安全气囊灯点亮。使用诊断仪检查安全气囊控制单元，报多重碰撞制动器无功能。

故障码为 93BCF2：多重碰撞制动器无功能。

按照引导性故障导航提示“安全气囊与 ABS 控制单元无通信造成功能故障”，于是对安全气囊与 ABS 之间通信进行检测，无故障。查阅电路图，安全气囊与 ABS 控制单元无私有通信线路，通过 CAN 线传输，电脑能识别到 ABS、安全气囊，说明通信无故障。

按照引导功能提示，检测通信线路，无故障；检查安全气囊（是否装备正确的安全气囊电脑，或者更换过安全气囊电脑），替换同车型安全气囊电脑后故障依旧，现象没有任何变化。

按照引导功能提示，故障锁定在安全气囊电脑或者是 ABS 泵上，于是对安全气囊电脑和 ABS 控制单元做软件配置，软件配置后安全气囊电脑依旧报“多重碰撞制动器无功能”。

对 ABS 控制单元匹配值与其他车辆对比时发现匹配值中延迟管理（0C3F）-多重碰撞控制器当前值显示未激活（图 14-3-1）。

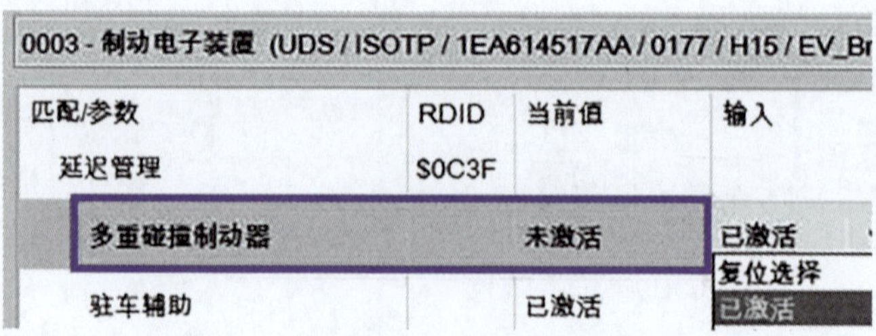

图 14-3-1 多重碰撞控制器当前值显示未激活

更改 ABS 中多重碰撞制动器匹配值，还是无法清除安全气囊中的“多重碰撞制动器无功能”故障，于是再次断开低压蓄电池，重新接通时仪表故障灯消失，故障排除。

案例总结

由于断电过程导致控制器中的匹配值丢失，在做在线软件配置时并不是所有配置都会被复原。

14.4 不平路底盘异响

（1）车辆信息

车型：2016 年款北汽 EV200 纯电动汽车。

（2）故障现象

车辆在不平路行驶时底盘异响。

（3）故障诊断与排除

检查底盘部件，发现减振器漏油，更换漏油的减振器后试车，故障依旧。

在试车时仔细辨别异响的特性，可以听到异响来自驾驶员座位前方，并且当车辆在平坦路面上行驶时无异响，在行驶到颠簸路面时，明显有“咯噔咯噔”的异响。频繁深踩和快速松开加速踏板，可以听到明显的异响。

将车辆举升，拆除底盘前部部件后检查减速器支架，发现此处的缓冲胶套已经老化开裂。

更换减速器支架缓冲胶套，再次试车，异响排除。

14.5 转向不灵活

（1）车辆信息

车型：2016 年款北汽 EV200 纯电动汽车。

（2）故障现象

车辆在低速时转向不灵活，高速路感差。

（3）故障诊断与排除

注意：转向盘分别向左右打至极限位置，如有转向盘抖动、转向机异响等症状时多为转向系统的机械部件有故障；原地转向、低速行驶中转向，如转向盘有沉重、助力效果不足等症状，基本是电动助力系统有故障。在诊断带电动助力的车辆时，应先读取故障码，然后根据故障码维修即可，电子故障多为转角传感器故障。

EV200 纯电动汽车在行车中低速出现转向沉重、高速出现转向发飘，常见原因有：

❶ 接插件未插好；

❷ 线束接触不良或破损；

❸ 方向盘安装不正确（扭曲）；

❹ 转矩传感器性能不良；

❺ 转向器故障；

❻ 车速传感器性能不良；

❼ 主熔丝和线路熔丝烧坏；

❽ EPS 控制器故障。

检查 EPS 控制器的所有插接器，发现 A 插头潮湿，明显锈蚀，其他插头也不是很干燥。依据 EV200 纯电动汽车维修手册，检查 EPS 控制器的各插接器（图 14-5-1），检测各插接器的端子对应的电阻值和电压值，再与 EV200 纯电动汽车维修手册中的技术参数对比。

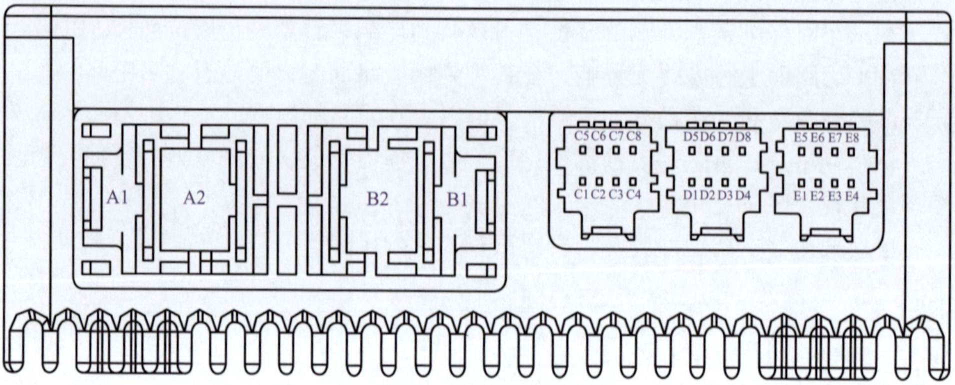

图 14-5-1 EPS 控制器插接器

A 插头的电源正极电压为 12V，负极搭铁，正常，其他插头 B、C、D、E 的线束的电压为 12V、5V，正常，搭铁线的电阻值小于 0.5Ω，传感器的信号线有信号，电机短接也转动。检查到这里可以确定：是 EPS 控制器本身有故障，使 EPS 系统瘫痪，不工作，导致转向时的助力失效。

更换 EPS 控制器后，试车，故障排除。

案例总结

更换 EPS 控制器后需要专用诊断仪连接 EPS 控制器，输入代码激活，让 EPS 系统进入工作状态并对 EPS 系统进行设定。

方向盘打正（前轮处于直线行驶状态）。

启动车辆，方向盘向左转动 10° 左右，停顿 2s，回正，再向右转动 10° 左右，停顿 2s，回正。

双手离开方向盘，停顿 2s，然后将方向盘向左打到底，停顿 2s，再向右打到底，停顿 2s，回正。

关闭点火开关，等待 3min 后再次打开点火开关，对 EPS 系统读取故障码并消除故障码，再读取时无故障码，EPS 系统设定成功。

14.6 ABS 警告灯亮

（1）车辆信息

车型：比亚迪元混合动力汽车。

（2）故障现象

仪表上 ABS 和 ESP 警告灯亮。仪表盘上有时还出现“请检查 ESP 系统”的提示。

（3）故障诊断与排除

使用诊断仪读取故障码。

B1C2D02：车速 CAN 信号故障。

B1C1507：刹车开关故障。

检查时发现，当 ESP 警告灯亮起时，使用诊断仪不能进入 ESP 系统进行检测，但几秒后，又可恢复进入。检查 ESP 控制单元的供电及接线情况，其中 B03/1、B03/25、B03/28 三条线的电压均为蓄电池电压（12V），符合要求；接 CAN 总线的 B03/14 与 B03/26 间电阻约为 61Ω，两线上的电压为 2.4V 与 2.6V，均符合要求。而其上的 B03/13 与 B03/38 脚也为正常搭铁（图 14-6-1）。

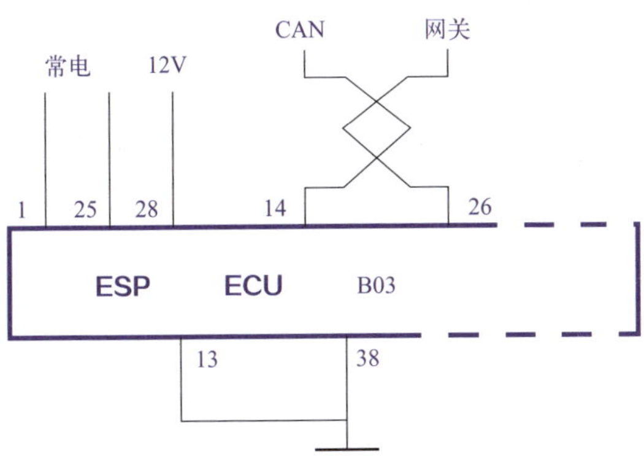

图 14-6-1　比亚迪元网关电路

重新对发动机部位进行检查，发现 ESP 线束固定不牢靠。转向助力泵的皮带轮在旋转时会剐擦到 ESP 的线束。ESP 系统瞬时搭铁短路造成了 ESP 警告灯的闪亮。

修复破损的线路，重新固定 ESP 线束后，试车，故障排除。

14.7 打方向异响

（1）车辆信息

车型：比亚迪唐 DM-i 混合动力汽车。

（2）故障现象

打方向时有异响。

（3）故障诊断与排除

原地左右转动方向盘时驾驶室左侧有“噔”的一声，直线行驶颠簸时、左侧轮胎压井盖时均会出现声音。

导致故障的原因有：

❶ 转向机异响；

❷ 转向管柱内部异响；

❸ 减振器异响；

❹ 底盘异响；

❺ 其他干涉异响。

透过声音现象初步判断由左前减振处发出。拆下左前减振器检查，无异常；更换左前减振器总成，试车，异响未排除。

拆下左前下摆臂检查，无异常；重新紧固左前半轴螺栓，试车，未排除。

举升车辆，四轮悬空打轮时，无异响发出。

转动方向盘时，另一名维修技师用手摸副车架左后螺栓处有震手的感觉，判断可能是转动方向盘时副车架与车身相互之间存在作用力。

拆下副车架，轻微调整位置，按顺序及标准力矩重新安装四个螺栓。再次试车，异响依旧出现。

拆下副车架时，观察副车架左后胶套内有磨损痕迹，有可能是副车架有轻微变形或内部异响。

更换副车架后，异响消失。

14.8 挂挡无法行驶

（1）车辆信息

车型：大众 ID4 纯电动汽车。

（2）故障现象

仪表制动助力系统受限，车辆挂入 D 挡或 R 挡无显示，P 挡位灯闪烁，无法挂挡行驶。

（3）故障诊断与排除

车辆电子助力软件版本为 0275，读取故障码，有多个控制单元报通信类故障，0023 制动助力器故障码如图 14-8-1 所示。

地址: 0023 系统名: 0023 - 制动助力器 协议改版: UDS/ISOTP (Ereignisse: 3)

[+] 识别:

[-] 故障存储器记录 (数据源: 车辆):

故障存储器记录	
编号:	B200FF0: 内部故障
故障类型 2:	被动/偶发
症状:	2101511
状态:	00101000

[+] 标准环境条件:

故障存储器记录	
编号:	U300100: 控制单元 继续运行有故障
故障类型 2:	被动/偶发
症状:	2101808
状态:	10101100

[+] 标准环境条件:

故障存储器记录	
编号:	C05C200: 制动助力器马达1 过热
故障类型 2:	被动/偶发
症状:	2101837
状态:	00100000

[+] 标准环境条件:

图 14-8-1　0023 制动助力器故障码

完成一次正常上下电，重新下电，2min 之后上电，故障消除。

14.9 制动报警灯点亮

（1）车辆信息

车型：大众 ID4 纯电动汽车。行驶里程：33212km。

（2）故障现象

仪表制动系统报警灯点亮，打开点火开关时提示检查制动液位（图 14-9-1）。

(a) 制动系统报警灯点亮

(b) 提示检查制动液位

图 14-9-1　大众 ID4 仪表报制动液位故障

（3）故障诊断与排除

检查制动液位，在正常范围内。

检查车辆，无任何故障码，也无相应的制动液液位复位功能。

对 ABS、EBKV 做基本设置和软件配置，对比其他车匹配值无异常，故障依然不能消除。

检查制动液液位传感器线路，发现信号传输给 J519 控制单元，对 J519 做基本设置和软件配置，对比其他车匹配值无异常，检查线路也无故障（图 14-9-2）。

对比相同 ID4 车型，拔掉制动液位传感器，反复关闭 / 打开点火开关，都未出现制动液位报警提示。

未能找出其他可能影响情况，于是对车辆进行断电操作，休眠断电后，仪表制动故障灯消除，仪表也无请检查制动液液位提示，故障排除。

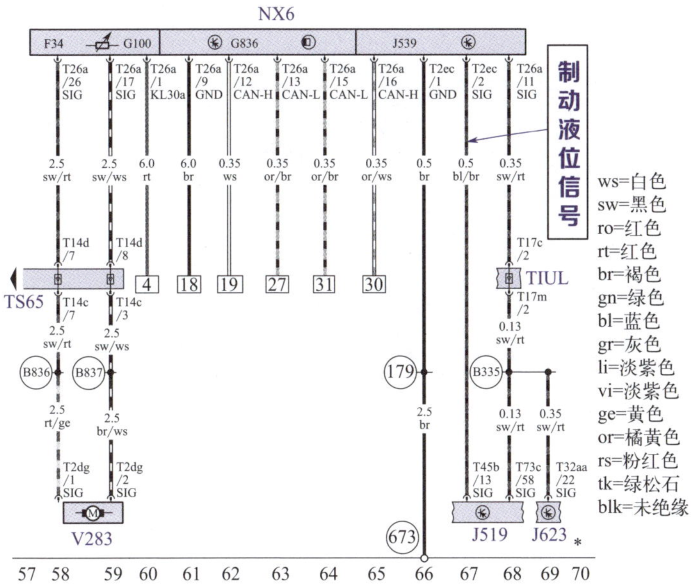

车载电网控制单元，发动机控制单元，制动助力器，右侧驻车电机
F34—制动液液位警告信号触点
G100—制动踏板位置传感器
G836—制动踏板位置传感器2
J519—车载电网控制单元
J539—制动助力控制单元
J623—发动机控制单元
NX6—制动助力器
T2dg—2芯插头连接，黑色
T2ec—2芯插头连接，黑色
T14c—14芯插头连接，黑色
T14d—14芯插头连接
T17c—17芯插头连接
T17m—17芯插头连接
T26a—26芯插头连接，黑色
T32aa—32芯插头连接
T46b—46芯插头连接，黑色
T73c—73芯插头连接
TIUL—车内的下部左侧连接位置
TS65—底盘前部连接位置
V283—右侧驻车电机
179—接地连接，在左侧大灯导线束中
673—左前纵梁上的接地点3
B335—连接1(54)，在主导线束中
B836—连接3(驻车电机)，在主导线束中
B837—连接4(驻车电机)，在主导线束中
*—见电动驱动系统发动机控制单元所适用的电路图

图 14-9-2　大众 ID4 制动液位传感器电路

14.10 驻车系统故障

（1）车辆信息

车型：长城纯电动汽车。行驶里程：19801km。

（2）故障现象

车辆自动驻车，无法行驶，仪表上驻车故障灯点亮。

（3）故障诊断与排除

使用诊断仪读取 ESP（电子稳定程序）故障码。

C011296：电子驻车夹紧电机（PBC）执行动态减速时检测到故障。

C013696：电子驻车夹紧电机（PBC）右侧电机电流超过上限。

C156701：EPB（电子驻车）右侧卡钳供电回路故障。

导致故障的原因：

❶ 右后轮制动卡钳内部故障；

❷ 相关线路故障。

查看电路图（图 14-10-1），拔掉插头，分别测量右后制动卡钳电压，为 2.94V 左右（故障值）；测量左后制动卡钳电压，为 10.18V 左右（正常值）。此电压为 ESP 控制系统对两个卡钳线路监测电压。

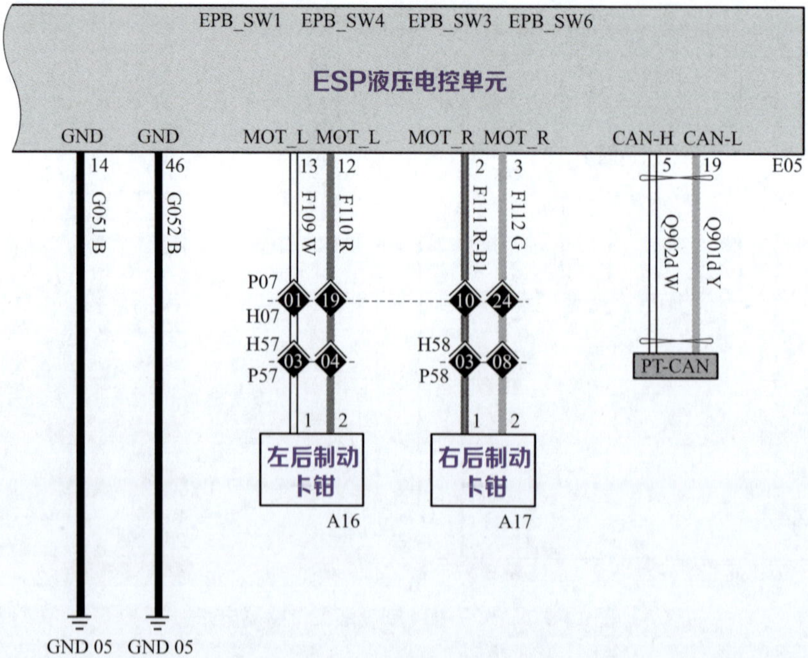

图 14-10-1　液压电控单元电路

确定右后轮线路存在故障，检查右后制动卡钳相关线束，断开 P58 与 H58 连接的插头（在后排座椅下面）。

拆下后排座椅，发现下面有水。询问客户得知前 2 天放过观赏鱼，应该是行驶时颠簸，水流出来，导致插头内部进水，造成插头内部短路。

清理水迹，处理进水插头后，故障排除。

14.11 EPB 故障灯点亮

（1）车辆信息

车型：丰田雷克萨斯 ES300h 混合动力汽车。行驶里程：120000km。

（2）故障现象

仪表出现制动系统警告灯点亮（黄色），主警告灯点亮，并出现“EPB 故障，请到经销店检查”的提示信息，车辆可行驶。

（3）故障诊断与排除

使用诊断仪读取故障码为 C13A1（电源电路短路）。

导致故障的部位有：

❶ 线束或连接器；

❷ 电动驻车制动开关总成；

❸ 驻车制动器 ECU（制动执行器总成）。

检查驻车制动器 ECU 电路：

❶ 检查 1 号 EPB 和 3 号 ECU-IG1 熔丝电阻，正常；

❷ 将电源开关置于 OFF，断开 A54，测量 A54-9（BEPB）与车身搭铁电压为 13V，在规定范围内（11 ～ 14V）；

❸ 测量 A54-26（IG）与车身搭铁电压为 0，在规定状态内（低于 2.5V）；

❹ 检查驻车制动开关总成，正常；

❺ 断开 G29 和 A54，分别测量 A54 的 14 号、20 号、22 号和 24 号针脚与车身搭铁之间的电阻，均大于 10kΩ，都在规定的范围内。

尝试更换制动执行器总成（带驻车制动器 ECU）（图 14-11-1），试车，故障依旧。

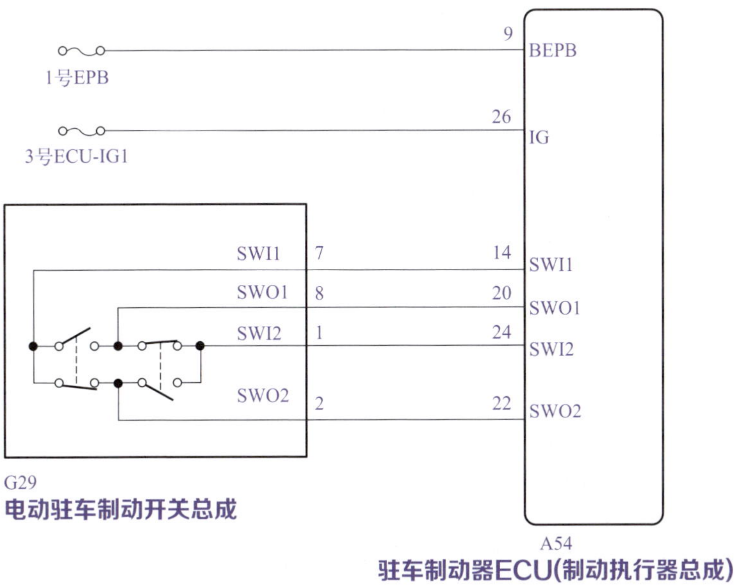

图 14-11-1　驻车制动器 ECU 电路

查阅电动驻车制动器电路图（图 14-11-2），继续检查与制动执行器总成 A54 相关的线路。检查到 AG7 连接器时，发现其端子有氧化痕迹（AG7 连接器位于仪表台右侧杂物箱后面）。

处理 AG7 连接器的氧化问题后，试车，故障排除。

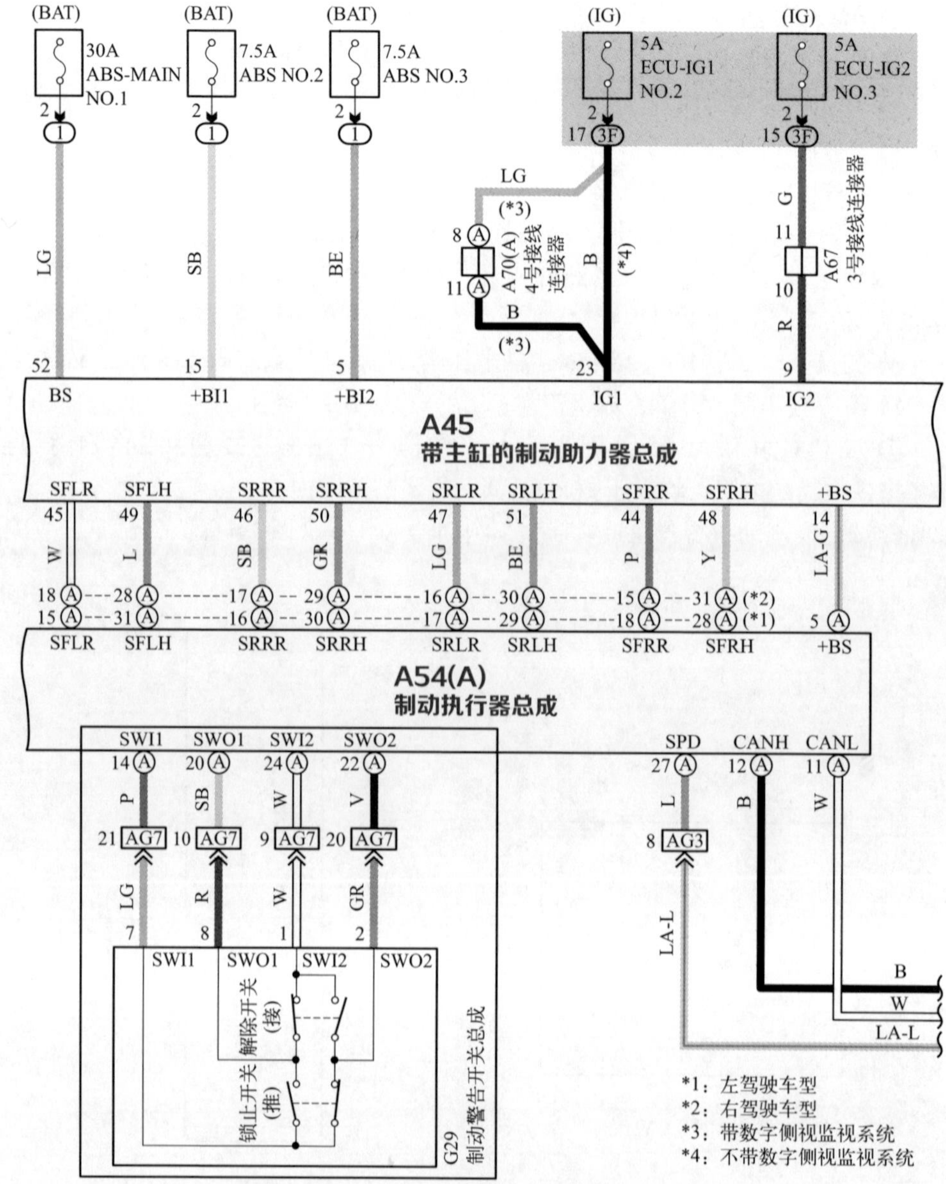

图 **14-11-2** 电动驻车制动器电路

14.12 制动系统故障，车辆无法行驶

（1）车辆信息

车型：大众 ID4 纯电动汽车。行驶里程：22109km。

（2）故障现象

制动系统故障，车辆无法行驶。

（3）故障诊断与排除

车辆电子助力软件版本为 0275，读取故障码，制动助力器中有故障码 C058A00（制动助力器电机 1 位置传感器信号不可信，被动 / 偶发）。

重新下电，2min 之后上电，EBB 正常完成初始化，故障排除。

操作注意事项如下。

❶ 如何避免干扰 EBB 初始化？

a. 进入车内前，开车门 / 解锁，接上蓄电池，禁止有人坐在驾驶室踩踏板。

b. 熄火后，建议驾驶员离开车辆，勿长时间在车内停留，若长时间停留，请勿踩制动踏板，直接启动车辆。离开车辆，锁好门窗后再重新解锁启动车辆。

c. 切勿在无钥匙期间直接或尝试启动车辆。

❷ 如何操作会导致初始化失败？

打开车门 / 解锁唤醒 EBB，在 EBB 初始化过程中踩踏板行程大于 10mm，有概率性触发 MPS 初始化错误，若踩踏板行程踩得越深，触发报错的概率越大。

14.13 电子转向机故障

（1）车辆信息

车型：大众 ID4 纯电动汽车。行驶里程：55412km。

（2）故障现象

仪表红灯报警，转向无助力或转动方向盘时“哗啦哗啦”异响。

（3）故障诊断与排除

使用诊断仪读取助力转向控制单元，有故障码 C10AC07：转向系机械故障（图 14-13-1）。

该故障是由于车辆行驶过程中，转向机受到超过 1.1t 的力冲击后，产生的撞击保护。所以控制单元内会形成故障码，表面看不出来外伤痕迹。

如果该冲击力扩大到 2t 以上，有可能还会造成转向机内部机械损坏。一般表面上会看到有外伤损坏情况。

更换方向机后，试车，故障排除。

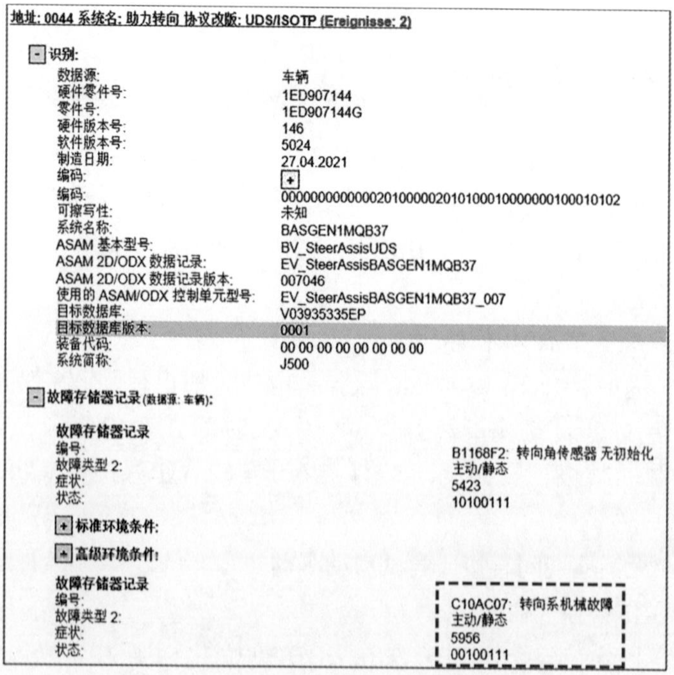

图 14-13-1　大众 ID4 助力转向控制单元故障码

14.14 仪表红灯报警，转向无助力

（1）车辆信息

车型：大众 ID4 纯电动汽车。行驶里程：88712km。

（2）故障现象

仪表红灯报警，转向无助力。

（3）故障诊断与排除

使用诊断仪检查动力转向控制单元，有故障码 C10ACO7（机械故障），症状码为 24321。

此故障是由于车辆低压电池亏电导致的。电池频繁亏电（电压低于 4.5V），亏电累计＞6 次，转向机自我保护关闭。

需要手动刷写解除转向机策略关闭，步骤如下。

ODIS-E 刷写：44 转向系统→ Flash 刷写→ Local flash file（FL_1EAXXX144AG_P245_V001_S.odx 删除插件和 FL_1EA907144AG_5024_V001_S.odx 重新升级版本）→ Start flashing。

最后点击确定即可。

手动刷写解除转向机策略关闭后，试车，故障排除。

14.15 车辆报空气悬架故障

（1）车辆信息

车型：2021 年款岚图 FREE 四驱纯电动汽车。

（2）故障现象

有时仪表多个故障灯点亮，提示空气悬架故障，ISA（自动识别限速预警）、AEB（紧急自动制动）、FCW（前部碰撞预警）功能故障，属于偶发故障。

（3）故障诊断与排除

故障可能由于空气悬架系统慢性漏气造成系统报警，系统工作后车身高度升至正常位置，因此故障消失。

使用诊断仪检测，无相关故障码。

对空气悬架系统的气密性进行检测，结果为正常。将车辆长时间停放在平坦路面测试车身高度，测试结果为正常。测量四轮处车身高度数据，在正常范围内；重新进行空气悬架高度标定后多次试车，都为正常。在车辆正常情况下，未检查到异常。

维修人员带上诊断仪，与客户进行路试，经过不平路面时，出现仪表警告灯长亮，空气悬架高度正常。使用诊断仪检测，存有相关故障码 550115（左前高度传感器信号丢失，断路或短路）。

根据故障码，检查左前高度传感器，安装正常，外观无碰撞破损变形，插接器连接正常，内部无进水，摇动线束故障现象无变化，排除接触不良造成的偶发性故障。

检查左前高度传感器（图 14-15-1）3 号端子的供电电压，为 5V，正常。

检查负极与 4 号端子的搭铁，为导通，正常。

检查 1 号端子信号线的电压，为 4.7V，正常。

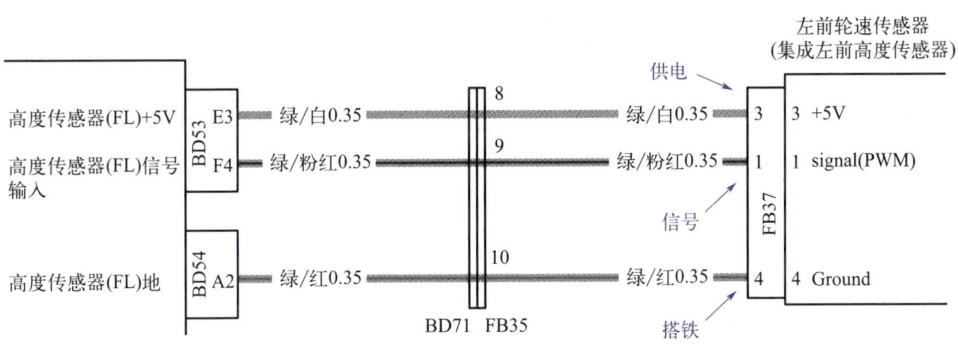

图 14-15-1　左前高度传感器电路

线路及控制单元均正常，怀疑左前高度传感器故障。为进一步验证故障，将左右高度传感器对调，诊断仪检测到的故障码移至右侧，确认左前高度传感器内部损坏。

更换左前高度传感器后试车，车辆正常，待客户使用车辆两周后回访，故障未再出现，至此故障排除。

14.16 车辆胎压故障灯亮

（1）车辆信息

车型：比亚迪 e2 纯电动汽车。

（2）故障现象

车辆仪表显示 ABS、ESP 和胎压故障灯。

（3）故障诊断与排除

使用诊断仪进入电子车身稳定系统读取故障码，内容为右后轮速传感器信号故障，右后轮速传感器线路故障，胎压监测系统输入信号故障。

导致故障的原因有：

❶ 线路故障；

❷ 轮速传感器故障；

❸ ABS 故障；

❹ 轮速信号齿故障。

读取数据流发现，右后轮速传感器数据在车辆停止时显示为 2253，于是更换轮速传感器，数据恢复正常。

对车辆进行路试，在一段平坦的路面行驶时，车辆一切正常。当车辆行驶至不平路时，故障再现，使用诊断仪读取故障码，与原来的一样。

根据路试时情况，怀疑为轮速传感器至 ABS 线路有虚接，实际检查线路，无虚接现象，针脚亦无退针歪针。

将车辆上高压电，然后将车辆举升至 50cm 高，晃动轮速传感器线束发现故障灯熄灭了。检查轮速传感器线束，发现该线束在晃动较大时会出现虚接，故判定为轮速传感器线束故障。更换新的轮速传感器线束后再次路试，再次行驶至不平的路面，故障未再出现，至此故障彻底排除。

14.17 EPS 故障检查

（1）车辆信息

车型：奇瑞冰淇淋纯电动汽车。

（2）故障现象

仪表提示 EPS 转角零点未标定故障。

（3）故障诊断与排除

使用诊断仪读取故障码，EPS 控制单元中有故障码 C110854（转角零位未标定）。

根据故障码，对 EPS 进行标定，标定后故障依旧。

偶然发现在断开钥匙后，诊断仪仍可以与 EPS 控制单元通信。正常车辆是断开钥匙后就无法通信（图 14-17-1）。通过对故障车 EPS 控制单元电源测量，在关闭钥匙后，没有电压，确定线路无异常。

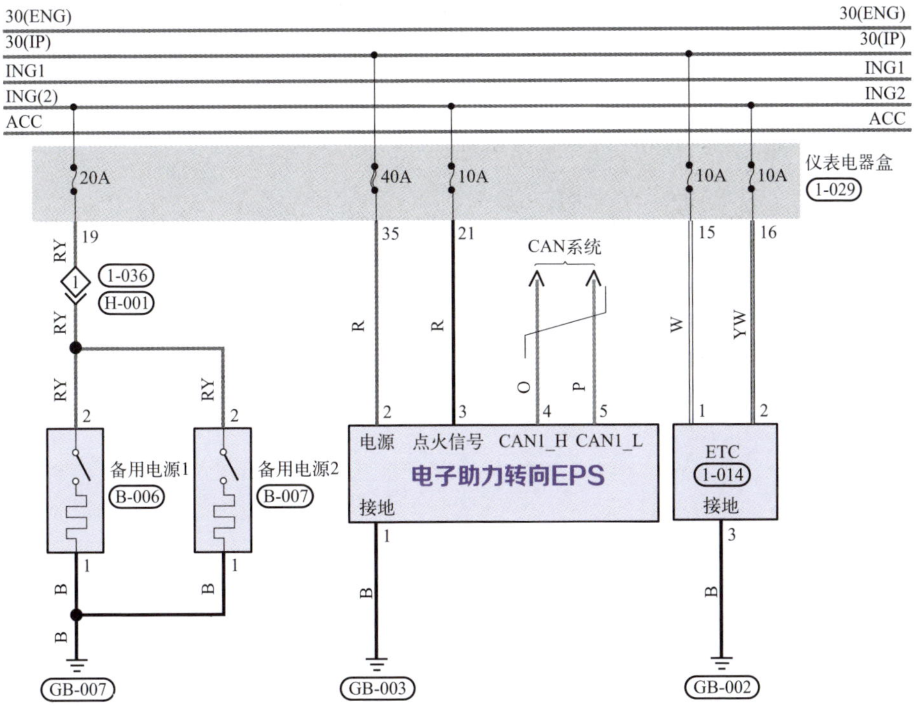

图 14-17-1 EPS 系统控制电路

怀疑是 EPS 控制单元故障，与正常车辆对调 EPS 控制单元后，试车，车辆恢复正常，故障排除。

14.18 制动效果变差

（1）车辆信息

车型：奇瑞星途追风 ET-i 插电式混合动力汽车。

（2）故障现象

制动踏板软，制动效果明显变差。

（3）故障诊断与排除

使用诊断仪读取，防抱死制动系统中有故障码 C05B0-00（制动泄漏）。

从故障码分析得知可能是制动液出现泄漏，对储液壶制动液位进行检查发现，储液壶与 IPB 总成小油壶之间连接油管处扭曲变形。

拆下回油管重新修复装配，加制动液排空气后，试车，故障排除。

14.19 方向盘突然变得很重，仪表报警转向系统故障

（1）车辆信息

车型：比亚迪秦 DM-i 混合动力汽车。

（2）故障现象

使用诊断仪读取故障码：C1B8416（低压故障），如图 14-19-1 所示。

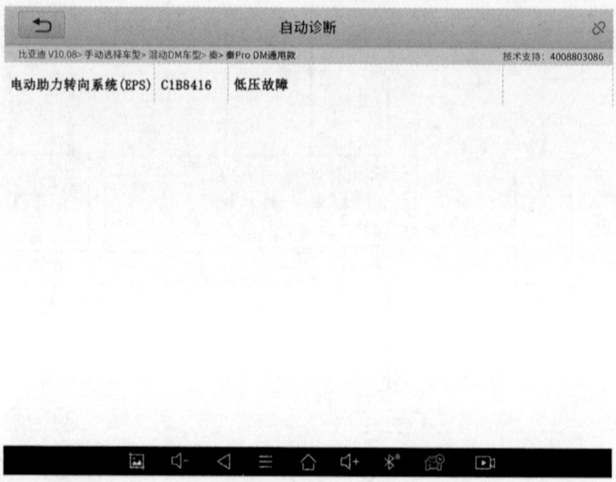

图 14-19-1　比亚迪秦 DM-i 低压系统故障码

（3）故障诊断与排除

查阅维修手册得知，该故障引起的原因为 C-EPS 供电异常、C-EPS 电子控制单元内部故障。

检查 C-EPS 线束连接器，确认无松动、无损坏，连接牢固。

根据电路图查阅该车辆 C-EPS 的电源线路，UR17 继电器控制多个模块的电源，如果出现故障会导致多个模块电源故障，所以排除 UR17 继电器故障，如图 14-19-2 所示。

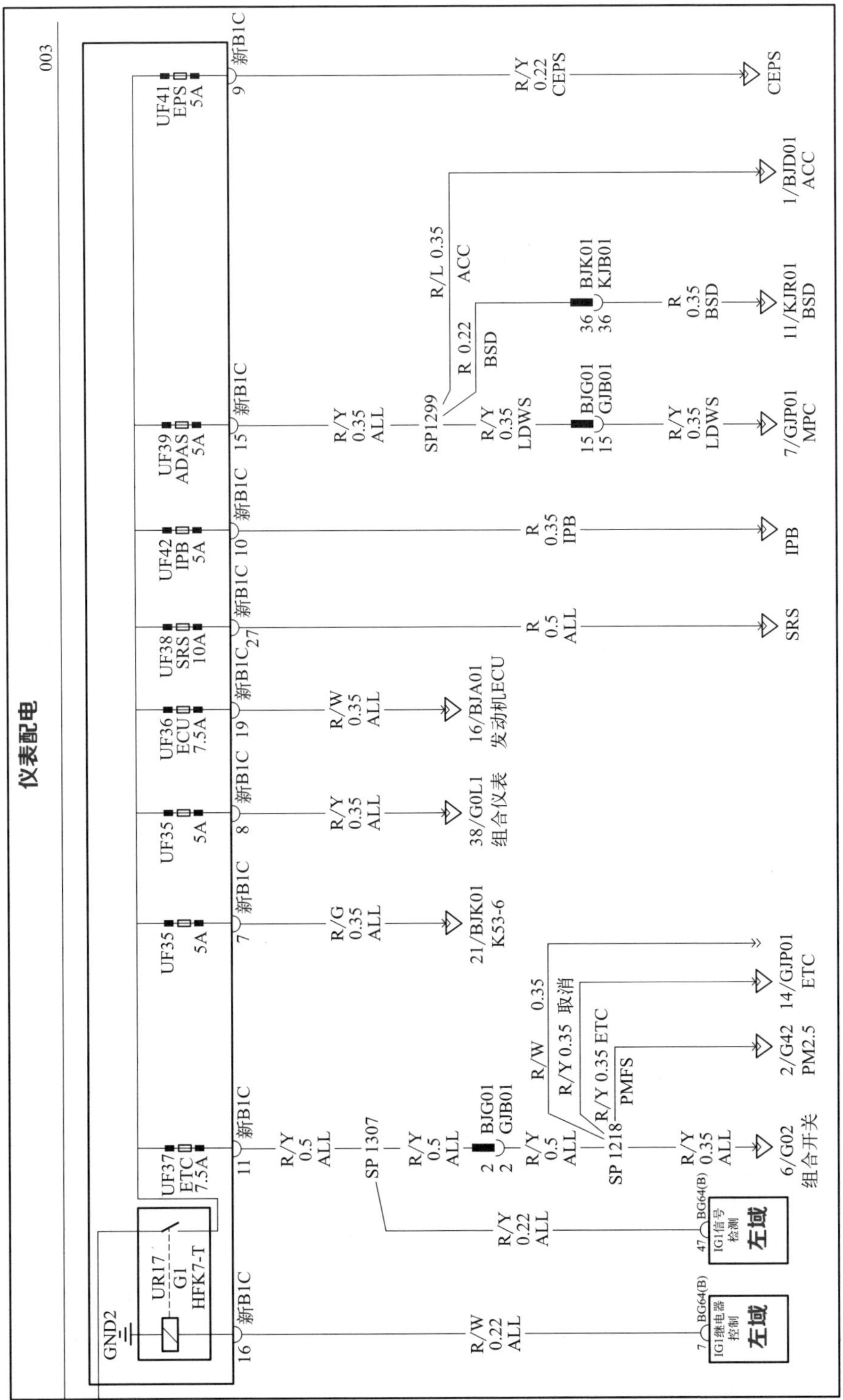
仪表配电
003
UF41 EPS 5A
9 新B1C
R/Y 0.22 CEPS
CEPS
UF39 ADAS 5A
15 新B1C
R/Y 0.35 ALL
SP1299
R/L 0.35 ACC
1/BJD01 ACC
R 0.22 BSD
BJK01 KJB01
36 36
R 0.35 BSD
11/KJR01 BSD
R/Y 0.35 LDWS
BJG01 GJB01
15 15
R/Y 0.35 LDWS
7/GJP01 MPC
UF42 IPB 5A
10 新B1C
R 0.35 IPB
IPB
UF38 SRS 10A
27 新B1C
R 0.5 ALL
SRS
UF36 ECU 7.5A
19 新B1C
R/W 0.35 ALL
16/BJA01 发动机ECU
UF35 5A
8 新B1C
R/Y 0.35 ALL
38/G0L1 组合仪表
UF35 5A
7 新B1C
R/G 0.35 ALL
21/BJK01 K53-6
UF37 ETC 7.5A
11 新B1C
R/Y 0.5 ALL
SP 1307
R/Y 0.5 ALL
BJG01 GJB01
2 2
R/Y 0.5 ALL
SP 1218
R/W 0.35
R/Y 0.35 取消
R/Y 0.35 ETC
PMFS
14/GJP01 ETC
2/G42 PM2.5
R/Y 0.35 ALL
6/G02 组合开关
R/Y 0.22 ALL
47 BG64(B)
IG1信号检测
左域
GND2
UR17 G1 HFK7-T
16 新B1C
R/W 0.22 ALL
7 BG64(B)
IG1继电器控制
左域

图 14-19-2

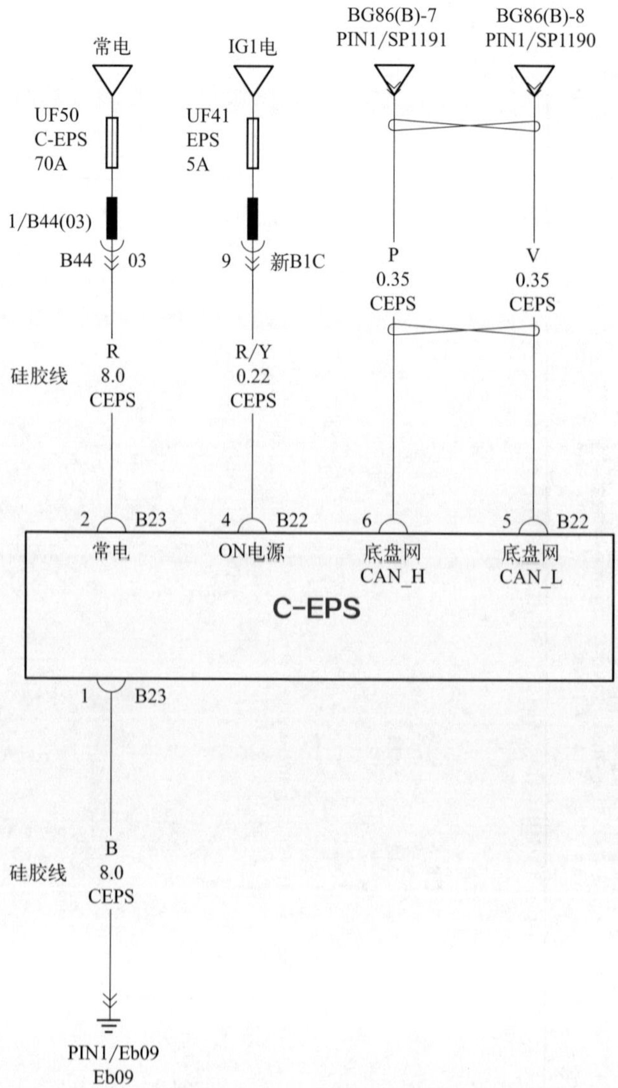

图 14-19-2 C-EPS 电路

接下来检查 UF41（5A）熔丝：拔下熔丝，使用万用表 200Ω 电阻挡测量，测量值为 0.4Ω，正常，正常值应小于 1Ω，如图 14-19-3 所示。

检查 UF50（70A）常电熔丝：使用万用表 200Ω 电阻挡测量，测量值为 0.3Ω，正常，正常值应小于 1Ω，如图 14-19-4 所示。

根据电路图，检查 UF50（70A）熔丝至 C-EPS 控制器 B23-2 号端子线路导通状态：使用万用表 200Ω 电阻挡测量，测量值为 0.3Ω，正常导通，正常值应小于 1Ω，如图 14-19-5 所示。

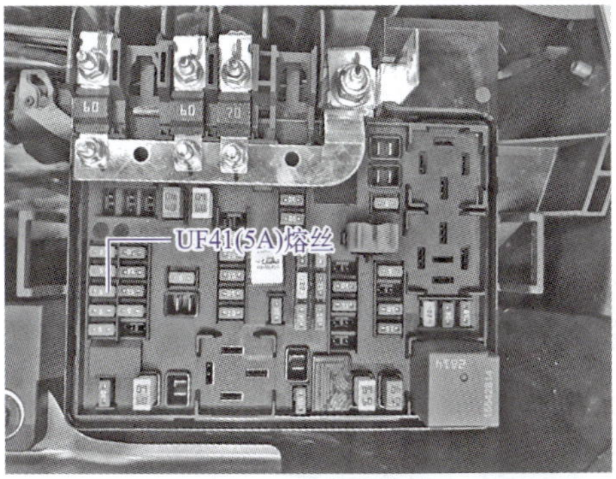

(a) UF30(60A)熔丝位置

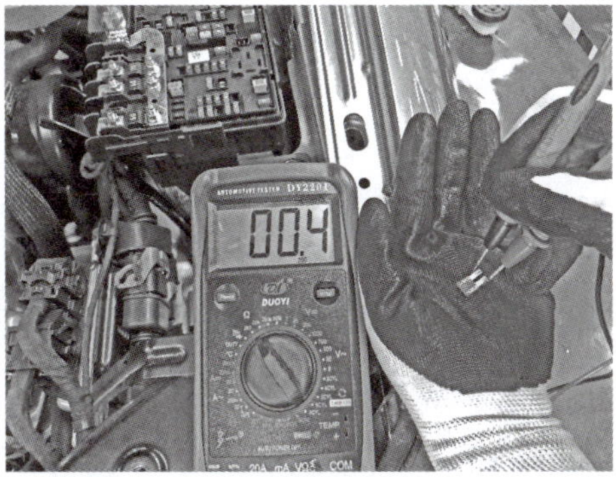

(b) 检查UF30(60A)熔丝

图 14-19-3　检查 UF41（5A）熔丝

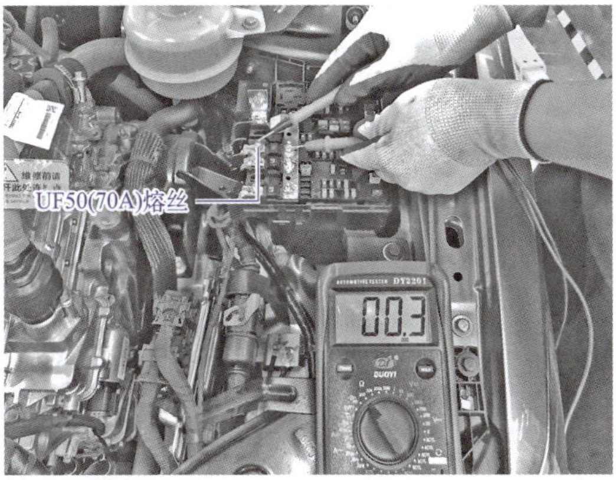

图 14-19-4　检查 UF50（70A）常电熔丝

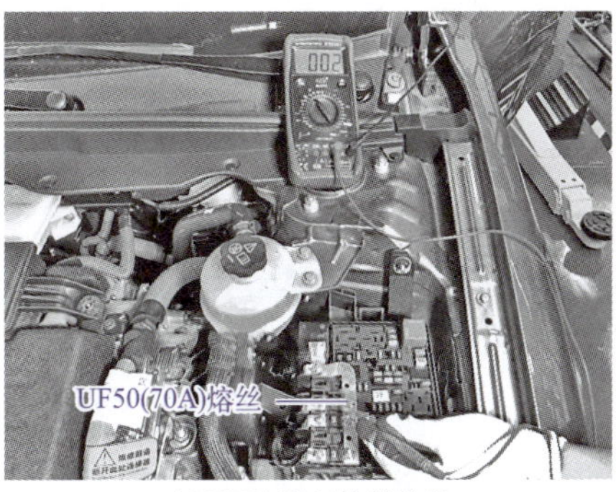

(a) UF50(70A)熔丝位置

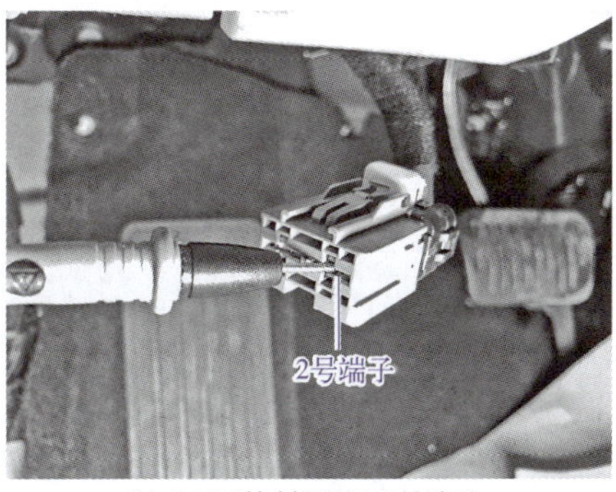

(b) C-EPS控制器B23-2号端子

图 14-19-5　检查 C-EPS 控制器 B23-2 号端子线路导通状态

根据电路图，检查 C-EPS 控制器 B23-1 号端子至接地线路导通状态：使用万用表 200Ω 电阻挡测量，测量值为无限大，异常，正常值应小于 1Ω，如图 14-19-6 所示。

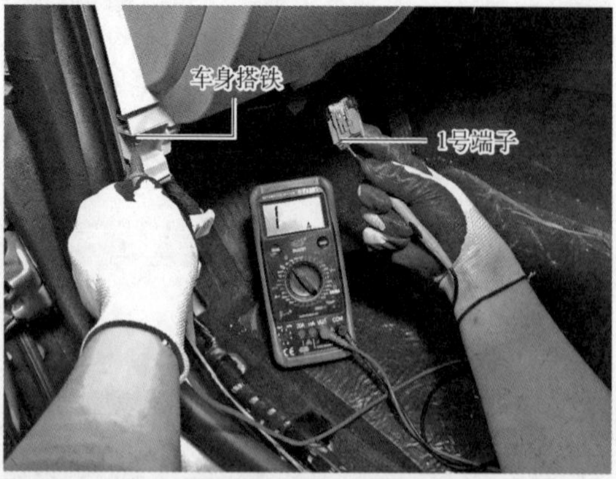

图 14-19-6　检查 C-EPS 控制器接地线路导通状态

修复 C-EPS 控制器 B23-1 号端子至接地断开的线路。

复原车辆后，试车，车辆转向正常。

第 15 章 新能源汽车其他故障

15.1 泊车辅助系统故障

（1）车辆信息

车型：大众 ID4 纯电动汽车。行驶里程：22109km。

（2）故障现象

泊车辅助遇到障碍物声音异常。

（3）故障诊断与排除

泊车雷达画面能正常显示 / 雷达距离正常 /360 环视影像正常，前部 A 柱高音喇叭有声音。

使用诊断仪读取 76 泊车辅助系统，故障码如下。

BIAE2F0：驾驶辅助系统声音输出，信息娱乐系统信号不可信。

U112300：数据总线接收到故障值。

5F 控制单元故障码如下。

B13A001：扬声器通道 1，电气故障。

B134101：扬声器通道 2，电气故障。

BI3A101：扬声器通道 2，电气故障。

B13A201：扬声器通道 3，电气故障。

B13A201：扬声器道道 3，电气故障。

B13A301：扬声器通道 4 电气故障。

在线对 J446/J794 进行软件配置，故障依旧。

EVO 平台 /MEB 平台雷达蜂鸣器是由车载音响来输出的，没有独立的蜂鸣器。查看线路图，如图 15-1-1 所示。

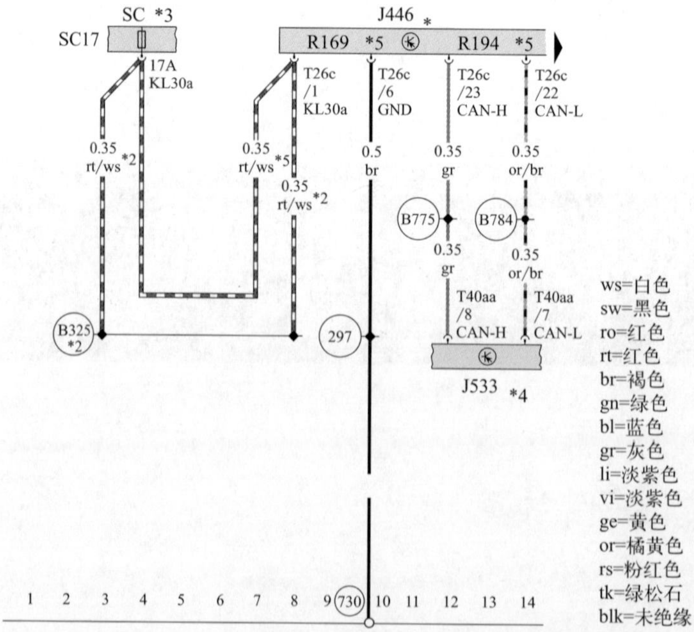

泊车雷达系统控制单元，数据总线诊断接口，熔丝架C
J446—泊车雷达系统控制单元
J533—数据总线诊断接口
R169—泊车雷达系统扬声器
R194—后部泊车雷达系统扬声器
SC—熔丝架C
SC17—熔丝架C上的熔丝17
T26c—26芯插头连接，黑色
T40aa—40芯插头连接
297—接地连接12，在车内导线束中
730—右后轮罩上的接地点1
B325—正极连接11(30a)，在主导线束中
B775—连接4(底盘传感器CAN总线，High)，在主导线束中
B784—连接3(底盘传感器CAN总线，Low)，在主导线束中
*—见适用于多媒体系统的电路图
*2—用于带变道辅助系统控制单元的车辆
*3—见车内熔丝所适用的电路图
*4—见驾驶辅助系统CAN总线数据总线联网的适用电路图
*5—由信息娱乐系统发出警告音
*6—用于不带变道辅助系统控制单元的车辆

图 15-1-1　大众 ID4 泊车辅助系统电路

电路图显示，J446 通过底盘 CAN 总线来传递给 J533 进行信息交换后，J533 再通过信息娱乐 CAN 总线传递给 J794 进行泊车雷达声音输出。

电路图上显示前部雷达声音由前门及 A 柱音响喇叭输出，后部雷达声音由后车门音响喇叭输出。再次进行故障测试，挂 R 挡遇到障碍物时没有声音，MIB 显示屏可以正常显示雷达距离。挂 D 挡，遇到障碍物时声音很小，只有 A 柱喇叭有声音输出。至此问题点已可以锁定在车门喇叭上，再次询问客户得知在外加装了音响系统。

拆卸门皮，恢复原车音响插头，泊车雷达声音正常。再次进行验证 76 控制单元故障，单独拔掉左后门喇叭插头，泊车辅助系统报“驾驶辅助系统声音输出，信息娱乐系统信号不可信”。在以后维修中，对于 EVO/MEB 平台车型，如遇到此故障码要，首先检查是否有加装 / 改装。EVO/MEB 平台与以往 PQ/MQB 平台泊车系统最大区别是，PQ/MQB 平台雷达扬声器损坏会直接导致泊车系统不可用。EVO/MEB 平台雷达扬声器损坏只是没有声音输出，画面正常显示。

恢复原车音响插头后，故障排除。

15.2 半自动驾驶功能失效

（1）车辆信息

车型：大众 ID6 纯电动汽车。

（2）故障现象

仪表提示半自动驾驶辅助系统当前不可用（图 15-2-1），该车软件版本为 4.5.3.1C。

图 15-2-1　大众 ID6 仪表报自动驾驶辅助系统故障

（3）故障诊断与排除

半自动驾驶系统为 L2 级驾驶辅助功能，同时在车辆的横向运动及纵向运动上辅助驾驶员的驾驶行为，需要稳定的系统感知、车辆控制及整车数据通信，涉及较多复杂部件。基于功能安全的要求，只有相关零件全部满足正常的工作条件时，系统才被允许使用。故障部位如下。

❶ 核心控制器为多功能摄像头、前雷达控制器。

❷ 后角雷达传感器、超声波传感器、方向盘转角传感器、电容式方向盘。执行器主要包括电子稳定系统、驱动系统、组合仪表、制动系统。

❸ 信息及设置相关：网关 ICAS1、车机 ICAS3 等。

使用诊断仪检查车辆电控单元，有故障码 B10FCF0：前部泊车雷达系统传感器，环境影响导致功能受限（图 15-2-2）。

其他控制单元无明显相关故障，都是 0076 报故障后影响到的报出数据总线接收到故障值故障码。

根据图 15-2-2 分析故障的可能原因：

❶ 雷达控制器内部电器元件损坏；
❷ 前雷达控制器线束异常、接触不良；
❸ 雷达传感器位置错误 / 活动 / 进行了不正规标定；
❹ 前雷达传感器外部脏污变形或有遮蔽物导致接收信号错误。

地址: 0076 系统名: 0076 - 泊车雷达系统 协议改版: UDS/ISOTP (Ereignisse: 3)

[+]识别:

[-]故障存储器记录 (数据源: 车辆):

故障存储器记录	
编号:	B10FCF0: 前部泊车雷达系统传感器 环境影响导致功能受限
故障类型 2:	被动/偶发
症状:	1113328
状态:	00100100
[+]标准环境条件:	
故障存储器记录	
编号:	U112100: 数据总线，丢失信息
故障类型 2:	被动/偶发
症状:	12648976
状态:	00100110
[+]标准环境条件:	
故障存储器记录	
编号:	U112300: 数据总线接收到的故障值
故障类型 2:	被动/偶发
症状:	13688835
状态:	00100100

图 15-2-2　大众 ID6 半自动驾驶系统故障码

清除故障码，在线做软件配置和标定试车，故障依旧；根据维修手册和电路图检查线路和插接器，检查前保险杠内衬，雷达是否被线束或其他异物遮挡，未发现异常；检查前保险杠，未发现有变形或松动的迹象。

在检查保险杠的时候，发现保险杠上面有贴膜，和客户沟通后把膜去除，清理干净表面后试车，故障排除。

案例总结

原因是前雷达传感器前方保险杠上面贴膜导致信号接收受到干扰。
清除保险杠上面的贴膜。

15.3 车辆出现 SOS 报警灯

（1）车辆信息

车型：大众 ID4 纯电动汽车。

（2）故障现象

客户反映行驶中仪表突然出现 SOS 紧急报警，显示“紧急呼叫功能，请去维修站”。同时顶棚上 SOS 红色指示灯点亮，车联网其他功能显示正常（图 15-3-1）。

图 15-3-1　仪表报警

（3）故障诊断与排除

初步分析为紧急呼叫控制单元 J949 的 OCU 软件 Buq 导致顶棚上 SOS 灯亮红色，正常情况 SOS 指示灯为绿色，按下紧急呼叫开关 E276 时接通大众呼叫中心，寻求救援帮助服务。当仪表出现 SOS 报警时，棚模块 WX3 处的 SOS 红灯也会点亮，此时紧急呼叫功能失效。如果不能用 OCU 小程序工具清故障，就要排查是否是紧急呼叫控制单元 J949 故障，还是线路、话筒或指示灯等故障。

使用诊断仪检测，发现多个控制单元报故障，其中 75 车联网模块报如下故障码。

U14FE00：安全车载通信签名检查失败。

B20004B：控制单元损坏。该故障码为主动 / 态，无法删除。

利用 OCU 小程序报控制单元损坏删除方法进行故障码删除，进入 75 车联网控制单元引导性功能新激活，按 MIB 电源重启，车辆休眠 10min 后打开点火开关，顶棚处 SOS 指示灯变为绿色，MIB 屏幕上 4G 小地球和二维码正常加载。车联网使用正常。

OCU 故障清除工具操作指导方法为：解压 OCU_Secure.rar 压缩包，打开 ocu.exe 小程序（确认无弹窗，如果无法打开，建议关闭杀毒软件火墙，重启电脑后再次打开小程序），进入设置界面，点击启动（图 15-3-2）。

此时车辆恢复正常，试车后，故障再次出现。再次使用诊断仪读取故障码，为 B20004B（控制单元损坏）。

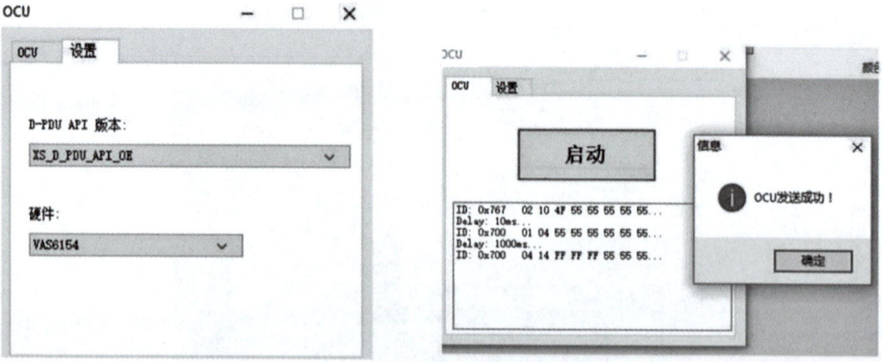

图 15-3-2　OCU 操作成功

查看 75 车联网软件版本为 0502，查询该车没有 91H5 服务行动，软件为 4.5.3.1.C 最新版本。5F 控制单元软件是最新版本 1498。出现 SOS 红色指示灯后按棚处紧急呼叫开关 E276 没有反应，由于已经使用 OCU 小程序工具清除了故障，再次出现故障的时候说明无法通过简单删除方法排除故障。正常情况下，当 SOS 紧急呼叫工作正常的时候，顶棚模块 WX3 处紧急呼叫指示灯应该亮绿色，出现后紧急呼叫 SOS 指示灯显示红色，按下紧急呼叫开关 E276，话筒和麦克风不能正常工作，无法接通大众呼叫中心。

紧急呼叫功能出现故障后，分析故障可能的原因为：话筒和按键指示灯故障，线路故障，紧急呼叫控制单元 J949 故障。先用诊断仪进入 75 紧急呼叫控制单元读取测量值，故障车和正常车的按键操作功能显示正常，未按下紧急呼叫开关 E276 的时候数据显示未操作（图 15-3-3），按下后数据显示已经按下，说明按开关功能正常。

---	358413100864050	
求助呼叫按钮 ---	未操作	Emergency_Call_Button
保养按钮信息 ---	不可用	Info_Call_Button
抛锚呼叫按钮 ---	不可用	Service_Call_Button
电话天线状态 至天线的连接	电气正常	Aerial_GSM_UMTS

图 15-3-3　未按下按键开关

进一步检查紧急呼叫话筒状态（图 15-3-4），正常车和故障车数据流显示正常。

正常车和故障车话筒模块电气功能正常，但是故障车 SOS 指示灯显示故障。当紧急呼叫功能出现故障后，SOS 指示灯会点亮红色（图 15-3-5）。

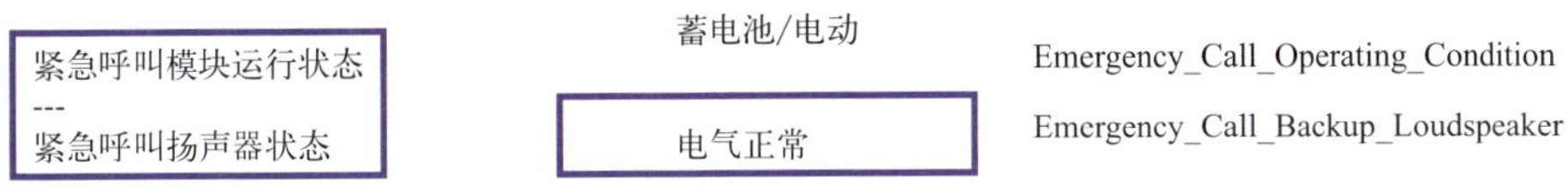

图 15-3-4　检查紧急呼叫话筒状态

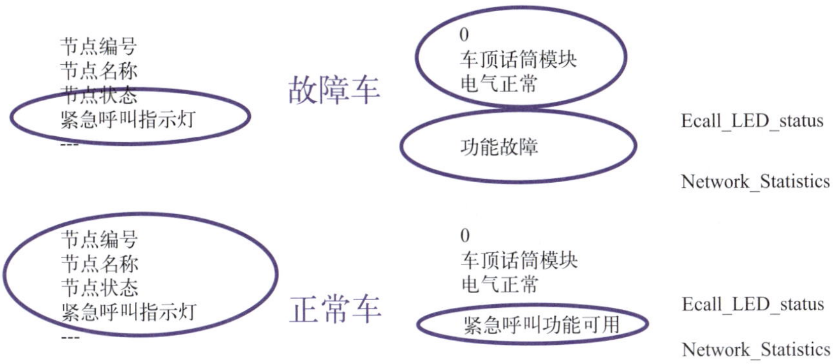

图 15-3-5　正常车和故障车话筒模块电气功能

顶棚模块 WX3 的话筒和紧急呼叫按键直通 J949 紧急呼口控制单元，当话筒和紧急按键开关均无法使用时，排除线路故障（图 15-3-6）。

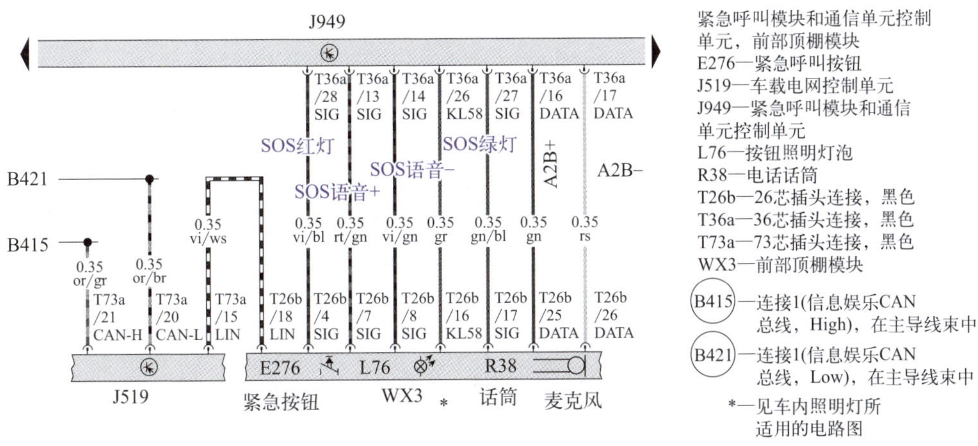

图 15-3-6　J949 紧急呼叫控制单元线路

根据故障检测计划结果，指示更换 J949 紧急呼叫控制单元 OCU 模块，因此需要更换 OCU 模块（图 15-3-7）。

由于 J949 紧急呼叫模块和控制单元 OCU 损坏，因导致不能向前顶棚模块 WX3 处的话筒和紧急按键传递数据通信，激发 SOS 红色指示灯点亮，同时仪表紧急呼叫功能报警。

检测步骤: 快进

检测步骤: 提示

措施：信息

检测描述：

☒ 分析现有故障存储器记录和部件所需的测量值：J949 - 紧急呼叫模块和通信单元控制单元

检测前提条件：

☒ 控制单元内的供电正常

☒ 点火开关已打开

检测步骤: 分析故障存储器

措施：信息

控制单元的故障存储器内存有以下故障：
控制单元：J949 - 紧急呼叫模块和通信单元控制单元
故障存储器条目： B200000 控制单元损坏

- 更换以下部件：J949 - 紧急呼叫模块和通信单元控制单元
- 退出本次检测，并从检测计划中选择下列检测：更换控制单元

检测结束。

措施：信息

控制单元的故障存储器内存有以下故障：
控制单元：J949 - 紧急呼叫模块和通信单元控制单元
故障存储器条目： B200000 控制单元损坏

- 更换以下部件：J949 - 紧急呼叫模块和通信单元控制单元
- 退出本次检测，并从检测计划中选择下列检测：更换控制单元

检测结束。

检测步骤: 快退

图 **15-3-7** 检测计划

更换 J949 紧急呼叫模块和控制单元 J949 的 OCU 排除故障，更换时走引导功能流程，然后重新匹配防盗和钥匙。进行 VKMS 学习完毕后，清除故障码，整车休眠 10min，同时钥匙远离该车 10m 距离，最后再次清除故障码，故障排除。

15.4 WiFi 热点无法连接

（1）车辆信息

车型：比亚迪宋 DM 插电式油电混动汽车。

（2）故障现象

手机 WiFi 热点连接不上。

（3）故障诊断与排除

导致故障的原因：

❶ 多媒体故障；

❷ 软件故障；

❸ 其他故障。

尝试使用多个手机均无法连接，排除手机问题。

对多媒体进行升级，升级至最新版本后检查，故障依旧。

倒换多媒体进行测试，故障依旧，将该车多媒体装在别的车上，别的车辆是正常的。

分析是干扰导致，检查整车的加装改装情况，最后发现在车辆中央扶手箱底下隐藏一个 4G WiFi 模块一直在充电。

拔掉 4G WiFi 模块后，故障排除。

15.5 定速巡航无法使用

（1）车辆信息

车型：比亚迪宋 DM 插电式油电混动汽车。

（2）故障现象

定速巡航功能无法使用，定速巡航开关可以打开，但无法定速。

（3）故障诊断与排除

导致故障的原因有：

❶ 定速巡航开关故障；

❷ 线路及插接件故障；

❸ 定速巡航设置所需信号故障。

使用诊断仪读取，系统无故障码。

试车时发现开启定速巡航时，仪表显示定速巡航功能已打开，在设置巡航车速时车速无法设置。

根据定速巡航的满足条件逐步排查。测量线束及定速巡航开关，为正常，排除线路及开关。使用诊断仪读取整车控制器故障码，系统无故障。读取数据流时发现在不踩制动踏板时刹车深度为 3%，正常情况应该为不踩制动踏板时为 0，其余各项数据流正常。根据电路图分析为制动深度传感器及线路故障，测量线束，导通正常。在检查深度传感器时发现，反复踩下制动踏板时，有时制动深度信号会偶然恢复为 0。试调整制动开关后故障无法排除，检查制动深度传感器与制动踏板连接处，发现为回位不好，需更换。

更换制动踏板总成后，故障排除。

15.6 驻车辅助功能不可用

（1）车辆信息

车型：大众 ID4 纯电动汽车。行驶里程：22187km。

（2）故障现象

❶ 四门拉手微动开关无法解锁，需机械开启方式才能打开车门。

❷ 无定速巡航。

❸ 无驻车辅助功能。

（3）故障诊断与排除

使用诊断仪读取故障码。

B132E29：内部车门把手开关信号不可信，主动 / 静态。

B132F29：外部车门把手开关信号不可信，主动 / 静态。

读取数据流，如图 15-6-1 所示。

0042 - 驾驶员车门电子装置 (UDS / ISOTP / 1EB959593 / 0636 / 003 / EV_DCU3DriveSideMAXHKLO / 001002) 故障存储器

名称	值
[MAS02099]_内部车门把	
—	未操作
[MAS02100]_车门外把手	
—	已操作

0052 - 副驾驶员车门电子装置 (UDS / ISOTP / 1EB959592 / 0636 / 003 / EV_DCU3PasseSideMAXHKLO / 001002) 故障存储器

名称	值
[MAS02099]_内部车门把	
—	未操作
[MAS02100]_车门外把手	
—	已操作

00BB - 驾驶员侧后部车门电子系统 (UDS / ISOTP / 1EB959597 / 0636 / 003 / EV_DCU3RearDriveMAXHKLO / 001002) 故障存储器

名称	值
[MAS02099]_内部车门把	
—	未操作
[MAS02100]_车门外把手	
—	已操作

图 15-6-1 车门电子系统数据流

通过故障码检测及数据流观察，由于未对车门拉手做任何动作，因此数据流中都显示外把手“已操作”。由于在试车过程中还发现“无定速巡航及驻车辅助功能”故障，为了验证此故障是否也与车门外拉手故障有关，首先将车门外拉手连接插头直接断开试车，定速巡航及驻车辅助都能正常工作。由此判断车辆出现的故障基本都与车门外把手有关。

车门外把手微动开关无法解锁故障可能存在以下几个方面。

❶ 进入许可控制单元 J965 故障；

❷ 车门控制单元本身故障；

❸ 车门及 J965 控制单元供电或接地故障；

❹ 线路故障；

❺ 车门把手故障。

J965 及车门控制单元能正常读取数据，判断供电、接地、线路及通信正常，排除控制单元输入信号异常。

参照电路图（图 15-6-2 ～图 15-6-6）对车门外把进行诊断（由于四门拉手控制方式相同，因此以左前门电路图为例检测。

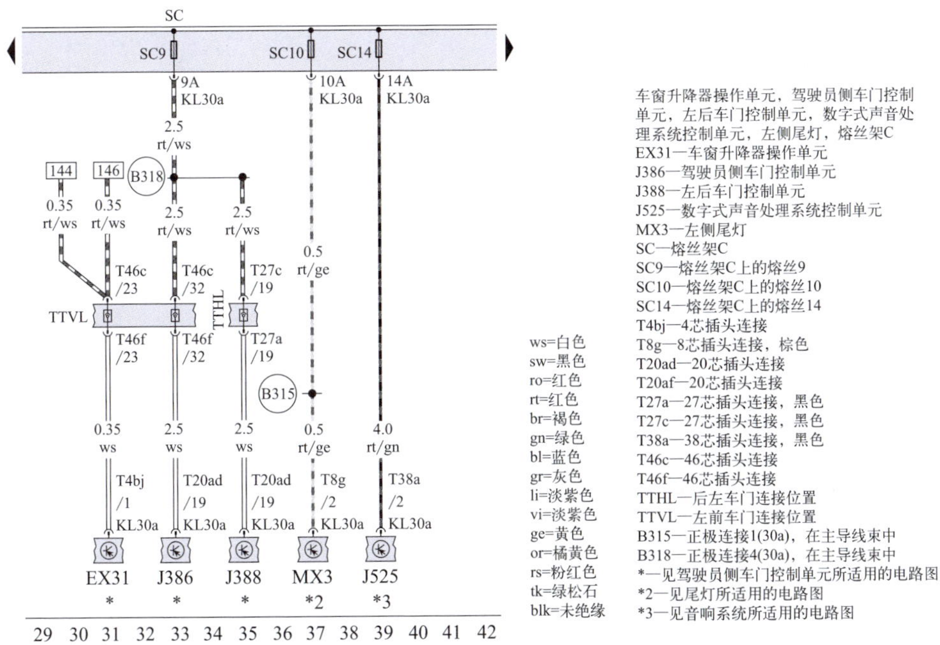

图 15-6-2　J386 驾驶员侧车门控制单元（电源）

分别测量外把手 EX6 针脚 T8at/5 与驾驶员侧车门外把手（EX6）T8at/4，车门锁 VX21 针脚 T10r/2 与驾驶员侧车门外把手（EX6）T8at/4，车门控制单元 J386 针脚 T20ad/2 与驾驶员侧车门外把手（EX6）T8at/4 处信号电压，为 0.75V。参照无故障车辆，电压波形不正常（此电压波形应该是操作把手时的电压，而测试时是未操作把手）（图 15-6-7）。

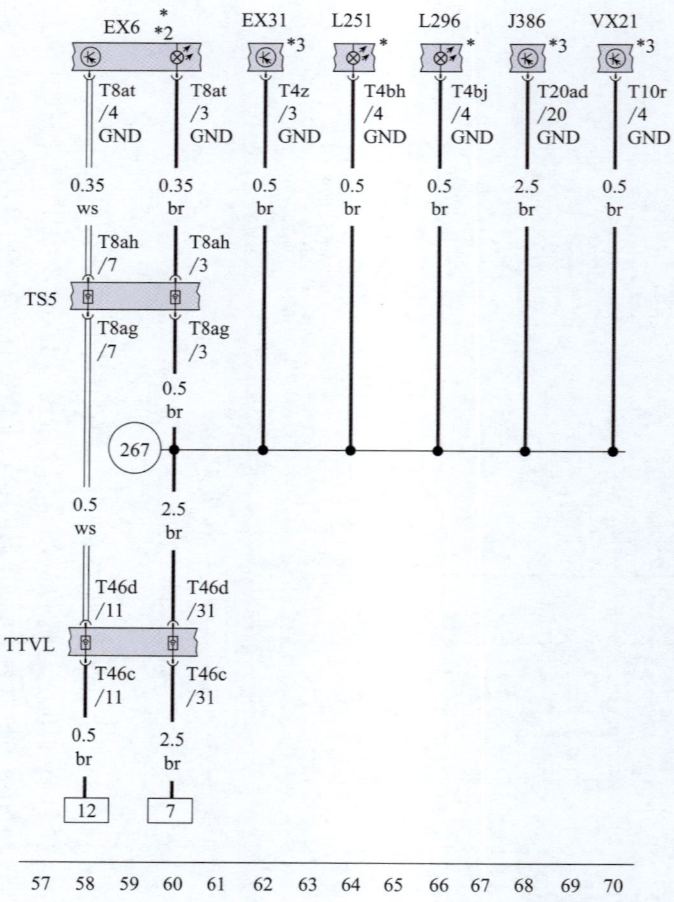

ws=白色
sw=黑色
ro=红色
rt=红色
br=褐色
gn=绿色
bl=蓝色
gr=灰色
li=淡紫色
vi=淡紫色
ge=黄色
or=橘黄色
rs=粉红色
tk=绿松石
blk=未绝缘

驾驶员车门外把手，车窗升降器操作单元，驾驶员侧车门控制单元，左前车门轮廓照明灯，左前车门轮廓照明灯2，驾驶员车门闭锁单元

EX6—驾驶员车门外把手
EX31—车窗升降器操作单元
J386—驾驶员侧车门控制单元
L251—左前车门轮廓照明灯
L296—左前车门轮廓照明灯2
T4bh—4芯插头连接，黑色
T4bj—4芯插头连接，黑色
T4z—4芯插头连接，红色
T8ag—8芯插头连接
T8ah—8芯插头连接
T8at—8芯插头连接，黑色
T10r—10芯插头连接，黑色
T20ad—20芯插头连接，白色
T46c—46芯插头连接，黑色
T46d—46芯插头连接，黑色
TS5—左前车门内的连接位置2
TTVL—左前车门连接位置
VX21—驾驶员车门闭锁单元
267—接地连接2，在驾驶员侧车门电缆导线束中
*—见氛围灯所适用的电路图
*2—见进入及启动许可系统适用的电路图
*3—见驾驶员侧车门控制单元所适用的电路图

图 15-6-3　驾驶员侧车门控制单元（接地）

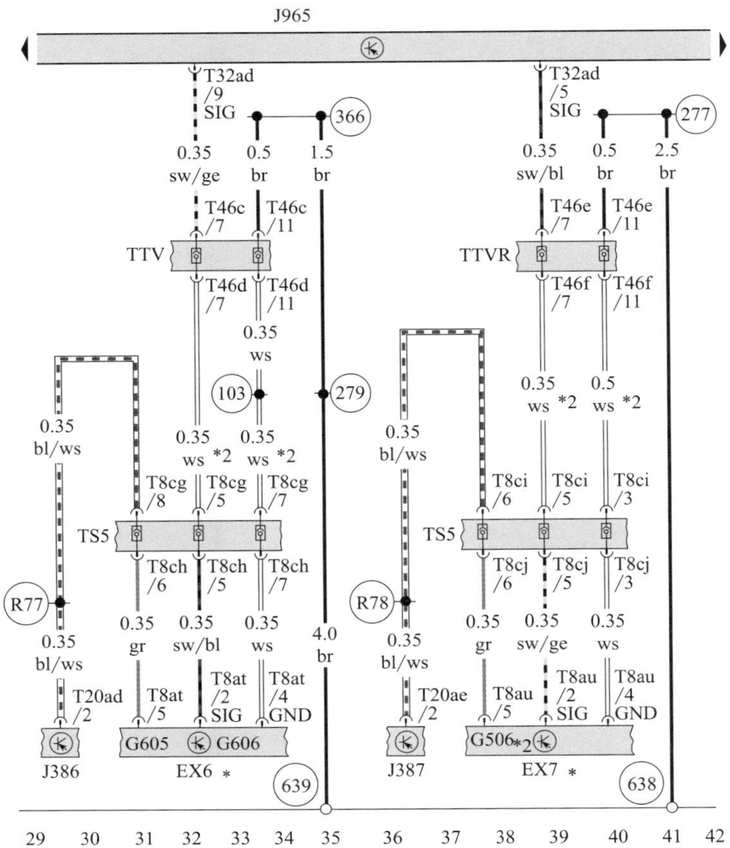

ws=白色
sw=黑色
ro=红色
rt=红色
br=褐色
gn=绿色
bl=蓝色
gr=灰色
li=淡紫色
vi=淡紫色
ge=黄色
or=橘黄色
rs=粉红色
tk=绿松石
blk=未绝缘

驾驶员车门外把手，副驾驶员车门外把手，进入及启动系统接口
EX6—驾驶员车门外把手
EX7—副驾驶员车门外把手
G605—左前车门外把手接触传感器
G606—右前车门外把手接触传感器
J386—驾驶员侧车门控制单元
J387—副驾驶员侧车门控制单元
J965—进入及启动系统接口
T8at—8芯插头连接，黑色
T8au—8芯插头连接，黑色
T8cg—8芯插头连接
T8ch—8芯插头连接
T8ci—8芯插头连接
T8cj—8芯插头连接
T20ad—20芯插头连接
T20ae—20芯插头连接
T32ad—32芯插头连接，灰色
T46c—46芯插头连接，黑色
T46d—46芯插头连接，黑色
T46e—46芯插头连接，黑色
T46f—46芯插头连接，黑色
TS5—左前车门内的连接位置2
TS6—右前车门内的连接位置2
TTVL—左前车门连接位置
TTVR—右前车门连接位置
103—接地连接2，在车窗升降器-中央门锁和车门触点开关导线束中
277—接地连接3，在车内导线束中
279—接地连接5，在车内导线束中
366—接地连接1，在主导线束中
638—右A柱上的接地点
639—左A柱上的接地点
*—连接1(车门触点开关)，在驾驶员车门导线束中

图 15-6-4　驾驶员侧车门外把手

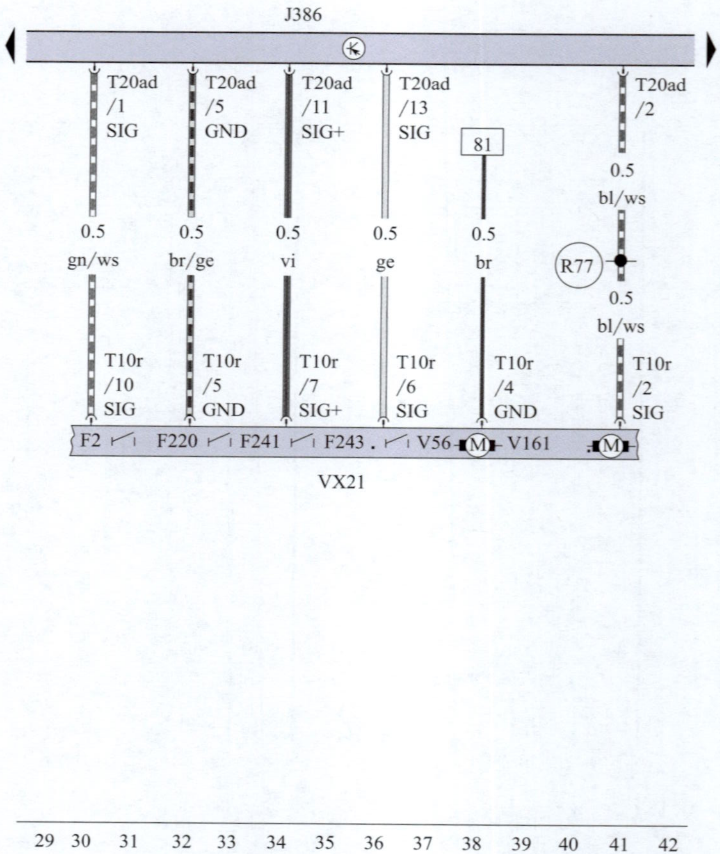

图 15-6-5 驾驶员侧门锁电机线路

驾驶员侧车门控制单元，驾驶员车门闭锁单元
F2—驾驶员侧车门接触开关
F220—驾驶员侧中央门锁闭锁单元
F241—驾驶员侧锁芯中的接触开关
F243—驾驶员车门中中央门锁Safe功能指示灯
J386—驾驶员侧车门控制单元
T10r—10芯插头连接
T20ad—20芯插头连接，白色
VX21—驾驶员车门闭锁单元
V56—驾驶员车门中央门锁电机
V161—驾驶员车门内中央门锁Safe功能电机
R77—连接1(车门触点开关)，在驾驶员车门导线束中
*—用于带SAFE(加密保护)功能的汽车

ws=白色
sw=黑色
ro=红色
rt=红色
br=褐色
gn=绿色
bl=蓝色
gr=灰色
li=淡紫色
vi=淡紫色
ge=黄色
or=橘黄色
rs=粉红色
tk=绿松石
blk=未绝缘

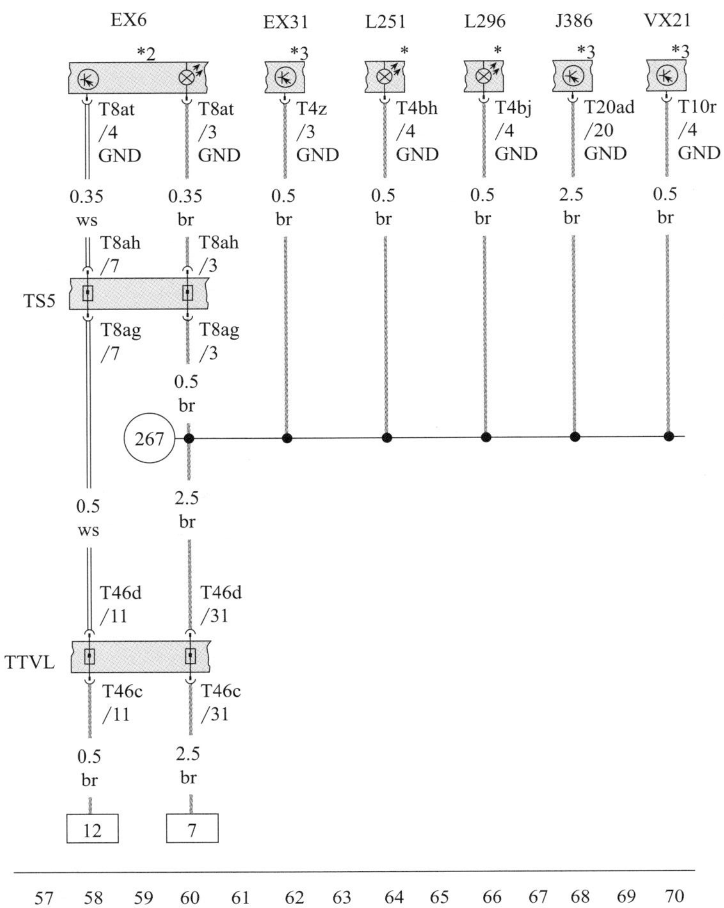

图 15-6-6 驾驶员侧门锁电机接地

ws=白色
sw=黑色
ro=红色
rt=红色
br=褐色
gn=绿色
bl=蓝色
gr=灰色
li=淡紫色
vi=淡紫色
ge=黄色
or=橘黄色
rs=粉红色
tk=绿松石
blk=未绝缘

驾驶员车门外把手，车窗升降器操作单元，驾驶员侧车门控制单元，左前车门轮廓照明灯，左前车门轮廓照明灯2，驾驶员车门闭锁单元

EX6—驾驶员车门外把手
EX31—车窗升降器操作单元
J386—驾驶员侧车门控制单元
L251—左前车门轮廓照明灯
L296—左前车门轮廓照明灯2
T4bh—4芯插头连接，黑色
T4bj—4芯插头连接，黑色
T4z—4芯插头连接，红色
T8ag—8芯插头连接
T8ah—8芯插头连接
T8at—8芯插头连接，黑色
T10r—10芯插头连接，黑色
T20ad—20芯插头连接，白色
T46c—46芯插头连接，黑色
T46d—46芯插头连接，黑色
TS5—左前车门内的连接位置2
TTVL—左前车门连接位置
VX21—驾驶员车门闭锁单元
267—接地连接2，在驾驶员侧车门电缆导线束中
*—见氛围灯所适用的电路图
*2—见进入及启动许可系统适用的电路图
*3—见驾驶员侧车门控制单元所适用的电路图

断开车门外把手 EX6 插头，再次分别测量外把手 EX6 针脚 T8at/5 与 T8at/4，车门锁 VX21 针脚 T10r/2 与驾驶员侧车门外把手（EX6）T8at/4，车门控制单元 J386 针脚 T20ad/2 与驾驶员侧车门外把手（EX6）T8at/4 处信号电压，为 3.5V。参考无故障车辆电压，判断此信号电压及线路正常（图 15-6-8）。

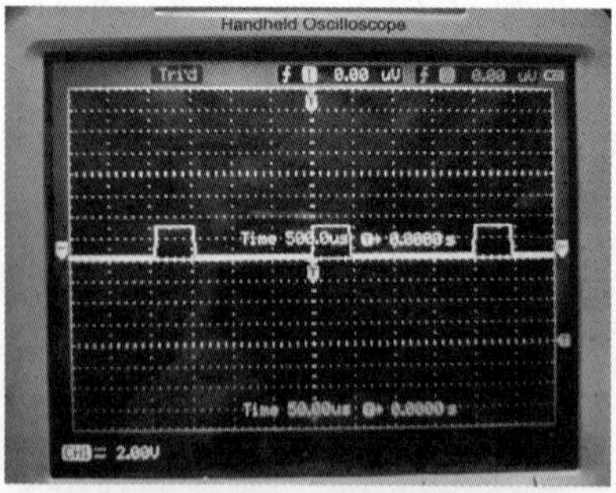

图 15-6-7　电压波形不正常

（操作门把手时才有的信号波形）

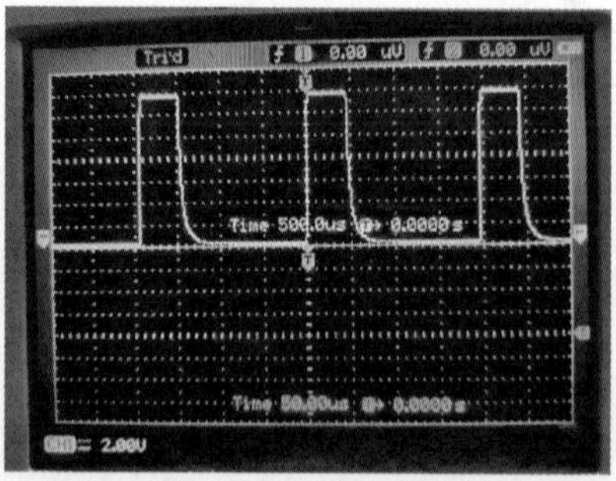

图 15-6-8　电压波形正常

（未操作门把手时才有的信号波形）

判断几个控制单元及线路无故障后，对车门外把手 EX6 针脚 T8at/5 与 T8at/4 电阻进行测试，为 270Ω。参照维修资料，拉手电阻应该是两个状态，一个状态是 270Ω，一个状态是∞（图 15-6-9）。而该车门把手目前就一个状态电阻，由此判断故障点在车门把手。

更换四个车门把手后，故障排除。

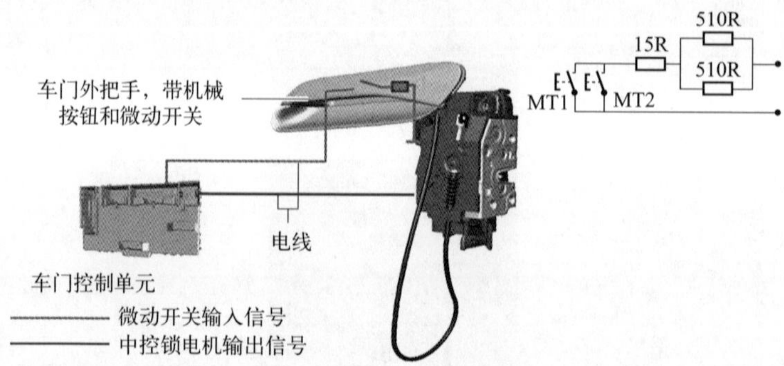

图 15-6-9　车门控制原理

15.7 车道偏离系统故障

（1）车辆信息

车型：雷克萨斯 ES300h 混合动力汽车。行驶里程：77198km。

（2）故障现象

车道偏离报警系统（LDA）有故障，主警告灯异常点亮，LDA 指示灯异常闪烁。

（3）故障诊断与排除

使用诊断仪检查故障码。

ClA74：转向振动器系统故障。

读取数据流，如表 15-7-1 所示。

❶ “LDA Control”（车道偏离报警系统控制）为“Prohibit”（禁用控制），异常，正常应为“Permit”（允许控制）；

❷ “Left Lane Indicator”（左侧车道标识识别状态）和“Right Lane Indicator”（右侧车道标识识别状态）均为“Nothing”（未激活），异常，正常情况应均为“Thin”（未检测到车道）。

表 15-7-1　C1A74 转向振动器系统故障数据流

参数	值
Load system	LDA
LDA Control	Prohobit
Turn Signal Switch（Right）	OFF
Turn Signal Switch（Left）	OFF
Destination Informtion	CHINA
Left Lane Indicator	Nothing
Right Lane Indicator	Nothing
Skid Control Buzzer Demand	OFF
Vehicle Information（2WD/4WD）	4WD
Vehicle Information（Conv/HV）	-No Data-
The Number of DTCs	1

导致故障的原因有：

❶ 前向识别摄像机故障；

❷ 转向振动 ECU（转向盘总成）故障；

❸ 安全气囊螺旋线束故障；

❹ 相关线路及导线连接器故障。

检查电路（图 15-7-1）：

❶ 查阅电路图，断开安全气囊螺旋线束导线连接器 Z19，接通点火开关，测量导线连接器 Z19 端子 4 与搭铁间的电压，为 12V，正常；

❷ 测量端子 1 与搭铁间的电阻，为 0.2Ω，正常；

❸ 在方向盘转角偏大时，端子 1 电阻偶尔为∞，由于安全气囊螺旋线束内部线路在方向盘转角偏大时偶尔会出现断路。

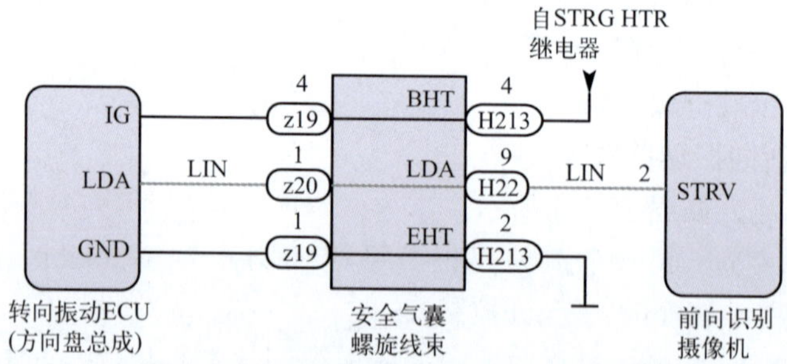

图 15-7-1 转向振动 ECU 控制电路

更换安全气囊螺旋线束后，试车，故障排除。

15.8 超声波传感器失效

（1）车辆信息

车型：雷克萨斯 ES300h 混合动力汽车。行驶里程：33451km。

（2）故障现象

车辆组合仪表提示“检查驻车声呐系统”，且所有超声波传感器均无法工作。

（3）故障诊断与排除

使用诊断仪检查驻车声呐系统故障码，为 CIAE3（右前中间传感器故障）。

导致故障的原因有：

❶ 右前中间超声波传感器及其线路故障；

❷ 驻车声呐 ECU 故障。

检查右前中间超声波传感器，外观无损坏、无污物。

使用万用表测量电阻，为 29 kΩ，正常。与左前中间超声波传感器对调后试车，故障依旧，说明不是传感器本身问题。

检查相关线路，发现前部超声波传感器线束有折断，重新将其全部修复后，试车，故障排除。

15.9 语音功能失效

（1）车辆信息

车型：大众 ID6 纯电动汽车。行驶里程：11211km。

（2）故障现象

车辆蓝牙电话接通时，对方声音无异常，自己说话，对方听不见。说唤醒词“你好，大众”，激活智慧语音功能没有任何反应，按压方向盘上的唤醒按键、声音控制说打开空调等命令，车机回应没有听到。

（3）故障诊断与排除

使用诊断仪读取故障为 U151400：汽车音频总线（A2B）总线拓扑不可信，主动 / 静态。

导致故障的部位有：

❶ 麦克风；

❷ OCU；

❸ J794；

❹ 线束。

将 8125 信息娱乐系统内的故障码删除，刷新故障存储器后故障码不出现，声音接收不到的故障依然存在。

读取数据流（图 15-9-1）。均为正常。

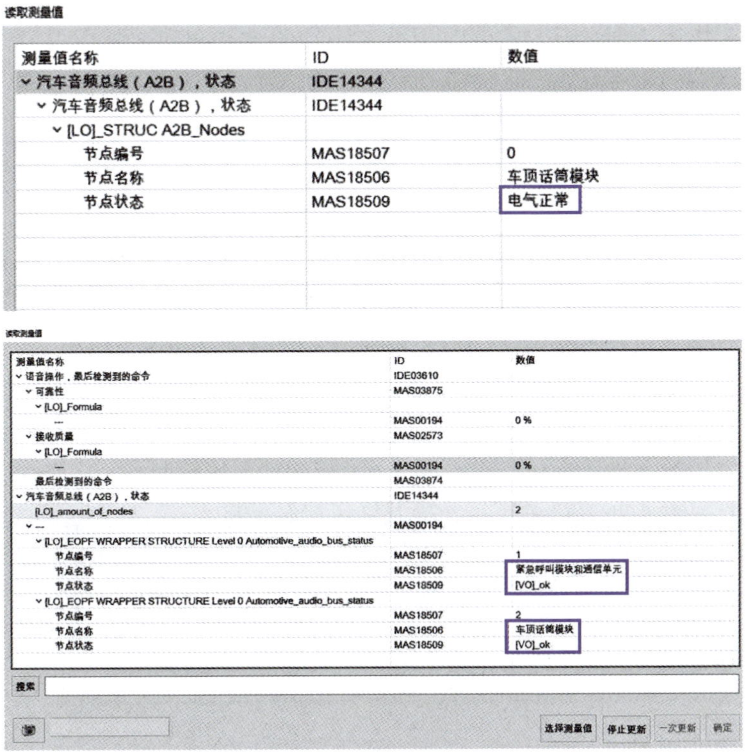

读取测量值

测量值名称	ID	数值
˅ 汽车音频总线（A2B），状态	IDE14344	
˅ 汽车音频总线（A2B），状态	IDE14344	
˅ [LO]_STRUC A2B_Nodes		
节点编号	MAS18507	0
节点名称	MAS18506	车顶话筒模块
节点状态	MAS18509	电气正常

读取测量值

测量值名称	ID	数值
˅ 语音操作，最后检测到的命令	IDE03610	
˅ 可靠性	MAS03875	
˅ [LO]_Formula		
---	MAS00194	0 %
˅ 接收质量	MAS02573	
˅ [LO]_Formula		
---	MAS00194	0 %
最后检测到的命令	MAS03874	
˅ 汽车音频总线（A2B），状态	IDE14344	
[LO]_amount_of_nodes		2
˅ ---	MAS00194	
˅ [LO]_EOPF WRAPPER STRUCTURE Level 0 Automotive_audio_bus_status		
节点编号	MAS18507	1
节点名称	MAS18506	紧急呼叫模块和通信单元
节点状态	MAS18509	[VO]_ok
˅ [LO]_EOPF WRAPPER STRUCTURE Level 0 Automotive_audio_bus_status		
节点编号	MAS18507	2
节点名称	MAS18506	车顶话筒模块
节点状态	MAS18509	[VO]_ok

图 15-9-1　大众 ID6 故障车信息娱乐系统数据流

与正常车倒换麦克风 R38，故障依然存在，而故障车麦克风装到正常车上后语音输入功能正常。根据以上现象，再结合电路图，麦克风 R38 连接到 OCU，OCU 再到 ICAS3，可以判断麦克风、J794、线束没有问题，应该是 OCU 内部故障。

OCU 有 SIM 卡，倒换其他车的 OCU 不能匹配，但是语音功能不受匹配影响，所以倒换正常车 OCU 不执行匹配步骤，测试确认语音输入功能恢复正常。

麦克风 R38 接收到的语音信息传输给 OCU，由于 OCU 自身故障，导致语音信息没有传输给 J794。

更换 OCU 后，试车，故障排除。

15.10 GPS 失效

（1）车辆信息

车型：2022 年长安深蓝 SL03。

（2）故障现象

车机 GPS 定位失效，车机导航位置一直显示在广州。

（3）故障诊断与排除

确定车辆有 4G 网络信号，初步定位为 GPS 导航相关的问题。

拆尾门天线，检查天线模块接插件是否连接完好，插拔后再次确定没有 GPS 定位。

检查 GPS 模块线束电压：若有 3.5V 电压，确定为 GPS 模块问题，更换 GPS 模块；若电压异常，非 3.5V，则确定是前端线束问题。

检查后端线束：拆掉后备厢右边装饰板，检查天线与底盘线束的接口是否正常，并检查底盘端线束电压。若电压为 3.5V，确定为后端线束问题；若电压非 3.5V，则确定是前端线束问题。

拆掉中控台，检查底盘线束与 SVDC（智能整车域控制器）端连接是否正常，发现 SVDC 的线束护套已被压坏，导致线束接触不良。

修复被压坏的线束后，复原车辆，GPS 功能恢复，故障排除。

15.11 无法远程开启空调

（1）车辆信息

车型：奇瑞星途 ET-i 插电式混合动力汽车。

（2）故障现象

使用手机 App 远程无法开启空调，显示“TBOX 认证失败”。

（3）故障诊断与排除

使用诊断仪读取 TBOX 及整车电控系统，无任何故障码。

根据故障现象分析可能原因如下。

❶ TBOX 内写入车辆信息不正确；

❷ TBOX 的车辆防盗信息不正确；

❸ TBOX 自身问题或其他原因导致（如加装、改装等）。

使用诊断仪读取 TBOX 内的车辆信息，与车辆铭牌上的一致，无异常。

重新编程 TBOX 防盗信息学习，无异常。

进行 TBOX 的复位、开启正常模式再编程 TBOX，在操作后测试，手机 App 不再显示“TBOX 认证失败”，可以远程开启空调。

重新编程 TBOX 后，故障排除。

参考文献

[1] 顾惠烽 . 汽车常见故障诊断全书（燃油汽车 + 新能源汽车：2 合 1）[M]. 北京：化学工业出版社，2025.

[2] 曹晶 . 新能源汽车整车故障诊断教程 [M]. 北京：化学工业出版社，2023.

[3] 郭建英 . 新能源汽车零部件识别与故障处理大全 [M]. 北京：化学工业出版社，2024.

[4] 曾小华 . 新能源汽车技术手册 [M]. 北京：化学工业出版社，2025.

[5] 罗健章 . 汽车诊断仪检测故障从入门到精通 [M]. 北京：化学工业出版社，2024.

[6] 周晓飞 . 新能源汽车维修工入门全程图解（配视频版）[M]. 北京：化学工业出版社，2025.

[7] 何章文 . 纯电动汽车动力及控制技术基础 [M]. 北京：化学工业出版社，2024.

[8] 罗玉涛 . 新能源汽车概论 .2 版 [M]. 广州：华南理工大学出版社，2022.

[9] 刘正白 . 新能源汽车与智能网联汽车 [M]. 武汉：湖北科学技术出版社，2024.

[10] 刘春晖，魏代礼 . 新能源汽车维修技能与技巧点拨 [M]. 北京：机械工业出版社，2020.

[11] 刘俊刚 . 新能源汽车故障诊断技术 [M]. 北京：机械工业出版社，2024.